Erik Trinkaus/Pat Shipman · Die Neandertaler

Erik Trinkaus
Pat Shipman

Die Neandertaler

Spiegel der Menschheit

Aus dem Amerikanischen übertragen
von Julia Beise, Andrea Galler, Sonja Göttler
und Cornelia Stoll

C. Bertelsmann

Die Originalausgabe ist 1993 unter dem Titel
»The Neandertales – Changing the Image of Mankind«
im Verlag Alfred A. Knopf, Inc., New York, erschienen.

Umwelthinweis:
Dieses Buch und der Schutzumschlag
wurden auf chlorfrei gebleichtem Papier gedruckt.
Die Einschrumpffolie (zum Schutz vor Verschmutzung)
ist aus umweltschonender und recyclingfähiger PE-Folie.

1. Auflage
© 1992 by Erik Trinkaus und Pat Shipman
© der deutschsprachigen Ausgabe 1993 by C. Bertelsmann
Verlag GmbH, München
Umschlaggestaltung: Manfred Waller unter Verwendung
einer Illustration von Stanislaw Fernandes/The Image
Bank und einem Diorama, Niedersächsisches Landesmuseum
Hannover/Archiv für Kunst und Geschichte
Satz: Büro Dr. Ulrich Mihr, Tübingen
Druck und Bindung: Wiener Verlag
Printed in Austria
ISBN 3-570-12138-0

Für Kim und Alan,
Zachary und Amelia,
Sable und Chutney:
Danke

Inhalt

Prolog

Der Zufall spielte an jenem Augusttag des Jahres 1856 die entscheidende Rolle. Kein Mensch hätte vermutet, daß im Neandertal bei Düsseldorf eine Entdeckung gelingen würde, die den Lauf der Geschichte verändern sollte. Das Tal der Düssel lag, abgesehen von einem seit Jahren dort betriebenen Steinbruch, in lieblich grüner Umgebung. Kein Bauernhof, keine Ansiedlung störte die Einsamkeit, und nichts deutete darauf hin, daß dieses ideale Ausflugsziel mehr war als eine ländliche Idylle.

Der Name des Tals geht auf einen heute weitgehend vergessenen Komponisten des 17. Jahrhunderts zurück, der als Organist und Vikar an der Kirche Sankt Martin in Düsseldorf gewirkt hatte. Sein eigentlicher Name, Joachim Neumann, war ihm vermutlich für den Kirchendienst als zu gewöhnlich erschienen. Vielleicht wollte er sich auch ein wenig wichtig machen und vornehm tun. Oder seine Eitelkeit war größer als sein musikalisches Urteilsvermögen, und er erwartete von einer Namensänderung eine größere Beachtung seiner Choräle und Lieder. War er töricht genug zu hoffen, sein »Lobe den Herrn, den mächtigen König der Ehren« würde in die Kirchenmusikgeschichte seines Jahrhunderts eingehen und seine Kompositionen würden in einem Atemzug mit den Werken Bachs und Buxtehudes genannt werden? Wohl kaum, und doch übersetzte er seinen Nachnamen wie viele zeitgenössische Komponisten in eine der klassischen Sprachen und nannte sich für die Nachwelt »Neander«, nach dem griechischen Wort für »Neuer Mann«.

Seine Gemeinde wußte seine Musik, vielleicht auch seine Predigten, zu schätzen. Jedenfalls gab sie zu seinem Andenken dem

9

Tal der Düssel den Namen Neander Thal. Im Zuge einer Sprachreform wurde Jahre später der Buchstabe *h* gestrichen.

Der englische Dichter Alexander Pope, obgleich kein Zeitgenosse von Neumann, hat in Worte gefaßt, wie die Stellung des Menschen in der Natur gesehen wurde. Popes Verse sind so wohlgesetzt, daß sich ihre Vertonung als Hymne an den neuen Menschen anbieten würde:

> So lerne dich denn selbst erkennen,
>   und bilde dir so keck nicht ein:
> Es werde gar die Gottheit selbst
>   von deinem Geist entwickelt sein ...
> Der Menschen Untersuchungs-Vorwurf
> ist eigentlich der Mensch allein.
> So schwebt er gleichsam fast im Zweifel,
>   ob er beschäftigt oder ruht,
> Ob er, daß er ein Gott entweder,
>   wie oder Thier sey, glauben solle,
> Im Zweifel: welches er am meisten,
>   Leib oder Seele schätzen wolle.[1]

Denn hier, im malerischen *Neu Mann Tal* begann des Menschen größte Suche – die Suche nach der Aussöhnung zwischen Gott und Kreatur, nach dem Verständnis für das Wesen der menschlichen Natur.

Seit Urzeiten hatte das Sickerwasser kleine Kalksteinhöhlen und Überhänge aus dem massiven Felsgestein entlang der steil abfallenden Talhänge gewaschen. Im Jahre 1856 waren nur noch die zwei Feldhofer Grotten von den Pickeln und dem Schwarzpulver der Steinhauer verschont geblieben. Ihr Eingang lag etwa 18 Meter über der Düssel und war so eng, daß sich ein Mensch kaum hindurchzwängen konnte, und von außen war es unmöglich, einen genauen Einblick in das Innere zu erhalten. Von unten waren die Grotten nicht zugänglich, denn die nackten Felswände erhoben sich fast senkrecht vom Flußufer bis hinauf zu einer kleinen, vor dem Höhleneingang gelegenen Plattform, aber auch von oben war der schmale Vorsprung nur schwer zu erreichen. Dies war der Grund, warum diese Höhlen erst als letzte ausge-

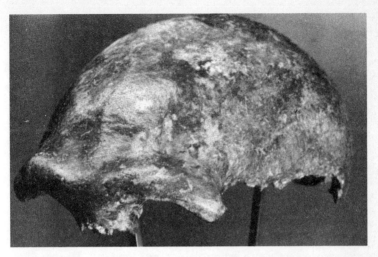

1. *Das 1856 in der Feldhofer Grotte im Neandertal entdeckte Schädeldach. Es war der erste Fund, der einem ausgestorbenen archaischen Menschen zugeordnet werden konnte. Mit ihm begann ein Jahrzehnte währender Meinungsstreit über Ursprung und Alter des Menschen.*

beutet wurden. An jenem Tag im August war es dann soweit: Die Feldhofer Grotten sollten ausgeräumt und ihre Schätze zutage gefördert werden.

Vorsichtig kletterte der Vorarbeiter zu der schmalen Plattform hinab und legte einen Sprengsatz, um den Eingang zu erweitern. Nach der Explosion befahl er zwei Arbeitern, Schutt und Geröll beiseite zu schaufeln. Schicht für Schicht trugen sie Erde, Felsbrocken und Steinsplitter ab. Plötzlich stießen ihre Geräte auf Knochen, und sie unterbrachen die Arbeit. Zuerst tauchte ein Schädel aus dem Boden auf: Er war länglich oval und hatte Überaugenwülste wie ein Tier. In derselben Schicht, nur weiter vom Eingang entfernt, lagen die kräftigen, gekrümmten Oberschenkelknochen einer Kreatur, die viel muskulöser gewesen sein mußte als ein normaler Mensch, außerdem ein Stück eines Beckenknochens, ein paar Rippen sowie Arm- und Schulterknochen.

Der Vorarbeiter hielt die Knochen für Überreste eines Höhlenbären, befahl seinen Arbeitern aber dennoch, die größeren für den Elberfelder Lehrer Johann Carl Fuhlrott, einen begeisterten Naturforscher, beiseite zu legen. Vielleicht konnte sie der Schulmei-

11

ster für seine Sammlung gebrauchen oder mit ihrer Hilfe den Kindern etwas Neues beibringen.

Fuhlrott war, wie so viele seiner gebildeten Zeitgenossen, vom naturwissenschaftlichen Virus infiziert. Wenn er Pflanzen, Tiere und geologische Fundstücke sammeln und studieren konnte, war er glücklich und zufrieden. Er durchstreifte das Hügelland zwischen Wupper, Düssel und Rhein, verbrachte viele schöne Stunden beim Wandern und Sammeln und führte emsig und genau Buch über seine Funde. Mit besonderem Stolz erfüllte ihn die Veröffentlichung eines Büchleins über Pflanzensystematik, das er schon in jungen Jahren verfaßt hatte.

Das Suchen und Sammeln von Versteinerungen und Farnen, von Wildblumen und Vogeleiern gehörte zu den beliebtesten Freizeitbeschäftigungen jener Zeit. Gesunde Bewegung im Freien und gelehrte Unterweisung ließen sich dabei verbinden. Das Studium der aufgefundenen Raritäten veranschaulichte gleichzeitig die Weisheit des Schöpfers, der seine Geschöpfe auf so kluge Weise ihrer Umwelt angepaßt und für das Auge ansprechend gestaltet hatte. Zudem bot die Beschäftigung mit der Naturkunde reichlich Gelegenheit, bei anregenden Spaziergängen mit der Dame oder dem Herrn des Herzens dem durch und durch ehrenhaften Wunsch nachzugeben, hübsche Aquarelle von Seeanemonen anzufertigen oder eine neue Moosart für das dekorative Terrarium im Salon zu sammeln. Dr. Fuhlrott, der bald Berühmtheit erlangen sollte, verfolgte solche Unternehmungen mit Begeisterung.

Einige Wochen nach Beendigung der Ausgrabung wurde er gebeten, zur Feldhofer Grotte zu kommen und die Knochen abzuholen. Der Lehrer freute sich darauf, seine Sammlung mit Teilen eines Höhlenbärenskeletts ergänzen zu können, und sagte begeistert zu.

Die Knochen aus dem Neandertal wurden Fuhlrott ausgehändigt. Und es war sein unschätzbares Verdienst, daß er sogleich erkannte, worum es sich handelte. Knochen dieser Art waren noch nie gefunden worden. Sie stammten weder von einem Höhlenbären noch von einem anderen niederen Wesen: Als er sie verwundert in seinen Händen hin- und herdrehte, begriff er, daß sie das Zeugnis eines neuen Menschen waren. Die Knochen waren offenbar nicht nur uralt, sondern auch unvorstellbar primitiv. Der

Schädel hatte eine »außerordentliche Form« und war von einer bislang unbekannten Struktur.

Aus der großen Zahl und Morphologie der Knochen schloß Fuhlrott, daß das Skelett bei seiner Entdeckung vollständig gewesen sein mußte. Er befragte die Arbeiter und ließ sich von ihnen zur Fundstelle führen. Wie waren die Knochen angeordnet gewesen? Nach Auskunft der Männer hatte der Schädel nahe dem Eingang, die anderen Knochen in derselben Schicht weiter im Innern der Höhle gelegen. Hatten sie auch Knochen ausgestorbener Tiere oder Steinwerkzeuge gefunden? Die Arbeiter verneinten. In der Höhle hätten so viele Steine gelegen, daß sie unmöglich sagen könnten, ob auch Werkzeuge darunter gewesen seien. Und woher sollten sie auch wissen, von welchen Tieren die Knochen stammten? Fuhlrott war enttäuscht. Wie nachlässig und gleichgültig sie doch vorgegangen waren! In der vergeblichen Hoffnung, noch weitere Knochen oder andere Überreste zu finden, durchwühlte er das Bruchgestein. Die genaue Schilderung der Arbeiter aus dem Steinbruch ist in einem Brief nachzulesen. Er stellt heute die einzige zeitgenössische Quelle dar.

Fuhlrott wußte, daß er eine wichtige Entdeckung gemacht hatte, auch wenn er ihre Folgen nicht absehen konnte. Der Naturforscher hielt die Überreste eines Menschen in Händen, der ihn und seine Kollegen auf einem schlecht erleuchteten Weg in die Vergangenheit führen sollte. Und auf diesem Weg sollten sie ihren eigenen Hirngespinsten und selbsterschaffenen Ungeheuern begegnen. Die Fossilien waren Spiegel, in denen sie, entsetzt und von Ehrfurcht ergriffen, ihre eigene menschliche Natur erblickten. Fuhlrott und die anderen mochten sich noch so winden und streiten, der neue Mensch sollte zum Beweis des Undenkbaren werden: Auch der Mensch ist ein Tier.

Seit jenem Augusttag im Jahr 1856, als Arbeiter im Neandertal die Knochen eines Menschen freischaufelten, bis in die Gegenwart hinein haben Wissenschaftler versucht, diesen Menschen und seinesgleichen zu verstehen. Ihre Bemühungen führten zu einer Neuordnung, ja sogar zu einer Neuerschaffung unseres Weltbilds. Unermüdlich suchten sie nach einem Weltentwurf, in dem alle Platz hätten: jene Vorfahren und ihre Nachkommen, die sie erforschenden Menschen.

Der Versuch, die Wahrheit zu finden und die verschlüsselte Botschaft der Vergangenheit zu enträtseln, erwies sich als mühsames Unterfangen, das Widerstände hervorrief, die in der menschlichen Scheu vor Veränderung wurzelten. Der Weg zu neuen Erkenntnissen führte über viele Hindernisse: Fakten wurden geleugnet, Analysen kritisiert, neue Theorien unterdrückt. Doch das Ziel, ein neues Verständnis des Menschen, war so verlockend, daß am Ende alle Gefahren überwunden wurden. Aus diesem mühsamen, von Rückschlägen, hitzigen Debatten und Überraschungen begleiteten Prozeß erwuchs das Bild, das wir heute von uns und jenem längst verstorbenen Menschen haben, den wir Neandertaler nennen.

Ein Mensch, der bereits seit vierzigtausend Jahren tot war und dessen Überreste an jenem sonnigen Augusttag in einem abgelegenen Tal in Deutschland gefunden wurden, löste eine Revolution aus, die die Welt verändern sollte.

1
Gott oder Tier?

Mit den ersten fossilen Funden des Neandertalers wußte eine noch ahnungslose Welt wenig anzufangen. Die raren Fossilien menschlicher Abstammung, die bisher identifiziert worden waren, unterschieden sich kaum vom Jetztmenschen, auch wenn die spärlichen wissenschaftlichen Veröffentlichungen viel Aufhebens um geringfügige Unterschiede machten. Der Terminus *Hominiden,* unter dem heute alle Vertreter der Familie der Menschenartigen von der Abzweigung von der Menschenaffenlinie bis hin zum Jetztmenschen zusammengefaßt werden, war noch nicht geprägt worden. Es gab noch keine Untersuchungsmethode für menschenartige Fossilien, denn niemand hätte sich träumen lassen, daß man Fossilien finden würde, die so stark vom neuzeitlichen Menschen abwichen.

Trotz dieser Unwissenheit bestand bereits damals reges Interesse an den Schädeln verschiedener Menschenrassen, die von Forschern, Missionaren, Kaufleuten und Soldaten voller Stolz den gerade erst entstehenden anthropologischen Gesellschaften vorgelegt wurden. Sorgfältig, wenn auch völlig unsystematisch, wurden sie untersucht und nach offenkundigen Unterscheidungsmerkmalen geordnet. Besondere Aufmerksamkeit richtete sich auf die Erforschung der Abstammung der Rassen, wobei der Begriff *Rasse* im 19. Jahrhundert in einem anderen Zusammenhang gebraucht wurde als heute. Nach modernem Verständnis werden Menschenrassen als große Gruppen definiert, die sich unabhängig voneinander fortgepflanzt haben und auf diese Weise eigene und voneinander unterscheidbare biologische Merkmale entwickeln konnten, wie zum Beispiel die gelblich getönte Haut, das glatte, dunkle Kopfhaar und die dunklen Augen mit der engen Lidspalte der

Mongoliden. Damals hingegen diente der Begriff *Rasse* eher dazu, nationale statt streng biologische Merkmale zu unterscheiden. So war es etwa üblich, die Herkunft der Waliser mit jener der Engländer oder die Herkunft der Deutschen mit jener der Österreicher oder Franzosen zu vergleichen.

Zum Teil diente diese Abstammungskunde ausdrücklich dazu, typische Merkmale verschiedener Rassen zu definieren – nicht nur biologische Merkmale, sondern auch Eigenschaften wie Ehrlichkeit, Intelligenz, Charakterstärke oder künstlerische Fähigkeiten. Anders als zur damaligen Zeit erscheinen solche Bemühungen heute schablonenhaft, ja geradezu rassistisch. Es wurde allgemein davon ausgegangen, daß sich Rassen durch ihre Fähigkeiten und ihren Charakter unterschieden und von daher ihren »natürlichen« Platz in der Weltordnung einnahmen. In den entsprechenden Veröffentlichungen stand die Rasse des Autors zwangsläufig ganz oben in der Hierarchie, eine Haltung, die zu Beginn des 20. Jahrhunderts zunehmend Probleme bereiten sollte.

Kaum hielt man den Schädel eines »Australiers« oder »Sikh« in Händen, begannen die Schwierigkeiten. Welche Maße sollten genommen werden? Welche Unterschiede waren von Bedeutung? Welche Schwankungen bei der Schädelform oder -größe durften als normal gelten? Niemand besaß genaue Kriterien, obgleich zahlreiche Ansichten darüber kursierten.

Zugleich richtete sich das Interesse auch auf die Erforschung der eigenen Vergangenheit. Dies führte zu einer lebhaften Beschäftigung mit Tonscherben, Ruinen und prähistorischen Werkzeugen und Gegenständen, die man in seiner unmittelbaren Umgebung fand. Die Hobby-Archäologen oder Altertumsforscher, wie sie häufiger genannt wurden, entwickelten gewissenhafte, wenn auch mitunter recht kuriose Methoden. Sehr beliebt war es, alte Schriften zu Rate zu ziehen, so etwa römische oder biblische Texte, in denen Eigenschaften, Kleidung, Gewohnheiten und Herkunftsländer verschiedener Völker beschrieben wurden. Solche Zeugnisse, selbst eindeutige Metaphern wie die Beschreibung eines wilden oder stechenden Blickes, wurden wörtlich genommen und, wo immer möglich, mit körperlichen Eigenschaften in Verbindung gebracht. Praktisch ordnete man alles, was als sehr alt erachtet wurde, entweder den Kelten zu, das heißt der vorrömischen Zeit, oder dem Vordiluvium, also der Zeit vor der Sintflut. Bis zum ausgehenden 19. Jahrhundert glaubte oder ahnte niemand, daß einmal Funde gemacht werden würden, die bewiesen, daß die Geschichte der Menschheit und ihrer Vorfahren viel älter war als nur ein paar tausend Jahre; die Menschen vergangener Zeiten unterschieden sich von den gegenwärtigen nicht in ihrem elementaren Sein, sondern nur darin, daß sie primitiver gewesen waren.

Ein Teil des Problems war, daß der Evolutionsgedanke 1856 noch keine breite Anerkennung gefunden hatte, obwohl Wissenschaftler sich schon seit Jahren mit entsprechenden Überlegungen trugen. In naturhistorischen Schriften und Reiseberichten geisterte die Evolution bereits jahrhundertelang wie ein Irrlicht herum: als eine schwer greifbare, unklare These, die nur flüchtig wahrgenommen wurde und sich in nichts auflöste, wollte man sie ergreifen. Aus heutiger Sicht war die Welt Mitte des 19. Jahrhunderts reif für die Evolutionstheorie.

Doch nur wenige Wissenschaftler sahen ein, daß sie an dem Evolutionsgedanken nicht mehr vorbeikamen. So erklärte Thomas Henry Huxley nach der Lektüre von Charles Darwins *Über die Entstehung der Arten*: »Wie außerordentlich töricht von mir, daß ich nicht selbst darauf gekommen bin!«[1] – ein bemerkenswert bescheidenes Wort eines Mannes, der viel begabter als Darwin war und der nach Meinung vieler das Prinzip der Evolution eigentlich selbst hätte entdecken müssen. Doch während der geniale Huxley die Darwinsche Evolutionstheorie als richtig erkannte und ihr dank seiner Redegewandtheit und Intelligenz schließlich auch zum Durchbruch verhalf, reagierten andere Wissenschaftler weitaus weniger aufgeschlossen. Evolution, vor allem die des Menschen, erschien den meisten Zeitgenossen unwahrscheinlich oder unvorstellbar. Und als die Blume der Evolution sich schließlich entfaltete, herrschte allgemeines Staunen über deren Farbe und Gestalt.

Der Grundstein für die Akzeptanz evolutionärer Thesen war bereits gelegt worden. Ein erster Schritt war die eindeutige Kategorisierung von Arten, die dem schwedischen Naturforscher Carl von Linné zu verdanken ist.

Linné wurde 1707 als Sohn eines Pfarrers geboren. Schon früh zeigte er starkes Interesse an Botanik, was sich katastrophal auf seine schulischen Leistungen auswirkte. Sein jüngerer Bruder, ein guter und fleißiger Schüler, trat in die Fußstapfen seines Vaters und besuchte das Seminar. Carl hingegen war als Schüler ein so hoffnungsloser Fall, daß sein Vater ihn zu einem Schuster in die Lehre schickte. Nur dem Eingreifen des Hausarztes Rothman war es zu verdanken, daß er sein Leben nicht mit der Reparatur abgelaufener Absätze und dem Aufnähen von Schuhsohlen verbringen mußte. Wie viele Ärzte seiner Zeit war Rothman ein begeisterter Naturforscher. Im Jahre 1728 überredete er den Pastor Linné, Carl aus der Lehre zu nehmen und ihn nach Lund in Holland zu schicken, wo er Medizin studieren sollte – damals die einzige Möglichkeit, ein naturwissenschaftliches Studium zu absolvieren.

In Lund fand Linné unter Anleitung seines Botanikprofessors seinen Platz in der Wissenschaft – und seine Eintrittskarte zur Unsterblichkeit. Er arbeitete mit Erfolg. Im Jahr 1737 stellte er in seinem Werk *Systema Naturae* eine staunenswerte neue Methode einer biologischen Systematik und Nomenklatur vor. Er untersuchte einzelne Organismen und ordnete sie entsprechend der von ihm beobachteten Eigenschaften (z.B. Färbung der Staubgefäße, Anzahl der Fruchtblätter, Blattform, Anzahl der Stempel usw.) in Kategorien (Taxa) ein. Ähnelten sich einzelne Organismen so sehr, daß sie untereinander fortpflanzungsfähig waren, bildeten sie eine Art oder Spezies. Zur eindeutigen Definition einer Spezies diente ein Grundtypus, der die wesentlichen Eigenschaften dieser Art am besten repräsentierte. Die Spezies wiederum wurden in Gattungen zusammengefaßt und diese in Familien und so weiter. Diese großartige Methode beruhte einzig auf der Annahme, daß die Beziehung zwischen Organismen durch sorgfältige Untersuchung ihrer äußerlichen Merkmale festzustellen ist, gerade so wie Menschen ihre familiäre Zusammengehörigkeit über Generationen hinweg an Ähnlichkeiten wie der typischen Nase oder dem Grübchen im Kinn erkennen.

Das System bestach durch seine Einfachheit. Jeder konnte es erlernen, weshalb es im 19. Jahrhundert, als die Begeisterung für die Naturkunde groß war, weitverbreitete Anwendung fand. Linnés Erfolg lag in seiner Spezifizierung. Der Grundtypus, und nur dieser allein, erhält einen zweiteiligen lateinischen Namen und eine exakte Beschreibung, die zu der Spezies gehört, in die der Grundtypus gestellt wird. Häufig wird darüber gestritten, in welche Spezies neue Funde gestellt werden sollten. Diese Funde werden oft von einer Spezies zur anderen »geschoben«, das heißt sie wechseln ihren Namen. Die Verbindung zwischen Grundtypus und Name der Spezies bleibt jedoch immer erhalten. Bei sich ähnelnden Arten muß die Beschreibung durch einen detaillierten Vergleich mit der ähnlichen Spezies ergänzt werden, einschließlich einer Erläuterung der Unterschiede. Endlich war der verwirrenden und langen Aneinanderreihung von Adjektiven ein Ende gesetzt, die den Unterschied zwischen ähnlichen Organismen herausarbeiten sollten. Vorbei war auch die Benutzung umgangssprachlicher Bezeichnungen, deren Deutung von dem tradierten Wissen der jeweiligen Region abhing. Man stelle sich die Verlegenheit eines Jägers vor, der in Mittelamerika tollkühn auf »Tigerjagd« geht und dabei an die edle, fünfhundert Kilo schwere, bengalische Spezies denkt, dann aber, weil im Englischen mit dem Wort »tiger« auch der Ozelot bezeichnet wird, auf ein geflecktes Tierchen zielen soll, das kaum größer ist als eine Hauskatze.

Linné begründete mit seiner Arbeit im wahrsten Sinne des Wortes ein Natursystem. Zum ersten Mal gab es eine logische Methode, nach der sich alle Lebewesen der Welt ordnen ließen. Darüber hinaus lieferte Linné eine erste klare Systematik für die Anordnung der Exponate in Museen und privaten Sammlungen.

Das Werk wurde weltweit begeistert aufgenommen. Unter der Mitwirkung Hunderter von Hobby-Naturforschern, die darauf brannten, ihm ihre Fundstücke zu schicken in der Hoffnung, eine neue Spezies entdeckt zu haben, feierte er eine wahre Orgie der Namengebung. An ihm war es, Ordnung in das Chaos zu bringen, in dem sich sämtliche Organismen dieser Welt befanden. Er war ein Held, eine Autorität, der »neue Adam im großen Garten der Welt«[2].

Linné liebte seine Arbeit mit der Leidenschaftlichkeit eines Mannes, der seine Lebensaufgabe gefunden hat. Einige Porträts zeigen ihn in der traditionellen Tracht der Lappen, bei denen er einige Monate zugebracht hatte. Die Bilder geben auch einen Eindruck von dem intensiven, durchdringenden Blick des »systematischen Genies«[3]. Obwohl seine Haltung und seine ungewöhnliche

Kleidung auf eine gewisse Bescheidenheit schließen lassen, liegt in seinem Lächeln doch eine Spur von Selbstgefälligkeit. Einem Mann, der es ganz allein fertiggebracht hatte, Ordnung in der Natur zu schaffen, war es wohl auch erlaubt, stolz auf sich zu sein. Dank Linnés Systematik konnten Wissenschaftler und Laien die Arten eindeutig identifizieren. Ein wenig prahlend erklärte er:

Die erste Stufe der Wissenschaft bedeutet, die Dinge voneinander unterscheiden zu können. Dieses Wissen beruht auf den spezifischen Eigenarten der Dinge, und um diese verbindlich festzulegen, bedarf es eindeutiger Namen, die erfaßt und bewahrt werden müssen.[4]

Nachdem die Begriffe jetzt klar definiert waren, stand einem echten Fortschritt in der Biologie nichts mehr im Wege.

Linnés Werk berücksichtigte jedoch mit keinem Wort die Evolution. Sein System legte Begriffe fest, sagte aber nichts über die Entwicklung aus. Zunächst glaubte Linné fest an die Beständigkeit der Arten – wie sollten Merkmale auch festgehalten und verglichen werden können, wenn sie einer Veränderung unterlagen? Doch obwohl sich in die späteren Ausgaben seiner *Systema Naturae* anscheinend Zweifel einschlichen – und ein fähiger Botaniker wie er konnte kaum übersehen, daß es »Abarten« verschiedener Pflanzen gab, die wir heute als Mutationen bezeichnen würden –, wollte oder konnte er nicht anerkennen, daß Ähnlichkeiten zwischen den Arten möglicherweise auf eine gemeinsame Abstammung von früheren Formen hindeuteten.

Dennoch war Linnés Werk *Systema Naturae* der erste Schritt hin zum Evolutionsgedanken, denn es stellte unserem biologischen Wissen über die Welt den notwendigen Ordnungsapparat zur Verfügung. Vielleicht enthielt es sogar schon den zweiten Schritt, denn sein System implizierte – gerade auch durch die rasche Aufnahme, die es erfuhr, und durch die revolutionäre Wirkung, die es auf die naturwissenschaftliche Forschung hatte – die Vorstellung von einer geordneten und erkennbaren Welt. Sein Werk setzte stillschweigend voraus, daß es Naturgesetze gab und daß der Mensch diese Gesetze durch sorgfältiges Studium entdekken konnte. Der Nachweis dieser Gesetze wurde durch ihre Anwendbarkeit erbracht. Wenn ein Naturgesetz richtig hergeleitet war, so mußte es sich in der Natur durch Beobachtung bestätigen lassen. Der feste Glaube an Regeln und Ordnungssysteme, an Ursache und Wirkung, an Theorie und Beweis war eine entscheidende Voraussetzung für die Darwinsche Evolutionstheorie. Linné legte großes Gewicht auf die akribische Untersuchung anatomischer und morphologischer Merkmale mit Hilfe detaillierter, vergleichender Beobachtung, dem Handwerkszeug für wissenschaftliches Arbeiten schlechthin.

Linné rief mit seinem Werk eine allgemeine Begeisterung für naturkundliche Forschung hervor. Viele wollten ihn dabei unterstützen, Ordnung in die Fülle der Lebensformen zu bringen, und schickten ihm Pflanzen, Vögel oder Seeigel, um so ihren Beitrag zu leisten und vielleicht sogar Unsterblichkeit zu erlangen, wenn Linné ein Lebewesen nach ihnen benannte.

Aus dem Hobby einiger Gebildeter wurde bald eine regelrechte Modeerscheinung von außerordentlicher Langlebigkeit. Die Verfügbarkeit billiger Mikroskope, Aquarien und Terrarien (sogenannter »Farnbehälter«) verhalf der Naturkunde zu einem Aufschwung, der zwischen 1820 und 1870 seinen Höhepunkt erlebte. In jeder Region, in jeder Stadt wurden Gesellschaften für Naturkunde gegründet, die Exkursionen durchführten, um beispielsweise seltene Moosarten oder Kohlweißlinge aufzuspüren. An den Küsten fanden sich begeisterte Naturfreunde zusammen, die durch Priele paddelten und nach Seeanemonen und Schnecken suchten, um damit ihre Salons zu verschönern. Junge Damen aus gutem Hause wurden in der Kunst des Aquarellierens und Zeichnens unterwiesen, damit sie jedes verschlungene Detail der kostbaren Fundstücke anmutig auf Papier bannen konnten. Naturkundliche Berichte glichen schlichten, moralisierenden Lehrstücken. In England erfreute sich die Naturkunde gerade deshalb so großer Beliebtheit, weil sie eine reine Liebhaberei blieb. Es gab weder Professuren noch Fakultäten für dieses Fach, und da es nicht unterrichtet wurde, gab es auch keine Prüfungen oder andere lästige Zwänge gleich welcher Art.

Trotz der Beliebtheit der Naturkunde lag der Gedanke an die Evolution noch in weiter Ferne. Viele bedeutende Naturforscher des 18. und 19. Jahrhunderts waren Männer der Kirche (und Verfechter der sogenannten Naturtheologie), die schon vor der leisesten Andeutung, daß sich Gottes Geschöpfe veränderten, zurückgeschreckt wären, denn schließlich hätten sie darin einen Hinweis auf die Unvollkommenheit des Schöpfungsplans sehen müssen. Dies war undenkbar – oder zumindest unaussprechbar.

Dennoch leistete das Christentum auf seine Weise einen wichtigen Beitrag zur Entwicklung evolutionärer Theorien. Dabei spielte sein linearer Zeitbegriff eine zentrale Rolle. Im Gegensatz zu den meisten anderen Religionen, für die Zeit aus sich wiederholenden Zyklen besteht, hat die Zeit nach christlichem Verständnis einen Anfang, eine Mitte und vermutlich auch ein Ende; so wie Jesus Christus – sei es als historische Gestalt oder als Sohn Gottes – zu uns kam, unter uns Menschen weilte und starb. Der christliche, und heute auch westliche, Zeitbegriff ist zielgerichtet. Geschichte schreitet voran, sie wiederholt sich nicht in stetiger Wiederkehr. Im eigentlichen Wortsinn neue Entdeckungen werden gemacht, und die Welt verändert sich.

Obwohl das Christentum mit dem ihm eigenen Zeitbegriff in Europa längst verbreitet war, wurde das unbewußte Verhältnis der Menschen zur Zeit im 18. und frühen 19. Jahrhundert durch zwei Entdeckungen beeinflußt und verändert. Die erste Entdeckung war atemberaubend einfach: Ausgestorbene Arten waren als Fossilien erhalten.

Natürlich waren Fossilien schon seit langer Zeit bekannt und von Forschern wie dem englischen Geistlichen John Ray als kuriose Naturerscheinungen untersucht worden. Ray äußerte sich bereits Ende des 17. Jahrhunderts verwundert darüber, daß geochemische Prozesse Formen hervorbringen konnten, die eine verblüffende Ähnlichkeit mit Blättern und Muscheln aufwiesen. Doch erst im Laufe der Zeit keimte die Erkenntnis, daß es sich dabei tatsächlich um Überreste lebender Organismen handelte. Noch länger dauerte es, bis Naturforscher erkannten, daß fossile Knochen und Zähne Überreste von Tieren waren, die einst an Land oder im Meer gelebt hatten. Die erste Erwähnung eines fossilen Knochen stammt von Fothergill, der 1758 die in der Nähe der englischen Stadt Withby entdeckten fossilen Knochen eines Alligators beschrieb.

Neben der Religion spielte auch die Politik eine bedeutende Rolle bei der Entwicklung der Evolutionstheorie. Im späten 18. Jahrhundert galt Frankreich – vor allem Paris – als das bedeutendste Zentrum naturwissenschaftlicher Forschung in Europa. An den deutschen Universitäten lag der Schwerpunkt auf Geologie und Bergbau, und in England wurden die Naturwissenschaften kaum öffentlich gefördert. Unter dem späteren Kaiser Napoleon festigte die neue französische Republik in den Jahren 1793 bis 1795 ihre Stellung. Das neue Frankreich, das Napoleon vorschwebte, sollte auf diesem wie auf allen anderen Gebieten eine führende Rolle in der Welt spielen.

In dem neugegründeten Muséum National d'Histoire Naturelle (Nationalmuseum für Naturgeschichte) in Paris, dem späteren Nationalmuseum, wurde die ungewöhnlich hohe Zahl von zwölf neuen Professuren eingerichtet, vier davon für Spezialgebiete wie Fossilien und ähnliche Dinge. Die Inhaber dieser Lehrstühle hatten einen enormen Einfluß. Zwei von ihnen waren anerkannte ältere Herren: der 51jährige Barthélemy Faujas de Saint-Fond, Professor für das neue Fach Geologie, und der 49jährige Antoine de Monet, Chevalier de Lamarck, ehemals Botaniker und nun zuständig für Evertebraten (wirbellose Tiere). Außerdem waren da noch zwei vielversprechende Nachwuchsforscher: Etienne Geoffroy Saint-Hilaire, der schon mit 21 Jahren Professor für Zoologie der Vertebraten (Wirbeltiere) wurde, und sein Protegé Georges Cuvier, der wie Napoleon 25 Jahre alt war, am Beginn einer steilen Karriere stand und schon bald Professor der Anatomie werden sollte. Cuviers Spezialgebiet waren die Vertebraten. Seine Arbeit brachte ihn also in engen Kontakt mit Geoffroy Saint-Hilaire.

Eine Zeitlang stimmten die beiden Wissenschaftler in allen Fragen überein, dann aber machte sich Cuvier daran, eine umfassende anatomische Sammlung fossiler Fundstücke aufzubauen, die er mit großem Eifer präparierte, abzeichnete und miteinander verglich. Erstaunlich schnell konnte er sein Wissen und seinen Einfluß vergrößern, und Anfang 1796 war es nicht der Schüler, sondern der Meisteranatom Cuvier, welcher der französischen Wissenschaft seine auf Vergleich beruhende Methode zur Untersuchung fossiler Tiere und seine Theorie über deren Aussterben in einer Arbeit vorstellte mit dem Titel *Mémoires sur les espèces d'élé-*

phants vivants et fossiles (Anmerkungen über die Arten lebender und fossiler Elefanten). Die Anerkennung als Wissenschaftler genügte Cuvier jedoch nicht. Seine erstaunliche Fähigkeit, aus einem Haufen einzelner Säugetierknochen, die an Abfälle einer Schlachterei erinnerten, ganze Tiere erstehen zu lassen, wobei ihm sein profundes Wissen über die Anatomie lebender Arten zu Hilfe kam, trug ihm in der Öffentlichkeit den Spitznamen »Der Zauberer aus dem Beinhaus« ein. Der ehrgeizige, junge und brillante Cuvier verstand seine Arbeit als eine Überprüfung von »Tiermaschinen«, deren Körper nach mechanischen, funktionalen Prinzipien arbeiteten, die durch sorgfältiges Studium hergeleitet werden konnten. Der Name Cuvier steht für das Schicksal der französischen Wissenschaft im 19. Jahrhundert.

Die Erkenntnis, daß Fossilien Reste ausgestorbener Lebewesen sind, hatte weitreichende Folgen, denn der in Europa alles beherrschende christliche Glaube ließ zu dieser Zeit nur eine Form der Schöpfung zu, nämlich die biblische, nach der eine spätere Veränderung der Arten unmöglich war. Welche Bedeutung kam dann aber den Fossilien zu?

Im 17. und 18. Jahrhundert wurde eine Reihe kreativer Lösungen vorgeschlagen, die immer wieder aufs neue hervorgebracht wurden, wenn ein Forscher zu verstehen begann, daß Fossilien tatsächlich Überreste einstiger Lebewesen sind. Manche hielten sie für die Überreste von Arten, die in anderen Teilen der Welt noch existierten. (Der hochgelehrte Thomas Jefferson hegte die kühne Hoffnung, Lewis und Clark könnten im mittleren Westen der Vereinigten Staaten lebende Mastodonten finden.)

Je genauer nun auch entferntere Erdteile erforscht wurden, desto weniger konnte diese Auffassung aufrechterhalten werden. Spannende und abenteuerliche Reiseberichte aus exotischen Ländern erfreuten sich wachsender Beliebtheit. Unersättlich verlangte das Publikum nach unterhaltsamen Reiseerzählungen, die häufig mit haarsträubenden Geschichten ausgeschmückt waren. Mit wenigen Ausnahmen wimmelte es darin von betrügerischen und skrupellosen Eingeborenen und furchterregenden, wilden Tieren, die nur dank der Unerschrockenheit des Autors in Schach gehalten werden konnten, der, obwohl von tropischen Krankheiten geschwächt, in der Wildnis seinen Mann stand und niemals aufgab, verzehrt von der Sehnsucht nach den Lieben daheim, die sich lange um ihn gesorgt, inzwischen aber die Hoffnung auf seine Heimkehr wohl endgültig aufgegeben hatten. Wie sonst hätten die Leser zu Hause in ihren bequemen Sesseln die exotischen Freuden nachempfinden können? Abenteuerbücher, selbst solche zweifelhafter Natur, wurden zu Tausenden verkauft. Und doch: In dem Maße, wie selbst das finsterste Afrika und das wildeste Borneo zu relativ vertrauten Gegenden wurden, wurde auch immer deutlicher, daß viele der als Fossilien erhaltenen Tiere nicht mehr existierten.

Einer anderen Hypothese zufolge stammten die Fossilien von Tieren, die in der Sintflut umgekommen waren, weil sie die Arche Noah nicht mehr rechtzeitig erreicht hatten. Die Schichten geologischer Formationen, welche von einer unermeßlichen Artenvielfalt zeugten, machten es auch dieser Annahme schwer, sich zu behaupten.

Das führte schließlich zu einem dritten Entwurf, der Katastrophentheorie. Danach deutete das Sedimentgestein, das in seinen Schichten unterschiedliche fossile Arten beherbergt, auf eine Reihe von Schöpfungen und Weltzerstörungen hin, von denen nur die jüngste Eingang in die Bibel gefunden hatte. In ihrer einfachsten Form war die Katastrophentheorie kaum mehr als ein Trick, um die geologischen Fakten mit der biblischen Schöpfungsgeschichte in Einklang zu bringen.

Cuvier wurde bald zum führenden Verfechter einer besonders raffinierten Variante der Katastrophentheorie. Nach dieser Theorie wurden ganze Regionen der Erde durch geologische Umwälzungen oder »Revolutionen« zerstört, bei denen alles Leben vernichtet wurde. Cuvier war der Meinung, daß die im Gestein konservierte Abfolge fossiler Fauna eher für die Wiederbesiedlung solcher Gegenden durch Tiere aus benachbarten Regionen sprach als für eine Vielzahl von Schöpfungen. Da jedes Tier einer Art Präzisionsmaschine glich, die genau auf ihre Aufgaben im Leben eingestellt war, konnte nur eine Revolution größeren Ausmaßes ganze Arten auslöschen. Die Vernichtung fossiler Organismen, ja, die katastrophenbedingte Zerstörung ganzer, von unserer heutigen Welt sich grundlegend unterscheidender Welten war Cuviers Lieblingsthema, auf das er bei jeder Gelegenheit zu sprechen kam.

2. *Georges Cuvier, Palä-*
ontologe am Muséum Na-
tional d'Histoire Naturelle
in Paris, vertrat die Katha-
strophentheorie, nach der
sich die Fossilgeschichte als
eine Abfolge von Schöpfun-
gen und deren Zerstörung
erklären läßt.

Im Frankreich des frühen 19. Jahrhunderts entzündete sich an
der Deutung von Fossilien ein heftiger Streit zwischen Cuvier, dem
jungen Fachmann für Säugetier-Paläontologie, und Lamarck, dem
bejahrten und berühmten französischen Gelehrten, der, von Haus
aus Botaniker, sein Forschungsinteresse erst später auf die Evertebraten gelenkt hatte. Die Porträts aus jener Zeit könnten den
Unterschied zwischen den Kontrahenten kaum deutlicher zeigen.
Cuvier war ein gutaussehender junger Mann mit blauen Augen
und kleiner, zierlicher Statur, dabei eitel und arrogant. Das Porträt
zeigt ihn mit gepuderten Locken und modischem Zweireiher – das
vollkommene Abbild eines gelehrten Stutzers aus napoleonischer
Zeit. Cuvier wurde am 23. August 1769 geboren und auf den
Namen Jean-Léopold-Nicolas-Frédéric Cuvier getauft. Da sein älterer Bruder im selben Jahr starb, wurde der Knabe fortan Georges gerufen. Obwohl Cuvier einer guten Familie entstammte, war
er nicht vermögend. Dieses Manko erwies sich angesichts der Ge-
walttaten der Französischen Revolution als ein unerwartet günsti-
ger Umstand. Während in Paris die Köpfe rollten, lebte Cuvier
unbehelligt in der Normandie und verdingte sich als Hauslehrer

einer Adelsfamilie. In seiner Freizeit betätigte er sich als Naturforscher. Geoffroy Saint-Hilaire bekam einige seiner Aufzeichnungen über Molluske (Weichtiere) in die Hand, war beeindruckt und
überredete Cuvier dazu, im Naturhistorischen Museum weiterzuarbeiten, wo er bald zum Professor für Zoologie aufstieg.

*3. Jean Baptiste Pierre Antoine de Mo-
net, Chevalier de Lamarck, französischer
Biologe Anfang des 19. Jahrhunderts,
war ein Gegner Cuviers und der erste
Wissenschaftler, der überzeugend für die
Theorie der kontinuierlichen Evolution
des Lebens eintrat.*

Der nahezu fünfundzwanzig Jahre ältere Lamarck war von
einer früheren Epoche geprägt. Sein Porträt zeigt einen vergräm-
ten Mann mit ängstlichen Augen, großer Nase und eng anliegen-
der Puderperücke. Lamarck war der Sproß einer verarmten Adelsfamilie. Seine wissenschaftliche Ausbildung erhielt er von dem
großen Naturforscher Buffon, dessen Sohn er als Privatlehrer unterrichtete. Das Porträt zeigt einen Lamarck, den das Leben wohl
oft enttäuscht hatte. Er tat sich schwerer als Cuvier und erklomm
die Erfolgsleiter viel langsamer als sein Kontrahent. Die Professur
am Museum war der schwererrungene Erfolg eines Mannes, der
mühsam sein Auskommen hatte verdienen müssen, dabei aber nie
seine wissenschaftlichen Interessen vernachlässigt hatte. Er war
konservativ, altmodisch und ein verknöcherter Pedant, aber dennoch offen für die Diskussion neuer, nicht durch Fakten unter-
mauerter Theorien.

Cuvier verabscheute Lamarck und seine evolutionären Ideen
mit dem glühenden Haß, den die kühnen und jungen, von der
absoluten Richtigkeit ihres wissenschaftlichen Vorgehens überzeugten Männer für die Alten empfinden, die ihnen engstirnig,
schwach und senil erscheinen. Die von Cuvier angeführte neue

napoleonische Wissenschaftlerelite machte in ihrer Verachtung selbst vor dem Werk Buffons nicht halt – der beherrschenden Persönlichkeit in der Naturwissenschaft des vorrevolutionären Frankreichs. Sie verspotteten sein Werk als »kosmologische Romantisiererei«, die den »Fortschritt wahrer naturwissenschaftlicher Erkenntnis« behindere[5].

Lamarck wiederum muß in Cuvier einen verwöhnten, arroganten, allzu jungen Mann gesehen haben, der die Karriereleiter zu rasch erklommen hatte. Lamarck hatte unter Buffon studiert und war empört, daß dieser Emporkömmling sich anmaßte, in die Fußstapfen des großen alten Mannes der Naturgeschichte zu treten. Lamarck und seine Wissenschaft würden weiterbestehen, wohingegen diese modische, revolutionäre Wissenschaft sicherlich bald überholt sein würde. Unbeirrt setzte er seine Arbeit fort und veröffentlichte eine Überarbeitung der Klassifikation niederer Tiere, die von dem mehr botanisch orientierten Linné in wirrer Unordnung belassen worden war. Auch wenn es vielleicht nur eine Fleißarbeit war, so handelte es sich doch um eine gründliche und beeindruckende Vervollständigung der bisherigen Einteilung in Klassen.

Im Jahre 1801 nahm der Disput seinen Anfang. Wie Napoleon, der mit einem Handstreich Österreich besiegte, war auch Cuvier auf dem Vormarsch. Er veröffentlichte sein klassisches Werk *Extrait d'une ouvrage sur les espèces de quadrupèdes dont on a trouvé les ossements dans l'intérieur de la terre* (Über die Spezies der Vierfüßler, deren Gebeine im Innern der Erde gefunden wurden). Darin erhob er den Anspruch, mit seiner systematischen Untersuchung fossiler Funde den empirischen Beweis erbracht zu haben, daß die Erde ein- oder mehrmals von Katastrophen oder Kataklysmen erschüttert worden sei, deren verheerende Auswirkungen zum Aussterben der an Land lebenden Säugetiere geführt hätten.

Dieser Ansatz ließ keine Evolution, keine graduelle Veränderung von einer Art in eine andere zu, denn damit wäre Cuviers Lieblingsidee in Frage gestellt gewesen: das Aussterben. Die von Lamarck seit Jahren angedeuteten Überlegungen zu einer mutativen Veränderung der Arten hielt Cuvier schlichtweg für falsch. Außerdem hatte er begriffen, daß es momentan nicht opportun war, eine Sichtweise zu vertreten, die den Lehren der Kirche widersprach. Napoleon unternahm große Anstrengungen, die Kirche auf seine Seite zu ziehen, um seine Position zu festigen und seine Macht zu sichern. Er hob die Trennung von Staat und Kirche auf und erkannte die römisch-katholische Kirche als Vertreterin der Religionsmehrheit an, wenngleich er auch die Ausübung anderer Religionen zuließ. Als napoleonischer Wissenschaftler hütete sich Cuvier deshalb wohlweislich, sich zu einer abstammungsgeschichtlichen, antiklerikalen Theorie zu bekennen.

Ebenfalls 1801, ein Jahr bevor Napoleon sich zum Konsul auf Lebenszeit machte, veröffentlichte Lamarck, offenbar unbeeindruckt von allen dramatischen politischen Veränderungen, seine Antwort auf Cuvier. In seinem großen theoretischen Werk *Système des animaux sans vertèbres* (Über die Ordnung der wirbellosen Tiere) stellte er erstmals klar seine Position dar und brachte auch seinen Dank gegenüber Buffon zum Ausdruck. Er übernahm das alte Konzept der Scala naturae, der Stufenleiter des Seins, und gab ihm eine neue, evolutionäre Bedeutung.

Die Theorie der Scala naturae stammte aus dem Mittelalter und besagte, daß alle Lebewesen auf einer unendlichen Leiter oder Kette nach ihrer Komplexität und Vollkommenheit hierarchisch angeordnet waren. Über nicht wahrnehmbare Stufen führte der Weg vom niedrigsten Wurm bis hin zu Gottes letztem Geschöpf, dem Menschen, und weiter hinauf zu den Engeln und Erzengeln. In ihrer ursprünglichen Form sollte die Scala naturae eigentlich nur die Unveränderlichkeit und Konstanz der Arten unterstreichen. Danach hatte jedes Lebewesen seinen von Gott zugewiesenen Platz im Weltsystem und blieb von Veränderungen verschont, denn in seiner Vollkommenheit war es allein für diesen Platz geschaffen worden. Aber Lamarck veränderte dieses Weltbild in entscheidenden Punkten, um es seiner eigenen Evolutionstherie (»transformism«) anzupassen.

In einfachen Worten ausgedrückt sagte Lamarck, daß Lebewesen über Generationen hin die Stufen der Scala naturae erklimmen. Sie sind also nicht beständig oder unveränderbar, sondern entwickeln sich. Lebewesen werden nicht als vollkommene Geschöpfe erschaffen, sondern erlangen ihre Vollkommenheit erst im Laufe der Zeit. Erstaunlich aus heutiger Sicht ist Lamarcks These, daß den Veränderungen eine Willensanstrengung und ein unbewußter Drang nach Vollkommenheit zugrunde liegen. Wenn ein Tier bestimmte Körperteile auf neue Weise gebraucht, um sich veränderten Umweltbedingungen anzupassen, verändert es sich und überträgt diese Veränderungen auf seine Nachkommenschaft. Lamarcks Abstammungstheorie war zwar keine Evolutionstheorie im Darwinschen oder im heutigen Sinne, dennoch enthielt sie einen Evolutionsgedanken, der in klarem Gegensatz zur These von der Beständigkeit der Arten stand.

»Wir müssen davon ausgehen,« folgerte Lamarck, »daß jedes lebende Wesen unmerklich seinen organischen Aufbau und seine Form verändert... Wir dürfen nicht erwarten, unter den existierenden Lebewesen diejenigen zu finden, die uns von fossilen Funden her bekannt sind. Und wir müssen vermuten, daß ein Organismus nicht wirklich verlorengegangen oder ausgestorben ist.«[6]

Kein Aussterben? Cuvier war empört und blies zur Attacke, wie Napoleon, der erneut einen europäischen Krieg heraufbeschwor, indem er Frankreich auf seine »natürlichen« Grenzen ausdehnte und eine aggressive Kolonialpolitik betrieb. Im Jahre 1804 schien beiden der Sieg sicher. Napoleon krönte sich selbst zum Kaiser der Franzosen; nach zehn Jahren war der charismatische Führer der Franzosen damit auf dem Höhepunkt seiner Macht angelangt. Cuvier seinerseits konnte triumphierend auf die Ergebnisse einer französischen Militärexpedition zu den ägyptischen Pyramiden verweisen, die neben dem berühmten Stein von Rosette auch eine Reihe mumifizierter Vögel und Säugetiere nach Europa gebracht hatte. Keines der von den alten Ägyptern konservierten Tiere unterschied sich im mindesten von heutigen Lebewesen, obwohl sie einige tausend Jahre alt waren – beinahe so alt wie die biblische Schöpfung selbst, die von den Gläubigen auf Sonntag, den 23. Oktober, um 9 Uhr früh des Jahres 4004 v. Chr. datiert wurde. Kein Aussterben? Nein! Keine Evolution! – so mag Cuvier selbstgefällig gedacht haben. Wie im Expeditionsbericht des Museums selbst vermerkt, bot sich hier eine ausgezeichnete Möglichkeit, Lamarcks Ideen zu überprüfen.

Lamarck ließ sich davon nicht beeindrucken. Seiner Meinung nach veränderten sich Organismen so langsam und unmerklich, daß ein paar tausend Jahre nicht ins Gewicht fielen. Unbeirrt veröffentlichte er 1809 seine *Zoologische Philosophie,* in der er an seiner Abstammungstheorie festhielt: Lebewesen veränderten sich deshalb, weil ihre veränderte Umwelt neue Anforderungen und neue Bedingungen stellte. Lamarck führte das berühmte Beispiel von der Giraffe an, die ihren Hals beim Fressen immer weiter in die Höhe reckte, um auch an die Blätter in den Baumkronen zu gelangen, bis sie sich von einem Tier mit kurzem Hals zu der heute bekannten Giraffe mit langem Hals entwickelt hatte. Lamarck deutete sogar an, daß der Mensch affenähnliche Vorfahren gehabt habe, ohne allerdings zu erklären, warum sich der Affe zum Menschen entwickelt haben könnte.

Unlogisch erscheint aus heutiger Sicht Lamarcks Theorie über das Zustandekommen solcher Veränderungen, die er mit der Vererbung erworbener Eigenschaften erklärte. Hier lag eine der Schwachstellen seiner Theorie, denn im Endeffekt behauptete er, daß, wenn man genügend Mäusen die Schwänze abschneidet, einige ihrer Nachkommen schwanzlos auf die Welt kämen. Da allerdings zu seiner Zeit nicht einmal die elementarsten Begriffe der Vererbungslehre bekannt waren (der Begriff *Gen* als Erbeinheit im Mendelschen Sinne kam erst 1909 auf), waren Lamarcks Thesen über die Vererbung genauso plausibel wie jede andere Lehre.

Die Rivalität zwischen Lamarck und Cuvier muß höchst unerfreuliche Formen angenommen haben. Beide arbeiteten in derselben Institution. Ihre Meinungsverschiedenheiten und ihre gegenseitige Antipathie wurden durch die fast täglichen, zufälligen Begegnungen und den Tratsch unter den Kollegen noch verstärkt. Jahrelang bekämpften sie sich gegenseitig in ihren Schriften und Vorlesungen, was nur zu einer Verhärtung der Fronten führte. Ihre jeweiligen Spezialgebiete standen für ihre unterschiedlichen Weltanschauungen. Der eine glaubte an langsame, sich über Äonen erstreckende Veränderungen: Lamarcks Vorliebe galt den Pflanzen und Evertebraten, jenen ungezählten, passiven, bewegungslosen Lebewesen, die Tausende und Abertausende von Nachkommen produzieren. Der andere glaubte an plötzliche, heftige Veränderungen, an eine von katastrophalen Einschnitten bestimmte Welt: Cuvier bevorzugte die agilen, kampflustigen, fauchenden und rennenden Säugetiere.

Mit der Zeit wies Cuvier sogar Beweise zurück, die er selbst zusammengetragen hatte. So behauptete er, wirbellose Tiere seien ebenso wie Säugetiere und Reptilien analog zu den in den geologischen Schichten sichtbaren Veränderungen vernichtet worden. Damit drang er in den Zuständigkeitsbereich seines Kontrahenten ein, und Lamarck wartete vermutlich belustigt auf die Beweise für eine solche These. Die Arbeit, mit der Cuvier schließlich an die Öffentlichkeit trat, bewies, daß fossile Mollusken und Evertebraten in übereinanderliegenden Schichten durchaus Katastrophen überlebt hatten. Cuvier war damit zwar widerlegt, aber so leicht gab er nicht auf. Bei diesen Mollusken und Evertebraten, so behauptete er, handele es sich lediglich um einige wenige überlebende Organismen aus einer angrenzenden Schicht. Die Katastrophe sei eben nicht so verheerend gewesen wie sonst.

Jetzt griff der Streit auf die Kollegen über, unter ihnen auch Geoffroy Saint-Hilaire, der auf der Expedition in Ägypten mumifizierte Säugetiere gefunden hatte. Ursprünglich davon überzeugt, daß die ägyptischen Funde die These von der Beständigkeit der Arten untermauerten, änderte er allmählich seine Meinung und näherte sich immer mehr Lamarck an. Saint-Hilaire bereitete sich darauf vor, für Lamarck den Fehdehandschuh aufzunehmen.

Cuvier war mittlerweile eine wichtige Persönlichkeit des öffentlichen Lebens und ein führender Wissenschaftler. Während er zielstrebig seine akademische Karriere verfolgte, war er zum Generalinspekteur des Unterrichtswesen ernannt worden und brachte maßgebliche Bildungsreformen auf den Weg, für die er 1811 zum Ritter geschlagen und mit dem Titel eines Barons belohnt wurde. Drei Jahre später wurde er in den Staatsrat gewählt. Es gelang ihm, Napoleons Sturz und anschließendes Exil zu überstehen, ohne seine Position und seinen Einfluß zu verlieren. In der Zeit nach Napoleon, als in Frankreich eine konstitutionelle Monarchie herrschte, wurden abweichende Meinungen anscheinend eher toleriert als zuvor. Jedenfalls ging Geoffroy Saint-Hilaire nun daran, Cuvier in Publikationen öffentlich herauszufordern. So schrieb er, daß äußere Einflüsse Wachstum und Entwicklung bestimmen könnten, daß Lebewesen also in der Lage seien, sich zu verändern und zu entwickeln. In seiner *Philosophie anatomique*, in der er auf Lamarcks Theorie zurückgriff, versuchte Geoffroy Saint-Hilaire, am Beispiel der Cephalopoden (Kopffüßler), zu denen auch der Nautilus (Perlboot) und der Kalmar (zehnarmiger Tintenfisch) gehören, eine Kontinuität zwischen Evertebraten und Vertebraten nachzuweisen und damit ein Hindernis zu beseitigen, das den Vertretern der Abstammungstheorie schon lange im Wege stand. »Philosophisch gesehen«, erklärte er, »gibt es eigentlich nur ein einziges Lebewesen.«[7]

Im Jahre 1825, nur wenige Jahre vor Lamarcks Tod, setzte Geoffroy Saint-Hilaire den Kampf mutig auf Cuviers eigenem Gebiet fort. Er hatte die Dreistigkeit, mit einer neuen und von Cuvier abweichenden Interpretation lebender und fossiler Krokodile an die Öffentlichkeit zu treten. Mit Hilfe der vergleichenden Anatomie, Cuviers eigener Methode, zeigte er, daß heute lebende Krokodile unter dem Einfluß sich verändernder Umweltbedingungen aus fossilen Krokodilen hervorgegangen sein könnten.

Cuvier nahm die Herausforderung nur ungern an. Er war inzwischen zum Museumsdirektor ernannt worden und genoß in der Öffentlichkeit den Ruf eines renommierten Naturwissenschaftlers. Seine starre Ablehnung des Evolutionsgedankens entsprach dem Geist der Zeit. Er besaß Macht, eine einflußreiche Position und die Gabe, sich in Wort und Schrift gut auszudrücken. Und sein Einfluß wuchs unaufhaltsam weiter. Als er starb, stand er kurz vor seiner Ernennung zum Innenminister.

Aus Lamarck war inzwischen ein alter, erblindender Mann geworden. Seine körperliche Verfassung war wie ein Symbol dafür, daß er eine andere Generation mit überholten Ansichten repräsentierte. Es mangelte ihm an Gespür und Energie für den Kampf mit Cuvier, und im Gegensatz zu seinem jüngeren Widersacher schrieb er ausgesprochen trockene Bücher. Als er 1829 in Armut starb, galt er in den Augen seiner französischen und englischen Kollegen als Verlierer, und doch war er der Wahrheit weitaus näher gekommen als Cuvier, wie wir heute wissen.

Auch nach dem Tod seines Rivalen dachte Cuvier nicht daran, den Kampf zu beenden. Ja, er war sich nicht zu schade, Lamarck sogar noch posthum zu beleidigen. So veröffentlichte er 1832 eine vernichtende Kritik seiner Theorien, die nur oberflächlich als Nachruf auf seinen Erzfeind kaschiert war.

Ein auf solchen Grundlagen beruhendes System mag die Phantasie des Dichters ansprechen ... nicht einen Augenblick aber kann es der Überprüfung eines Mannes standhalten, der schon einmal eine Hand, einen Darm oder auch nur eine Feder präpariert hat.[8]

Er erhob die denkbar schlimmsten Vorwürfe gegen Lamarck und nannte ihn einen unwissenschaftlichen, romantischen Naturforscher – eine unverhohlene Anspielung auf die damals immer populärer werdende Naturphilosophie in Deutschland, eine Lehre mit einer ausgeprägt romantischen Sichtweise von Gottes herrlicher Natur.

Cuvier wollte mit seinem geschmacklosen, kleinkarierten Angriff nicht nur Lamarcks Ideen zu Grabe tragen, sondern gleichzeitig Geoffroy Saint-Hilaire davor warnen, Lamarcks evolutionäre Thesen wieder auferstehen zu lassen. Cuvier starb noch im selben Jahr während einer Choleraepidemie. Man darf vermuten, daß sein Nachruf, wer immer ihn verfaßt haben mag, schmeichelhaft ausfiel.

Anfang des 19. Jahrhunderts, zur selben Zeit, als Cuviers Katastrophentheorie sich gegenüber evolutionären Thesen durchzusetzen begann und Lamarck vergeblich versuchte, die französischen Wissenschaftler von der Veränderlichkeit der Arten zu überzeugen, trat in England Erasmus Darwin mit einer ähnlichen, wenn auch etwas verschwommenen Evolutionstheorie an die Öffentlichkeit. Die in seinem Werk *Zoonomia oder Gesetze des organischen Lebens* dargelegten Thesen fanden relativ wenig Anhänger, wurden aber heftig diskutiert, vor allem in seiner weitverzweigten, aufgeschlossenen Familie, zu der auch sein berühmter Enkel, Charles Darwin, gehörte. Das Problem war, daß der alte Darwin ein wenig als Spinner verschrien war: als ein Mann, der zwar gute Ideen entwickelte, sie aber nicht untermauern konnte, dessen Theorien zwar plausibel klangen, aber letztlich nicht haltbar waren. Der Dichter Coleridge prägte sogar das Verb »darwinisieren«, was soviel hieß wie »wild spekulieren«. Wäre Erasmus Darwin nicht der Großvater des Autors von *Über die Entstehung der Arten* gewesen, wäre sein Beitrag zum Evolutionsgedanken nur eine Randnotiz in der Geschichte der Naturwissenschaft geblieben. Jedenfalls scheint er in seiner Familie mehr Gehör gefunden zu haben als in der Öffentlichkeit. Eines zumindest können wir aus seinem Werk lernen: Ohne eine Fülle hieb- und stichfester Beweise sollte man seine Ideen lieber für sich behalten. Wie wir wissen, hat sich der junge Darwin diese Lehre zu Herzen genommen.

Die Katastrophentheorie beherrschte viele Jahre lang die Wissenschaft in Frankreich, England und Deutschland. Erst der englische Geologe William Smith, der praktische Feldforschung betrieb und wenig Sinn für das Theoretisieren oder Publizieren besaß und auch der Evolutionstheorie nicht zuneigte, stellte unbeabsichtigt Beobachtungen an, welche die Katastrophentheorie schließlich zum Einsturz brachten.

Smith vertraute auf das, was er mit eigenen Augen sah, ganz unbelastet von theoretischen Werken, die er ohnehin nicht gelesen hatte. Er hatte sein Wissen weder an Universitäten noch in Museen oder gelehrten Gesellschaften erworben, sondern draußen in der Natur, wenn er auf der Suche nach Kohlevorkommen oder bei der Planung von künftigen Kanälen quer durch England reiste. Smith konnte zwar lesen und schreiben, durfte aber kaum der Intelligenz zugerechnet werden. Das Lernen aus Büchern oder die Beschäftigung mit ausgefallenen philosophischen Theorien waren seine Sache nicht.

Ende des 18. Jahrhunderts entdeckte Smith, daß die übereinanderliegenden Schichten des Sedimentgesteins verschiedene Zeitabschnitte repräsentieren. Außer unter ungewöhnlichen Umständen liegen die älteren Schichten unten, die jüngeren oben; das heißt, die immer tiefer in die Erde reichenden Schichten sind wie Sprossen auf einer Zeitenleiter, die zurück in die Vergangenheit führen.

Zum ersten Mal setzte sich die Auffassung durch, daß die Erde tatsächlich sehr alt sein könnte. So wie die Erdschichten in immer größere Tiefen reichten, so erstreckte sich die Zeit immer weiter in die Vergangenheit, und mit ihr das Leben. Smith behauptete auch – und führte dafür unwiderlegbare Beweise an –, daß Gesteinsschichten desselben Alters anhand der versteinerten Lebensformen, die sie enthielten, identifiziert und miteinander in Beziehung gesetzt werden könnten. Im Jahre 1799 wandte Smith seine Methode, die er bescheiden nur in einem unveröffentlichten Manuskript zirkulieren ließ, auf die geologischen Formationen in der Gegend von Bath an.

Smith war kein Bilderstürmer und faßte seine Beobachtungen in eine für den christlichen Glauben annehmbare Sprache. »Die Versteinerungen«, so schrieb er, »tragen uns weit zurück in eine Zeit übernatürlicher Ereignisse.«[9] Aber natürlich waren die in den einzelnen Schichten erkennbaren, ausgestorbenen Lebensformen mit der biblischen Schöpfungsgeschichte nicht in Einklang zu bringen. Smith folgerte daraus: »Jede Schicht dieser versteinerten Organismen müssen wir als eigenständige Schöpfung oder als Teil einer bisher unbekannten, früheren Schöpfung betrachten.«[10]

Die Katastrophentheorie und die Lehre von mehreren aufeinanderfolgenden Schöpfungen stellten für Smith eine ausreichende Erklärung dar. Doch das Prinzip, dem Augenschein mehr zu trauen als der Theorie, sowie das bloße Ausmaß der erdgeschichtlichen Zeiträume und die offensichtlichen Veränderungen an den Organismen, die man in den verschiedenen Schichten der Erdkruste entdeckte, trugen bald zum Zusammenbruch der Katastrophentheorie bei.

Im Jahre 1815 veröffentlichte Smith die erste geologische Karte von England. Dies war für die damalige Zeit eine unglaubliche Leistung. 1831 verlieh die Geologische Gesellschaft London, die bedeutendste ihrer Art, diesem einfachen, naturverbundenen Mann, der weder Bildung noch Einfluß besaß, in Anerkennung seiner Arbeit als erstem die Wollaston Medaille. Gesunder Menschenverstand und sorgfältiges Beobachten hatten über Klassenunterschiede und angelerntes Wissen gesiegt.

Kurz nach der Veröffentlichung der Smithschen Englandkarte übernahm der in Oxford lehrende Geologieprofessor Reverend William Buckland von seinen französischen Kollegen die Katastrophentheorie, entwickelte sie weiter und bestätigte sie. Buckland machte Cuviers These, nach der die jüngste geologische Revolution mit der Sintflut identisch sei, allgemein bekannt und lieferte damit eine offizielle, scheinbar wissenschaftliche Bestätigung, daß die Schöpfungsgeschichte der Bibel wörtlich zu nehmen sei.

Buckland war ein beliebter und einflußreicher Mann, und das verdankte er hauptsächlich seinen Lehrmethoden und seiner Persönlichkeit. Einige geologische Vorlesungen des Professor wurden zu Pferde gehalten, denn die Studenten sollten lernen, eine Landschaft zu analysieren. Doch auch die Vorlesungen, die in normalem akademischem Rahmen stattfanden, waren für ihren hohen Unterhaltungswert bekannt. Buckland, ein kahlköpfiger Mann mit weichen Gesichtszügen, freundlich blickenden Augen und makellos weißem Kragen, war für viele bedeutende englische Geologen des 19. Jahrhunderts wie Roderick Impey Murchison und Charles Lyell Vorbild und Lehrer.

Im Jahre 1821 glaubte Buckland, in der Kirkdale-Höhle in Yorkshire den Beweis für seine Überflutungstheorie gefunden zu haben. Die Höhle war voll von fossilen Knochen, die offensichtlich in noch frischem Zustand von einer ausgestorbenen Hyänenart abgenagt worden waren, deren Knochen sich ebenfalls in der Höhle fanden. Voller Stolz veröffentlichte Buckland 1823 sein Werk *Reliquiae Diluvianae* (Beobachtungen über die organischen Überreste in Höhlen, Spalten und Überschwemmungsgeröll und über andere Phänomene, die die Auswirkung einer weltweiten Überflutung belegen). Mit dieser Veröffentlichung glaubte er zeigen zu können, daß die Kirkdale-Höhle, wie viele andere fossilienhaltige Höhlen auch, von einer weltweiten Überflutung heimgesucht worden war, der auch die Hyänen und ihre Beutetiere zum Opfer gefallen seien. Wie in der Bibel nachzulesen, sei die Flut dann aber zurückgewichen, und eine neue Schöpfung habe stattgefunden.

Buckland war bis zu seinem Tode ein hochgeachteter Mann, wenngleich sich die Kritiker mit seiner Überflutungstheorie schwertaten. Die Beweise, die er vorlegte, konnten keineswegs belegen, daß eine weltweite Überflutung stattgefunden hatte, und der Augenschein – die geologischen Erkenntnisse, die aus der englischen Hügellandschaft abzulesen waren – ließ etwas anderes vermuten. Doch Buckland war ein freundlicher und amüsanter Herr, und was noch besser war: Er führte vor, daß das, woran man schon immer geglaubt hatte, durch wissenschaftliche Fakten nicht unbedingt erschüttert werden mußte.

Im Jahre 1829 verfügte Francis Henry Egerton, der achte Earl von Bridgewater, in seinem Testament, eine Buchreihe über »die Macht, Weisheit und Güte des Herrn im Spiegel seiner Schöpfung«[11] in Auftrag zu geben. Was lag da näher, als Buckland, der inzwischen Geologieprofessor in Oxford und gleichzeitig Dekan der Westminster Abbey war, um einen Beitrag zu bitten. Die Bücher wurden unter dem Titel Bridgewater-Abhandlungen bekannt, so benannt nach dem Spender, der nicht weniger als achttausend Pfund für ihre Veröffentlichung hinterlassen hatte. Sie erschienen in regelmäßigen Abständen zwischen 1833 und 1836. In diesen Büchern wurde noch einmal der als Naturtheologie bekannte Ansatz ausgebreitet, der allerdings angesichts der sich mehrenden paläontologischen und geologischen Beweise zunehmend problematisch wurde.

Als deutlich wurde, daß die in übereinanderliegenden Schichten eingeschlossenen Fossilien einander auf erstaunliche, ja bestechende Art ähnelten, mußte die Katastrophentheorie modifiziert werden – wie es scheint, sogar in Frankreich. Die nächste, als biologischer Progressismus bekannte Lehrmeinung ging davon aus, daß bei jeder der aufeinanderfolgenden Schöpfungen Lebewesen nach dem gleichen Schema erschaffen worden sind, da sie alle von einem einzigen Schöpfer abstammen. Die Einheitlichkeit der Form spiegelt den Schöpfungswillen Gottes wider und ist kein Hinweis auf eine genetische Erbfolge. Die unterschiedlichen Ausformungen sind Verbesserungen und Weiterentwicklungen, die zur Krönung der göttlichen Schöpfung führen: dem Menschen. Der biologische Progressismus griff also bekannte Vorstellungen von der viel älteren Idee der Scala naturae wieder auf, die schon Lamarck vertreten hatte. Seine Verfechter glaubten gewissermaßen an eine übernatürliche Evolution, nur daß die Veränderungen nicht innerhalb der Arten, sondern zwischen den Arten stattfanden. Die Lehre von einer progressiven Veränderung der Tierwelt paßte gut zu dem Zukunftsoptimismus, der mit der beginnenden industriellen Revolution aufkeimte.

Die Katastrophentheorie in all ihren Varianten zu widerlegen war ein letzter großer Schritt auf dem Weg zum Darwinschen Evolutionsgedanken. Diese Aufgabe fiel einem der größten Naturwissenschaftler des 19. Jahrhunderts zu: Charles Lyell.

Lyell wurde 1797 als Sohn eines wohlhabenden schottischen Großgrundbesitzers geboren. Schon bald nach seiner Geburt übersiedelte die Familie von Schottland ins englische Hampshire. Die

4. *Charles Lyell, Begründer der modernen Geologie, war eng mit Charles Darwin befreundet. Erst in den sechziger Jahren des 19. Jahrhunderts ließ er den Evolutionsgedanken gelten und erkannte den Neandertaler als fossilen Menschen an.*

Mutter, eine fromme und sittenstrenge Frau, hatte darauf bestanden, da man sich in Schottland dem Laster der Trunksucht hingab. Lyell wuchs somit in England auf und erlebte seinen Vater nicht trinkend, sondern botanisierend. Als junger Mann nahm er in Oxford an den extravaganten Vorlesungen Bucklands zu Pferde teil.

Charles' Vater bestand darauf, daß der Sohn einen soliden, handfesten schottischen Beruf ergriff und Rechtsanwalt wurde. Lyell, dem die Juristerei weniger lag, als sich sein Vater gewünscht hätte, trat mit gut zwanzig Jahren der British Geological Society bei, der er fortan einen Großteil seiner Zeit widmete. Seine »schwachen Augen« machten es ihm schwer, seine Tätigkeit als Rechtsanwalt fortzuführen, doch hinderten sie ihn in den folgenden Jahren offensichtlich nicht daran, zu studieren, zu lesen und zu schreiben.

Die Geolog. Soc., wie sie in Briefen von Mitgliedern und Notizen genannt wurde, war eine der zahlreichen wissenschaftlichen Gesellschaften jener Zeit. Es waren hauptsächlich Bildungsbürger, die da in London zusammenkamen, Thesenpapiere austauschten und neue Theorien diskutierten. Anders als in Frankreich, das einige politische und soziale Umwälzungen hinter sich hatte, herrschten in England Stabilität und Wohlstand. Während man in

Paris stolz darauf war, die Wissenschaften öffentlich zu fördern und zu institutionalisieren, herrschten in England ganz andere Bedingungen. Hier war es eher üblich, den Amateurforscher zu idealisieren, der dank seiner Entschlossenheit, Intelligenz und Charakterstärke spektakuläre Erfolge (oder Mißerfolge) erzielte – Leute wie Samuel Baker, der zusammen mit seiner Geliebten unbekümmert den Nil hinaufsegelte, um nach dessen Quelle zu suchen, oder den Künstler Edward Whymper, der beschloß, als erster das Matterhorn zu besteigen. Die englischen Wissenschaftler, die jetzt ihren französischen Kollegen Konkurrenz zu machen begannen, wurden hauptsächlich von solchen nichtstaatlichen Einrichtungen unterstützt – ein Umstand, der sich durchaus günstig auswirkte, denn in einem dezentralen System, in dem keine Einzelperson so dominieren konnte wie Cuvier in Frankreich, fanden neue Ideen leichter Gehör.

Im Jahre 1828 hatte Lyell es bis zum Schriftführer der Geolog. Soc. gebracht, ein Amt, das er vermutlich eher seiner Beliebtheit unter den Mitgliedern als seinem wissenschaftlichen Scharfsinn verdankte. Lyell, der seine Anwaltstätigkeit zu diesem Zeitpunkt endgültig an den Nagel gehängt hatte, brach mit dem fünf Jahre älteren wohlhabenden Schotten Roderick Murchison zu einer geologischen Reise durch Europa auf. Die beiden gaben ein recht ungleiches Paar ab. Lyell war jung, auch wenn sich das lockige, rötliche Haar über seinem feingeschnittenen, sympathischen Gesicht bereits stark zu lichten begann. Ein Porträt zeigt ihn in einem buntkarierten Wollmantel. Auf merkwürdige Art ähnelt er dem noch jüngeren Charles Darwin. Murchison hingegen war ein Mann mittleren Alters mit roten Backen, dunklem Haar und herausforderndem Blick. Er sah aus wie ein Mann, der weiß, was er will. Lyell beschrieb seine Arbeitsweise auf geologischen Exkursionen mit den Worten: »Immer weiter voran, auch wenn es dich umbringt.«[12]

Obgleich Murchison und Lyell bald unterschiedliche Meinungen in geologischen Fragen entwickeln sollten, betrieben sie in den späten zwanziger Jahren des 19. Jahrhunderts ihre Forschungen in freundschaftlicher Eintracht. Murchison machte sich bald einen Namen, während Lyell noch weitgehend unbekannt blieb. Als Geologen standen beide unter dem Einfluß von Buckland, der damals der herausragendste Vertreter des Diluvianismus war und sich allgemeiner Beliebtheit und Verehrung erfreute. Doch Murchison und Lyell hatten wie William Smith gelernt, ihren Augen zu trauen und geologische Formationen und Vorgänge genau zu studieren. Für Lyell waren die Beobachtungen, die er auf seinen vielen Reisen durch England und Europa machte, von eindeutiger Aussagekraft.

Im Jahr 1829 schrieb er an Murchison:

> Meine Arbeit ist zum Teil schon geschrieben und im Entwurf fertig ... Meine geologischen Forschungen dienen der Illustration meiner Sichtweise jener Prinzipien. Sie sollen das aus der Annahme dieser Prinzipien zwangsläufig entstehende System unterstützen, das, wie Sie wissen, nicht mehr und nicht weniger bedeutet, als daß es keine geologischen Ursachen gibt, die nicht von der frühesten zu ermessenden Vergangenheit bis in die Gegenwart gewirkt haben, sondern nur solche, die wir auch heute beobachten können, und daß sie nie mit einer anderen Stärke gewirkt haben, als sie sie heute haben.[13]

In diesem Brief und mehr noch in seinem bahnbrechenden Werk *Grundzüge der Geologie* brachte Lyell seine Überzeugung zum Ausdruck, daß man mit Hilfe der unter dem Namen Aktualismus bekannten Theorie sowohl die Gestalt der Erdoberfläche als auch die Verteilung der auf ihr lebenden Arten erklären könne.

Der Aktualismus wurde Ende des 18. Jahrhunderts von James Hutton entwickelt. Nach Hutton waren Wind, Regen, Erosion, regelmäßige regionale Überschwemmungen, Gletscherbewegungen, Vulkanausbrüche und dergleichen die einzigen Kräfte, die jemals auf die Struktur der Erdoberfläche eingewirkt hatten. Das hieß, daß das geologische Geschehen in der Vergangenheit den gleichen Kräften unterlegen war wie in der Gegenwart, eine Annahme, die von Lyell später bewiesen wurde. Die Veränderungen, die diese Kräfte hervorriefen – wie etwa tief eingeschnittene Flußtäler –, waren ganz einfach auf die enorm großen Zeitspannen zurückzuführen, in denen sie wirksam waren. Damit widersprach diese Theorie der Auffassung, weltweite Sintfluten, Feuersbrünste oder andere Katastrophen hätten in relativ kurzer Zeit tiefgreifende Veränderungen ermöglicht.

Es galt, eine kühne These zu verfechten, und Lyell, obgleich sonst nicht auf den Mund gefallen, war nicht der Mann, der Probleme aufrührte, ohne sich vorher ausreichend abgesichert zu haben. Er war von Natur aus vorsichtig, und als Anwalt wußte er, wie eine überzeugende und unangreifbare Argumentationskette auszusehen hatte. Die Juristerei, vielleicht auch seine Erziehung, hatten ihn gelehrt, Streit zu vermeiden und Konfrontationen aus dem Weg zu gehen. Er vertraute auf die sachliche, klare Darlegung einer Fülle von Fakten. Scharfzüngige Attacken gegen erfahrene Kollegen entsprachen nicht seinem Stil. So war es nur natürlich und gleichzeitig äußerst klug von ihm, daß er versuchte, den wichtigsten englischen Geologen auf seine Seite zu bringen, und Murchison einen Brief schrieb, in dem er seinen Standpunkt vor der Veröffentlichung darlegte. (Murchison lehnte den Aktualismus jedoch bis zu seinem Tod 1871 ab.) Um sich zusätzlich abzusichern, überredete Lyell mehrere Geologen dazu, ihm beim Sammeln und Überprüfen der zahlreichen Fakten zu helfen, die er zur Untermauerung seiner Thesen vorlegen wollte.

Murchison war zu diesem Zeitpunkt bereits seit vielen Jahren mit der Untersuchung einer bestimmten geologischen Formation beschäftigt, die von Bergarbeitern Grauwacke genannt wird. Und wie es der Zufall wollte, gelangte er dabei nur wenige Tage vor der Veröffentlichung des ersten Bandes der *Grundzüge der Geologie* von Lyell zu einem Ergebnis, das ihn gegen Lyells Ideen einnahm. Seine These, die er später in seinem Hauptwerk *Das Silursystem* näher ausführte, brachte ihn in direkten Konflikt mit seinem jungen Schützling. Obgleich selbst Murchisons Biograph dem Buch »jegliche Lesbarkeit«[14] absprach, erlebte es zwischen 1839 und 1852 vier Auflagen.

Die Beliebtheit des Buches ist wohl eher auf seine prachtvolle Ausstattung und seine wissenschaftliche Bedeutung zurückzuführen als auf den eleganten Stil des Verfassers. Durch einen Hinweis Bucklands war Murchison auf ein Gebiet gestoßen, in dem die stratigraphische Position, die Zusammensetzung und die fossilen Faunaeinschlüsse (Tiergemeinschaften) eines »Übergangsgesteins« zu beobachten waren, das die Lücke zwischen den ältesten, fossilienarmen Schichten und dem jüngeren, an fossilen Vertebraten reichen Gestein schloß. Damit löste er nicht nur eine alte Frage der englischen Geologen, durch eine Untersuchung der silurischen Fauna konnte er auch zeigen, daß es ein Zeitalter der Evertebraten gegeben hat, das für die Erdgeschichte von gleicher Bedeutung war wie das berühmte Zeitalter der Säugetiere, auf dessen Erforschung sich Cuviers Ruhm gründete.

Murchison hatte eine außergewöhnliche Entdeckung gemacht. Er nahm an – und darin wurde er von vielen Wissenschaftlern, einschließlich Darwin, bestätigt –, daß die Fauna des Silur weit verbreitet und einigermaßen einheitlich war. Daß sie keine Wirbeltiere enthielt, war eine weitere, besonders wichtige Entdeckung. Murchison schloß daraus, daß das Silur vor dem Erscheinen der ersten Landtiere und -pflanzen zu datieren sei. Die darüberliegende geologische Schicht, die in England als alte rote Sandsteinschicht bezeichnet wird, enthielt unterschiedliche Arten eigentümlich gepanzerter Fische, und darüber lagen weitere Schichten mit Sauriern und anderen Reptilien. Dies legte die Vermutung nahe, daß die Fauna im Lauf der Zeit immer komplexer geworden war.

Murchisons Interpretation des Silurs wies drei besonders bedeutsame Aspekte auf. Erstens schien sie zu bestätigen, daß die Entwicklung von Lebewesen auf der Erde im allgemeinen progressiv voranschritt. Zuerst gab es ein Zeitalter ohne lebende Organismen, dann ein Zeitalter der Evertebraten, gefolgt von einem Zeitalter der Fische, dann der Reptilien, der Säugetiere und schließlich der Menschen. Zweitens gab Murchisons Arbeit den Anstoß dazu, die Erdgeschichte in jene geologischen Epochen und Zeitalter zu unterteilen, die heute gebräuchlich sind. Das Schema wurde 1841 von John Phillips eingeführt, der nicht zufällig der Neffe, Schüler und Biograph von William Smith war. Drittens sah sich Murchison durch seine Untersuchung der Silurschicht veranlaßt, Lyells Aktualismustheorie in Frage zu stellen. Im Gegensatz zu Lyell ging er davon aus, daß sich das Leben auf der Erde nicht unter gleichförmigen und stabilen Bedingungen entwickelt hat. Während die Silurschicht weltweit große Ähnlichkeit aufwies, waren im Zeitalter der Säugetiere, oder dem Tertiär, große Unterschiede zu beobachten. Murchison stand den Ideen Lyells zeitlebens ablehnend gegenüber. Er konnte nicht einsehen, warum geologische Abläufe sich nicht verändern sollten, wenn selbst das

Klima, die Fauna oder andere Aspekte der Erdgeschichte sich veränderten.

Lyell bemühte sich also vergeblich, einer Kontroverse aus dem Weg zu gehen, denn so taktvoll er auch war, er konnte nicht verhehlen, daß er den Progressismus, den Diluvianismus und die Katastrophentheorie eindeutig ablehnte. Als in den Jahren 1830 bis 1833 seine *Grundzüge der Geologie* erschienen, mag Buckland, wie manch anderer Professor, der von einem hochbegabten ehemaligen Schüler widerlegt wurde, das Gefühl gehabt haben, er habe eine Natter an seinem Busen genährt. Und Lyells Ablehnung des Diluvianismus dürfte deshalb so groß gewesen sein, weil er es als widersinnig erachtete, die Wissenschaft der Religion unterzuordnen, und weil er Bucklands Schlußfolgerungen für falsch hielt. Das heißt nun aber nicht, daß er antiklerikal oder unreligiös dachte. In den dreißiger Jahren des 19. Jahrhunderts machte er Lamarcks Abstammungstheorie in England bekannt, kritisierte sie gleichzeitig aber auch unverhohlen. In seinen eigenen Schriften näherte er sich stark dem Evolutionsgedanken an, doch letztlich schreckte er immer wieder vor ihm zurück. Wiederholt kreisten seine Gedanken um das heikle Thema der Evolution des Menschen, und als Darwin mit seinem Buch *Über die Entstehung der Arten* für öffentliches Aufsehen sorgte, versagte ihm Lyell lange seine volle Unterstützung. Nahezu sein Leben lang standen sich seine religiösen und seine wissenschaftlichen Ansichten gegenseitig im Weg.

Erst im Alter entwickelte dieser vorsichtige Mann, der zuerst alle Aspekte einer Sache sorgfältig prüfte, bevor er sich eine Meinung bildete, einige interessante Angewohnheiten. Der alte Darwin charakterisierte Lyell einmal mit den folgenden Worten:

Während der ersten Zeit unseres Lebens in London war ich kräftig genug, auch an allgemeiner Geselligkeit Theil zu nehmen, und sah häufig mehrere wissenschaftliche … Männer …
Von Lyell habe ich mehr als von irgend einem andern Manne gesehen, sowohl vor als auch nach meiner Verheirathung. Wie es mir erschien, war sein Geist durch Klarheit, Vorsicht, gesundes Urteil und ziemlich viel Originalität ausgezeichnet. Wenn ich irgend eine Bemerkung über Geologie gegen ihn äußerte,

ruhte er nicht eher, bis er den ganzen Fall klar übersah und bewirkte es dadurch häufig, daß ich selbst es klarer sah als vorher. Er brachte alle möglichen Einwürfe gegen meine Vermuthungen vor und gab sich selbst, wenn sie sämtlich erschöpft waren, noch langen Zweifeln hin ... Wenn er bei solchen Gelegenheiten in Gedanken vertieft war, nahm er mitunter die fremdartigsten Stellungen an, und lehnte häufig seinen Kopf auf den Sitz eines Stuhles, während er aufrecht stand ...
Seine Aufrichtigkeit war in hohem Grade denkwürdig. Er bewies dies dadurch, daß er sich zur Descendenz-Theorie bekehrte ... , obgleich er dadurch große Berühmtheit erlangt hatte, daß er Lamarcks Ansichten bekämpft hatte.«[15]

Das Buch des jungen Lyell rief erheblichen Widerspruch hervor, dennoch wurde es stark beachtet und häufig besprochen und überzeugte viele vom ungeheuren Ausmaß erdgeschichtlicher Zeiträume, ein Faktum, das Voraussetzung war für Darwins spätere These einer graduellen Evolution. Einer der profiliertesten Gegner der Lyellschen Thesen war Reverend Adam Sedgwick, Woodward-Professor für Geologie in Cambridge. Sedgwick wurde später ein extremer Hypochonder, der mit Rücksicht auf seine Gesundheit beim Gottesdienst über dem Priestergewand eine bizarre Schutzkleidung trug, die aus Schirmmütze, Atemmaske und Stiefeln bestand. Doch in den dreißiger Jahren des letzten Jahrhunderts war er ein bekannter Geologe und für einen aufstrebenden jungen Mann ein gefährlicher Gegner.

Es war ein Glücksfall für die Naturwissenschaft, daß Sedgwick Darwins Tutor wurde. In Cambridge ist es üblich, daß der Tutor sich einmal wöchentlich mit einem oder mehreren der ihm anvertrauten Studenten trifft, sie bei Diskussionen über wissenschaftliche Themen anleitet, Aufsatzthemen verteilt und ihnen generell beratend zur Seite steht. Pedantisch, wie er war, schickte Sedgwick 1831 seinem ehemaligen Schüler Darwin ein druckfrisches Exemplar des ersten Bandes der *Grundzüge der Geologie* von Lyell als Reiselektüre für die Fahrt auf der *Beagle* und fügte die Warnung hinzu: »Nehmen Sie Lyells neues Buch mit. Sie müssen es unbedingt lesen, denn es ist sehr interessant. Abgesehen von den Fakten, dürfen Sie ihm aber keine Aufmerksamkeit schenken, denn was die Theorie anbetrifft, ist es ausgesprochen abwegig.«[16] Darwin hielt sich an den ersten Teil der Empfehlung seines Tutors, ignorierte aber den zweiten, was sich als schicksalhafte Entscheidung erweisen sollte.

Darwin las und begriff, daß der Aktualismus die geologischen Formationen erklärte, welche die Landschaft gestalteten. Lyells Werk veränderte Darwins Sicht der Welt. Später schrieb er:

> Gerade der erste Ort, welchen ich untersuchte … , zeigte mir deutlich die wunderbare Überlegenheit der Art und Weise Lyells, Geologie zu behandeln, im Vergleich mit der jedes anderen Verfassers, dessen Werke ich entweder bei mir hatte oder irgendwann gelesen hatte.[17]

Wie Lyell glaubte jetzt auch Darwin an das enorme Alter der Erde und des Lebens auf ihr. Wie aus seinen Aufzeichnungen hervorgeht, gelangte er zu der Auffassung, daß ganz gewöhnliche geologische Vorgänge sich über lange Zeiträume erstreckten und auf diese Weise langsame, kaum wahrnehmbare Veränderungen an den Lebewesen bewirkt hatten, die von ihm mit großer Begeisterung gesammelt, vermessen, gezeichnet und konserviert wurden. Mit anderen Worten, das eigentliche Prinzip des Aktualismus entsprach dem Darwinschen Evolutionsgedanken. Nur die Forschungsgegenstände unterschieden sich: Darwin untersuchte kein Gestein, sondern Lebewesen.

In diesem Punkt stimmte Darwin natürlich nicht mit seinem Vorbild Lyell überein, der die Lamarcksche Abstammungstheorie entschieden ablehnte und auch Darwins Evolutionstheorie viele Jahre lang skeptisch gegenüberstand. Aber auch Darwin selbst war sich seiner Sache noch nicht sicher. Aus seinen Aufzeichnungen und Schriften geht hervor, daß der Gedanke von der natürlichen Auslese und vom Überleben der Leistungsfähigsten als Ursache für die allmähliche Veränderung von Organismen schon gefaßt war, als die *Beagle* 1836, fünf Jahre nach ihrem Auslaufen, wieder in England vor Anker ging. Trotzdem grübelte er weitere zwanzig Jahre darüber nach, bis er sich zur Veröffentlichung entschloß.

Seine ersten Aufzeichnungen über die Transmutation der Arten schrieb Darwin im Juli 1837 – ein Datum, auf dem er immer wieder bestand, denn es sollte sich bei der heiklen Absprache mit Alfred Russel Wallace bezüglich der Urheberschaft der Evolutionstheorie als wichtig erweisen. In diesen Aufzeichnungen begann er, Fakten und Überlegungen zu seiner Evolutionsthese zusammenzutragen. Er sammelte Informationen, die er aus seinen eigenen Beobachtungen und aus Gesprächen mit anderen Naturwissenschaftlern zog, wie auch aus seiner umfangreichen Korrespondenz mit Forschern, Haustierzüchtern und Interessierten aus ganz England. Er hatte aus den Erfahrungen seines Großvaters eine Lehre gezogen: Keine verfrühte Veröffentlichung ungewöhnlicher Ideen ohne ausreichendes Faktenmaterial, das war Charles Darwins Strategie.

Es war ein Glücksfall für ihn, daß er 1839 seine Kusine Emma Wedgwood heiratete. Sie wurde ihm eine treusorgende Ehefrau. Mit ihr zogen Ruhe und Harmonie in das Haus ein, das sich bald mit zehn kleinen Darwins füllte. Emma stammte aus der berühmten Keramikerfamilie Wedgwood und brachte eine ansehnliche Mitgift in die Ehe ein. Zusammen mit Darwins eigenem beträchtlichen Familienvermögen konnten sie auf dem Landsitz Down am Rande von London ein angenehmes, sorgenfreies Leben führen, auch wenn Darwin in Briefen unentwegt über Geldsorgen klagte.

Langsam wurde aus dem abenteuerlustigen, jungen Mann, der mit der *Beagle* auf Weltreise gegangen und so jagdbesessen gewesen war, daß er seine Stiefel neben sein Bett zu stellen pflegte, »damit ich nicht eine halbe Minute Zeit beim Anziehen derselben am andern Morgen verlöre«[18], ein zögerlicher, grüblerischer Halbinvalide, der es zwanzig Jahre lang nicht wagte, seine Ideen zu offenbaren. Er wurde von Zweifeln geplagt, schreckte vor dem Gedanken an Auseinandersetzungen und Diskussionen zurück und fürchtete die Mißbilligung seiner geliebten Frau und seiner Familie. Zudem wurde er von dubiosen Krankheiten heimgesucht, die ihm häufig nicht ungelegen kamen und verdächtig nach Hypochondrie aussahen. Jahrelang arbeitete Darwin an seinen Aufzeichnungen. In der Zwischenzeit veröffentlichte er mehrere Bücher, darunter eine Beschreibung seiner Reise auf der *Beagle* sowie Abhandlungen über Korallenriffe, die Geologie Südamerikas, Vulkaninseln und fossile und lebende Rankenfußkrebse.

Mit der Zeit ging er immer seltener aus, und selbst kurze Besuche von Freunden wie Charles Lyell, dem Botaniker Joseph Hooker oder dem genialen Anatom Thomas Henry Huxley strengten ihn so an, daß er hinterher krank das Bett hüten mußte. Den geistigen Austausch mit anderen beschränkte er immer mehr auf das geschriebene Wort. Je deutlicher seine Evolutionstheorie Formen annahm, desto weniger Wert schien er auf persönliche Kontakte zu legen. Er führte ein ruhiges, angenehmes Leben: Wenn er nicht las oder an seinen Büchern schrieb, unternahm er Spaziergänge über sein Anwesen, auf denen er Proben sammelte und oft von einem seiner Kinder begleitet wurde, pflegte seine Briefkontakte, was ihm weitere Proben einbrachte, präparierte, zeichnete und studierte seine kostbaren Fundstücke.

Darwin wird oft als großer Denker dargestellt, in Wirklichkeit jedoch wirkte er wie ein schwerfälliger, unsicherer kleiner Mann, der sich einer Idee verschrieben hatte, die ihm über den Kopf zu wachsen drohte. Die vielleicht treffendste Beschreibung Darwins stammt von seinem lebenslangen Freund Thomas Huxley:

Erklärungen sind nicht Darwins Stärke. Doch besitzt er wie eine Art Wunderhund eine stumme Klugheit. Wie er zur Wahrheit gelangt, ist ebenso rätselhaft wie bei einem heidnischen Chinesen.[19]

Dem sollten noch zwei weitere Aspekte hinzugefügt werden. Eine ganz andere Seite seiner Persönlichkeit offenbart Darwin kurz vor seiner Hochzeit selbst: »Was kann ein Mann wohl zu sagen haben, der den Vormittag mit der Beschreibung von Falken und Eulen zubringt, um dann hinauszueilen und wie irr die Straßen hinauf- und hinunterzurennen auf der Suche nach dem Schild ›Zu vermieten‹.«[20]

Aufschlußreicher noch ist die Bemerkung, die einer seiner Söhne im Haus eines Freundes gemacht haben soll: »Und wo arbeitet Herr ... an seinen Rankenfußkrebsen?«[21] Die naturkundlichen Studien des Vaters prägten das Leben auf dem Landsitz Down so sehr, daß es den Kindern selbstverständlich war, sich mit Rankenfußkrebsen, Käfern, Vögeln, Schmetterlingen oder zahllosen anderen lebenden oder fossilen Tieren zu beschäftigen.

Mit menschlichen Fossilien arbeitete Darwin dagegen aus Mangel an Gelegenheit nicht. Trotzdem konnte ihm nicht entgangen sein, daß über die Vorgeschichte des Menschen spekuliert wurde. Bereits 1797, als Erasmus Darwin über seinen evolutionären Ideen brütete, berichtete der Gutsbesitzer John Frere von behauenen Steinwerkzeugen, heute als Faustkeile oder Biface-Typen (Zweiseiter) bezeichnet, die zusammen mit den Überresten ausgestorbener Tiere in einer Kiesgrube bei Hoxne in England gefunden worden waren. Der Fund legte die Vermutung nahe, daß gleichzeitig mit den ausgestorbenen Tieren auch Menschen gelebt hatten, und Frere erkannte das. Er veröffentlichte präzise Zeichnungen der Faustkeile und beschrieb sie als:

eindeutiges Kriegsgerät, das von einem Volk hergestellt und benutzt wurde, dem der Gebrauch von Metallen unbekannt war. Zahlreiche Exemplare davon lagen in einer Tiefe von etwa 12 Fuß in einer Erdschicht, die zum Zwecke der Lehmgewinnung für die Herstellung von Ziegeln aufgegraben worden war. Die Schicht, in der die Überreste entdeckt wurden, läßt uns die Fundstücke einer weit zurückreichenden Epoche zuordnen, ja sogar einer Zeit, die vor unserer heutigen Welt lag.[22]

Frere war wahrhaftig ein einsamer Rufer in der Wüste. Im Jahre 1800 veröffentlichte er weitere Schriften über seine Entdeckungen, doch eine allgemeine Anerkennung blieb ihm versagt. Erst viele Jahre später wurden seine Schriften gelesen und ernst genommen.

In Deutschland wurden später Funde gemacht, die einen überzeugenden Beweis für Freres Thesen hätten liefern können. Der Thüringer Paläontologe Baron Ernst Friedrich von Schlotheim entdeckte in Gipsbrüchen immer wieder Zähne von Mammut, Höhlenbär und Wollnashorn – Arten, die als ausgestorben galten. Da es eine absolute Datierungsmethode für Fossilien noch nicht gab, wurde meist eine relative Methode angewandt, die auf der Beziehung verschiedener Lebewesen zueinander in aufeinanderfolgenden Faunen beruhte. Da Menschenzähne und Mammuts in ein und derselben Schicht gefunden wurden, war mit großer Wahrscheinlichkeit davon auszugehen, daß sie aus der gleichen Zeit stammten – ein Schluß, der eigentlich jedem Fachmann einleuchten mußte.

Doch Cuvier, der anerkannte Experte für fossile Säugetiere, war anderer Meinung. Er behauptete einfach, daß die Zähne einem neueren Grab entstammten, das in ältere Schichten gelegt worden sei. Hätte Schlotheim das Schichtgestein genauer untersucht, so Cuvier, dann hätte er festgestellt, daß die Fundstücke intrusiv seien. Tatsächlich war es zu jener Zeit höchst ungewöhnlich, daß Naturforscher wie Schlotheim bei den Ausgrabungen persönlich Hand anlegten. Es war üblich, Arbeiter anzustellen, ihnen zu sagen, wonach sie suchen sollten, und hernach die gemachten Funde in aller Ruhe zu untersuchen. Die Skepsis des angesehenen Wissenschaftlers verunsicherte Schlotheim, und er verfolgte das Thema nicht weiter, auch dann nicht, als in Bilzingsleben ebenfalls menschliche Fossilien neben den Knochen ausgestorbener Säugetiere gefunden wurden.

Ähnliche Entdeckungen gelangen auch anderen Forschern, die unabhängig voneinander in verschiedenen Regionen arbeiteten. Das Problem war nur, daß sie oder die hinzugezogenen Paläontologen nur selten die Bedeutung ihrer Funde erkannten, und wenn doch, dann stießen sie bei ihren Kollegen auf Unglauben.

Im Januar des Jahres 1823 entdeckte Buckland in der Goat's Hole in Paviland, Wales, ein schädelloses menschliches Skelett. Wenn wir seine Beschreibung des Fundortes lesen, verwundert es nicht, daß das Skelett nicht schon früher entdeckt worden war:

Es handelt sich um zwei dem Meer zugewandte Höhlen an der Nordküste der Severnbucht. Sie liegen am Abhang eines hochaufragenden Kreidefelsens, der über dem Höhleneingang rund 100 Fuß senkrecht in die Höhe ragt und darunter in einem Winkel von 40 Grad zum Wasser hin abfällt, wo sich gewaltige Wellen an einem schroffen, zerklüfteten Uferstreifen brechen. Vom Land aus sind die Höhlen überhaupt nicht zu sehen, und vom Wasser aus sind sie nur bei Ebbe zugänglich, es sei denn, man unternimmt eine gefährliche Klettertour an der steilen Klippe, die aus massivem Kalkstein besteht und sich im Winkel von 45 Grad nach Norden neigt.[23]

Diese Beschreibung verharmlost sogar, wie extrem schwierig es tatsächlich ist, zu den Höhlen zu gelangen; außer bei sehr niedriger Ebbe ist der Eingang nur mit einer Kletterausrüstung gefahrlos zu erreichen. Trotzdem erforschte im Dezember 1822 ein unerschrockener Arzt und Seelsorger, dessen Name nicht überliefert ist, die Höhle, unbeeindruckt von der kalten Witterung und dem stürmischen Wind. Er fand Zähne und den Stoßzahn eines ausgestorbenen Elefanten. Er versteckte den Fund und benachrichtigte L. W. Dillwyn und Miss Talbot, die Tochter des Landeigentümers. Gemeinsam brachten sie die Überreste des Elefanten »und ein großes Stück des Schädels sowie mehrere Körbe voll Zähne und Knochen«[24] nach Penrice Castle. Dort warteten sie auf Buckland, der gleich nach seinem Eintreffen in bester Paläontologen-Manier zur Fundstelle weitereilte, sich vergewisserte, daß die meisten Gesteinsschichten der Höhle noch intakt waren, und mit den Ausgrabungen begann.

Buckland selbst entdeckte das Menschenskelett. Es war vom Ocker rot verfärbt und stammte offensichtlich aus einem Grab. Neben dem linken Oberschenkelknochen lagen eine Handvoll kleiner Muscheln und über dem Brustkorb Bruchstücke von vierzig oder fünfzig zylindrischen Elfenbeinstäben und Ringen, die eindeutig von Menschenhand angefertigt worden waren. Bucklands Aufmerksamkeit entging allerdings, welch unglaublicher Kraftakt nötig gewesen sein mußte, um einen Leichnam an diesen wenig einladenden Ort zu bringen und an der steilen, scharfkantigen Felswand entlang in die Höhle zu schaffen. Wahrscheinlich hielt er das Skelett für viel jünger, als es tatsächlich war.

Der Fund erhielt den Spitznamen Red Lady von Paviland. Einige vermuteten, daß es sich um eine Frau handelte, die sich in dem Militärlager auf dem Hügel über der Höhle aufgehalten hatte und die, »was auch immer ihre Beschäftigung gewesen sein mag, durch das Lager zum Bleiben veranlaßt wurde, weil sie dort ihr Auskommen hatte«[25]. Buckland ging davon aus, daß das Lager wie auch der Höhlenfund aus der Zeit der römischen Invasion in England stammten.

»Sie« – man sprach von einer »Sie«, obwohl das Becken des Skeletts zweifellos von einem Mann stammte – war ganz offensichtlich beerdigt worden. Die fossile Fauna der Höhle umfaßte

5. *Graphische Darstellung der Goat's Hole von Paviland in Südwales von William Buckland. 1822 entdeckte er dort das Skelett eines anatomisch modernen jungen Mannes aus dem Jungpaläolithikum. Buckland mißinterpretierte Alter und Geschlecht des Fossils und gab ihm den Namen Red Lady von Paviland.*

unter anderem ausgestorbene Arten von Nashörnern, Hyänen, Elefanten und Hirschen. Außerdem fand Buckland Kohlestückchen, einen kleinen Feuerstein und »ein Stück von einem Schulterblatt, das offensichtlich von einem Schaf stammt«[26]. Ein Schaf neben Mammuts und Wollnashörnern? Buckland schloß daraus, daß die Höhle sowohl jüngere Überreste, wie das Schaf und die Red Lady, als auch wesentlich ältere, vorsintflutliche Spuren enthalte. Trotz des Nebeneinanders von ausgestorbener Fauna und menschlichen Fossilien schrieb er der Red Lady kein sehr hohes Alter zu.

Hier, wie auch in vielen anderen Punkten, irrte er. Spätere Untersuchungen bewiesen, daß es sich bei dem Skelett um einen frühen, anatomisch jetztzeitlichen *Mann* handelte, der vor ungefähr 25 000 Jahren gelebt hatte und mit Anfang Zwanzig gestor-

52

ben war. Trotz dieser Fehleinschätzung ist es Bucklands Interesse zu verdanken, daß das Skelett erhalten blieb. Es ist der früheste bekannte Fund eines fossilen Menschen.

Die Red Lady löste eine regelrechte Jagd nach menschlichen Fossilien aus. Im Jahr 1825 entdeckte Pater John MacEnery fossile Reste von Menschen, Höhlenbären, ausgestorbenen Hyänen und anderen Tieren sowie behauene Geräte aus Feuerstein in Kent's Cavern, auch Kent's Hole genannt, bei Torquay in der Grafschaft Devonshire.

Er hatte die bekannte Ausgrabungsstätte unter einem neuen Blickwinkel erforscht. Die aus weitläufigen, miteinander verbundenen Kammern bestehende Höhle war den ansässigen Hobbyforschern schon seit langem bekannt. Einige gezeichnete oder eingeritzte Inschriften auf den Felswänden deuten darauf hin, daß die Höhle schon 1571 von Menschen besucht worden war. Damals verewigte sich ein gewisser William Petre mit Datum und Namen. 1794 beschreibt ein Dr. Maton, wie er durch die Höhle kroch und eine

> an einem gespaltenen Stock befestigte Kerze [benutzte] ... Der [Eingang] war gerade groß genug, um Einlaß zu gewähren ... Eine unbeschreibliche Kälte schlug uns entgegen, und unsere Kleidung wurde durch das stetig von der Decke tropfende Wasser durchweicht ... Es war so finster, daß wir uns im Haus eines Zauberers wähnten ...[27]

Als John MacEnery Jahre später mit den Ausgrabungen begann, war er sich bewußt, daß in verschiedenen Gegenden Englands und Europas lebhaft über die Vorgeschichte des Menschen diskutiert wurde. Die von ihm und seinem Nachfolger William Pengelly in Kent's Cavern gefundenen menschlichen Fossilien stammten wie die Red Lady von Paviland im wesentlichen vom Jetztmenschen.

Obwohl die meisten Funde eindeutig in der Nähe ausgestorbener Tiere und behauener Steingeräte lagen, ließ sich Buckland nur schwer davon überzeugen, daß sie tatsächlich eingeschlossen unter der stalagmitischen Schicht und nicht unter der Oberfläche gelegen hatten. Aus diesem Grund oder vielleicht auch deshalb, weil solche Funde umstritten waren, ließ MacEnery die Aufzeichnungen über seine Entdeckung in Manuskriptform stehen. Sie wurden erst 1859, nach seinem Tod, von einem Kollegen veröffentlicht. Dennoch sickerte die Nachricht von dem Fund schon früh durch. Ein gewisser Mr. Godwin-Austen referierte im Jahre 1840 vor der Geological Society über die Ausgrabungsarbeiten in Kent's Cavern und erklärte etwas ungehalten:

> Ich muß also festhalten, daß ich meine eigenen Untersuchungen nur in den bisher völlig unberührten Teilen der Höhle durchgeführt habe. Die Knochen wurden unter einer dicken Stalagmitenschicht hervorgeholt. Demnach müssen sowohl die Knochen als auch die menschlichen Werkzeuge bereits vor der Überlagerung durch die Stalagmiten dort hingekommen sein.[28]

Es nützte alles nichts. John Lubbock, der spätere Lord Avebury, der bald zu den bedeutendsten englischen Archäologen gehören sollte, schrieb 1872 in seinem Buch *Pre-historic Times, as Illustrated by Ancient Remains, and the Manners, and Customs of Modern Savages* (Die prähistorische Zeit untersucht an alten Fundstücken sowie am Verhalten und den Bräuchen heute lebender Wilder):

> Ungeachtet der großen Autorität des Herrn Godwin-Austen ernteten seine Ausführungen [damals] wenig Aufmerksamkeit, und als Herr Vivian in einem vor der Geologischen Gesellschaft gehaltenen Referat dieselben Vermutungen äußerte, wurde er so wenig ernst genommen, daß das entsprechende Protokoll nicht veröffentlicht wurde.[29]

Mit der Zeit sammelten sich langsam, aber stetig immer mehr menschliche Fossilien an. In den Jahren 1833/34 veröffentlichte der belgische Arzt und Anatom Phillipe-Charles Schmerling ein zweibändiges Werk über seine Erforschung der Höhlen an der Maas bei Lüttich. Einige dieser Höhlen waren völlig unberührt, andere wiesen eine dicke Stalagmitenschicht auf, unter der, wie in Kent's Cavern, in einer sehr alten Schicht Knochen lagerten.

Die berühmtesten von Schmerling beschriebenen Fossilien stammen aus der Höhle von Engis und wurden Ende 1829 oder Anfang

1830 entdeckt: Es handelte sich um Schädelreste von mindestens drei Menschen und um Knochen ausgestorbener Tiere. Einer der Schädel zerfiel sogleich. Ein zweites Schädelstück stammte, wie man inzwischen weiß, von einem etwa zweieinhalbjährigen Neandertalerkind. Und der dritte Schädel war das große, kräftig gebaute Cranium eines Mannes. Erst jüngere Untersuchungen haben ergeben, daß es nur achttausend Jahre alt ist und demnach trotz seines ungewöhnlich kräftigen Baus von einem Jetztmenschen stammt. Bei Ausgrabungen in der nahegelegenen Höhle von Engihoul fand man ebenfalls Arm- und Beinknochen von Menschen, wieder zusammen mit Überresten ausgestorbener Tiere. Schmerling erkannte sehr wohl die Bedeutung seiner Funde, doch die wissenschaftliche Welt blieb weiterhin völlig unbeeindruckt.

Immerhin reiste Lyell, der ein lebhaftes Interesse für die Vorgeschichte des Menschen zu entwickeln begann, 1833 nach Belgien und ließ sich von Schmerling persönlich die Funde zeigen. Etwas verschämt erinnerte er sich später, daß er ebenso skeptisch gewesen war wie die meisten seiner Zeitgenossen.

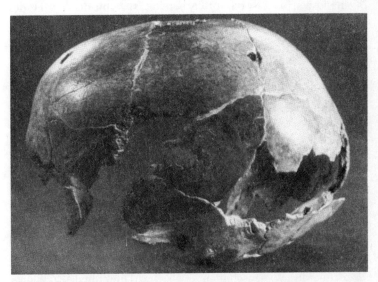

6. *Die Hirnschale eines zwei- bis dreijährigen Neandertalerkindes, die Phillipe-Charles Schmerling 1830 in der Höhle von Engis in Belgien entdeckte. Als Neandertaler identifiziert wurde das Fossil erst einhundert Jahre später. Es war der erste Fund dieser Art.*

... als ich meine Skepsis bezüglich des angeblichen Alters der fossilen Knochen zum Ausdruck brachte, bemerkte er spitz: »Wenn Sie aufgrund der Annahme, der Mensch sei ein Lebewesen jüngeren Datums, daran zweifeln, daß sie aus der gleichen Zeit stammen wie der Bär oder das Nashorn, so müssen Sie ebenso die gleichzeitige Existenz aller anderen lebenden Tiere in Zweifel ziehen wie Rotwild, Hirschkuh, Wildkatze, Wildschwein, Wolf, Fuchs, Wiesel, Biber, Hase, Kaninchen, Igel, Maulwurf, Haselmaus, Feldmaus, Wasserratte und Spitzmaus, deren Knochen ich in derselben Erdschicht wahllos verstreut gefunden habe.«[30]

Lyell war noch nicht überzeugt. »Ich kann als Entschuldigung nur anführen, daß eine Entdeckung, die dem allgemeinen Tenor der jüngeren Forschung zu widersprechen scheint, natürlich nur sehr zögerlich angenommen wird.«[31] Diese Worte zählen zu den größten Wahrheiten, die Lyell jemals niederschrieb, denn sie charakterisieren treffend die Entdeckungsgeschichte des Neandertalers. Niemand war damals darauf vorbereitet, sich mit der Vorzeit des Menschen auseinanderzusetzen.

Noch schlimmer als Schmerling erging es Jacques Boucher de Crèvecoeur de Perthes. Im Gegensatz zu Schmerling, der versuchte, anhand von Skelettfunden die Existenz von Frühmenschen nachzuweisen, beruhte das Ansehen beziehungsweise die traurige Berühmtheit des Boucher de Perthes auf seinen Erkenntnissen über die primitiven Steinwerkzeuge unserer Vorfahren, wie sie zum Beispiel von Frere in Hoxne gefunden worden waren, auch wenn sich niemand mehr an dessen Funde erinnerte.

Boucher de Perthes wurde 1788 als Sohn einer wohlhabenden Familie geboren, die stolz war auf die pflanzenkundlichen Studien ihres Oberhauptes. Im Jahr 1792, während der Schreckensherrschaft in Paris – die mindestens zwölfhundert Menschen das Leben kostete –, zog der junge Jacques mit der Familie nach Abbeville. Der Vater wurde der lokale Sekretär oder Vertreter der Akademie der Wissenschaften und später Direktor des Zollamts von Abbeville.

Wie Cuvier zählte auch Boucher de Perthes zu jener Gruppe begabter junger Männer aus dem Bürgertum (weniger aus der

7. *Jacques Boucher de Crève-coeur de Perthes als junger Mann zur Zeit Napoleons. In den vierziger Jahren des 19. Jahrhunderts arbeitete er als Zollbeamter in Abbeville. Seine naturkundlichen Studien, etwa seine Interpretation früher Steinwerkzeuge, waren bestimmt durch seine romantische Vorstellung vom Ursprung des Menschen. Er sprach sich für die Existenz vor-keltischer das heißt pleistozäner Menschen aus. Porträts späteren Datums existieren nicht, was wahrscheinlich Boucher de Perthes' Eitelkeit zuzuschreiben ist.*

Aristokratie), die in gute Positionen gehoben wurden. Anfang des 19. Jahrhunderts, als Napoleon seine Macht ausbauen konnte und Cuvier zunehmend Einfluß im Muséum National d'Histoire Naturelle gewann, machte sich der junge Boucher de Perthes am kaiserlichen Hof als geistreicher politischer Schriftsteller einen Namen. Er schrieb Theaterstücke, Gedichte und Lieder, die der damaligen Mode entsprachen. Er war ein produktiver und charmanter Dichter. Es wurde sogar gemunkelt, er habe eine Affäre mit der reizenden Schwester Napoleons, der Prinzessin Pauline Borghese. Fest steht, daß ihn Napoleon persönlich mit geheimen Missionen beauftragte, die ihn durch fast ganz Europa führten.

Unter Napoleon erhielt die Position eines *douanier* oder Zollbeamten eine weit größere Bedeutung, als ihr heute noch zukommt, vor allem in militärischer Hinsicht. Eine besonders große Verantwortung trugen die Zollbeamten, die an den Grenzen des Reiches eingesetzt wurden, wie zum Beispiel in Abbeville. In dieser Stadt an der Somme, die an strategisch wichtiger Stelle direkt gegenüber von England lag, war Boucher de Perthes zunächst stationiert. Später wurde er nach Marseille und dann in andere, heute zu Italien gehörende Städte versetzt. Schließlich berief man ihn an die Pariser Zollverwaltung, zu deren Leiter er 1812 ernannt wurde.

Boucher de Perthes' Freude über diese Beförderung währte nicht lange, denn 1812 war das Jahr von Napoleons verhängnisvollem Rußlandfeldzug. Im Gegensatz zu Cuvier, der seine Stellung am Museum umsichtig festigte, sich hütete, von einer bestimmten Regierung abhängig zu werden, und sich deshalb mit jedermann gutstellte, galt Boucher de Perthes eindeutig als ein Mann Napoleons. Im Jahr 1815 fiel er in Ungnade und wurde nach La Ciotat an der Mittelmeerküste verbannt. 1816 kehrte er in den Zolldienst zurück und wurde nach Morlaix in die Bretagne versetzt. Im Lauf der Zeit stieg er wieder langsam die Sprossen der Karriereleiter empor. Im Jahr 1825, inzwischen ein Mann mittleren Alters, nahm er als Nachfolger seines Vaters auf dem Direktorenstuhl des Zollamts von Abbeville Platz. Auf diesem Posten sollte er für den Rest seines Lebens bleiben.

In Abbeville traf Boucher de Perthes den Mann, der sein Leben und die Erforschung der Vorgeschichte des Menschen verändern sollte. Im Frankreich der Jahrhundertwende gab es nahezu in jeder größeren und kleineren Stadt eine *Société d'Emulation,* und auch Abbeville machte keine Ausnahme. Ziel dieser Gesellschaften oder bildungsbeflissenen Fördervereine war, das Selbstbewußtsein in den Gemeinden zu stärken. Sie widmeten sich der Pflege des geistigen Lebens in der Provinz und der Weiterbildung der Bürger, und gelegentlich wurden sie auch zu eitler Selbstdarstellung mißbraucht. Die Mitglieder, fast ausnahmslos Bürger von Einfluß, Vermögen und Bildung, versammelten sich zu Vorträgen und Diskussionen über interessante Themen aus Kunst, Naturwissenschaft, Archäologie und anderen, ausgefallenen Gebieten. Selbstverständlich war der Direktor des Zollamts von Abbeville ein treues Mitglied der Société.

Im Jahr 1829 trat der erst vor kurzem zugezogene Arzt Casimir Picard der Gesellschaft bei, in der Boucher de Perthes zu diesem Zeitpunkt das Amt des Vizepräsidenten bekleidete. Picards Leidenschaft galt der Archäologie, vor allem prähistorischen Steinwerkzeugen. Ganz besonders interessierten ihn die sogenannten Keltenbeile, robuste, polierte Steinwerkzeuge, die heute dem Neolithikum zugerechnet werden, also erst einige tausend Jahre alt sind. In einem 1835 vor der *Société* gehaltenen Referat vertrat Picard die Meinung, diese Beile seien an Griffen aus Holz, Knochen oder Horn befestigt gewesen und nicht in der Faust geführt worden.

Picard war einer der ersten, die in der Archäologie experimentelle Methoden anwandten. So versuchte er, Steinwerkzeuge, wie sie in den Ausgrabungsstätten gefunden worden waren, selbst herzustellen und zu gebrauchen. Durch solche Experimente fand er heraus, mittels welcher Techniken die Werkzeuge behauen und geschliffen worden waren, und bisweilen auch, für welche Aufgaben sie sinnvoll eingesetzt werden konnten. Darüber hinaus führte er systematischere Ausgrabungsmethoden ein, bei denen er die stratigraphischen Daten berücksichtigte. Aus heutiger Sicht ist Picards wissenschaftliches Wirken jedoch nur zu einem geringen Teil von Nutzen gewesen. Seine Bedeutung liegt wohl eher in seiner Betonung einer systematischen Arbeitsweise und in seinem Einfluß auf Boucher de Perthes, der stets für neue Ideen empfänglich war.

Das Leben in der Provinz und die Verwaltungsarbeit langweilten den Zoll-Direktor längst so sehr, daß sein satirischer Geist wieder erwachte. Er konnte der Versuchung nicht widerstehen, sich über seine Kollegen in der Verwaltung lustig zu machen. 1835 veröffentlichte er das äußerst witzige, aber auch skandalträchtige Buch *La Petite Glossaire, traduction de quelques mots financiers, équisse de moeurs administratives* (Das Kleine Wörterbuch, die Deutung einiger Begriffe aus der Finanz- und Verwaltungswelt). Die folgende Stelle illustriert den beißenden Spott des Autors:

IDIOT: Man mag sich fragen, ob es besser ist, von Idioten oder von regelrechten Dieben verwaltet zu werden. Zweifellos heißt die Antwort: von Dieben.

IDIOT, siehe auch GEMEINDERAT

GEMEINDERAT: Eine Gruppe von Bürgern und Dörflern, die mit patriotischer Gesinnung, einem guten Gewissen und besten Absichten ungefähr sechs Jahre lang alles tun, um ihrer Stadt, ihrer Gemeinde oder ihrem Dorf Schaden zuzufügen, und die nach Ablauf ihrer Amtszeit entweder wiedergewählt werden oder sich zur Ruhe setzen und sich den Rest ihres Lebens »ehemaliges Mitglied des Gemeinderats« nennen.[32]

Das Buch war ein Riesenerfolg. Zahlreiche Zeitschriften veröffentlichten Auszüge daraus. Sein Erfolg trug aber nicht dazu bei, Boucher de Perthes bei seinen Vorgesetzten in der Verwaltung beliebter zu machen. Seine Offenheit, seine Kritik an politischen Maßnahmen der Regierung und sein Eintreten für die Emanzipation der Frauen, für den Ausbau der Volksbildung und andere revolutionäre Ideen machten seine Aussichten auf einen erneuten beruflichen Aufstieg in Paris zunichte.

Da traf es sich günstig, daß die Vorträge von Picard vor der *Société* so fesselnd waren, daß Boucher de Perthes für sich ein neues Interessengebiet entdeckte: die Frühgeschichte. Bald freundeten sich die beiden an und gingen bis zum Tod Picards im Jahre 1841 gemeinsam ihren archäologischen Forschungen nach. In ebendiesem Jahr kam Boucher de Perthes in den Besitz eines behauenen Faustkeils aus Feuerstein, der, wie es hieß, zusammen mit Überresten ausgestorbener Säugetiere in Menchecourt bei Abbeville gefunden worden war. Sofort behauptete er, den Beweis für die Existenz des vordiluvialen Menschen gefunden zu haben. Unglücklicherweise stellte sich heraus, daß er bei der Entdeckung des Werkzeugs nicht zugegen gewesen war, und da die Existenz eines Menschen des Vordiluviums nicht ohne weiteres akzeptiert werden konnte, erntete Boucher de Perthes nichts als Spott. Sein Ruf als Autor frivoler Theaterstücke und Satiren dürfte nicht dazu beigetragen haben, seine Glaubwürdigkeit zu stärken.

Doch er hielt unbeirrt an seiner Meinung fest, ja er nahm sogar in Kauf, daß er wegen seiner Theorien über den prähistorischen Menschen als Spinner abgetan wurde. Jahrelang untersuchte er Ausgrabungsstätten, die gewöhnlich aus anderen Gründen erforscht wurden, und legte eine Sammlung von Steinwerkzeugen an. Dann, im Jahr 1844, faßte er die Ergebnisse seiner Arbeit in einem Buch mit dem Titel *Antiquités Celtiques et Antédiluviennes* zusammen. Im Bemühen, die Rezeption des Buches zu erleichtern, schickte Boucher de Perthes 1846 ein Vorausexemplar an die Akademie der Wissenschaften in Paris und bat um eine Stellungnahme, in Wirklichkeit jedoch hoffte er auf eine offizielle Zustimmung oder Billigung seiner Thesen.

Zunächst lehnte es die Akademie ab, sich mit der Arbeit von Boucher de Perthes zu befassen. Als er darauf bestand, wurde immerhin ein Ausschuß eingesetzt, der sie beurteilen sollte. Die Ausschußmitglieder wagten es zwar nicht, sich offen gegen eine Freigabe des Buches auszusprechen, doch setzten sie alle ihnen zur Verfügung stehenden subtilen Mittel ein, um die Veröffentlichung zu verhindern. In bester bürokratischer Manier verzögerten sie die Stellungnahme um mindestens zwei Jahre, zweifellos in der Hoffnung, Boucher de Perthes würde aufgeben. Doch wenn dieser Autor eine Tugend besaß, so war es seine Ausdauer. Im Jahr 1849 wurde das Buch endlich veröffentlicht, auch wenn das Erscheinungsdatum 1847 lautete.

Es gab zwei Gründe für die Widerstände gegen das Buch von Boucher de Perthes: die Neuheit seiner Thesen und, was in der Rückschau noch deutlicher wird, sein mangelhaftes wissenschaftliches Urteilsvermögen. Das Werk ist sehr umfangreich und enthält zahlreiche schlechte Abbildungen der von ihm als Steinwerkzeuge und Waffen identifizierten Gegenstände. Neben der Darstellung prähistorischer Geräte, die sehr leicht als solche zu erkennen waren wie etwa der für das Acheuléen typische tropfenförmige Faustkeil, finden sich seitenlang Abbildungen von Eolithen (unbearbeitete Steine und vom Menschen so geringfügig veränderte Steinwerkzeuge, daß sie von unbearbeiteten Steinen nicht zu unterscheiden sind) sowie von völlig unbearbeiteten Stücken, die Boucher de Perthes für bildhafte Darstellungen ausgestorbener Tiere hielt. Von den achtzig abgebildeten Objekten werden heute nur zweiunddreißig als echte Werkzeuge anerkannt, die übrigen werden als eigentümlich geformte Steine abgetan. Sein unbekümmerter Umgang mit der Stratigraphie und seine mangelhafte Beschreibung der von Arbeitern durchgeführten Ausgrabungen verärgerten viele, die sich vor Ort vom Wahrheitsgehalt seiner Behauptungen überzeugen wollten.

Die höflichen Besprechungen, die das Buch in den vierziger und fünfziger Jahren des 19. Jahrhunderts erhielt, können nicht darüber hinwegtäuschen, daß Boucher de Perthes weitgehend ignoriert wurde, auch wenn er später, als seine Thesen bekannter wurden, gelegentlich lobende Anerkennung fand. Im Jahr 1864 veröffentlichte die englische Zeitschrift *The Anthropological Review* einen Artikel mit dem spöttischen Titel »Neues vom fossilen Menschen von Abbeville«. Es handelte sich um eine Zusammenfassung des in Frankreich erschienenen Buches *L'Abbevillois,* das einige Aufsätze von Boucher de Perthes enthielt. Der Artikel bringt die Zweifel an seinen Thesen auf subtile, doch eindeutige Weise zum Ausdruck. In einer Nachbemerkung des Herausgebers wird den Erkenntnissen von Boucher de Perthes jede Glaubwürdigkeit abgesprochen. »Wir verzichten darauf, das oben Beschriebene zu diesem Zeitpunkt in irgendeiner Weise zu kommentieren.«[33]

Boucher de Perthes hatte einen so schlechten Ruf, daß selbst der englische Archäologe John Lubbock, der sich später seinen Ansichten anschloß, in seinem Buch schrieb:

Sieben Jahre lang [von 1846 bis 1853] konnte Boucher de Perthes kaum Anhänger für seine Thesen gewinnen. Man hielt ihn für einen Schwärmer, fast schon für einen Verrückten ... Das Sprichwort sagt, der Prophet gilt nichts in seinem Vaterlande, und Boucher de Perthes machte da keine Ausnahme.[34]

Daß Boucher de Perthes' Faustkeile schließlich als echte Steinwerkzeuge anerkannt wurden und der Autor Genugtuung erfuhr, verdankte er nicht seinen eigenen Veröffentlichungen, sondern ironischerweise der Arbeit eines seiner schärfsten Kritiker, des Präsidenten der Société des Antiquaires de Picardie, Dr. Rigollot. Im Jahr 1853 untersuchte Dr. Rigollot das »Geschiebe«, also das aus dem Pleistozän stammende Geröll bei Saint-Acheul, und entdeckte dabei Faustkeile zusammen mit den Knochen ausgestorbener Säugetiere. Rigollots bisherige skeptische Haltung, die Sorgfalt, mit der er die Lage der Fundstücke untersuchte und beschrieb, und die bessere Qualität seiner Illustrationen waren der Grund, warum man seinen Behauptungen Glauben schenkte. Die von Frere und später von Boucher de Perthes als Steinwerkzeuge identifizierten Gegenstände werden heute Acheuléen-Keile oder Biface-Faustkeile genannt. Dies unterstreicht die Bedeutung von Rigollots Arbeit in Saint-Acheul.

Selbst nach der Bestätigung durch Rigollot erfuhr Boucher de Perthes keine öffentliche Anerkennung. Alter und Echtheit der Faustkeile wurden erst akzeptiert, als 1858/59 mehrere berühmte englische Geologen die Ausgrabungsstätten besuchten, darunter

Charles Lyell, Joseph Prestwich, John Evans, J. W. Flower und Hugh Falconer. Das wissenschaftliche Establishment im zentralistischen Frankreich ignorierend, das Boucher de Perthes so vehement abgelehnt hatte, fuhren die Engländer direkt vor Ort ins Tal der Somme, besichtigten zahlreiche Ausgrabungsstätten und gruben selbst Faustkeile aus. Was auch immer die Pariser Kollegen sagen mochten, zwei Dinge wurden ihnen schnell klar: Die Werkzeuge waren von Menschenhand gefertigt, und sie waren sehr alt.

Mit jedem neuen Fund wuchs das Wissen über die Vorgeschichte der Menschen. Doch nach wie vor fanden die neuen Erkenntnisse kaum Anerkennung, oft stießen sie auf Ungläubigkeit, und meist wurden sie nur in unbedeutenden Provinzblättern besprochen.

Nicht anders war es 1848 bei der Entdeckung des Schädels von Gibraltar, der später als neandertalid identifiziert wurde. Arbeiter

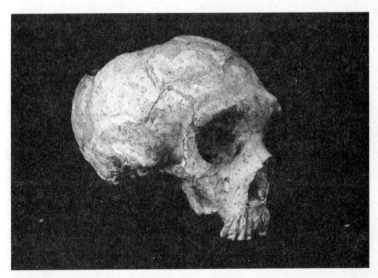

8. *Der 1848 im Steinbruch von Forbes, Gibraltar, geborgene Schädel eines Neandertalers. In den sechziger Jahren des letzten Jahrhunderts wurde er nach London geschickt, wo er kurzfristig Interesse wachrief, dann aber bis Anfang des 20. Jahrhunderts in Vergessenheit geriet. Dieser vergleichsweise vollständige Schädel war zu einer Zeit entdeckt worden, als nur wenige Wissenschaftler in der Lage und noch weniger bereit waren, seine Bedeutung für die Evolution des Menschen anzuerkennen.*

hatten ihn beim Bau militärischer Befestigungsanlagen gefunden. Die genauen Einzelheiten der Entdeckung liegen heute im dunkeln, die einzigen Hinweise finden sich im Protokoll der Gibraltar Scientific Society vom 3. März 1848, aus dem hervorgeht, daß der Schriftführer »einen von der Nordseite des Forbes-Steinbruchs stammenden menschlichen Schädel«[35] vorlegte.

Weiter wurde nichts berichtet, und der Fund blieb allem Anschein nach unbeachtet. Der Schädel wurde in das kleine Inselmuseum verbracht, wo bereits andere Altertümer und Raritäten lagerten. Dort wartete er über zehn Jahre auf seine Wiederentdeckung. Er hatte Tausende von Jahren in der Erde geruht, bis er wieder ans Tageslicht befördert wurde, auf ein paar Jahre mehr kam es nun nicht mehr an. Niemand wollte ihn sehen, niemand betrachtete ihn, niemand interessierte sich für ihn. Noch nicht.

2
Mein Vorfahr ist das nicht
1856–1865

Als Fuhlrott die Versteinerungen aus dem Neandertal in Händen hielt, glaubte er die Frage nach dem Alter des Menschen ein entscheidendes Stück voranbringen zu können. Seine Hoffnung, die außergewöhnliche Entdeckung sichere ihm einen Platz unter den führenden Wissenschaftlern, sollte sich jedoch nicht erfüllen. Die Funde brachten zwar neue Aspekte, führten aber statt zu größerem Verständnis zu Kontroversen und Verwirrung.

Schon die Datierung der Überreste erwies sich als problematisch. Zu jener Zeit standen drei Methoden zur Verfügung, das Alter unserer Vorfahren zu bestimmen. Bei der ersten legte man die Bibel zugrunde: Man berechnete die Lebensalter der Generationen und die Anzahl der »Zeugungen« von Adam und Eva bis Jesus. Den berühmtesten Versuch dieser Art unternahm James Ussher, der Erzbischof von Armagh, im 17. Jahrhundert. Er datierte die Schöpfung auf das Jahr 4004 v. Chr. Altertumsforscher erweiterten die Methode, indem sie neben der Bibel auch römische und religiöse Schriften berücksichtigten. Dies führte sie zu der Annahme, Europa sei ursprünglich von unzivilisierten vorkeltischen Stämmen bevölkert gewesen. Die Menschheitsgeschichte konnte nun als eine Folge von Völker- und Stammeswanderungen angesehen werden. Aus Stämmen entwickelten sich Rassen, aus Bräuchen eigenständige Kulturen und Sprachen. So wurde es möglich, die Geschichte der Menschheit, zumindest theoretisch, auf mehr oder weniger direktem Weg bis zum Garten Eden zurückzuverfolgen.

Da aber konkrete Beweise für die tatsächliche Existenz unserer Ahnen fehlten, begannen findige Gelehrte, die Geschichte anhand der Sprachen zurückzuverfolgen, indem sie einen Stammbaum der

Sprachen entwarfen. Einige »höher« entwickelte Formen wurden zur Familie der arischen Sprachen zusammengefaßt, eine Bezeichnung, die aus dem Sanskrit *arya,* der Edle, abgeleitet ist. Sprachvergleichende Studien, auch wenn zuweilen von geradezu rührender Naivität, wurden zu einem beliebten Mittel, die verwandtschaftlichen Beziehungen und Kontakte zwischen den frühen Stämmen und Rassen nachzuzeichnen. Vergeblich versuchte Thomas Henry Huxley, auf den fatalen Denkfehler bei dieser Methode hinzuweisen: »Körperliche, geistige und sittliche Merkmale liegen im Blut, nicht in der Sprache begründet. Die Neger in den Vereinigten Staaten sprechen seit Generationen Englisch, doch kein Mensch würde sie deshalb als Engländer bezeichnen und erwarten, daß sie sich körperlich, geistig oder sittlich von anderen Negern unterscheiden.«[1]

Der zweite Datierungsversuch bediente sich der Archäologie. Untersucht wurde das gemeinsame Vorkommen von Steinwerkzeugen und menschlichen Skelettfragmenten – vorausgesetzt, die Wissenschaftler konnten sich darauf einigen, was als Steinwerkzeug anzusehen war. Betrachtete man die zeitliche Folge der Überreste, ergab sich eine Art hierarchischer Ordnung von Gerätetypen. So wurden Arbeiten aus Metall jünger datiert als Tongefäße und geschliffene oder polierte Steinbeile, wohingegen Abschlaggeräte einer noch älteren, noch primitiveren Kulturstufe zugeordnet wurden. Diese Methode mag im Prinzip richtig gewesen sein, doch mangelte es ihr an Genauigkeit im Detail. Zudem sagte die zeitliche Einordnung der Werkzeuge fast nichts über die Menschen selbst aus.

Bei der dritten, der paläontologischen Datierungsmethode, wurde das gemeinsame Vorkommen von ausgestorbenen Säugetieren und Steinwerkzeugen oder besser noch frühmenschlichen Skelettfragmenten untersucht. Da mit diesem Verfahren hauptsächlich in Europa gearbeitet wurde, fand man menschliche Spuren und Überreste in denselben Schichten, in denen etwa ausgestorbene Mammute, Wollnashörner, Riesenelche und Höhlenhyänen vorkamen – Tiere, die heute dem späten Pleistozän, das vor ungefähr hundertdreißigtausend Jahren begann und vor zehntausend Jahren endete, zugeordnet werden, als Europa zeitweise vergletschert war. (Der Beginn der Pleistozänen Epoche liegt etwa

1,8 Millionen, sein Ende rund zehntausend Jahre zurück.) Eine rein geologische Variante dieser Datierungsmethode nahm die Mächtigkeit und Beschaffenheit der über den Knochen oder Werkzeugen liegenden Erd- und Gesteinsschichten zum Maßstab ihrer Altersbestimmung. Dieser Ansatz war besonders nützlich und in Gegenden, wo die geologische Schichtenfolge bekannt und eindeutig war, in der Regel auch präzise. Da noch keine unabhängigen Datierungsmethoden wie die heute gebräuchliche Radiometrie zur Verfügung standen, wurde eher eine Abfolge der Schichten oder Erdzeitalter festgelegt, deren jeweilige Dauer auf purer Mutmaßung beruhte, als eine präzise Kalibration des Alters der in den Schichten vorkommenden Versteinerungen vorgenommen.

Ergänzt wurden diese Versuche durch Untersuchungen der embryologischen Entwicklung und Anatomie lebender Säugetiere, doch konnten die Kontroversen auch dadurch nicht beigelegt werden. Das als vergleichende Anatomie bekannte Fachgebiet lieferte unmittelbare Erkenntnisse über strukturelle Ähnlichkeiten zwischen zwei beliebigen Tieren. Zu seinen Vertretern gehörten im 19. Jahrhundert Geistesgrößen wie Georges Cuvier und Paul Broca in Frankreich, Richard Owen und Thomas Henry Huxley in England und Ernst Haeckel in Deutschland.

Uneinigkeit herrschte auch in der Frage, wie die verschiedenen Eigenschaften gewichtet werden sollten. Was war wichtiger: Wenn zwei Arten Übereinstimmungen bei den Zähnen oder bei der Schädelform aufwiesen? Waren Füße aussagekräftiger als zum Beispiel Schulterblätter und Schulterblätter bedeutungsvoller als Schädel? Nicht gefragt wurde, wie lange es gedauert hatte, bis sich die unterschiedlichen Merkmale herausgebildet hatten, denn die Theorie von der allmählichen Veränderung der Arten – Darwins klassische Evolutionstheorie – war noch nicht eingeführt.

Der vergleichenden Anatomie gelang es, ein umfassendes System zu schaffen, das Ähnlichkeiten zwischen verschiedenen Arten ohne größere Probleme zu definieren half. Als die ersten Menschenaffen – Schimpanse, Gorilla und Orang-Utan – nach Europa gebracht wurden, erkannte man natürlich sofort ihre große anatomische Ähnlichkeit mit dem Menschen. Nicht mehr ganz so groß war die Ähnlichkeit bei den Gibbons, und selbst bei den

Affen und Halbaffen war sie noch unverkennbar. Illustrationen aus dem 19. Jahrhundert, auf denen fahrradfahrende Schimpansen mit Hut oder Szenen wie »Ein Tag im Zoo« oder »Besuch im Affenhaus« dargestellt sind, verdeutlichen, daß man sich der auffallenden Ähnlichkeit zwischen manchen Menschen und anderen Primaten durchaus bewußt war und sie belächelte.

Allen Wissenschaftlern war die Ähnlichkeit der Menschenaffen mit den Menschen bewußt (oder war es umgekehrt?). Dennoch führten die Wissenschaftler Fachdebatten über den genauen Grad der Verwandtschaft. In den sechziger Jahren des letzten Jahrhunderts waren sich Huxley in England und Broca in Frankreich einig, daß der Mensch eine auffallende Ähnlichkeit mit dem Schimpansen aufweise, wohingegen Haeckel in Deutschland den Gibbon zu unserem nächsten Verwandten bestimmte.

Doch das Studium der Skelettfragmente aus dem Neandertal führte zu einer völlig neuen Erkenntnis: Obgleich im weitesten Sinne menschlich, anders also als Menschenaffen und Affen, unterschieden sie sich doch von allen bekannten Menschen der Jetztzeit. Sie waren anders. Knochen dieser Art waren noch nie zuvor untersucht worden. Weitere wichtige Erkenntnisse lieferte der Umstand, daß die Fossilien in geologischen Ablagerungen gefunden worden waren, die ein beachtliches Alter vermuten ließen.

Ob Fuhlrott auf Anhieb begriff, welche revolutionierende Bedeutung diesem Fund zukam, werden wir nie erfahren. Zumindest wußte er, daß die Entdeckung einen enormen Einfluß auf die, wie wir heute sagen, Evolutionstheorie des Menschen haben würde. So ist bekannt, daß er bei Hermann Schaaffhausen, einem Anatomieprofessor von der Universität Bonn, fachmännischen Rat suchte und ihm zu Untersuchungszwecken einen Gipsabdruck zur Verfügung stellte. In Einzel- und Gemeinschaftsarbeit bereiteten sie die Präsentation ihrer Entdeckung vor. Die Niederrheinische Gesellschaft für Natur- und Heilkunde in Bonn erschien ihnen dafür das geeignete Forum.

Auf der Versammlung am 4. Februar 1857, ungefähr sechs Monate nach der Entdeckung der Fossilien, gab Schaaffhausen den Fund erstmals bekannt. Er berichtete, anschließend habe Fuhlrott, dem es »zu danken ist, daß diese ... Gebeine in Sicherheit gebracht und der Wissenschaft erhalten worden sind«, das Cranium von Elberfeld nach Bonn transportiert und es ihm »zur genaueren anatomischen Untersuchung« überlassen.[2] Vermutlich hatte Schaaffhausen seine ganze Überredungskunst anwenden müssen, um dies zu erreichen.

Für die Generalversammlung des Naturhistorischen Vereins der preußischen Rheinlande und Westfalens, die am 2. Juni ebenfalls in Bonn stattfand, hatte Schaaffhausen einen detaillierteren Bericht vorbereitet. Auch besaß er genug Taktgefühl, um Fuhlrott einzuladen und ihn zu bitten, in einem eigenen Bericht die Begleitumstände der Entdeckung zu schildern. Für den Lehrer und Hobby-Naturforscher war es eine ausgesprochene Ehre, vor einem Auditorium namhafter deutscher Professoren sprechen zu dürfen. Doch bei der Veranstaltung selbst kamen Lob und Anerkennung, die er zu Recht erwarten durfte, offenbar zu kurz.

Fuhlrott sprach als erster und legte die geologischen Gründe dar, die ein hohes Alter der Knochen vermuten ließen. Der Höhlenboden sei »mit einer vier bis fünf Fuss mächtigen, mit rundlichen Hornstein-Fragmenten [ein für die Werkzeugherstellung viel benutzter Stein] sparsam gemengten Lehmablagerung bedeckt« gewesen. Die Zusammengehörigkeit der Knochen, fuhr er fort, sei durch die Lage, in der sie gefunden wurden, bestätigt: »So haben zwei Arbeiter, welche die Ausräumung der Grotte besorgt, und die von mir an Ort und Stelle darüber vernommen wurden, auf das Bestimmteste versichert.«[3]

An heutigen wissenschaftlichen Kriterien gemessen erscheint diese mittelbare Beweisführung wenig überzeugend, damals jedoch war es gängige Praxis, Ausgrabungen nicht selbst zu leiten, sondern sich durch die Arbeiter unterrichten zu lassen. Fuhlrott verwies auch auf die dendritischen Ablagerungen (die mineralischen Ablagerungen in einer linear angeordneten, verästelten Struktur) auf der Oberfläche der Fossilien. Diese Ablagerungen galten damals als sicheres Zeichen für hohes Alter und Versteinerung. Erst kürzlich waren sie von Professor H. von Mayer, einem Bonner Kollegen Schaaffhausens, auf Knochen von Höhlenbären und anderen ausgestorbenen Tierarten entdeckt worden. Ohne Fuhlrotts Wissen war von Mayer jedoch schon wieder im Begriff, sein Kriterium für die Altersbestimmung von Knochen zu verwerfen. Zusammen mit dem gleichnamigen Bonner Professor August

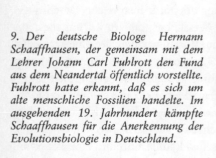

9. Der deutsche Biologe Hermann Schaaffhausen, der gemeinsam mit dem Lehrer Johann Carl Fuhlrott den Fund aus dem Neandertal öffentlich vorstellte. Fuhlrott hatte erkannt, daß es sich um alte menschliche Fossilien handelte. Im ausgehenden 19. Jahrhundert kämpfte Schaaffhausen für die Anerkennung der Evolutionsbiologie in Deutschland.

Franz Mayer wurde er einer der vehementesten Kritiker des Ne-andertaler-Funds.

Nach Fuhlrott sprach Schaaffhausen. Ohne Umschweife und mit dezidierten Worten trug er seine anatomische Analyse vor. Seiner Rede war anzumerken, daß er es als deutscher Professor gewohnt war, für seine unverrückbaren Ansichten geachtet zu werden.

… als Ergebnis [stellte] ich die Behauptung auf, dass die auffallende Form dieses Schädels für eine natürliche Bildung zu halten sei, welche bisher nicht bekannt geworden sei, auch bei den rohesten Rassen sich nicht finde, dass diese merkwürdigen menschlichen Ueberreste einem höheren Altertume als der Zeit der Celten und Germanen angehörten, vielleicht von einem jener wilden Stämme des nordwestlichen Europa herrührten, von denen römische Schriftsteller Nachricht geben und welche die indogermanische Einwanderung als Autochthonen [eingeborene Völker] vorfand, und dass die Möglichkeit, diese menschlichen Gebeine stammten aus einer Zeit, in der die zuletzt verschwundenen Thiere des Diluvium auch noch lebten, nicht bestritten werden könne, ein Beweis für diese Annahme, also für die sogenannte Fossilität der Knochen, in den Umständen der Auffindung aber nicht vorliege.[4]

Dann ging er daran, Knochen zu beschreiben, deren Besonderheit alles übertraf, was die Anwesenden je gesehen hatten. Er begann mit dem langen, schmalen und schweren Schädel, dessen auffälligstes Merkmal die ausgeprägten knochigen Wülste waren, die sich furchteinflößend über den Augen wölbten und einige überraschte Betrachter vermuten ließen, es handele sich um das Cranium eines Wilden. Die Überaugenwülste gingen in eine fliehende, tierähnliche Stirn über. Die Hirnschale war zwar geräumig, aber lang und niedrig statt anmutig gewölbt. An der Hinterhauptschuppe befand sich ein ausgeprägter horizontaler Knochenwulst, der später als okzipitaler Nackenknoten oder »Chignon« bezeichnet wurde.

Gerade der Neandertalerschädel sollte in den Mittelpunkt des Interesses rücken und zum eigentlichen Streitpunkt werden. Ein Grund dafür war die außergewöhnliche Popularität der Phrenologie im späten 19. Jahrhundert. Die von dem Mediziner Franz Joseph Gall in Wien begründete Lehre ging davon aus, daß von der Schädelform auf geistige und vor allem sittliche Veranlagungen zu schließen sei. Große Verbreitung fand die Phrenologie in Amerika und England durch die Unternehmerfamilie Fowler, die Schaubilder und Porzellanköpfe herstellte und vertrieb, auf denen eingezeichnet war, welche Bereiche des Schädels die unterschiedlichen Eigenschaften beherbergten. Solche Hilfsmittel befähigten Studenten der Phrenologie, anhand von Unebenheiten des Schädels zu beurteilen, ob ihre Freunde sinnlich, ehrlich, häuslich oder intellektuell veranlagt waren. Paare, die kurz vor der Eheschließung standen, ließen ihre Köpfe »lesen«, um sicherzugehen, daß sie zusammenpaßten. Oscar Wilde griff in seinem berühmten Roman *Das Bildnis des Dorian Gray* diesen weitverbreiteten Glauben geschickt auf. Der moralische Verfall seiner Hauptfigur ist nicht an ihrem Gesicht, sondern an ihrem Porträt abzulesen.

Obwohl bei der Diskussion über den Neandertaler-Fund selten offen ausgesprochen, prägte der blinde Glaube an den Zusammenhang zwischen Schädelform und Charakter die nun folgende Auseinandersetzung. Immer wieder wurden die Schädelmerkmale an erster Stelle genannt, obwohl Beweise für viele Behauptungen nur durch Untersuchungen der Gliederknochen erbracht werden konnten.

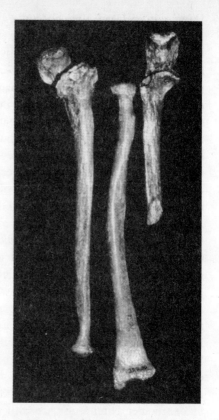

10. *Vorderansicht der Unterarmknochen des Neandertalerskeletts aus der Feldhofer Grotte. Rechts die beiden normal gewachsenen Knochen (die vollständige Speiche und der obere Teil der Elle) des rechten Arms. Links die gebrochene linke Elle mit dem direkt unterhalb des Ellbogens nach außen gewinkelten Gelenkkopf. Der Bruch war noch zu Lebzeiten in dieser falschen Position verheilt. Da der verletzte Arm lange geschont worden war, hatten sich seine Knochen zurückgebildet. Die pathologische Knochenwucherung an der Bruchstelle gab Anlaß zu der Behauptung, es handele sich bei dem Fund nicht um eine neuentdeckte ausgestorbene Menschenart, sondern um ein krankes Individuum – eine Beurteilung, die dazu genutzt wurde, den Evolutionsgedanken zurückzuweisen.*

Mehrere dieser Knochen lagen vor. Beide Humeri oder Oberarmknochen waren gefunden worden, doch sie unterschieden sich voneinander. Der rechte Oberarmknochen war kräftig und hatte einen großen Gelenkkopf zur Verbindung mit der Scapula, dem Schulterblatt, von dem ebenfalls ein Stück gefunden worden war, sowie einen kräftig gebauten Schaft mit ausgeprägten Leisten, die der stark entwickelten Muskulatur als Ansatzstellen dienten. Die beiden Unterarmknochen, Speiche und Elle, des rechten Arms lagen ebenfalls vor. Der linke, unvollständig erhaltene Humerus fiel deutlich schlanker aus als der rechte, und die linke Elle war verkürzt und verformt.

Durch eine Verletzung zu Lebzeiten war dieser Knochen am Ellbogengelenk gebrochen. Da der verletzte Arm lange nicht benutzt worden war, hatten sich Oberarmknochen und Elle zurückgebildet und waren dünner als die des anderen Armes. Auch verheilte der Bruch schlecht und ließ eine pathologische Knochenwucherung zurück. Die Folge war, daß der linke Ellbogen nicht weiter als bis ungefähr neunzig Grad angewinkelt werden konnte – ein Umstand, der dem Besitzer sicherlich Schmerzen verursacht hatte. Unter den Forschern des 19. Jahrhunderts entzündete sich der Streit an der Beurteilung dieser Verwachsung. Um anders lautenden Behauptungen, die dennoch kurze Zeit später aufgestellt wurden, vorzubeugen, erklärte Schaaffhausen, daß die Elle »keine Spuren rhachitischer Erkrankung«[5] aufweise, sondern nur eine schlecht verheilte Fraktur sei. Seine Worte trafen auf taube Ohren.

Auch die Femora, die Oberschenkelknochen, waren ausgesprochen kräftig, hatten große Gelenkköpfe und ausgeprägte Ansatzstellen für die Muskeln. Um nachzuweisen, daß die Knochen normal waren, verglich sie Schaaffhausen mit den im Anatomischen Museum Bonn aufbewahrten Gebeinen eines ungewöhnlich großen Menschen aus neuerer Zeit. Er schrieb, daß diese »Riesenknochen« mit den Knochen aus dem Neandertal »an Dicke ziemlich genau übereinstimmen, wiewohl sie an Länge von jenen übertroffen werden«.[6] Schaaffhausen verschwieg allerdings, daß die Oberschenkelknochen des Neandertalers gebeugt waren. Diese Beugung ist beim Menschen nichts Ungewöhnliches, doch war sie bei den Fossilien besonders stark ausgeprägt.

Ebenfalls erhalten waren das linke Ilium oder Darmbein, der obere Teil des Beckens, sowie ein paar Rippen, die so kräftig gebaut waren, daß ein Streit darüber entbrannte, ob sie nicht vielleicht zu einem Raubtier gehörten, von dem man bislang keine Überreste gefunden hatte.

Die Druckfassung seines Vortrags offenbart, daß Schaaffhausen sich eine interessante Strategie für seine Rede zurechtgelegt hatte. Wie nicht anders zu erwarten, berichtet er im ersten Abschnitt von der Entdeckung und den ersten wissenschaftlichen Präsentationen der Fossilien aus dem Neandertal und beschränkt sich dabei ausschließlich auf die Fakten. Doch am Ende dieses Teils faßt er kurz und prägnant die wichtigsten Ergebnisse seiner Untersuchung zusammen. Und erst auf den folgenden sechzehneinhalb Seiten listet er die Beweise, Messungen und Vergleiche auf, auf die er seine Meinung stützt.

Anstatt seine Kollegen also mit zwingenden Argumenten und Beweisen auf seine Schlußfolgerungen hinzuführen, präsentierte Schaaffhausen kühn und knapp seine Ansichten und überließ es den Zuhörern, seiner Beweisführung zu folgen oder seinen Worten einfach Glauben zu schenken. Ein solcher Weg mag von einem ausgesprochen selbstbewußten Gelehrten eingeschlagen werden, der weiß, daß niemand seine Autorität in Frage stellt, aber auch von einem Mann, der Ablehnung befürchten muß, ehe er seine Argumente überhaupt darlegen kann, und der seine wichtigsten Aussagen deshalb gleich zu Beginn zu Gehör bringt.

Mit besonderer Entschiedenheit erklärte Schaaffhausen, daß die Knochen nicht pathologisch seien – mit Ausnahme der erwähnten linken Elle –, sondern von einem normalen Individuum eines neuen Menschentyps stammten. Außerdem unterstrich er das hohe Alter der Fossilien und ordnete sie der vorkeltischen und antediluvialen Ära zu.

Damit hatte er die zentralen Fragen richtig erkannt, die bald darauf Gegenstand heftigster Debatten werden sollten. Er kannte seine Zuhörer gut und sah voraus, worin die Bedeutung und die Neuheit des Neandertal-Fundes lagen. Außerdem meinte er, einen unmittelbaren Beweis zur Untermauerung seiner Theorie über die Mutationsfähigkeit der Arten und die Abstammung des Menschen vom Affen gefunden zu haben, die er 1853 in seinem Werk *Über Beständigkeit und Umwandlung von Arten* veröffentlicht hatte.

Schaaffhausens dogmatische Formulierungen und sein politischer Einfluß reichten jedoch zu seinem und Fuhlrotts Bedauern nicht aus, die Akzeptanz ihrer Ideen sicherzustellen. Schon bald wurden Schaaffhausens Schlußfolgerungen von seinem Publikum bestritten, das sich anfänglich aus den bedeutendsten Vertretern der deutschen Naturgeschichte zusammensetzte. Erst später wurden Stimmen laut, die von der Mehrheitsmeinung abwichen, und noch länger dauerte es, bis die Auseinandersetzung auf die anderen europäischen Länder übergriff.

Die Ablehnung von Schaaffhausens Thesen im eigenen Land war vielleicht unvermeidlich. Wie in Frankreich Mitte des 19. Jahrhunderts, so war die Forschung auch in Deutschland streng hierarchisch und zentralistisch organisiert. Wie in Frankreich Paris, so war in Deutschland Berlin das Zentrum des akademischen Lebens. Einige einflußreiche Posten waren mit Personen besetzt, die durch die Übernahme weiterer Ämter und die Berufung in staatliche Kommissionen zusätzliche Macht angehäuft hatten. Ein Professor aus der Provinz wie Schaaffhausen hatte im wissenschaftlichen Meinungsstreit zwangsläufig einen schweren Stand gegen sie.

Schaaffhausens aufsehenerregende Neuigkeit, die auf jener außerordentlichen Versammlung am 2. Juni verkündet und später im Wortlaut veröffentlicht worden war, wurde von einem illustren Kreis von Wissenschaftlern kommentiert, doch niemand ergriff zunächst für ihn und Fuhlrott Partei.

Der hartnäckigste Widersacher war ein Mann, der den Wissenschaftsbetrieb regelrecht verkörperte und ihm seine Ansichten diktierte: Rudolf Virchow. An seiner Meinung war Schaaffhausen mehr gelegen als an jeder anderen. Doch Virchow konnte der Idee eines fossilen Menschen nichts abgewinnen. Die Gründe dafür werden deutlich, wenn man seinen Lebenslauf und geistigen Werdegang berücksichtigt.

Virchow kam 1821 als Sohn eines Bauern in der preußischen Provinz Pommern zur Welt, die vom Gegensatz zwischen Junkern – adligen Großgrundbesitzern – und Bauern geprägt war.[7] Er war klein, hatte drahtiges braunes Haar, einen fahlen Teint und eine schmale, spitze Nase. Sein stechender Blick war fordernd und unversöhnlich und flößte seinem Gegenüber Schuldgefühle ein. So erinnerte sich einer seiner Schüler, wie er Jahre nach Virchows Tod an einem Porträt seines ehemaligen Lehrers vorbeiging und sogleich ein schlechtes Gewissen bekam, weil er das Gefühl hatte, zu wenig und nicht gut genug zu arbeiten, kurzum, den überzogenen Erwartungen, unter denen Virchows Studenten, Mitarbeiter und Kollegen stets gelitten hatten, nicht zu genügen.

Virchow selbst besaß erstaunliche geistige Fähigkeiten und war zudem überaus ehrgeizig. Schon in jungen Jahren wollte er der Welt beweisen, daß er mit den anderen nicht nur mithalten konnte, sondern besser war als sie. So war es sein erklärtes Ziel, sich in Deutschland eine führende Position zu erobern, die ihm seines Erachtens auch zustand. Dieser Ehrgeiz entsprang zweifellos

11. *Rudolf Virchow, Begründer der modernen Pathologie und vehementer Gegner des Evolutionsgedankens. Er erklärte die Fossilien mehrerer normaler Neandertaler für pathologisch und verzögerte damit ihre Anerkennung in Deutschland als Zeugnisse früher Menschen bis zum Ende des 19. Jahrhunderts.*

einem Minderwertigkeitsgefühl: Er war arm, häßlich, kam aus einer unbedeutenden Familie und fiel zudem durch seinen Akzent auf. Doch andererseits stärkten diese Unzulänglichkeiten auch sein Selbstbewußtsein. Er verließ sich auf sein Gespür und glaubte unerschütterlich an die Richtigkeit seiner Überzeugungen. Schon als junger Mann war er außerordentlich arrogant. Er brillierte auf allen Wissensgebieten, erhielt zahlreiche Preise und begann in Berlin mit der Ausbildung zum Arzt.

Dank seiner herausragenden Intelligenz und seines enormen Fleißes erhielt Virchow ein Stipendium für die Pépinière, eine der besten Bildungsanstalten in Deutschland. An der Pépinière, die dem Friedrich-Wilhelm-Institut der Universität Berlin angegliedert war, wurden Militärärzte ausgebildet. Als »Pépin« wurde sich der Stipendiat seiner geringen sozialen Stellung besonders schmerzlich bewußt, zumal ihn der fortwährende Kampf um Geld für Kleidung, Bücher und andere notwendige Dinge stets mit seinem Grundproblem konfrontierte.[8] Mit der Zeit fand er einflußreiche adlige Gönner, die ihn unterstützten, was ihn nach Abschluß der Ausbildung freilich nicht davon abhielt, auch sie unerbittlich zu kritisieren.

Die Zeitgenossen rühmten nie Virchows Charme, Witz oder Herzensgüte, sondern sprachen ausschließlich von seiner Intelligenz, seinem Arbeitseifer und seiner zutiefst kritischen Haltung gegenüber allem, was in seinen Augen unmoralisch oder gar intellektuell unredlich war. Nachdem Virchow zu Macht und Einfluß gekommen war, scharte er einen Kreis engagierter junger Männer um sich, die ihn durch sein Berufsleben begleiten sollten. Wurden sie seinen Anforderungen gerecht, überschüttete er sie mit Freundlichkeiten und belohnte sie mit Gunstbezeigungen. Doch wer versagte – indem er beispielsweise ohne Virchows Vermittlung eine Stellung annahm oder ohne seine Erlaubnis heiratete –, setzte sich seiner Verachtung aus und mußte berufliche Nachteile in Kauf nehmen.

Virchow gilt als Begründer der modernen Pathologie. Als Skeptiker und Kritiker war er geradezu prädestiniert für diesen Wissenschaftszweig. Er hegte ein tiefes Mißtrauen gegen Intuition und legte größten Wert auf Faktengenauigkeit und gewissenhaftes Abwägen der Beweismittel. Virchow drückte der Pathologie so sehr seinen Stempel auf, daß sein skeptischer Geist und das Bild des verbissenen, unbestechlichen Pathologen bis heute fortlebt.

Die Aufgabe der Pathologie als Wissenschaft von den Krankheiten definierte Virchow gleichsam als Kampf gegen alles Lebens- und Ordnungsbedrohende. Als Wissenschaftler, Politiker und Anthropologe scheute er vor keiner Herausforderung zurück. Er wurde zum entschiedenen Gegner allen metaphysischen, romantischen oder spekulativen Gedankenguts, das im 19. Jahrhundert durch die Naturphilosophie Verbreitung fand.

Maßgeblich geprägt wurde diese neue, wenngleich rückschrittliche Bewegung durch die Werke des Philosophen Friedrich Wilhelm Joseph von Schelling. Die Naturphilosophie verband einen romantischen Mystizismus – eine nostalgische Nähe zum Rittertum und Feudalismus des Mittelalters – mit einer philosophischen Betrachtung der Naturgeschichte, welche die Einheit von Gott und Natur als gegeben voraussetzte. Alle Lebewesen waren fähig, sich zu vervollkommnen, sofern sie sich ihrer Bestimmung gemäß entwickeln durften. Alle Organismen waren Varianten desselben Archetyps, dessen Merkmale durch sorgfältiges Studium identifiziert werden konnten. Die ganze Natur war göttlich, was am deutlichsten in der Schönheit der deutschen Landschaften zum Ausdruck kam.

Die Stärke dieses philosophischen Ansatzes bestand darin, daß die Naturkundler sich nicht scheuten, in die Natur hinauszugehen, um eigenhändig Proben zu sammeln und sie in ihrer natürlichen Umgebung zu studieren. Gleichzeitig aber bereitete die Philosophie den Boden für wilde Spekulationen und unhaltbare Theorien über die Organismen. In den dreißiger und vierziger Jahren des 19. Jahrhunderts beschäftigten sich wichtige Vertreter der Naturphilosophie mit evolutionären Ideen und griffen die uralte Vorstellung einer Urzeugung wieder auf – Lehren, die in Virchows Augen indiskutabel waren.

Seine beiden bekanntesten Theorien standen in scharfem Kontrast zu dem abstrakten romantischen Philosophieren über die Natur, dem die meisten deutschen Biologen in der ersten Hälfte des 19. Jahrhunderts anhingen. Sie sagen viel über seine Persönlichkeit und sein Denken aus. Seine Methode hieß: genau hinsehen, »auf das Genaueste und Sorgsamste Mikroskopieren«[9] und objektiv darstellen.

Seine erste große Theorie beschäftigte sich mit dem Ursprung der Zellen und basierte auf seiner Doktorarbeit, die er bereits in den vierziger Jahren des letzten Jahrhunderts verfaßt hatte. In *Omnis cellula a cellula* schrieb er: »Alle Zellen gehen aus Zellen hervor.«[10] Mit Hilfe wissenschaftlicher Fakten versuchte er zu beweisen, daß es so etwas wie eine Urzeugung weder gegeben hatte noch geben konnte. Damit kritisierte er offen die Position hochgeachteter und erfahrener Gelehrter.

Allein schon die schlüssige Formulierung seiner Zelltheorie bringt seinen unerschütterlichen Glauben an die Unveränderlichkeit allen Lebens wie auch seine Überzeugung zum Ausdruck, daß Leben nur aus gleichgeartetem anderem Leben entstehen kann. Virchows spätere Schriften, in denen er Rassencharakteristika aufstellt und Rassenwanderungen verfolgt, spiegeln dieselbe Überzeugung wider: Kelten stammen von Kelten, Germanen von Germanen ab. Große Veränderungen fanden nicht statt. Darüber hinaus war Virchow ein überzeugter Anhänger der Polygenese und glaubte, daß die einzelnen Rassen auf verschiedene Stammpaare zurückgingen. Ein Mann, der solche Ideen vertrat, konnte unmöglich akzeptieren, daß der Neandertaler ein Vorfahr des modernen Menschen sein sollte.

Neben wissenschaftlichen waren auch politische Gründe für die Mißdeutung der Fossilien aus dem Neandertal verantwortlich.

Nach Virchow werden Krankheiten durch eine oder mehrere bösartige Zellen ausgelöst. Krankheit ist gleichsam eine heimtückische Revolte von Teilen des Organismus gegen seinen gesunden Teil. Virchow zog eine klare Parallele zwischen dem Organismus, der aus einzelnen, zum Wohl des Ganzen zusammenarbeitenden Zellen besteht, und dem Staat, der nach Virchows Ansicht ähnlich organisiert werden mußte. Beide bestehen aus Einheiten, die ihre Lebensfunktion erhalten, aber auch arbeitsteilig miteinander kooperieren, wobei jede Einheit die Aufgaben erfüllt, für die sie sich am besten eignet, und so dazu beiträgt, daß ein höheres, kollektives Wesen entsteht.

Versagt dieses wohlorganisierte System, kommt es zu Krankheit, Chaos und Verderben. Virchow formulierte später sogar den Gedanken, daß Neues nur durch Mutanten, wie wir heute sagen würden, oder durch evolutionäre Experimente entstehen kann. Damit vertrat er die Auffassung, daß die ersten Individuen einer neuen Art im wörtlichen Sinn pathologisch sind, da sie Abweichungen von der Norm darstellen.

Der Gedanke an eine Vorgeschichte des Menschen, an seine Abstammung von menschenaffenähnlichen Wesen und an eine Theorie der Evolution war für Virchow mit völlig unannehmbaren politischen Ideen verknüpft. Er bekämpfte die bestehende Gesellschaftsordnung und war gleichzeitig ein glühender Patriot. Er hoffte auf eine marxistische Revolution, in deren Folge jeder seinen rechtmäßigen Platz in der Gesellschaft erhielt, und dies nicht aufgrund seiner Herkunft und Familie, sondern aufgrund seiner Fähigkeiten. Obgleich Virchow ein Fürsprecher des Volkes war und sozialistische Ideale vertrat, war er gleichzeitig ein Anhänger des Elitegedankens, der freilich nur in einem System verwirklicht werden sollte, das auch begabten Menschen niederer Herkunft (wie ihm selbst) den Aufstieg zur Spitze ermöglichte.

All diese Überzeugungen und Prinzipien waren der Grund, warum Virchow bis zu seinem Tod im Jahr 1902 mit allen Mitteln versuchte, evolutionäre Gedanken zu unterdrücken und die Anerkennung menschenähnlicher Fossilien zu verhindern.

Die Auseinandersetzung um die Fossilien aus dem Neandertal fand auf Virchows ureigenstem Terrain statt. Den Vorwurf, die Fundstücke seien pathologisch, erhob erstmals Professor Mayer, der Bonner Kollege von Schaaffhausen. Aus heutiger Sicht muten seine Argumente, die auf einer detaillierten Untersuchung der Skelettfunde beruhen, lächerlich an. Zum Beispiel schrieb er: »Diese Biegung (der Oberschenkelknochen) ist nicht normal, und man bemerkt sie, wie auch die erwähnte Einwärtsbiegung der tuberositales ossis ischii [des Beckens], bei Männern, welche von früher Jugend an als Reiter herangewachsen sind.«[11] Der Neandertaler, so folgerte Mayer, habe nicht nur sein Leben im Sattel verbracht, sondern als Kind wahrscheinlich auch an Rachitis gelitten, womit die Deformationen an den Beinen zu erklären seien. Letztlich bestritt er das angegebene Alter des Skeletts, das nach seiner Überzeugung von einem mongolischen Kosaken aus der Armee Tschernytschews stammte, einer jener russischen Horden, die 1814 durch Deutschland gezogen waren, um Frankreich anzugreifen. Der Angreifer sei verwundet worden und zum Sterben in die Höhle gekrochen.

Abschließend erläuterte Mayer die ungewöhnliche Form des Schädels: »Die Wölbung der Augenbrauenbogen ist zum Theil … durch den Musculus corrugator superciliorum veranlasst, aber es braucht dieser dort nur schwach zu sein, wo der Muskel nur die bereits vorgetretene äussere Lamelle des Stirnbeins zu heben hat.«[12] Die normale oder gewohnheitsmäßige Beanspruchung der Stirnmuskulatur sei für das starke Hervortreten der oberen Augenhöhlenknochen verantwortlich, was schließlich zu der Ausbildung kräftiger Überaugenwülste geführt habe.

Huxley verspottet die Argumente Mayers ganz unverhohlen:

Man nehme ein rhachitisches Kind, das die schlechte Angewohnheit hat, die Stirn zu runzeln (weil es zum Beispiel unter Blähungen leidet, wofür solche Kinder besonders anfällig sind), und heraus kommt ein Neandertaler! [Mayers Ansicht nach] war der Neandertaler ein rhachitischer, krummbeiniger, die Stirn runzelnder Kosak, der zum Sterben in eine Höhle kroch, nachdem er Waffen, Ausrüstung und Kleider sorgfältig abgelegt hatte (von denen nichts gefunden worden ist). Die Leiche sei zwei Fuß hoch mit Lehm bedeckt worden, als eine Welle aus Schlamm (möglicherweise) über den Eingang der Höhle schwappte.[13]

Huxleys Schilderung führte die Absurdität der Mayerschen Thesen so deutlich vor Augen, daß kaum nachzuvollziehen ist, wie sie auch nur für einen Moment Anklang finden konnten. Und doch unterstützte der große Pathologe Virchow die Behauptung, das Skelett sei pathologisch und rachitisch. Im 19. Jahrhundert war Rachitis eine weitverbreitete Krankheit, und Virchow hatte sie in zwei 1853 und 1854 veröffentlichten Werken eingehend beschrieben.

Um so verwunderlicher ist es, daß gerade er nicht erkannt hat, daß die Gliederknochen der Neandertaler im Gegensatz zu den schwachen, schmalen Knochen eines unterernährten, kalziumarmen rachitischen Kranken ungewöhnlich dick waren und auf ein athletisches und muskulöses Wesen schließen ließen. Virchow selbst hatte beschrieben, wie Rachitis die Härtung beziehungsweise Kalkbildung im jungen Knochen verzögert und wie die Röhrenknochen durch schlecht verheilte Frakturen ungewöhnliche Verformungen ausbildeten. Auch dürfte Schaaffhausens Hinweis auf die »... auffallende Stärke der übrigen Knochen des Skelets, welche das gewöhnliche Maass um etwa $1/3$ übertrifft ...«[14] seiner Aufmerksamkeit kaum entgangen sein.

Wie konnte Virchow so deutlich gegen die eigenen Grundsätze verstoßen, stets Aufrichtigkeit zu üben und unter allen Umständen an den Tatsachen festzuhalten? Mehrere Faktoren scheinen dabei eine Rolle gespielt zu haben. Am schwersten wog Virchows Glaube an die Unveränderlichkeit der Arten und Organismen bis hin zur Zelle. Alles, was sich veränderte, war krank und pathologisch.

Virchows bereits erwähnte Behauptung, jeder neue Typ von Organismus habe per Definition einen pathologischen Ursprung, erklärt die innere Logik seiner Interpretation der Neandertal-Funde. Obwohl die Knochen – außer der gebrochenen Elle – nicht im medizinischen Sinn pathologisch waren, stufte Virchow sie dennoch entsprechend ein, eben weil sie den Knochen des Jetztmenschen nicht glichen, also eine Abweichung vom Menschlichen darstellten.

Hinter dieser Klassifizierung stand seine tiefe Abneigung gegen evolutionäre Ideen im allgemeinen und ihre politische Dimension im besonderen. Er lehnte die Anerkennung der Funde ab, weil er damit zugegeben hätte, daß es eine Evolution gab. Und den Evolutionsgedanken lehnte er ab, weil er zu sehr an die romantische Vergöttlichung der Natur durch die Naturphilosophen erinnerte. Die wirre und poetische Erhöhung der Naturschönheiten war dem pragmatischen, nüchtern denkenden und systematisch arbeitenden Mediziner zutiefst zuwider.

Ironischerweise hatte Virchow selbst – wenn auch auf anderem Gebiet – nur wenige Jahre zuvor nach Veränderung und Erneuerung gerufen. Als es in Oberschlesien eine Typhusepidemie zu bekämpfen galt, war er von der Verwaltungsbehörde mit der Leitung der Untersuchungskommission beauftragt worden. In seinem Bericht übte er scharfe Kritik an der Haltung der Regierung und forderte zur Behebung der Mißstände »volle und uneingeschränkte Demokratie und Volksbildung, Freiheit und Wohlstand«.[15] Unmittelbar nach seinem schonungslosen öffentlichen Angriff kämpfte er 1848 auf den Barrikaden in Berlin gegen die konservative, repressive Monarchie von Friedrich Wilhelm IV., einem erklärten Anhänger der Naturphilosophie. Virchow empörte sich darüber, daß der König seine Energie darauf verwendete, das Idealbild einer mittelalterlichen Gesellschaft wiedererstehen zu lassen.

Nach der Märzrevolution war Virchow als Gegner der preußischen Aristokratie so bekannt, daß er von seinem Amt suspendiert wurde. Nach fünf Monaten ohne Anstellung erhielt er einen Ruf nach Würzburg, was einer Verbannung in die Provinz gleichkam und die Trennung von seinen Freunden, seiner Arbeit und seiner Verlobten bedeutete. Seiner bislang so vielversprechenden Zukunft drohte das Aus. Der Kultusminister hatte sich zunächst sogar geweigert, den bayerischen König um seine Berufung zu ersuchen, und von Virchow verlangt, zuerst seine politische Gesinnung zu ändern und zu garantieren, Würzburg nicht zum »Tummelplatz [seiner] bisher kundgegebenen, radicalen Tendenzen« zu machen. Die erste Forderung machte sich der Würzburger Senat nicht zu eigen, wohl aber die zweite, wie Virchow seinen Eltern schrieb: »Ich habe darauf geantwortet, dass ich nicht die Absicht habe, einen Tummelplatz radicaler Tendenzen zu erwerben.«[16] Das war eine stolze, fast schon arrogante Erwiderung. Immerhin stellte Virchow das Erscheinen seiner radikalen Zeitschrift ein und begnügte sich künftig mit einer weniger exponierten, »zuschauenden Rolle«.

Als Ordinarius für pathologische Anatomie wurde Virchow in Würzburg bald eine akademische Berühmtheit. Trotz kärglicher Bezahlung lehnte er einige Jahre später einen Ruf nach Zürich ab, der es ihm auf angenehme Weise ermöglicht hätte, Deutschland zu verlassen. Auch schlug er Fördermittel der Regierung für zwei Studienjahre im Ausland aus. Schließlich wurde er gebeten, im bayerischen Spessart Erhebungen über den Gesundheitszustand einer durch Hungersnöte und Krankheit gepeinigten Bevölkerung durchzuführen. Dahinter stand vermutlich die Absicht, ihn mit medizinischen Aufgaben weiter politisch kaltzustellen und herauszufinden, ob seine Haltung noch immer unversöhnlich war. Und sie war es, wie sein ungeschminkter Bericht über die Unfähigkeit der staatlichen Behörden und ihr Desinteresse an den Bedürfnissen des Volkes zeigen sollte. Immerhin lobte er die Obrigkeit für Maßnahmen, denen es zu verdanken war, daß die bäuerliche Bevölkerung im Spessart nicht von Typhus, sondern nur von ähnlichen, minder schweren Krankheiten heimgesucht worden war. Zugleich forderte er radikale Reformen, ein breitgefächertes Bildungsprogramm und eine gerechtere Verteilung der Reichtümer des Landes, die nicht weiter einseitig zugunsten der Aristokratie ausgebeutet werden sollten. Seine Schrift war eine präzise und äußerst kritische Bestandsaufnahme der herrschenden Mißstände.

Erstaunlicherweise schien Virchows kühner Schritt diesmal zu dem erwünschten Ergebnis zu führen. Grundlegende politische Veränderungen standen bevor. Doch dienten sie weniger der Aufwertung des Bauernstandes als der Konsolidierung des deutschen Reichs unter der Führung Preußens und Bismarcks.

Es mag zunächst unbegreiflich erscheinen, daß Virchow trotz seiner scharfen Gesellschaftskritik nach sieben Jahren in der Provinz wieder ein Lehrstuhl in Berlin angeboten wurde. Die Behörden bewilligten sogar sein Gesuch nach einem neuen pathologischen Institut und einer neuen Abteilung an der Charité. Der Grund für dieses Entgegenkommen liegt auf der Hand: Der fünfunddreißigjährige Virchow war für seine medizinischen Forschungen inzwischen international so anerkannt, daß man ihn nicht mehr ignorieren konnte. Ihn nicht in Berlin zu haben, war regelrecht peinlich. Mehr noch, so unbequem seine Offenheit auch war, seine forsche Aufrichtigkeit und seine Forderung nach besseren

Lebensbedingungen der sozial Schwachen konnten dazu beitragen, die revolutionäre Stimmung in der Bevölkerung zu beruhigen. Es war klüger, Virchow in Berlin mit dem Aufbau von Abteilungen, Instituten, Museen und wissenschaftlichen Gesellschaften zu beschäftigen und dabei im Auge zu behalten, als zuschauen zu müssen, wie er in der Provinz die Obrigkeit attackierte.

Im Jahr 1856 übernahm Virchow den Lehrstuhl in Berlin und war bald die unbestrittene Autorität auf dem Gebiet der Biologie. Sein kritischer Geist regte sich immer seltener. In den folgenden Jahren hielt er an seiner These fest, die Knochen aus dem Neandertal seien pathologisch und sagten weder etwas über das Alter des Menschen noch über die Evolution aus. Einige Jahre später kam er erneut auf die Funde zu sprechen. Die verheilte Fraktur des Arms und das offensichtlich hohe Alter des Individuums bewiesen seiner Ansicht nach, daß der Neandertaler unmöglich einer primitiven Gesellschaft von Jägern und Sammlern angehört haben könne, denn dort hätte ein verwundeter Jäger keine Überlebenschance gehabt. Vielmehr müsse er aus einer seßhaften bäuerlichen Gesellschaft jüngeren Datums stammen.

Virchows Ablehnung der Darwinschen Evolutionstheorie, deren Veröffentlichung 1860 für gewaltiges Aufsehen in der deutschen Wissenschaft sorgte, wurde richtungsweisend. Noch im selben Jahr übersetzte der Heidelberger Paläontologe Heinrich Georg Bronn Darwins Hauptwerk *Über die Entstehung der Arten* ins Deutsche. Doch gerade jenen vielsagenden und mutigen Satz: »Es wird Licht fallen auf den Ursprung des Menschen und auf seine Geschichte«[17] ließ er weg. Er besaß zudem die Dreistigkeit, eigene kritische Anmerkungen zu machen, so daß dem deutschen Leser eine Fassung vorlag, in die bereits Zweifel eingestreut waren.

Bronn kannte die Stimmung seiner Zeit und sah die Reaktion der führenden deutschen Wissenschaftler voraus. In mehreren wichtigen wissenschaftlichen Zeitschriften wurde Darwins Werk flüchtig besprochen und harsch kritisiert. Virchow selbst warf Darwin vor, seine Ideen seien schlecht untermauert und unbewiesen. Wie anders urteilten dagegen die englischen Kritiker, die gerade seine akribische und detaillierte Beweisführung lobend hervorhoben!

Die anfängliche Ablehnung der Evolutionstheorie in Deutschland ist auch damit zu erklären, daß ihre Veröffentlichung zu einem ungünstigen Zeitpunkt erfolgte, nämlich nach der Entdeckung und Beschreibung des Neandertalers. Zugleich prägte der Widerstand des stark zentralisierten, von Virchow maßgeblich beeinflußten deutschen Wissenschaftsbetriebes gegen die neue Theorie aus England die weitere Diskussion um die Fossilien.

Die Reihenfolge der Ereignisse in England war umgekehrt, und wohl deshalb das Ausmaß der Kontroverse weitaus geringer. Bis 1861 waren die Arbeiten Schaaffhausens und Fuhlrotts auf der Insel weitgehend unbekannt. Man war mit einer anderen Diskussion beschäftigt. Drei Wissenschaftler, die unser Verständnis von der Evolution des Menschen grundlegend verändern sollten, spielten dabei die Schlüsselrollen: Alfred Russel Wallace, Charles Darwin und Thomas Henry Huxley.

Die Anfänge der Kontroverse reichen bis zum September 1855 zurück. Damals hatte Wallace, ein unbekannter und verarmter Autodidakt, in der Londoner Zeitschrift *Annals and Magazine of Natural History* einen aufschlußreichen Artikel mit dem Titel »Über das Gesetz, das das Entstehen neuer Arten reguliert« veröffentlicht. Im Kern enthielt der Aufsatz bereits jene Evolutionstheorie, die später Darwin und nur beiläufig auch Wallace zugesprochen wurde.

Alfred Russel Wallace war im Januar 1823 zur Welt gekommen.[18] Er war das achte von neun Kindern des glücklosen Geschäftsmanns Thomas Vere Wallace, der sich zeitweilig erfolglos auch als Zeitschriftenverleger versucht hatte, und dessen Frau Mary Anne, geborene Greenell. Einige Jahre vor seiner Geburt war die Familie aus dem eleganten und teuren London in den kleinen Ort Usk an der walisischen Grenze gezogen. Der mittelständischen Familie drohte der soziale Abstieg in die Arbeiterklasse. Geldnot zwang die Eltern, fast alle ihre Kinder in die Lehre zu schicken. Auch Alfred Russel konnte nur sieben Jahre lang die Schule besuchen, ehe er mit vierzehn seinen Geschwistern in die Arbeitswelt folgte. Mit 1,87 Meter war er ein ungewöhnlich großer Junge. Als extrem schüchterner, aber fleißiger Schüler zeigte er ein ausgeprägtes Interesse an Naturgeschichte.

Im Jahre 1834, als der junge Darwin auf der *Beagle* um die Welt

12. *Alfred Russel Wallace bei der Arbeit in den Tropen. Das vermutlich später erstellte Bild zeigt Wallace bei der Arbeit an seinen wichtigen Aufsätzen über die Evolution und den Ursprung der Arten.*

reiste, ging Wallace bei einem Landvermesser in die Lehre. Zwei Jahre später wurde er zu seinem Bruder John geschickt, der in London als Zimmermann arbeitete. Er kaufte sich eine Brille, weil er schlecht sah, arbeitete zehn Stunden am Tag und besuchte abends die Vorlesungen des Arbeiterbildungsvereins Hall of Science. Dort hörte er die feurigen Reden von Robert Owen, der höhere Löhne und ein Verbot der Kinderarbeit forderte und sich mit den Theorien des Nationalökonomen Malthus über Bevölkerungswachstum und Wettbewerb um Rohstoffe auseinandersetzte.

Diese Form der Bildung war neu für Wallace, und er sollte sie nicht lange genießen dürfen. Aus familiären Gründen mußte er London bereits 1837 wieder verlassen und zu seinem Bruder William ziehen, der als Landvermesser in der Provinz arbeitete. Wenn die zwei Brüder über Land fuhren, Vermessungen durchführten und Karten zeichneten, sammelten sie Versteinerungen und andere geologische Besonderheiten. Es war dasselbe Jahr, in dem Darwin von der Reise auf der *Beagle* zurückkehrte und in seinem ersten Notizbuch Überlegungen zur Transmutation der Arten aufzuschreiben begann. Darwin war nicht nur älter und wohlhabender als Wallace, er besaß auch den unschätzbaren Vorteil, daß er aus einer einflußreichen Familie kam und eine gute Bildung genossen hatte.

Ein Botanikbüchlein, das Wallace für einen kostbaren Schilling erworben hatte, öffnete ihm die Augen für die Schönheit der Natur und die Systematik der Wissenschaft. Er lernte die heimischen Pflanzen zu klassifizieren. Auf der Suche nach weiterer Lektüre empfahl ihm sein Buchhändler Loudons *Eine Encyclopädie der Pflanzen* – ein wunderschöner Band, der mehrere Pfund kostete und somit für Wallace unerschwinglich war. Hayward, so der Name des Buchhändlers, gestattete dem wißbegierigen jungen Mann, ein Exemplar auszuleihen, und so konnte sich Wallace eine Fülle von Informationen herausschreiben. Sorgfältig preßte und klassifizierte er gesammelte Pflanzen und legte ein eigenes Herbarium an. Auf einer Blumenschau in Swansea sah Wallace seine erste Orchidee, und sogleich brannte in ihm der Wunsch, solche blühenden Wunder vor Ort zu studieren.

Wallace' Aufmerksamkeit entging es, daß sein Bruder nicht mehr genügend Aufträge bekam, um sie beide unterhalten zu können. Der Tod des Vaters im Jahre 1843 stellte die verarmte Familie vor neue Probleme. Im Jahr darauf, als Darwin schon ein angenehmes Leben auf dem Landsitz Down führte und in aller Ruhe an einem Aufsatz über seine Artentheorie arbeitete, gelang es Wallace, eine Stelle als Lehrer in Leicester zu bekommen. Endlich hatte er eine Beschäftigung gefunden, die ihm genug Freizeit für sein Herbarium und für Besuche in der Bücherei ließ.

Durch Zufall lernte er in Leicester Henry Walter Bates kennen, einen Autodidakten und begeisterten Insektenforscher aus bescheidenen Verhältnissen. Die Begegnung änderte Wallace' Leben von Grund auf. Die beiden Männer waren sich nicht nur auf Anhieb sympathisch – Bates war vielleicht der erste, der Wallace' Liebe zur Naturkunde aufrichtig teilte –, dank Bates umfangreicher Insektensammlung weitete Wallace sein Interesse auch auf die Entomologie aus. Die Begeisterung für Insekten, die bis zu seinem Tod anhielt, teilte er mit Darwin, den er erst viel später kennenlernen sollte. Es gab wohl kaum einen leidenschaftlicheren Insektensammler als Darwin. Obgleich die Lebenswege der beiden grundverschieden waren, wiesen sie doch gewisse Parallelen auf.

Die idyllische Zeit, in der die beiden Brüder gemeinsam umhergestreift waren und die Natur entdeckt hatten, nahm mit Williams Tod ein jähes Ende. Um die Schulden des Bruders abzahlen zu können, gab Wallace den Unterricht auf und arbeitete wieder als Landvermesser. Diese Tätigkeit war mittlerweile wieder gefragt und brachte gutes Geld ein. Dank seines großen Fleißes und seiner Genügsamkeit hatte Wallace bis 1848 die für ihn enorme Geldsumme von hundert Pfund angespart. Der Zufall wollte es, daß im selben Jahr Darwins Vater starb und seinem Sohn vierzigtausend Pfund hinterließ.

Wallace und Bates blieben weiterhin in schriftlichem Kontakt. Aufgeregt berichteten sie einander von der Lektüre der Werke *Reise eines Naturforschers um die Welt* von Darwin und *Grundzüge der Geologie* von Lyell. In der englischen Klassengesellschaft des 19. Jahrhunderts war es undenkbar, daß Männer wie sie mit Vertretern des Landadels freundschaftlich verkehrten. Ihre Bewunderung mußte deshalb auf die Lektüre der Bücher beschränkt bleiben. Wallace beschäftigte sich immer intensiver mit der Artenfrage. Auf der Suche nach Antworten wollte er zusammen mit Bates die Tropen bereisen. Zufällig stießen sie auf die viktorianische Reiseerzählung *Voyage up the River Amazon* von W. H. Edwards. Bei der Lektüre nahmen ihre Tagträume konkrete Gestalt an, und sie begannen mit den Reisevorbereitungen.

Da keiner von beiden über größere Geldsummen, ausgewiesene Bildung oder Beziehungen verfügte, konnten sie nicht damit rechnen, wie Darwin als Naturforscher auf der *Beagle* oder wie Thomas Henry Huxley als Schiffsarzt auf dem Marineschiff *Rattlesnake* angestellt zu werden. Deshalb kamen sie auf die Idee, für reiche Hobby-Forscher und Museen naturkundliche Musterexemplare zu sammeln. Sie bevollmächtigten einen gewissen Samuel Stevens, in den kommenden Jahren ihre finanziellen Angelegenheiten zu regeln, ehe sie 1848 auf der *Mischief* zum Amazonas aufbrachen. Vier Jahre lang bereisten sie die Tropen. Der Reichtum an neuen Pflanzen und Tieren erstaunte und begeisterte sie. Not, Krankheit, Hunger und stechende Insekten setzten ihnen zu, und Blutegel, Zecken und Vampir-Fledermäuse taten ein übriges. Die neuen Erfahrungen ergänzten ihr angelesenes Wissen.

Beide, Wallace und Bates, veröffentlichten Berichte über ihre Abenteuer und Entdeckungen. Ein bis in unsere Tage bedeutender Beitrag ist Bates' Arbeit über Insektenmimikry, ein heute unter dem Begriff *Batesian mimikry* bekanntes Phänomen. Die zwischen 1860 und 1861 veröffentlichte Schrift entstand bereits während des Aufenthalts in Südamerika. Beim Sammeln von Schmetterlingen notierte Bates, daß manche Arten einander zum Verwechseln glichen und die eine von der anderen erst zu unterscheiden war, wenn er ein Exemplar in der Hand hielt. Die zahlreicher vertretene Art sonderte in solchen bedrohlichen Situationen eine widerlich schmeckende Substanz ab oder aktivierte andere chemische Abwehrmechanismen gegen ihren Feind. Der Nachahmer machte sich dies zunutze und gab sich als ihr ungenießbarer Partner aus. Die *Batesian mimikry* beruhte ganz offensichtlich auf einer natürlichen Selektion. Nur eine große Ähnlichkeit mit dem Prototypen verlieh dem Nachahmer Schutz, eine nur ungefähre Ähnlichkeit reichte als Schutz nicht aus.

Angeregt durch die Erfahrungen am Amazonas, entwickelte Wallace ein Interesse an der Erforschung der Menschenrassen, vor allem derjenigen, die allgemein als primitive Wilde angesehen wurden. Aus seinen Schriften geht deutlich hervor, daß er im Gegensatz zu den meisten Forschern seiner Zeit tatsächlich Sympathie für die Indianer hatte. Er bewunderte ihre Fähigkeit, mit Hilfe ihrer Kenntnisse, ihres handwerklichen Könnens und ihrer raffinierten Werkzeuge »ganz zivilisationsunabhängig«[19] zu überleben.

Mit dieser Einschätzung unterschied er sich grundlegend von Darwin, den die erste Begegnung mit Menschen, die weder Akkerbau betrieben noch in den städtischen Industrien arbeiteten, erschreckt und tief bestürzt hatte. Mit dem damals üblichen Anflug von Rassismus betrachtete Darwin die Feuerlandbewohner, denen er während seiner Reise auf der *Beagle* begegnete, sogar als Überbleibsel einer frühmenschlichen Population, als Überlebende einer älteren Menschenart, als seien sie lebende Fossilien. In seinem Buch *Die Abstammung des Menschen* schrieb er im Rückblick:

... es kann schwerlich ein Zweifel darüber bestehen, daß wir von Barbaren abstammen. Mein Erstaunen beim ersten Anblick einer Herde Feuerländer an einer wilden und zerklüfteten Küste werde ich nie vergessen; denn ganz plötzlich fuhr es mir durch den Kopf: so waren unsere Vorfahren. Diese Menschen waren absolut nackt und mit Farbe beschmiert, ihre langen Haare waren durcheinander gewirrt, ihr Mund schäumte in der Erregung, und ihr Ausdruck war wild, erschreckt und mißtrauisch. Sie kannten kaum irgendeine Kunst, und gleich wilden Tieren lebten sie von dem, was sie gerade erlangen konnten.[20]

Darwin, der kultivierte, vornehme Gentleman, dem es schwerfiel, diese Menschen als Angehörige seiner eigenen Art anzuerkennen, vertrat eine Ansicht, die damals weit verbreitet war. Die Fragen nach den Wesensmerkmalen des Menschen und nach dem, was ererbt (das heißt genetisch) und was erlernt ist, sollten noch viele Jahre lang diskutiert werden.

Wallace veröffentlichte neben einem Reisebericht eine Monographie über den *Papilio*, eine seltene, wunderschöne Schmetterlingsgattung. Neu an seiner Arbeit war nicht die Darstellung der achtunddreißig verschiedenen Schmetterlingsarten, sondern seine Klassifikation, die nicht nur das Aussehen, sondern auch die natürliche Umwelt der Arten berücksichtigte. Seiner Auffassung nach wurde diese Gruppe eng verwandter Schmetterlingsarten – ihre gemeinsame Abstammung wurde dabei vorausgesetzt – durch die geographischen Bedingungen in ihrer Verbreitung eingeschränkt und gleichzeitig in ihrer Divergenz gefördert.

Wallace' Rückkehr nach England verlief feuchter, als er es sich vorgestellt hatte. Das Schiff sank, und die letzte Ladung wertvoller Sammelstücke wurde zerstört. Wenigstens hatte sein Agent Stevens die Fracht für einen Teil ihres Wertes versichert. Wallace wollte seine Aufzeichnungen veröffentlichen, obwohl nur wenig vom Schiff hatte gerettet werden können. Geblieben war ihm unter anderem eine Kiste mit Zeichnungen und Notizen über Palmen. Da sich kein Verleger fand, veröffentlichte Wallace das Buch *Palm Trees of the Amazon* auf eigene Kosten. Die 137 Seiten und 48 Bildtafeln mit sorgfältigen Detaildarstellungen und sachkundigen Beschreibungen erregten in der Londoner Fachwelt einige Aufmerksamkeit.

Damit war der Grundstein für Wallace' wissenschaftlichen Ruf gelegt. Auch Joseph Hooker, Botaniker in Kew Gardens und einer von Darwins langjährigen und engsten Freunden, nahm das Buch zur Kenntnis. Wallace hörte einige Vorlesungen bei Huxley, dessen Verstand und Wissen ihn einschüchterten, und war häufiger Gast in der Insektenabteilung des British Museum. Dort lernte er auch Darwin kennen, der sich später allerdings nicht mehr an die Begegnung erinnern konnte. Der schüchterne und aus bescheidenen Verhältnissen stammende Wallace blieb in Gegenwart bedeutender Männer stets zurückhaltend und schweigsam.

Während sich Darwin in aller Ruhe seinen Notizbüchern und Theorien über die Entstehung der Arten widmete, plante Wallace die nächste Reise. Im Januar 1854 brach er für acht Jahre nach Südostasien auf und besuchte vor allem die malaiische Halbinsel. Als Gast des Weißen Radscha von Sarawak, James Brooke, schrieb er Ende 1854 einen Aufsatz für die Zeitschrift *Annals and Magazine of Natural History*, in dem er sein Sarawaksches Gesetz vorstellte. Die wichtigste Aussage darin war, wie Wallace in Kursivschrift hervorhob, daß *»eine jede Art sowohl dem Raume als auch der Zeit nach zugleich mit einer vorher existierenden nahe verwandten Art in Erscheinung getreten ist.«*[21] Er behauptete, eine neue Art entwickle sich aus einer bereits vorhandenen, eng verwandten Art, der Stammform, und unter dem Einfluß der geographischen und ökologischen Bedingungen.

Ohne Wallace' Wissen fand sein Artikel in England ein außerordentliches Echo. Am 26. November 1855 las ihn der Geologe Lyell. Zwei Tage später begann auch er, ein wissenschaftliches Notizbuch über die Artenfrage zu schreiben. Sechs Monate später besuchte er Darwin auf dessen Landsitz Down und vermerkte in seinem Tagebuch: »Bei Darwin. Gespräch über die Bildung von Arten durch natürliche Auslese (Frage nach Ursprung?)«.[22] Mit keinem Wort erwähnt er, daß er mit Darwin über den Kollegen Wallace gesprochen hat.

Darwin ging den »Wallace-Artikel« durch und versah ihn mit Anmerkungen. Die zehn Hauptargumente und die Thesen zum Ursprung der Arten schrieb er sich heraus. Was er las, war überzeugend. Die Analogie des sich verästelnden Baumes sei, so heißt es bei Wallace, »das beste Bild, das die natürliche Anordnung der Arten und ihrer sukzessiven Erschaffung repräsentiert«.[23] Die Ähnlichkeit zwischen einzelnen Arten und die geographische Verbreitung eng verwandter Arten sei erklärbar, wenn man sie als neue Äste ein und desselben Stammes verstehe, von denen manche durch veränderte Umweltbedingungen beschnitten oder vernichtet würden, andere aber überlebten. Darwin schrieb kommentierend: »Ob das wohl stimmt?«[24] Obgleich er bereits seit achtzehn Jahren an seiner eigenen Theorie über die Evolution und den Ursprung der Arten gearbeitet hatte, waren ihm einige Aspekte entgangen.

Anders als Wallace, den die unablässige Jagd nach Wissen und Geld dazu trieb, schneller zu denken und zügiger zu veröffentlichen, konnte Darwin sich einen langsameren Arbeitsstil leisten, ja, seine persönlichen Lebensumstände verführten ihn regelrecht dazu.

Charles Darwin wurde am 12. Februar 1809 als eines von sechs Kindern des Robert Waring Darwin und der Susannah Wedgwood Darwin geboren.[25] Die Familie war wohlhabend und weithin bekannt. Der junge Charles verlebte eine behütete Kindheit, obwohl seine Mutter starb, als er acht Jahre alt war. Der Vater, stattliche 1,89 Meter groß, war ein angesehener Arzt. Von ihm erbte Charles nicht nur seine Körpergröße, sondern auch ein beträchtliches Vermögen. Erasmus Darwin, der Großvater väterlicherseits, schrieb das Werk *Zoonomia oder Gesetze des organischen Lebens*, der Großvater mütterlicherseits war der Kunsttöpfer Josiah Wedgwood.

Als Kind galt Darwins Interesse ausschließlich der Naturkunde. Er sammelte alles, was er fand: Insekten, Vögel, Vogeleier, Steine, Käfer. In seiner Autobiographie schreibt er, wie gedemütigt er sich fühlte, als sein Vater in einem seiner seltenen Wutanfälle zu ihm sagte: »Du hast kein anderes Interesse als Schießen, Hunde und Ratten fangen, und Du wirst Dir selbst und der ganzen Familie zur Schande.«[26]

Da er »auf der Schule nichts Rechtes zu Wege brachte«[27], wurde er 1825 zum Medizinstudium nach Edinburgh geschickt. Die beiden folgenden Jahre an der Universität langweilten ihn zutiefst, das Studium war ihm regelrecht zuwider.

13. *Charles Darwin im Jahre 1857, als ihn die Aufsätze von Wallace über die Entstehung der Arten peinigten und er an seinem eigenen Werk zu diesem Thema arbeitete.*

Trotz des in Aussicht stehenden Erbes bestand sein Vater darauf, daß er einen anständigen Beruf erlernte. Bevor sich der Sohn dem Müßiggang oder dem Sport hingab, so verfügte Robert Darwin, sollte er lieber Pfarrer werden. Also trat Charles 1828 dem Christ Church College in Cambridge bei, wo er volle drei Jahre blieb.

In Cambridge verspürte er zunächst denselben Überdruß wie beim Medizinstudium:

… so war doch meine Zeit dort in trauriger Weise vergeudet, und schlimmer als vergeudet. In Folge meiner Leidenschaft für das Schießen und Jagen und, wenn dies nicht anging, für das Reiten durch das Land, gerieth ich in eine Kurzweil treibende Gesellschaft, unter der sich einige lüderliche, niedrig denkende junge Leute befanden. Wir pflegten oft am Abend zusammen zu speisen, obschon an diesen Mahlzeiten häufig Männer eines höheren Schlages Theil nahmen, und tranken zuweilen zu viel, sangen heitere Lieder und spielten später Karten.[28]

In Anbetracht des überaus ruhigen, zurückgezogenen Lebens, das Darwin in den späteren Jahren bis zur Niederschrift dieser Sätze geführt hatte, läßt sich schwer beurteilen, ob er damals tatsächlich ein zügelloser junger Lebemann gewesen war oder doch nur der junge Gentleman, der zuweilen über die Stränge schlug und dessen größte Fehler mangelnde Konzentration und Motivation waren.

Ein Glücksfall für die Wissenschaft waren seine Bekanntschaften mit dem angesehenen Botanikprofessor John Stevens Henslow und seinem Tutor, dem Geologen Adam Sedgwick. Beiden Männern muß es gelungen sein, in Darwin einen geistigen Funken zu zünden. Durch Henslows Hilfe erhielt er nach seinem Examen den Posten des Naturforschers auf der *Beagle*. An dieser Aufgabe hing sein ganzes Herz, und so ließ ihn der Vater trotz großer Bedenken ziehen: »Wenn Du irgend einen Mann von gesundem Menschenverstand finden kannst, der Dir den Rath gibt zu gehen, so will ich meine Zustimmung geben.«

Ein Onkel verbürgte sich für ihn, und Darwin besänftigte den Vater mit dem Argument, die Stelle werde ihn zu mehr Bescheidenheit zwingen: »Ich [müßte] verteufelt geschickt sein, wenn ich an Bord der *Beagle* mehr als das mir Ausgesetzte verthun wollte.« Der Vater antwortete: »Sie sagen mir aber, Du seist sehr geschickt.«[29]

Während der Schiffsreise hielt der junge Darwin die Augen offen und bildete sich über alles eine eigene Meinung. In den fünf Jahren, die er zwischen 1831 und 1836 unterwegs war, reifte er emotional und intellektuell zum Erwachsenen. Mit eigenen Augen sah er, welchen Einfluß das Klima, die Geographie und das Habitat auf die Vielfalt von Vögeln, Insekten, Pflanzen und Tieren hatten. Er lernte, wissenschaftlich zu beobachten und eigene Schlüsse zu ziehen.

Anders als Wallace landete er ohne Zwischenfall wieder in England und stand nun auf eigenen Beinen. Wie Wallace begann er mit der Niederschrift seiner Überlegungen und Beobachtungen.[30] Außerdem wurde er aktives Mitglied in mehreren wissenschaftlichen Gesellschaften. Seine Heirat mit Kusine Emma Wedgwood entsprach einem jahrelangen Wunsch beider Familien.

Im Jahre 1837 begann er, wie schon erwähnt, sein Notizbuch über die Transmutation der Arten zu schreiben. Gemessen an dem Tempo, mit dem er seine anderen Studien veröffentlichte, hätte diese Arbeit eigentlich in ein bis zwei Jahren abgeschlossen sein müssen. Statt dessen erlahmte sein Arbeitstempo. Im Gegensatz zu einem Insekt, das sich von einer kriechenden Larve in ein geflügeltes Wesen entwickelt, durchlebte er eine Metamorphose mit umgekehrten Vorzeichen.

Arbeitshemmend wirkten sich auch seine zahlreichen Leiden aus, die nie eindeutig diagnostiziert werden konnten. Eine von Parasiten übertragene Chagas-Krankheit, die er sich in Südamerika zugezogen haben könnte, war ebenso im Gespräch wie Hypochondrie. Ob Darwin nun krank gewesen ist oder nicht, fest steht, daß er es nicht über sich brachte, seine ketzerischen Ideen offen auszusprechen. Die Veröffentlichung eigener Gedanken sei stets gefährlich, gab er später anderen Wissenschaftlern als Rat mit auf den Weg. Und so arbeitete er periodisch an seinem großen Werk *Über die Entstehung der Arten*, ohne daß das Ende in greifbare Nähe rückte.

Wann Darwin den Sarawak-Aufsatz von Wallace erstmals zu lesen bekam, ist nicht überliefert. Jedenfalls spornte ihn die Lektüre dazu an, sein Zögern aufzugeben und seine nicht enden wollenden Überlegungen abzukürzen. Lyell war es, der ihn Anfang 1856, möglicherweise bei seinem Besuch im April, drängte, seine Theorien endlich vollständig niederzuschreiben. Er hatte begriffen, daß Wallace auf dem besten Wege war, eine Theorie zu entwickeln, die Darwin schon seit Jahren mit sich herumtrug. Darwins Antwort war wie immer zaudernd:

In Bezug auf Ihren Vorschlag, eine Skizze meiner Ansichten zu schreiben, weiß ich kaum, was ich denken soll, ich will aber darüber nachdenken; es geht aber gegen meine Vorurtheile. Eine angemessene Skizze zu geben, dürfte absolut unmöglich sein, denn jeder Satz erfordert eine solche Reihe von Thatsachen. Müßte ich irgend etwas der Art thun, so könnte es sich nur auf die hauptsächliche umändernde Kraft – auf die Auslese – beziehen und vielleicht eine der leitenden Thatsachen hervorheben ... Ich weiß aber nicht, was ich davon denken soll; ich hasse eigentlich die Idee, der Priorität wegen zu schreiben, und würde mich doch sicherlich ärgern, wenn irgend jemand meine theoretischen Ansichten vor mir veröffentlichen würde.[31]

In Briefen aus den Jahren 1856 und 1857 an seine engsten Freunde wie den Geologen Lyell und den Botaniker Hooker bat Darwin immer wieder um deren Meinung: »Ich bedarf sehr des Rates und *wahrhaften* Trostes, wenn Sie mir ihn geben können ... Ich stecke in einer Menge beunruhigender Sachen und bitte Sie, mir zu verzeihen, daß ich Sie beunruhige.«[32] Die Briefe kreisten stets um dieselben Fragen: Sollte er einen Entwurf veröffentlichen? Wäre es vertretbar, wenn es nur auf das Drängen von Freunden geschähe? Durfte er die Freunde beim Namen nennen? Sollte der Entwurf ihrer Meinung nach in Buchform erscheinen oder lieber in einer Zeitschrift, deren Herausgeber und Redaktion er womöglich um die Veröffentlichung würde bitten müssen? Wiederholt betonte Darwin auch, wie lange er bereits an seiner Theorie arbeite. In manchen Briefen sprach er von achtzehn, in anderen von neunzehn Jahren – während sein Sohn, der seine Briefe herausgab, später behauptete, es seien nur siebzehn Jahre gewesen. Dem Ton der Briefe ist anzumerken, daß sie ein ängstlicher und unsicherer Mann geschrieben hat, der bei einflußreichen Freunden um Bestätigung und Unterstützung für ein Unternehmen nachsucht, von dessen Richtigkeit er nicht völlig überzeugt ist und von dem er befürchtet, daß es schlecht aufgenommen werden könnte.

Am 10. Oktober 1856 schrieb Wallace an Darwin einen Brief, der uns leider nicht erhalten geblieben ist. Offensichtlich fragte er Darwin darin, ob er oder einer seiner gelehrten Freunde den Sarawak-Aufsatz gelesen habe. Darwins Antwort vom 1. Mai 1857 fiel gefaßt aus. Ungefähr ein Jahr war vergangen, seit er den Aufsatz von Wallace studiert und auf Lyells Drängen mit den Vorbereitungen für die Veröffentlichung seines eigenen Werkes begonnen hatte. In seinem Brief lobt er Wallace' Text als eine hervorragende Arbeit und betont, daß er beinahe jedem Wort darin zustimmen könne. Mit einem Ausrufezeichen hebt er hervor, daß er selbst bereits seit zwanzig Jahren an dem Thema arbeite. Andeutungsweise erwähnt er auch, daß er an der Veröffentlichung einer Theorie arbeite, die jedoch zu umfangreich sei, als daß er sie in einem Brief darlegen könne.

Wallace war von Darwins Antwort entzückt: »Zu meiner großen Genugtuung«, prahlte er vor seinem alten Freund Bates,

»habe ich einen Brief von Darwin erhalten, in dem er schreibt, er stimme ›beinahe jedem Wort‹ meiner Arbeit zu.«[33] Anders als Darwin hatte Wallace keine Angst, daß ihm ein anderer zuvorkommen könnte. Im Gegenteil:

> Er könnte mir die Mühe ersparen, noch mehr über meine Hypothese zu schreiben, wenn er beweist, daß in der Natur kein Unterschied zwischen dem Ursprung von Arten und von Varietäten besteht. Oder aber er schafft mir Probleme, indem er zu einem anderen Schluß kommt. In jedem Fall aber werde ich mich mit seinen Fakten auseinandersetzen müssen.[34]

Die Nervosität, die Wallace mit seinem Sarawak-Aufsatz in Darwins Freundeskreis ausgelöst hatte, war nichts im Vergleich zu dem schweren Schock, den Darwin nach der Lektüre des Ternate-Aufsatzes erlitt. Im Frühsommer des Jahres 1858 erhielt er ein Manuskript von Wallace, der ihn mit der ihm eigenen liebenswerten Bescheidenheit und Naivität bat, es an Lyell weiterzuleiten, falls es seine Wertschätzung finde. Der Aufsatz trug den Titel »Über die Tendenz der Varietäten, unbegrenzt von dem Originaltypus abzuweichen«, und enthielt die klare, bestechend einfache Darstellung einer Evolution, die durch den Kampf ums Dasein und die natürliche Selektion vorangetrieben wurde.

Die Lektüre muß für Darwin wahrhaft grausam gewesen sein. Was er las, entsprach genau jener Theorie, mit deren Ausformulierung er sich seit einundzwanzig Jahren abmühte. Am 18. Juni 1858 schrieb er Lyell einen verzweifelten Brief:

> Heute hat [Wallace] mir das Beiliegende geschickt und mich gebeten, es an Sie weiter zu befördern ... Ihre Worte in Bezug auf eine Strafe – daß man mir zuvorkommen würde – sind in Erfüllung gegangen ... Bitte senden Sie mir das Manuscript zurück, von dem er nicht sagt, daß er wünsche, ich möchte es veröffentlichen; ich werde ihm aber natürlich sofort schreiben und ihm anbieten, es an irgend ein Journal zu schicken. Es wird denn damit meine ganze Originalität, welchen Umfang sie auch haben mag, vernichtet werden.[35]

Eine Woche später folgte ein weiterer Brief. Offenkundig rang er mit seinem Gewissen und seinem Stolz und fragte sich in einem Anfall von Schuldbewußtsein, ob es unehrenhaft sei, eine Skizze über den Ursprung der Arten zu veröffentlichen, die er schon Jahre zuvor geschrieben hatte. Würden Lyell und sein lieber Freund Hooker ihm einen Rat geben? Seine Briefe – und daß er mehrere schrieb, ist schon ein Indiz für seine Verzweiflung – zeigen, daß er auf Unterstützung hoffte und sich gleichzeitig scheute, anderen seinen Ehrgeiz und seinen Stolz zu offenbaren. »Ich bin ganz niedergeworfen und kann Nichts thun«, klagt er in einem Brief. »Es ist so erbärmlich von mir, überhaupt mich um Priorität zu kümmern.«[36]

Zu der durch Wallace ausgelösten beruflichen Katastrophe kam privates Unglück hinzu. Die Familie wurde von Tod und Krankheit heimgesucht. Sein kleiner, geistig behinderter Sohn Charles starb an Scharlach. Dann zog sich dessen Kindermädchen dieselbe Krankheit zu. Kurz darauf erkrankte seine fünfzehnjährige Tochter Henrietta an Diphtherie und steckte ihr Kindermädchen an. Der liebevolle Vater war außer sich vor Kummer und Sorge um seine Familie, doch gleichzeitig brütete der engagierte und verbissene Wissenschaftler über den Trümmern seines Lebenswerkes. Ohne Frage durchlebte Darwin die schlimmsten Wochen seines sonst so sorglosen und behüteten Lebens.

Es wird behauptet, er habe zusammen mit Lyell und Hooker ein regelrechtes Komplott geschmiedet mit dem Ziel, seinem Konkurrenten zuvorzukommen und den Ruhm an sich zu reißen, der Wallace rechtmäßig zugestanden hätte.[37] Ein solch hartes Urteil ist wahrscheinlich ungerecht. Vermutlich glaubten Lyell und Hooker nicht mehr daran, daß Darwin sein großes Buch jemals beenden würde. Der strebsame Wallace dagegen war schon im Begriff, sein Manuskript zu veröffentlichen. Dem Freund die Möglichkeit zu geben, sich in Form eines kleinen Aufsatzes die Urheberschaft zu sichern, würde daher nicht so schwer wiegen. Jedenfalls bedurfte es eines »heiklen Arrangements«[38], damit die Aufsätze von Wallace und Darwin gemeinsam in der Zeitschrift der Linnaean Society veröffentlicht wurden.

Das von Lyell und Hooker getroffene Arrangement sah vor, daß der Aufsatz von Wallace am 1. Juli 1858 vor der Linnaean Society

14. *Thomas Henry Huxley als fescher junger Mann. Der berühmte Naturgeschichtler und Pädagoge vertrat in späteren Jahren Charles Darwins Theorien, während Darwin selbst sich stark zurückhielt.*

in London vorgelesen werden sollte, und zwar im Anschluß an einen Vortrag Darwins mit dem ähnlich klingenden Titel: »Über das Variieren organischer Wesen im natürlichen Zustande; über die natürlichen Mittel der Auslese; über den Vergleich domestizierter Rassen und echter Arten.«

Thomas Huxley hatte von Darwins Seelenqualen keine Kenntnis und war auch nicht an den Schachzügen Lyells und Hookers beteiligt. Warum blieb Huxley außen vor, warum war er nicht um Rat und Hilfe gebeten worden? Stand er Darwin weniger nahe? Scheute sich Darwin, ihm eine Schwäche zu offenbaren? Oder fürchtete er Huxleys scharfe Zunge und schnelles Urteil? Es ist unmöglich, diese Fragen nachträglich zu beantworten, doch aus Darwins Briefen, die er im Jahr nach der Veröffentlichung seines Buches *Über die Entstehung der Arten* schrieb, geht klar hervor, daß er geradezu ängstlich auf Huxleys Urteil über das Werk wartete: »Wenn ich Huxley überzeugen kann, werde ich zufrieden sein ... Ich bin ganz außerordentlich begierig, Huxleys Meinung ... zu hören.«[39] Als das Urteil wohlwollend ausfiel, war seine Freude übergroß.

Huxley kam nicht aus den gleichen Verhältnissen wie Darwin,

Lyell und Hooker. Zwar stammte auch er aus einer geachteten und gebildeten Familie, doch im Unterschied zu den anderen war er nicht vermögend. Huxley kam am 4. Mai 1825 in Ealing – damals noch ein ruhiges Dorf, wenige Kilometer von Hyde Park Corner entfernt – zur Welt. Er war das siebte von acht Kindern der Eheleute George und Rachel Withers Huxley.[40]

Die spärlichen Informationen, die wir über seine Kindheit haben, beruhen auf seiner *Autobiographie* – und »Autobiographien sind«, wie Huxley selbst einräumte, »im wesentlichen erdichtete Werke, was auch immer Biographien sein mögen«.[41] Er schreibt, daß er seiner Mutter, die er inniglich liebte, sehr ähnlich gewesen sei. Von ihr hatte er die stechenden dunklen Augen und die rasche Auffassungsgabe, die ihn auszeichneten. Das eckige Kinn und das kräftige schwarze Haar machten aus Huxley ein hübsches Kind und später einen gutaussehenden Mann.

Der Vater war Lehrer und konnte die vielköpfige Familie mit seinem Gehalt nur mühsam ernähren, doch litten die Huxleys, die über einer Metzgerei wohnten, nie unter Entbehrungen wie die Familie Wallace. Huxley besuchte die Great Ealing School, damals eine der besten Privatschulen Englands, weil sein Vater dort einige Zeit unterrichtete. Obwohl die Schule einen glänzenden Ruf genoß, fühlte sich der junge Huxley unglücklich. Er erinnerte sich später, daß

die Gesellschaft, in die ich an der Schule geriet, die übelste war, die ich je kennengelernt habe. Wir waren ganz durchschnittliche Burschen und besaßen wie jeder andere die angeborene Fähigkeit, zwischen Gut und Böse zu unterscheiden. Doch die uns vorgesetzten Personen waren so wenig um unser geistiges und sittliches Wohl bemüht wie Leute, die für Geld Kinder in Pflege nehmen. Im Kampf ums Überleben waren wir Gegner, und zu den harmlosesten Bräuchen, die unter uns herrschten, gehörte es, einander zu schikanieren.[42]

Huxleys Worte sind ebenso schwierig zu deuten wie Darwins Urteil über seine wilden Jugendjahre. Vielleicht empfand Huxley, wie so mancher andere sensible und intelligente Junge, seine Schulkameraden als rücksichtslose Tyrannen, die mehr an sozialer Macht und Sport interessiert waren als an geistigen Dingen. Die zwei Jahre in Ealing blieben die einzige formale Schulbildung, die Huxley bis zum Beginn seines Medizinstudiums genoß.

Während Wallace Geld für seine Reise sparte und Darwin mit seinen unzähligen Leiden beschäftigt war, begann Huxleys glanzvolle Laufbahn. Im Jahr 1839 trat der Vierzehnjährige bei seinem Schwager Dr. Cooke, der in den Elendsquartieren des Londoner East Ends arbeitete, eine Lehre an, die ihm genügend Zeit ließ, viel zu lesen, naturwissenschaftliche Experimente durchzuführen und Fremdsprachen zu erlernen. Anders als Wallace mußte er nicht zehn Stunden am Tag arbeiten, abends in den Arbeiterbildungsverein gehen oder sich das Geld für ein Buch vom Mund absparen. Aber auf der anderen Seite konnte er es sich nicht erlauben, wie Darwin seine Zeit zu vertrödeln, statt das reiche Bildungsangebot zu nutzen.

Sein Genie drängte nach Entfaltung. 1842, als Darwin sich auf seinen Landsitz Down zurückzog, wagte es Huxley, sich für eine Externenprüfung in Botanik anzumelden. Obwohl er kaum Unterricht in diesem Fach genossen hatte, bestand er als Zweitbester und gewann die Silbermedaille. Für seine Leistungen in einem weiteren Examen erhielt er bald darauf ein Stipendium für das Medizinstudium am Charing Cross Hospital. Er lernte mit großem Eifer und erhielt wiederholt Preise in Anatomie, Chemie und Physiologie. Er verschlang Berge von Literatur und führte genaueste Untersuchungen anatomischer Strukturen durch. In seiner ersten wissenschaftlichen Arbeit beschrieb er die nach ihm benannte Huxley-Schicht an der inneren Wurzelscheide des Haares. Als die Arbeit veröffentlicht wurde, war er erst neunzehn Jahre alt.

Nach drei Jahren am Charing Cross Hospital erhielt Huxley die Goldmedaille in seinen Lieblingsfächern Anatomie und Physiologie, die sich, wie er es ausdrückte, mit der Technik lebender Maschinen beschäftigen. Um Geld zu verdienen, ging er als Arzt zur Marine. Möglicherweise hätte sich seine Tätigkeit in medizinischer Routinearbeit erschöpft, wäre nicht der Seeforscher Sir John Richardson auf den begabten Huxley aufmerksam geworden. Richardson schlug ihn für den Posten des Assistenzarztes auf der *Rattlesnake* vor, die gerade zu einer vierjährigen Forschungsreise in die Südsee aufbrechen sollte. Die Mission hatte unter anderem die Aufgabe, eine umfangreiche biologische Sammlung anzulegen.

Die Parallelen zu Darwins großer Reise auf der *Beagle* sind verblüffend. Auch Huxley reifte unterwegs zu einer Persönlichkeit heran und lernte, selbständig zu denken. Alles, was er erbeuten konnte, sezierte und zeichnete er. Seine wichtigsten Nachschlagewerke waren nicht die Bücher Lyells, sondern die des französischen Biologen Buffon. Sie waren auf seinem Regal so beherrschend, daß die Matrosen seine zahllosen Fundstücke scherzhaft als »Buffons« bezeichneten. Im Gegensatz zu Darwin war er jedoch kein universell interessierter Naturforscher. Sein Forschungsinteresse war enger begrenzt. Er wollte herausfinden, wie Lebewesen zusammengesetzt sind und wie sie funktionieren.

Huxley fand auf seiner Reise nicht nur Schätze der Natur, er fand auch die Frau fürs Leben. Er machte die Bekanntschaft der bezaubernden Henrietta Heathorn aus Sydney. Die beiden fühlten sich auf Anhieb zueinander hingezogen, und noch vor der Weiterreise der *Rattlesnake* feierten sie Verlobung. Die geduldige Henrietta mußte sieben lange Jahre auf ihren Hal, wie sie Huxley nannte, warten. Erst als seine Verhältnisse gesichert waren, konnten sie heiraten.

Noch während der Reise schickte Huxley Manuskripte nach England und ließ sie veröffentlichen. Nach seiner Rückkehr steigerte er die Zahl seiner Publikationen noch. Er konnte es sich nicht leisten, ein Zimmer zu mieten und sich seinen Forschungen hinzugeben, er mußte Geld verdienen. Es gelang ihm, von der Marine bezahlten Urlaub zu erhalten und ihn zweimal verlängern zu lassen. Seine Bitte um finanzielle Unterstützung für seine Veröffentlichungen wurde hingegen abgelehnt. Fortwährend suchte er nach neuen Geldquellen, um mehr Zeit für seine wissenschaftliche Arbeit zu haben. Schon bald wurde seine Mühe belohnt. Nur wenige Monate nach seiner Rückkehr wurde er in die Royal Society gewählt, und im darauffolgenden Jahr erhielt er die Royal Medal. Einige Jahre später verkaufte er sie für fünfzig Pfund, um mit dem Geld seine plötzlich verwitwete und verarmte Schwester zu unterstützen.

Im Januar 1854 quittierte Huxley endgültig seinen Dienst bei der Marine, obgleich er noch keine andere Stelle in Aussicht hatte.

Bereits nach wenigen Monaten hatte er mehrere Teilzeitstellen als Lehrer gefunden, und im November wurde er Professor für Naturgeschichte und Paläontologie an der Government School of Mines sowie Naturforscher bei der Geological Society in London. Mit seiner etwas taktlosen Bemerkung, er interessiere sich überhaupt nicht für Paläontologie und Fossilien, bewies er einen Mangel an Voraussicht, über den man rückblickend nur schmunzeln kann.

Im Jahr 1855, nur wenige Monate vor der Veröffentlichung von Wallace' Sarawak-Aufsatz, konnte Huxley seine Verlobte endlich zu sich holen. Doch sie kam krank in England an, und der Arzt gab ihr nur noch sechs Monate. »Sechs Monate oder nicht«, erwiderte Huxley, »sie wird meine Frau.«[43] Die ärztliche Prognose bestätigte sich nicht, Henrietta sollte ihren Mann überleben. Das Paar ging ungewöhnlich liebevoll und vertraut miteinander um. Freunde, die sahen, wie die beiden mit ihren sieben Kindern herumtollten, nannten die Huxleys häufig »die glückliche Familie«. Später, nach dem Tod ihres Mannes, entdeckte Henrietta, daß er eine Blume aufbewahrt hatte, die sie bei einer ihrer ersten Verabredungen getragen hatte.

Zu der Zeit, als Darwins *Über die Entstehung der Arten* erschien, hatte Huxley, nicht zuletzt dank der öffentlichen Vorlesungen, die er auf seinem neuen Posten zu halten hatte, seine außerordentliche Sprachbegabung entdeckt. Durch die Klarheit und Schärfe seiner brillant formulierten Sätze zog er das Publikum in seinen Bann. Er entwickelte sich zu einem exzellenten, selbstbewußten Redner und Autor und galt bereits 1858 als einer der besten Referenten und Essayisten für naturwissenschaftliche Themen. Obwohl man stets den Eindruck hatte, er spreche aus dem Stegreif, sagte er einmal: »Jedes Wort, das ich sagen möchte, überlege ich mir zuvor genau. Nichts ist gefährlicher als die sogenannte *Inspiration des Augenblicks,* die dazu führt, daß man Dinge sagt, die nicht ganz richtig sind oder die man hinterher bereut.«[44]

Darwin erkannte in Huxley einen einflußreichen Verbündeten. Und die Evolutionstheorie brauchte einen Mann von Huxleys Fähigkeiten. Weder Darwin noch Wallace waren gute Redner. Darwin fühlte sich außerstande, einer Versammlung der Geological Society beizuwohnen, geschweige denn, vor überfüllten Zuhörerbänken einen packenden Vortrag zu halten. Welch trauriges Los wäre seiner Analyse ohne Huxleys rhetorische Fähigkeiten beschieden gewesen?

Von den Sorgen, die sich Darwin wegen seines Konkurrenten Wallace machte, blieb Huxley möglicherweise nur deshalb verschont, weil er an einem früher erschienenen Werk mit dem Titel *Natürliche Geschichte der Schöpfung,* in dem der Evolutionsgedanke vage angedeutet worden war, herbe Kritik geübt hatte. Wie wir jedoch sehen werden, war er durchaus bereit, sich von Darwin umstimmen zu lassen.

Während Wallace der Linnaean Society mit seinem Aufsatz eine neue und originelle Arbeit vorlegte, die in der Einsamkeit des Dschungels entstanden war, enthielt Darwins Papier nur Auszüge aus zwei älteren Schriften. Eine Textstelle stammte aus einem Brief, den er 1857 an den amerikanischen Botaniker Asa Gray geschrieben hatte und in dem er sich mit dem Prinzip der Divergenz auseinandersetzte, die andere aus einem Essay von 1844. Dennoch wurde Darwins Beitrag an die erste Stelle gesetzt und zusammen mit dem ausformulierten Aufsatz von Wallace veröffentlicht. Dies war der unverhohlene Versuch, öffentlich zu demonstrieren, daß Darwin seine Überlegungen zeitgleich mit Wallace beziehungsweise vor ihm angestellt hatte. Der ahnungslose Wallace erfuhr erst Monate später von dem Arrangement. Am 5. Juli 1858, nach der Versammlung der Linnaean Society, forderte Darwin Hooker auf, an Wallace zu schreiben, ihm die Neuigkeit mitzuteilen und ihn, Darwin, zu »entlasten«. Wenige Tage später bedankt er sich bei Hooker:

Ihr Brief an Wallace scheint mir vollkommen zu sein, durchaus klar und äußerst höflich. Ich glaube nicht, daß er möglicherweise hätte noch verbessert werden können und habe ihn heute mit einem Briefe von mir abgeschickt. Ich habe es immer für sehr möglich gehalten, daß man mir zuvorkommen würde, ich bildete mir aber ein, ich hätte einen Geist, groß genug, um mich nicht darum zu sorgen: ich finde aber, daß ich mich geirrt habe und bestraft werde; ich war übrigens selbst vollständig resigniert und hatte schon einen Brief an Wallace halb fertig geschrieben, um ihm alle Priorität zu überlassen; ich würde auch sicherlich meine Meinung nicht geändert haben, wäre es nicht wegen Lyells und Ihrer außerordentlichen Freundlichkeit gewesen. Ich versichere Ihnen, ich fühle es und werde es nicht vergessen. Über das, was in der Linnaean Society statt gefunden hat, bin ich *mehr* als befriedigt.[45]

Auch Wallace war hochzufrieden. Nie hätte er damit gerechnet, daß man seine bescheidenen Überlegungen den bedeutendsten Wissenschaftlern Englands vorlegen würde. Er schrieb an Darwin und dankte ihm für seine Freundlichkeit. Der nahm den Brief mit einem Seufzer der Erleichterung entgegen, denn er fühlte sich nach wie vor schuldig und lehnte jede Verantwortung für das Vorgehen Lyells und Hookers ab, wenngleich er ihnen beschied, daß sie nur getan hatten, »was sie für eine gerechte und billige Handlungsweise hielten.«[46]

Zur Überraschung aller arbeitete Darwin jetzt intensiv an seinem Buch, und gut ein Jahr später, am 24. November 1859, erschien es tatsächlich. Bezeichnend für ihn war, daß er zusammen mit Vorausexemplaren Briefe an die großen Wissenschaftler seiner Zeit verschickte, in denen er bescheiden, ja fast schon unterwürfig seiner Hoffnung Ausdruck verlieh, wohlwollende Kritiken zu erhalten. Zu den Adressaten gehörten Lyell, Hooker, Huxley, sein alter Lehrer J. S. Henslow, Asa Gray, der amerikanische Zoologe Louis Agassiz, der französische Botaniker A. De Candolle, John Lubbock, der Geologe Hugh Falconer, Alfred Russel Wallace selbst und viele andere.

Als das Buch erschien, war es bereits in aller Munde. Die erste Auflage von 1250 Exemplaren war schon am ersten Tag vergriffen. Außerdem erhielt Darwin das Angebot für eine französische Übersetzung; das Projekt platzte allerdings später, weil der französische Verleger ihm seine Unterstützung versagte. Im Februar 1860 korrespondierte Darwin mit Heinrich Bronn, der die verhängnisvolle deutsche Übersetzung anfertigte, in der Darwins einzige, zaghafte Aussage über den Menschen weggelassen wurde. Kurz darauf erschien auch eine amerikanische Ausgabe.

Darwin hatte der Reaktion jedes einzelnen entgegengebangt, dessen Meinung er schätzte. Um so stolzer war er nun über die Aufnahme seines Buches in der Fachwelt. Huxley zum Beispiel, war voll des Lobes und schrieb ihm: »Ich schärfe meine Krallen und meinen Schnabel in Vorbereitung, [um Sie vor] beträchtlichem Tadel und starker Entstellung, was, wenn ich mich nicht sehr irre, Ihrer in reicher Menge wartet, [zu schützen].«[47] Huxley fand zeitlebens Gefallen an solchen Disputen, inbesondere wenn es galt, einer aufgeblasenen Persönlichkeit des öffentlichen Lebens auf die Zehen zu treten. Und dazu bot die Debatte um die *Entstehung der Arten,* bei der er zu wahrer Höchstform auflief, reichlich Gelegenheit.

Zum Auftakt veröffentlichte Huxley im Dezember 1859 unter Pseudonym eine nachdenkliche, aber wohlwollende Rezension in der Londoner *Times.* Damit schuf er die Voraussetzung für eine gerechte Beurteilung des Buches in der Öffentlichkeit. Im April 1860 brachte er im *Westminster Review* eine glänzende Besprechung unter eigenem Namen heraus. In den ersten Jahren führte Darwin Buch über die Anhänger und Beinahe-Anhänger seiner Theorie, und Huxley stand ganz oben auf der Liste. Doch es gab auch weniger freundliche Stimmen. Sedgwick, der Geologe aus Cambridge und ehemalige Lehrer Darwins, schrieb im *Spectator* eine beißende Kritik, in der er seine »Verabscheuung der Theorie« zum Ausdruck brachte und sie als »intensiv unheilbringend« bezeichnete. Darwins Fakten und Belege nannte er einen »Strick aus einer Reihe von Luftblasen.«[48] Andere Besprechungen waren ebenso kritisch, manche sogar bösartig.

Wie zu erwarten, übernahmen Darwins Freunde – allen voran Huxley – seine Verteidigung und verfaßten Entgegnungen. Das entscheidende Wortgefecht fand auf der berühmten Versammlung der British Association am 30. Juni 1860 in Oxford statt.[49] Vor siebenhundert bis tausend erregten Zuhörern trat Huxley gegen Bischof Wilberforce an. Ironischerweise war Huxley nur deshalb gekommen, weil Robert Chambers ihn zu dem Streitgespräch mit Wilberforce gedrängt hatte. Chambers, der anonyme Autor des Buches *Natürliche Geschichte der Schöpfung,* war von Huxley wegen Ungenauigkeiten und Fehlern in seiner Arbeit heftig kritisiert worden.

Henslow, ebenfalls ein ehemaliger Lehrer Darwins in Cambridge, leitete die Versammlung. Wilberforce ergriff als erster das Wort. In »süßem Tone ... machte er Darwin in schlimmer, und

Huxley in wüthender Weise lächerlich.«[50] Mit seiner Frage, ob Huxley von seiten seines Großvaters oder seiner Großmutter mit einem Affen verwandt sei, beging er einen für ihn verhängnisvollen Fehler. Die Frage war listig und unverschämt zugleich und verdrehte nicht nur den Inhalt von Darwins Worten, sondern beleidigte auch die Ehre der Familie Huxley.

Huxley sah eine günstige Gelegenheit, seinen Gegner mit einer einzigen Antwort zu vernichten, und er nutzte sie.

Ich habe behauptet und ich wiederhole es, daß ein Mensch keinen Grund hat, sich darüber zu schämen, daß sein Großvater ein Affe war. Wenn es einen Vorfahren gäbe, den mir in's Gedächtnis zu rufen ich mich schämen würde, so würde es ein *Mann* sein [d.h. Wilberforce selbst], ein Mann von rastlosem und beweglichem Verstande, welcher, nicht zufrieden mit dem zweifelhaften Erfolge in seiner eigenen Thätigkeitssphäre sich in wissenschaftliche Fragen einläßt, mit denen er nicht eingehend bekannt ist und sie deshalb nur durch eine zwecklose Rhetorik verdunkelt, und der die Aufmerksamkeit seiner Zuhörer von dem wirklichen in Rede stehenden Punkte durch beredte Abschweifungen und geschickte Berufung auf religiöses Vorurtheil abzieht.[51]

Nun entbrannte ein offener Streit. Huxley argumentierte messerscharf, und sein Gegner zeigte Wirkung. Die Spannung im Saal stieg. Eine Dame fiel in Ohnmacht und mußte hinausgetragen werden. Kurze Zeit später wurde die Versammlung abgebrochen. Fast überflüssig zu erwähnen, daß Darwin selbst an dieser entscheidenden Schlacht um seine Ideen nicht teilnahm. Er war zu Hause und litt unter starken Kopfschmerzen.

Der öffentliche Disput in Oxford brachte die Wende. Selbst Lyell, der als einer der einflußreichsten Wissenschaftler in England lange gezögert hatte, den Darwinismus voll und ganz anzuerkennen, schwenkte um und brachte 1863 ein Buch mit dem Titel *Das Alter des Menschengeschlechts* heraus. Huxley schrieb rückblickend:

… das Erscheinen der Aufsätze von Darwin und Wallace im Jahre 1858 und noch mehr das der »Entstehung der Arten«

1859 [hatte] die Wirkung eines leuchtenden Blitzes auf sie, welcher einen Menschen, der in dunkler Nacht seine Richtung verloren hat, plötzlich einen Weg zeigt, der, mag er ihn nun gerade nach Hause führen oder nicht, sicher in seiner Richtung liegt. Das was wir suchten und nicht finden konnten, war eine Hypothese in Bezug auf den Ursprung bekannter organischer Formen, welche die Wirksamkeit keiner anderen Ursachen annahm als solcher, welche als factisch thätig nachgewiesen werden könnten. Wir wollten unseren Glauben nicht an irgend eine andere Speculation festheften, sondern wollten deutliche und bestimmte Vorstellungen erhalten, welche den Thatsachen angesichtlich gegenübergestellt und auf ihre Gültigkeit geprüft werden konnten. Die »Entstehung der Arten« bot uns die befruchtende Hypothese dar, nach welcher wir suchten …

Und selbst nur ein flüchtiger Blick auf die Geschichte der biologischen Wissenschaften während des letzten Vierteljahrhunderts ist hinreichend, die Behauptung zu rechtfertigen, daß das wirksamste Werkzeug für die Erweiterung des Bereichs natürlicher Kenntnisse, welches seit dem Erscheinen von Newton's »Principia« in die Hände der Menschen gekommen ist, die »Entstehung der Arten« war.

Sie wurde von der Generation, an welche sie sich zuerst wandte, schlecht aufgenommen, und es ist schmerzlich, an den Erguß verbitterten Unsinns zu denken, zu dem sie Veranlassung wurde. Aber die jetzige Generation würde sich wahrscheinlich genau so schlimm benehmen, wenn ein anderer Darwin entstehen und ihr das aufnöthigen würde, was die Menschheit in ihrer Allgemeinheit am meisten haßt, – die Nothwendigkeit, ihre Überzeugungen einer prüfenden Durchsicht zu unterwerfen. Möchte sie denn gnädig mit uns Alten sein … Möchten sie ebenso schnell eine strategische Schwenkung ausführen und der Wahrheit folgen, wohin sie auch immer führen mag.[52]

Als der Zoologe George Busk im April 1861 Schaaffhausens Beschreibung der Neandertaler-Funde ins Englische übersetzte, hatten sich unter dem Eindruck der Beweisführung des ungleichen Trios Wallace, Huxley und Darwin die meisten englischen Wissenschaftler bereits ganz oder teilweise den neuen Ideen angeschlossen.

Wallace hatte den Weg bereitet und Darwin gewissermaßen genötigt, sein Buch zu vollenden, was fast an ein Wunder grenzte und unter anderen Umständen wahrscheinlich nicht geschehen wäre. Das Buch *Über die Entstehung der Arten* ist gerade aufgrund seiner Weitschweifigkeit und der Zurückhaltung seines Verfassers ein meisterhaftes Werk. Ohne streitbar zu wirken, führt es den Leser anhand einer Fülle von Details und Beispielen unmerklich zu dem Schluß, daß tatsächlich eine Evolution stattfindet und aufgrund der natürlichen Auslese auch stattfinden muß. Doch als die Theorie erst einmal vorlag, bedurfte es eines Mannes wie Huxley, der die Beweisführung und die daraus resultierenden Schlußfolgerungen klarer und verständlicher darstellen konnte als Darwin und darüber hinaus mit Wonne geistreiche Streitgespräche führte.

Aber natürlich spielten auch Faktoren wie Herkunft, Einfluß und Temperament eine wichtige Rolle. Die Theorie eines Autodidakten wie Wallace, der fast der Arbeiterklasse zuzurechnen war, hätte die britischen Wissenschaftler niemals so beeindrucken können wie das Werk eines Cambridge-Absolventen, der wie Darwin die richtigen Verbindungen hatte. Zudem hätte sich kein besserer Fürsprecher finden können als Huxley, der einen angesehenen Beruf und eine gute Erziehung vorzuweisen hatte, durch sein Auftreten bestach und in seiner Person eine für den Mittelstand typische Streitlust mit Ehrgeiz verband.

Die Funde aus dem Neandertal waren zu diesem Zeitpunkt in England nur ein einziges Mal offiziell erwähnt worden, und zwar in einer rätselhaften Meldung im *Westminster Review*. Der namentlich nicht genannte Verfasser bezeichnete die Fossilien als »Trümmer eines einzelnen Bogens in einer riesigen, von der Zeit zerstörten Brücke, die die höchste Form von Tieren mit der niedersten Form des Menschen verbunden haben mag«[53]. Diese Nachricht, die Huxley zugetragen worden war – er schrieb häufig Beiträge für die Zeitschrift und hatte sich in seiner Jugend selbst Deutsch beigebracht –, gibt nur einen schwachen Hinweis auf das, was noch kommen sollte. Die Diskussion über die Frage, was die Fossilien aus dem Neandertal bedeuteten, mußte erst noch geführt werden.

Und dabei war gar nicht das Alter unserer Vorfahren das eigentliche Problem, wie ein Zitat von Busk zeigt:

Das erdgeschichtliche Alter des Menschen oder anders ausgedrückt, der Tatbestand, daß der Mensch lange zeitgleich mit jetzt ausgestorbenen Tieren gelebt hat, deren Überreste von Geologen allgemein als »Fossilien« bezeichnet werden, ist mittlerweile voll und ganz anerkannt, obgleich weniger die Entdeckung menschlicher Überreste als das Vorhandensein von Artefakten in bestimmten geologischen Beschaffenheiten zu dieser Überzeugung geführt hatte. In den Mittelpunkt des Interesses ist daher die Frage gerückt, wie weit aus den bisher entdeckten, spärlichen Knochenfunden bestimmt werden kann, ob und in welcher Form die frühere Menschenrasse, oder die Rassen, sich von den heute die Erde bevölkernden Rassen unterschieden.[54]

Busk konzentrierte sich, wie auch die Wissenschaftler nach ihm, auf die ungewöhnliche Form des Schädels, und dabei vor allem auf die breit hervortretenden, affenähnlichen Überaugenwülste, die auf einen »sehr primitiven Menschen«[55] schließen ließen. Keiner der ihm bekannten »alten« Schädel zeigte vergleichbar stark entwickelte supraorbitale Wülste. Busk eröffnete die Diskussion über die Frage, ob die ausgeprägten Wülste auf eine Expansion der darunterliegenden Stirnhöhle zurückzuführen sei oder auf eine Verdickung des Stirnbeins selbst. Obgleich diese Frage nur von untergeordneter Bedeutung war, wurde sie doch kleinlich und endlos erörtert.

Im Gegensatz zu anderen Wissenschaftlern hielt Busk Fuhlrotts Altersbestimmung der Fossilien anhand der geologischen Gegebenheiten für korrekt, obwohl Fuhlrott diese Gegebenheiten auch nur aus zweiter Hand kannte. Ganz anderer Auffassung war der recht streitlustige C. Carter Blake, der Geologie, Geographie und Anthropologie zu seinem Hobby gemacht hatte und gegen andersdenkende ausländische Wissenschaftler voreingenommen war. In einem Artikel im Geologist vom September 1861 beschäftigte er sich fast ausschließlich mit dem Schädel. Er kommentierte die Größe der Hirnschale, die »zerebral den papuanischen oder negriden Rassen nicht nachstand«, und bemerkte, daß der Schädel »keine jener anderen Merkmale« aufweise, »die den Menschen vornehmlich von den Unterreichen der Affen unterscheiden«.[56] Es bestehe kein Anlaß zu der Vermutung, daß das Cranium des Neandertalers von einer ausgestorbenen Art stamme. Blakes Beitrag war insofern interessant, als bislang noch niemand, zumindest nicht in gedruckter Form, die Meinung geäußert hatte, daß die Funde aus dem Neandertal von einer neuen Art stammten.

Doch schon ein Jahr später hatte Blake seine Ansicht geändert. Er hatte inzwischen einen von Huxley geliehenen Gipsabdruck des Schädels untersucht und hielt zwar daran fest, daß er nicht von einer ausgestorbenen Art stammen könne, bemerkte aber dazu:

> Die unleugbar affenähnlichen Merkmale des Schädelbaus, die in Wirklichkeit eine Fehlentwicklung sind, die man bei Schwachsinnigen findet, sind so scheußlich, und die angebliche Nähe zu den anthropoiden *Simiae* von solcher Bedeutung, daß keine Anstrengung unterlassen werden sollte, das mögliche Alter des Craniums zu bestimmen ...
>
> Außer dem Schädel des Neandertalers gibt es noch weitere Merkwürdigkeiten wie zum Beispiel die pathologische Vergrößerung des Ellbogenfortsatzes der linken *Ulna* [des Endes der Elle], die offenbar von einer Verletzung zu Lebzeiten herrührt, und die seltsam gerundeten, jäh gebeugten Rippen, die denen eines Raubtiers gleichen ... Dies alles sind Merkmale, die auch zu einem armen Idioten oder einem Einsiedler passen, der in der Höhle starb, in der seine Überreste gefunden wurden. Sie passen nicht zu den Überresten, die ein normales, gesundes und unverletztes menschliches Wesen, ein *Homo sapiens* nach der Definition von Linné, in einer westfälischen Höhle hinterlassen würde.[57]

Blakes Beweisführung war der gewaltsame Versuch, wirre Argumente miteinander zu verbinden. Eine nicht namentlich gezeichnete Meldung der *Medical Times and Gazette* aus dem Jahre 1862, die er möglicherweise sogar selbst geschrieben hatte, stützte seine Haltung mit folgenden Worten: »Würden wir Rachitis und Schwachsinnigkeit in unsere Überlegungen mit einbeziehen, könnten wir uns vermutlich der Enthüllung des Geheimnisses nähern.«[58]

Blake war auch von einer Theorie begeistert, die sein Freund, der Arzt Joseph Barnard Davis, vorgelegt hatte. Nach Barnard Davis waren die Besonderheiten des Schädels möglicherweise darauf zurückzuführen, daß sich die Schädelnähte vorzeitig geschlossen hatten, so daß sich das Wachstum auf andere Bereiche erstrekken mußte. Solche Abnormitäten waren bekannt.

Schließlich berichtete Blake in seiner Eigenschaft als ausländisches Mitglied der Société d'Anthropologie de Paris und selbsternannter Sprecher der Franzosen in England, daß auch sein französischer Kollege Dr. I. F. Pruner-Bey die Hypothese vertrete, daß es sich um einen »Schwachsinnigen« handele. Obwohl Pruner-Bey die Größe der Hirnschale durchaus zur Kenntnis nahm, behauptete er, der Schädel stamme höchstens von einem Kelten oder einem schwachsinnigen Iren.

Dem hielt der Hirnspezialist Dr. Paul Broca, ein Landsmann von Pruner-Bey und Gründer der Société d'Anthropologie de Paris, folgendes entgegen:

> Pruner-Beys gesamte Argumentation beruht einzig auf der Annahme, daß die eigenartige Form des Schädels aus dem Neandertal pathologisch ist. Da wir einen solchen Schädel noch nie gesehen haben und auch nicht zugestehen möchten, daß er einer Rasse angehört, von der uns keine weiteren Spuren erhalten geblieben sind, müssen wir zwangsläufig nach einem krankhaften Ursprung für seine Eigentümlichkeiten suchen ... Wäre Schwachsinn die Ursache für die Schädelform, müßte dieser mikrozephal [kleinköpfig] sein. Nun ist aber der uns vorliegende Schädel nicht mikrozephal und kann deshalb auch nicht von einem Schwachsinnigen stammen.[59]

In Frankreich fielen die Reaktionen auf den Neandertaler-Fund unterschiedlich aus. Broca und die Mitglieder seiner neugegründeten Société d'Anthropologie de Paris waren für die etablierten Wissenschaftler eine große Herausforderung. Am Naturhistorischen Museum herrschten noch Cuviers anti-evolutionäre Ansichten vor.

Broca und seine Kollegen dagegen glaubten an die Evolution, wenn auch nur bis zu einem gewissen Grad. In ihren Augen waren Arten nicht statisch und unveränderlich, sondern wandelten sich

15. Paul Broca, der Begründer der physischen Anthropologie im Frankreich des 19. Jahrhunderts. Er machte sich zwar die Theorie der Evolution des Menschen zu eigen, weigerte sich aber, den Neandertaler als frühen Menschen zu akzeptieren.

im Laufe der Zeit oder wurden verändert. Mit dieser Definition von Evolution griffen sie auf die Lamarcksche Theorie der Transformation zurück. Nach Auffassung der Gruppe um Broca hingegen lieferten sämtliche eingeführten Theorien noch keine vollständige Erklärung für das Funktionieren der Evolution. Obwohl sie die natürliche Auslese wie auch die Abstammung mit Modifikation (Evolution) als gegeben akzeptierten, billigten sie den »Darwinismus« niemals voll und ganz.

Immerhin führte diese Auffassung von Evolution zu einer unbefangeneren Diskussion des Themas. Im Jahre 1859 wollte Broca, der ein angesehener Arzt und Professor an der Faculté de Médicine in Paris war, eine neue Gesellschaft gründen, die sich mit einem breit angelegten Studium des Menschen beschäftigen sollte. Er schrieb:

Die Ethnologen betrachten den Menschen als den Ursprung von Stämmen, Rassen und Völkern. Die Anthropologen sehen ihn als Teil der Fauna, als zoologisch klassifizierbar und denselben Gesetzen gehorchend wie die Tiere. Ihn rein anthropologisch zu betrachten würde bedeuten, einige der interessantesten Sachzusammenhänge zu übersehen. Eine Beschränkung auf die Sichtweise der Ethnologen dagegen würde die wissenschaftliche Regel mißachten, nach der vom Einfachen auf das Komplizierte, vom Bekannten auf das Unbekannte, von den materiellen und organischen Vorgaben auf die funktionellen Erscheinungsformen geschlossen werden soll.[60]

Broca hatte mit der Gründung seiner Gesellschaft, die Huxley später einmal als eines der »mächtigsten Instrumente für den Fortschritt in der Anthropologie«[61] bezeichnete, letztlich auch Erfolg, doch zeigen seine Bemühungen auf klassische Weise, bis zu welchem Grad Darwins Ideen als gefährlich und radikal eingestuft wurden.[62] Die Gründung einer wissenschaftlichen Gesellschaft zum Studium des Menschen durch einen bekannten Anatom und Physiologen – im allgemeinen ein ganz normaler Vorgang – hatte in diesem Fall besondere Brisanz.

Die Vorgeschichte reichte bis ins Jahr 1858 zurück, als Broca die Ergebnisse seiner Untersuchung über die Fruchtbarkeit »menschlicher Hybriden«, das heißt der Nachkommen aus gemischtrassigen Ehen, veröffentlichen wollte. Nach Broca waren Hybriden uneingeschränkt fruchtbar, was bedeutete, daß die Menschenrassen keine unterschiedlichen biologischen Einheiten bildeten, sondern eine unbedeutende Variante ein und derselben Spezies darstellten. Da sich die Société ethnologique de Paris (Ethnologische Gesellschaft von Paris), die nur an der Dokumentation der Sitten, Bräuche und Sprachen der verschiedenen Menschenrassen interessiert gewesen war, zehn Jahre zuvor aufgelöst hatte, legte Broca seine Arbeit der Société de Biologie (Gesellschaft für Biologie) vor. Offenbar war ihm entgangen, daß Rayer, der Vorsitzende der Gesellschaft, seine Erkenntnisse vehement ablehnte. Broca wurde nahegelegt, von weiterem Schriftverkehr »Abstand zu nehmen«. Enttäuscht beschloß er die Gründung einer eigenen Société d'Anthropologie de Paris, die sich vornehmlich mit jenem Gebiet befassen sollte, das wir heute biologische Anthropologie nennen.

Die neue Gesellschaft brauchte mindestens zwanzig Mitglieder. Sie zusammen zu bekommen, erwies sich als ein erstaunlich schwieriges Unterfangen. Außer sechs Mitgliedern aus der Société de Biologie fand Broca kaum Interessenten. 1859 reichte er einen Zulassungsantrag bei den Behörden ein, obwohl er erst neunzehn potentielle Mitglieder beisammen hatte. Doch der

114

Amtsschimmel bockte. Man schickte ihn von einem Amt zum anderen, bis er schließlich beim Polizeipräfekten landete, der eine Tarnorganisation regierungsfeindlicher Verschwörer vermutete. Schließlich wurde Brocas Gesuch unter zwei Bedingungen stattgegeben: Erstens sollte er persönlich für jede revolutionäre Äußerung, die sich gegen die Regierung, die Kirche oder die allgemeine soziale Ordnung richtete, haftbar gemacht werden, zweitens sollte jeder Versammlung ein Polizist in Zivil beiwohnen und ein vollständiges Protokoll anfertigen. Als die revolutionäre Schrift *Über die Entstehung der Arten* erschien, bestand die bedrängte Société d'Anthropologie de Paris erst seit wenigen Monaten. Kein Wunder, daß diese Gruppe rebellischer Naturwissenschaftler, die bereits den Gedanken einer zoologischen Kontinuität zwischen Mensch und Tier verfochten, die neue Lehre erfreut zur Kenntnis nahm.

In England erregte Darwins Werk, das an den Grundfesten der etablierten Wissenschaft rüttelte, vergleichbares Aufsehen, doch war das englische Regierungssystem weniger zentralisiert und repressiv. 1860 begann Huxley mit einer Vorlesungsreihe für »den Arbeiter« – das heißt für Angehörige der Arbeiterklasse, die sich weiterbilden wollten – und sprach über die Beziehung zwischen dem Menschen und den niederen Tierarten. 1863 wurden seine Vorträge als Aufsatzsammlung unter dem Titel *Zeugnisse für die Stellung des Menschen in der Natur* veröffentlicht. Behandelt wurden die zahllosen anatomischen und Verhaltensmerkmale, die den Menschen mit anderen Primaten verbinden. Seine detaillierten Beobachtungen waren eine Antwort auf den vergeblichen Versuch eines seiner Hauptkritiker, Richard Owen, wenigstens ein anatomisches Merkmal zu finden, das den Menschen vom Menschenaffen unterscheidet. Huxley, der die Empörung der Öffentlichkeit voraussah, schrieb:

Ich bin es gewiß nicht, der die Würde des Menschen auf seine große Zehe zu gründen sucht, oder der zu verstehen gibt, daß wir verloren wären, wenn ein Affe einen Hippocampus minor hat. Ich habe im Gegenteil mich bemüht, diese eitlen Fragen zu beseitigen. Ich habe zu zeigen versucht, daß zwischen uns und der Tierwelt keine absolute Linie anatomischer Abgrenzungen gezogen werden kann, die breiter wäre als die zwischen den unmittelbar auf uns folgenden Tieren; und ich will noch mein Glaubensbekenntnis hinzufügen, daß der Versuch, eine psychische Trennungslinie zu ziehen, gleich vergebens ist, und daß selbst die höchsten Fähigkeiten des Gefühls und Verstandes in niederen Lebensformen zu keimen beginnen. Gleichzeitig ist niemand davon so stark überzeugt wie ich, daß der Abstand zwischen zivilisierten Menschen und den Tieren ein ungeheuerer ist. Niemand ist dessen so sicher, daß, mag der Mensch von den Tieren stammen oder nicht, er zuverlässig *nicht eins derselben ist.*[63]

Huxley argumentierte geschickt und für seine Zuhörer überzeugend. Er stellte klar, daß die Verbindung zwischen Mensch und Tier der innewohnenden Besonderheit des Menschen keinen Abbruch tat.

In seinem nächsten Aufsatz beschäftigte sich Huxley mit fossilen Überresten des Menschen. Vor dem Hintergrund der Diskussion um die Anatomie der Primaten verglich er erstmals den Schädel von Engis, der von Schmerling schon Jahre zuvor in Belgien entdeckt worden, aber lange Zeit unbeachtet geblieben war, mit den Fossilien aus dem Neandertal. Er unterstrich seine Behauptung, daß der Mensch und seine Vorfahren den Primaten zuzuordnen seien, wobei er sich nicht nur auf Zeichnungen und Fotografien stützte, sondern auch auf genaue Gipsabgüsse der Originale. Auf diese Weise konnte er Schädel miteinander vergleichen, deren Originale an verschiedenen Orten lagerten. Diese Methode war eine bahnbrechende Neuerung und hat sich bis in die Gegenwart bewährt. Außerdem führte er als erster Messungen durch, die beim Vergleich von Schädeln bald allgemein üblich wurden. Vage Vergleiche subjektiv wahrgenommener Ähnlichkeiten zwischen willkürlich zusammengestellten Schädelgruppen reichten nicht mehr aus. Huxley benutzte anatomische Merkmale, um alle Schädel auf die gleiche Weise zu sortieren. Dies ermöglichte es ihm, sie systematisch zu messen. Mit einem einzigen Aufsatz machte er die Anthropologie auf diese Weise zu einer präzisen Wissenschaft. Auch wies er auf die Notwendigkeit hin, die Variabilität normaler Menschenschädel mit Hilfe dieser Techniken zu erfassen, damit die Unterschiede zwischen fossilen Schädeln erfaßt werden konnten.

Seine Untersuchungen ergaben, daß sich der Schädel aus dem Neandertal von dem aus Engis unterschied – eine Erkenntnis, der Anthropologen heute zustimmen können. In Huxleys Worten ist der Schädel von Engis

> ... ein durchschnittlicher menschlicher Schädel, der einem Philosophen gehört oder auch das Gehirn eines Wilden beherbergt haben kann.
> Der Fall mit dem Neandertal-Schädel ist sehr verschieden. Von welcher Seite wir auch diesen Schädel betrachten, mögen wir seine vertikale Abplattung, die enorme Dicke seiner Augenbrauenwülste, sein schräges Hinterhaupt oder seine lange und gerade Schuppennaht berücksichtigen, wir stoßen auf affenähnliche Charaktere, wodurch er zu dem affenähnlichsten menschlichen Schädel wird, der bis jetzt entdeckt ist.[64]

Er fügte jedoch hinzu, daß das große Gehirn und die langen Röhrenknochen, die deutlich auf einen Europäer mittlerer Statur hinwiesen, das Skelett eindeutig als das eines Menschen, wenn auch eines Wilden auswiesen. Er schloß mit den Worten:

> Und wenn auch der Neandertal-Schädel der affenähnlichste aller bekannten menschlichen Schädel ist, so ist er doch keineswegs so isoliert, wie es anfänglich scheint, sondern bildet nur den äußeren Ausdruck einer allmählich von ihm aus zum höchsten und bestentwickelten menschlichen Schädel führenden Reihe.
> ... daß die bis jetzt entdeckten fossilen Überreste von Menschen uns, wie mir scheint, jener pithekoiden Form nicht merkbar näherführen, durch deren Abwandlung der Mensch vermutlich das, was er ist, geworden ist.[65]

Im Jahre 1864 wiederholte Huxley seine Beobachtungen noch einmal mit dem für ihn typischen schelmischen Vergnügen und entkräftete die Ansichten von Pruner-Bey, Mayer, Schaaffhausen, William Turner und William King.

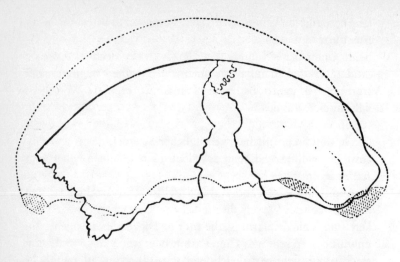

~~EGUISHEIM **·······NEANDERTHAL**

16. *Paul Brocas 1868 veröffentlichte vergleichende Graphik der Umrisse zweier Hirnschalen: der des Neandertalers aus der Feldhofer Grotte und der eines modernen Menschen. Sie spiegelt die damals gängige Meinung wider, das Schädeldach des Neandertalers unterscheide sich, trotz der flachen Wölbung und der ausgeprägten Stirnpartie, kaum von vielen modernen Menschenschädeln.*

Kings Herausforderung ist rückblickend am interessantesten. Der Professor am Queen's College im irischen Galway, ein Schüler von Lyell, erklärte 1863 auf einer Versammlung der British Association, daß die Fossilien aus dem Neandertal Überreste einer neuen menschlichen Spezies seien, des *Homo neanderthalensis*. Dieser Umstand allein muß den modernen Biologen befremden, denn heute darf eine neue Spezies nur dann definiert werden, wenn eine methodisch genaue anatomische Beschreibung des Fundes vorliegt, wenn erklärt wird, worin die Unterschiede zu anderen, ähnlichen Arten bestehen, und wenn diese Befunde in einer regelmäßig erscheinenden Zeitschrift veröffentlicht werden. Ein wissenschaftlicher Vortrag, wenn auch vor einer hochgelehrten Versammlung gehalten, kann nicht ausreichen, um eine neue Spezies zu benennen.

In einer im Januar 1864 veröffentlichten Fassung seines Vortrags besprach King noch einmal den Fund und seine Merkmale und schloß mit folgenden bemerkenswerten Worten:

Die besonderen Fähigkeiten des Menschen finden sichtbaren Ausdruck in seinem ausgeprägten Schädeldach, das ein wesentliches Charakteristikum der menschlichen Spezies ist, obgleich dieses Merkmal auch bei manchen wilden Rassen in verminderter Form vorhanden ist. Aber auch wenn wir berücksichtigen, daß der Schädel des Neandertalers wegen allgemeiner als auch spezifischer Merkmale in hohem Maße affenähnlich ist, fällt es mir schwer zu glauben, daß die Gedanken und Gefühle, die ihm einst innewohnten, die eines Wilden niemals überstiegen. Der Andamaner [Bewohner der Andamanen, einer Inselkette vor der indischen Küste] besitzt nicht die geringste Vorstellung von der Existenz des Weltenschöpfers. Seine diesbezüglichen Gedanken und seine eigenen sittlichen Verpflichtungen stellen ihn kaum über Tiere mit ausgeprägter Intelligenz [siehe unten]. Betrachten wir ihn jedoch nur in bezug auf die spezifisch menschliche Form seines Schädels, müssen wir ihn als *Homo sapiens* bezeichnen. Geringere psychische Gaben, als sie die Andamaner besitzen, sind nicht vorstellbar: sie stehen dem unbedarften Tier am nächsten.

Beziehen wir die oben genannten Argumente auf den Schädel des Neandertalers und bedenken wir ... , daß dieser eher der Hirnschale des Schimpansen gleicht, ... spricht nichts gegen die Annahme, daß auch das Wesen, zu dem der fossile Schädel gehörte, in ähnlicher Weise umnachtet war [wie der Schimpanse].[66]

King vertrat den Standpunkt, daß die Überreste aus dem Neandertal deshalb von einer neuen Spezies zeugten, weil die Anatomie des Schädels auf eine sittliche »Umnachtung« des Wesens schließen ließ. Dieses Argument muß heute überraschen, denn die Phrenologie hat ihren Ruf als seriöse Wissenschaft schon lange verloren. Ebenso erstaunlich ist Kings Sternchen-Fußnote:

Ein Referat, das die Standpunkte dieses Artikels wiedergibt, wurde auf der letzten Versammlung der British Association in Newcastle-upon-Tyne gehalten. In jenem Referat bezeichnete ich die Fossilien als *Homo Neanderthalensis [sic]*. Heute jedoch neige ich sehr zu der Ansicht, daß sie sich nicht nur in spezifischer Hinsicht, sondern auch gattungsmäßig vom Menschen unterscheiden.[67]

King ging demnach davon aus, daß die Fossilien nicht einmal zur Gattung *Homo* gerechnet werden dürften und schon gar nicht zur Spezies *Homo sapiens*. Dabei lieferte er weder eine Begründung noch Beweise und machte auch keinen Vorschlag, wie die neue Gattung treffend benannt werden könnte. Es ist kaum zu glauben, doch nachdem King seine ungeheuerlichen Thesen veröffentlicht hatte, enthielt er sich jeden weiteren Kommentars.

Im Jahre 1864, als bereits lebhaft über die Fossilien aus dem Neandertal diskutiert wurde, erinnerte sich Busk an den Schädel von Gibraltar, der ihm einige Jahre zuvor von Captain Broome zugeschickt worden war. Er untersuchte ihn von neuem und entdeckte starke Ähnlichkeiten mit dem Schädel aus dem Neandertal. Zusammen mit dem Paläontologen Hugh Falconer stellte Busk seine Ergebnisse auf einer Versammlung der British Association in Bath vor. Die Ansichten, die Falconer vortrug, deckten sich mit Huxleys Argumentation:

> Sollte jemand etwas anderes behaupten, entgegne ich ihm, daß ich diesen urtümlichen, pithekoiden Menschen nicht als das sogenannte *missing link* betrachte. Es handelt sich hier um eine sehr niedere menschliche Form – sehr nieder, wild und von außerordentlich hohem Alter –, aber trotzdem ist es ein Mensch und nicht irgendeine Zwischenstufe zwischen Mensch und Affe.[68]

Dieses Zitat belegt, daß der heute allgemein anerkannte Begriff *missing link* für die fehlende Übergangsform zwischen Mensch und Affe schon damals verbreitet war. Wichtiger jedoch war die Auffassung, daß sich das Cranium, obwohl menschlich, von Schädeln moderner Menschen unterschied. Falconer schlug Busk vor, das Wesen *Homo calpicus* zu nennen, nach Calpe, dem alten Namen für Gibraltar.

Ihre Bemühungen wurden mit einem Stipendium über einhundertfünfundsechzig englische Pfund belohnt, was ihnen ermöglichte, nach Gibraltar zu reisen und weitere Ausgrabungen zu veranlassen. Captain Broome, jener Kommandant, der Busk den

Schädel zugeschickt hatte, stand den beiden hilfreich zur Seite. Doch gerade seine großzügige Hilfsbereitschaft lenkte die Aufmerksamkeit seiner Vorgesetzten auf sein Engagement für die Wissenschaft, und prompt wurde er entlassen, weil er Militärgefangene für private Ausgrabungsarbeiten eingesetzt hatte.

Obgleich bekannte englische und französische Wissenschaftler den Neandertaler für einen authentischen Frühmenschen hielten, riß die Suche nach vorgeblich richtigen menschlichen Fossilien nicht ab. Mit einem neuen Fund entfachte Boucher de Perthes in Abbeville erneut die Diskussion. In einer Kiesgrube bei Moulin Quignon hatte er einen Kieferknochen entdeckt. Rückblickend ist es nur schwer zu verstehen, wie dieser armselige Knochen nach der Entdeckung der Skeletteile im Neandertal und des vollständigen Schädels auf Gibraltar überhaupt noch ernst genommen werden konnte. Und doch wurde der Kiefer von Moulin Quignon über Nacht zur Cause célèbre.

Am 9. April 1863 gab Boucher de Perthes in der Lokalzeitung *L'Abbevillois* bekannt, daß er den Kieferknochen eines Menschen zusammen mit Faustkeilen des Acheuléen gefunden habe. Aus den geologischen Gegebenheiten schloß er, daß der Menschenknochen aus den ältesten Ablagerungen stammen und demnach besonders alt sein müsse. In anatomischer Hinsicht war er modern und ähnelte in keiner Weise einem Kiefer, der zum Schädel eines Neandertalers passen könnte. Stolz behauptete Boucher de Perthes, den Hersteller jener alten Steinwerkzeuge gefunden zu haben, die man zusammen mit ausgestorbenen Säugetieren aus dem Pleistozän entdeckt hatte.

Aber war das tatsächlich der Fall? Die *Affäre Moulin Quignon*, wie wir sie hier nennen wollen, sollte für Boucher de Perthes einen höchst unerfreulichen Verlauf nehmen. Am Ende schrieb er an Hugh Falconer: »Vous m'avez tué!« (Sie haben mich getötet!)[69]

3
Die Affäre Moulin Quignon
1865–1885

Der inzwischen siebzigjährige Boucher de Perthes muß mit seinem letzten Fund sehr zufrieden gewesen sein. Seit englische Geologen und Paläontologen wie Lyell, Prestwich, Flower, Evans und Falconer seine Feuersteine und Faustkeile anerkannt hatten, waren einige Jahre vergangen. Falconer hatte ihn damals sogar besucht und 1858 über das Ergebnis seiner ersten Prüfung des Materials an Prestwich geschrieben:

> Er zeigte mir »Feuerstein«-Beile, die *er mit eigenen Händen* ausgegraben hatte und die *wahllos* zwischen Molaren von *E[lephas] primigenius* lagen ... Abbeville ist ein abgelegener, wenig besuchter Ort, und die französischen Gelehrten, die in Paris mit Monsieur Boucher de Perthes zusammentreffen, lachen über ihn und seine Forschungen. Aber nachdem ich einen Großteil des Tages damit zugebracht habe, seine umfangreiche Sammlung zu begutachten, bin ich überzeugt, daß zahlreiche Indizien für die Richtigkeit vieler seiner Spekulationen sprechen, was das hohe Alter der Artefakte und einen Zusammenhang zwischen ihnen und inzwischen ausgestorbenen Tierarten anbelangt.[1]

In Frankreich war Rigollot zwar der einzige, der die Faustkeile aus dem Acheuléen als authentisch anerkannte, aber gerade weil er einst zu den Zweiflern gehört hatte, stärkte seine Parteinahme das Ansehen Boucher de Perthes', dem man immer noch nachsagte, er leide an einer fixen Idee und glaube so fest an das hohe Alter der Menschheit, daß er zu unkritischen Urteilen neige. Nun aber glaubte Boucher de Perthes, den Fund zu besitzen, der seine Kritiker verstummen lassen würde.

Bereits 1859 ging das Gerücht um, Boucher de Perthes sei mit modernen gefälschten Steinwerkzeugen getäuscht worden. Da es bei Ausgrabungen allgemein üblich war, den Arbeitern für gute Funde eine Erfolgsprämie zu zahlen, war die Versuchung natürlich groß, Fälschungen abzuliefern. Und in der Tat war die Gegend um Abbeville für solche Betrügereien berüchtigt, möglicherweise gerade wegen Boucher de Perthes' ungezügeltem Enthusiasmus. So kursierte die vermutlich erfundene Geschichte, wie Madame Ducatel, eine Kusine des Archäologen Vayson de Pradenne, bei einem Spaziergang durch die Stadt einen Bauern entdeckte, der vor seiner Haustür eifrig Steine bearbeitete. Nach seiner Arbeit gefragt, antwortete er mit weit aufgerissenen Augen: »Ich mache keltische Äxte für Monsieur Boucher de Perthes.«[2]

Gleichwohl waren die englischen Wissenschaftler davon überzeugt, daß viele Fundstücke des Franzosen echt waren. Die Faustkeile von Moulin Quignon hatten eine unverwechselbare hellgelbe Farbe, und sie waren primitiver als etwa die Faustkeile aus St. Acheul. Als Prestwich und Evans von Boucher de Perthes' letztem

17. *Zeichnung, die 1863 in der Zeitschrift* L'Illustration du Midi *erschien. Karikiert wird die Prüfung des Moulin Quignon-Kiefers in der Académie des Sciences in Paris. Boucher de Perthes war überzeugt, daß dieser moderne menschliche Unterkiefer von den Abbeville-Menschen stammte. In Wirklichkeit war er ihm von einem einheimischen Arbeiter untergeschoben worden, der für wichtige »Entdeckungen« bezahlt wurde.*

ungewöhnlichen Fund lasen, machten sie sich unverzüglich auf den Weg nach Abbeville. Zusammen mit Falconer, der einige Tage später anreiste, trafen sie sich dort mit Jean-Louis-Armand de Quatrefages, einem berühmten Naturkundler von der Académie des Sciences in Paris.

Zunächst mußte geklärt werden, ob nicht ein Arbeiter den Kiefer und die dazugehörigen Werkzeuge »gefunden« hatte. Doch Boucher de Perthes beharrte darauf, ihn am 28. März 1863 eigenhändig freigelegt zu haben. Tief beeindruckt beschloß de Quatrefages, ihn für weitere Untersuchungen mit nach Paris zu nehmen. Falconer behielt einen Molaren (Backenzahn) aus dem Kiefer, um ihn in London von George Busk und dem Anatomen Sir John Tomes prüfen zu lassen. Doch noch bevor die Engländer Abbeville verließen, ereignete sich ein Zwischenfall, der Prestwich und Evans in ihrem Glauben an Boucher de Perthes schwer erschütterte. In einem Brief vom 5. Mai 1863 an Edouard Lartet schildert Prestwich, was geschehen war:

Uns beiden fiel sofort die Form der Flintwerkzeuge mit ihren [ungewöhnlich] scharfen Kanten sowie dem eigenartigen Schmutz, der ihnen anhaftete, auf. Wir hielten uns in unserem Urteil jedoch zurück und besichtigten die Grube. Unglücklicherweise war Kies abgerutscht, und der Grabungsbereich war zugeschüttet, so daß wir nur ein Ende davon sehen konnten. Daß eine schwarze Schicht vorhanden war [aus der die Fossilien und Werkzeuge stammten, wie es hieß], war offensichtlich. Für ihre Echtheit sprach meiner Ansicht nach, daß bisher alle Exemplare aus der ockerfarbenen Schicht stammten. Wenn tatsächlich unwissende Arbeiter die Absicht gehabt hatten, echte Werkzeuge nachzubilden, so hätten sie eher die normale Matrix verwendet als eine, die aus dem Rahmen fiel. Als wir von Moulin Quignon nach St. Giles gingen, nahm einer der Männer zwei Exemplare aus seiner Tasche und gab sie mir. Sie waren beide aus einer ockerfarbenen oder rostfarbenen Matrix, und wir wußten sofort, daß sie falsch waren. Beim ersten Haus, an dem wir vorbeikamen, ergriff ich die Gelegenheit, eines dieser Exemplare zu waschen. Sofort löste sich die Erde, und der Feuerstein lag nun neu, sauber und scharfkantig vor mir. Dieser zusätzliche

Beweis war für uns beide die Bestätigung, daß Betrügereien im Gange waren, und sobald wir nach Abbeville zurückgekehrt waren, berichtete ich M. Boucher de Perthes von unserem Verdacht gegenüber den Arbeitern. Er jedoch teilte unsere Ansicht nicht, auch dann nicht, als er selbst eines der Exemplare gewaschen hatte ... Ich bedauere nur, daß M. de Perthes es unterließ, Dr. Falconer und M. Quatrefages ausdrücklich auf unsere Zweifel hinzuweisen, denn dann hätte man die Feuersteine an Ort und Stelle vielleicht gründlicher untersucht und mein Freund wäre zurückhaltender gewesen. Tatsächlich konnte man den Kiefer oder die Feuersteine erst dann richtig beurteilen, wenn man sie gewaschen und genauer studiert hatte. Sie waren offensichtlich mit voller Absicht so verschmutzt worden.[3]

Prestwich zählt hier einige Verdachtsmomente auf, läßt es aber nicht an der nötigen Höflichkeit fehlen, denn schließlich hatte er Boucher de Perthes als einen großzügigen, charmanten Mann kennengelernt. Verdächtig war unter anderem die unvermittelt große Zahl der Feuersteine, nachdem bei sechs oder acht vorangegangenen Besuchen kein einziger gefunden worden war.

Edouard Lartet, der Empfänger von Prestwichs Brief, war auf dem besten Weg, sich durch seine Forschungen auf dem Gebiet der menschlichen Vorgeschichte einen Namen zu machen. Im April 1801 geboren, wohnte er sein ganzes Leben lang in Gers, wo er als Jurist arbeitete. Er hatte das dreißigste Lebensjahr längst überschritten, als ein Mastodon-Zahn, den ein Bauer in seinem Dorf gefunden hatte, sein Interesse für die Paläontologie weckte. Zu seinen bedeutendsten frühen Entdeckungen zählten die ersten beiden Gattungen fossiler Menschenaffen, der *Dryopithecus,* der lange Zeit als eine Vorform des Schimpansen galt, sowie der gibbonähnliche *Pliopithecus.* Lartet suchte aber auch nach Beweisen für das hohe Alter der Menschheit, und er fand sie. Zwar wurde er nicht mit Überresten des Neandertalers belohnt, doch entdeckte er zusammen mit seinem englischen Mitarbeiter und Geldgeber Henry Christy jungpaläolithische Höhlen, in denen sich Werkzeuge und Gegenstände fanden, die von den ältesten europäischen anatomisch modernen Menschen hergestellt worden sein mußten. Lartets jüngere Arbeiten, die sich mit den Zeugnissen einer frühen menschlichen Besiedlung Westeuropas beschäftigten, wurden ebenso wie die Schriften Boucher de Perthes' von der Académie des Sciences abgelehnt. Aber bereits 1861 hatte Lartet an der berühmten Fundstätte bei Aurignac charakteristische und spezialisierte Abschlagwerkzeuge gefunden, die das Vorhandensein früher Menschen eindeutig belegten.

Ein Hauptanliegen der damaligen Zeit war es, eine relative Datierung der Funde vorzunehmen, indem man die aufeinanderfolgenden Kulturschichten bestimmte. Ausgehend von den eigenen Arbeiten schlug Lartet ein neuartiges System vor, bei dem die Zeugnisse früher Menschen anhand der mit ihnen assoziierten ausgestorbenen Tierarten klassifiziert werden sollten.

> Wir werden auf diese Weise für die Zeit der primitiven Menschheit die Epochen des großen Höhlenbären, des Elefanten und Rhinozeros, des Rentiers und des Auerochs [einer ausgestorbenen Rinderart] ansetzen, ungefähr ebenso wie die Archäologen kürzlich die Einteilung in ein Steinzeitalter, eine Bronze- und eine Eisenzeit angenommen haben.[4]

Ab 1861 entdeckte Lartet erste Anzeichen prähistorischer Kunst der frühen Menschen. Bei Ausgrabungen, die er zusammen mit Christy im Vézère-Tal durchführte, fand er besonders schöne Beispiele, so etwa 1864 in La Madeleine jenen fossilen Mammutstoßzahn, in den ein Mammut graviert war. Als die Objekte 1867 bei der Weltausstellung in Paris gezeigt wurden, faszinierten sie die Betrachter. Nur wenige Steinwerkzeuge oder eigenwillig geformte Knochen regten die Vorstellungskraft der Öffentlichkeit in solchem Maße an wie diese jungpaläolithischen Kunstgegenstände, obwohl sie jüngeren Datums waren als die Fossilien aus dem Neandertal. Aber die unterschiedliche Aufnahme seiner Arbeit bis Mitte der sechziger Jahre des 19. Jahrhunderts veranlaßte Lartet, Boucher de Perthes in seinem Kampf gegen die starren Ansichten der Pariser Akademiker zu unterstützen.

Unglücklicherweise entdeckten Busk und Tomes, nachdem sie den Zahn von Moulin Quignon aufgesägt und untersucht hatten, weitere überzeugende Beweise, daß er nicht fossilisiert war. Falconer schrieb: »... er erwies sich als recht jung; der Schnitt war weiß, glänzte, war mit Gelatine gefüllt und sah neu aus.«[5] Der Zahn war weder fleckig noch infiltriert oder mit Sedimenten aus der charakteristischen schwarzen Schicht gefüllt, wie zu erwarten gewesen wäre.

Für Engländer wie Franzosen war die Sache damit geklärt, allerdings mit unterschiedlichen Ergebnissen: Die Engländer hielten die Funde für Fälschungen, die Franzosen für echt. Da sich beide Auffassungen unversöhnlich gegenüberstanden, wurde eine internationale Kommission gebildet, die im Mai 1863 in Paris zusammenkam, um das strittige Material zu untersuchen und seine Echtheit zu beurteilen.

Die englische Seite war durch Prestwich, Falconer, Busk und Dr. William Carpenter, den Vize-Präsidenten der Royal Society of London, vertreten. Die Franzosen entsandten de Quatrefages, Lartet, die beiden Geologen Jules Desnoyers und Achilles Delesse sowie den belgischen Zoologen Henri Milne-Edwards. Ihnen schlossen sich weitere anerkannte Autoritäten der Paläontologie, der Vorgeschichte und verwandter Fachgebiete an. Die Franzosen waren entschlossen, ihre nationale Ehre zu verteidigen; die Engländer dagegen wollten verhindern, daß weitere Fälschungen den Versuch erschwerten, die Geschichte der Menschheit zu erforschen.

Vier Tage lang wurden Argumente und Beweise vorgebracht, doch die Engländer beharrten auf ihrer Ansicht, daß das gesamte Material aus der »schwarzen Schicht« von Moulin Quignon falsch und möglicherweise erst kürzlich von einer Person mit Hilfe eines Metallhammers hergestellt worden sei, wie im übrigen auch einige Exemplare von anderen Fundstätten in der Nähe Abbevilles. Sie versuchten nachzuweisen, daß der Kiefer eine Fälschung sei, indem sie auf seine Frische, das Fehlen von Flecken und seine Ähnlichkeit zu einem vorrömischen Exemplar aus Großbritannien hinwiesen. Die Franzosen erhoben Einwände und wollten nicht nachgeben.

Da die Kommission sich nicht einigen konnte, reiste man nach Abbeville, inspizierte die Fundstätte und sprach mit Boucher de Perthes. Einem Bericht zufolge stellte sich bei dem Besuch in Moulin Quignon heraus, daß die entscheidende »schwarze Schicht« in der Zwischenzeit vollständig abgetragen worden sei, wohingegen in dem nahezu zeitgleich entstandenen Bericht in Prestwichs *Life and Letters* nichts dergleichen erwähnt wird. Einigkeit gab es nur in einem Punkt: »Der fragliche Kiefer ist nicht in betrügerischer Absicht von [Boucher de Perthes] in der Kiesgrube von Moulin Quignon deponiert worden: Er befand sich bereits vorher an jenem Ort, an dem ihn M. Boucher de Perthes am 28. März 1863 gefunden hat.«[6]

Diese eher dürftige Erklärung, die zwar seine Unschuld betonte, ihm aber nicht recht gab, war kaum die Art von Zustimmung, die sich Boucher de Perthes von den Wissenschaftlern erhofft hatte. Auch die Ehre, die ihm bereits im darauffolgenden Monat durch seine Wahl zum korrespondierenden Mitglied der Geological Society of London zuteil wurde, vermochte ihn nicht zu besänftigen. Verbittert schrieb er seinen englischen Freunden, die ihm die erwartete Unterstützung versagt hatten, und klagte Falconer an, ihn »vernichtet« zu haben.

Boucher de Perthes setzte seine Ausgrabungen in Moulin Quignon verzweifelt fort. Er machte es sich zur Gewohnheit, improvisierte Kommissionen einzuberufen (bestehend aus dem Bürgermeister, lokalen Ärzten, Anwälten, Bibliothekaren, Priestern und auch Geologieprofessoren, die zufällig am Fundort weilten), die den Ausgrabungsarbeiten immer dann beiwohnen mußten, wenn er etwas Bedeutendes fand oder zu finden glaubte. Die Honoratioren müssen den Wissenschaftler wahrlich als Quälgeist empfunden haben. Die englischen und französischen Kollegen verzichteten bald darauf, seine Funde vor Ort zu begutachten, und schenkten auch seinen Behauptungen keinen rechten Glauben mehr. Boucher de Perthes starb 1868. Bis zuletzt glaubte er, man habe ihn bei der *Affäre Moulin Quignon* verkannt und ihm Unrecht zugefügt.

Die nachweislich gefälschten Steinwerkzeuge und untergeschobenen Knochen des Boucher de Perthes bildeten jedoch nur den Auftakt zu einem noch größeren Betrug, der die Paläoanthropologen viele Jahre lang verwirren sollte. In Moulin Quignon war es wohl nicht darum gegangen, den wissenschaftlichen Fortschritt aufzuhalten. Das Motiv war vermutlich sehr viel einfacher: Monsieur Boucher de Perthes zahlte gutes Geld für Faustkeile und Knochen, also lieferten ihm die Arbeiter welche. Wem konnten sie damit schon schaden?

Bei der Debatte um das Material von Moulin Quignon wurde deutlich, wie sehr der Nationalstolz das Urteil der Wissenschaftler beeinflußte und sie für verdächtige Merkmale der Funde blind machte. Die Franzosen versäumten es nicht nur, die ihnen vorgelegten Beweise zur Kenntnis zu nehmen, sie gaben darüber hinaus nie offiziell zu, daß der Moulin-Quignon-Kiefer intrusiv war, das heißt, daß es sich um einen sehr viel jüngeren Knochen handelte, der in ältere Sedimente umgelagert worden war. Die Diskussion wurde eingestellt, ohne daß man aus der Affäre eine Lehre gezogen hatte. Keiner der Wissenschaftler machte sich klar, wie anfällig dieses Fachgebiet für skrupellose Täuschungen oder Betrügereien war.

Der Grund für diese Anfälligkeit lag vor allem im fehlenden geologischen Zusammenhang. War ein Fossil oder ein Werkzeug erst einmal aus dem Boden entfernt, wußte nur noch der Finder, woher es stammte. Eine sorgfältige Dokumentation der Ausgrabungen mit Hilfe von Fotografien, Messungen und Zeichnungen war noch nicht üblich. Nur wenige Forscher arbeiteten bei den Ausgrabungen tatsächlich selbst mit. Erst als Paläontologen und Anthropologen selbst die Schaufel in die Hand nahmen, genaue Pläne und Karten erstellten und sich Notizen machten, wurde es sehr viel schwieriger, Knochen oder Werkzeuge an einem falschen Ort zu deponieren – außer natürlich, der Ausgrabende selbst war der Schwindler.

In der zweiten Hälfte des 19. Jahrhunderts suchte man nach Fossilien, die noch niemand zuvor gesehen hatte: nach den Knochen von Neandertalern oder anderen Vorfahren des Menschen. Wer nach etwas Neuem und Unbekanntem forscht, bewegt sich immer auf unsicherem Boden. Wie jeder andere auch entwickelten Wissenschaftler bestimmte Erwartungen – manchmal formal als Hypothesen vorgestellt – über das, was sie zu finden hofften. Stießen sie auf etwas Unerwartetes, stellten sie entweder den Fund selbst in Frage oder sahen sich gezwungen, ihre Schlußfolgerungen noch einmal daraufhin zu überdenken, an welcher Stelle ihnen ein Fehler unterlaufen war. In beiden Fällen wurde das Objekt sorgfältig und aufmerksam begutachtet. Erfüllten sich jedoch ihre Erwartungen, neigten sie dazu, die Objekte weit weniger kritisch zu studieren. Deshalb waren Betrügereien in der Paläontologie dann besonders erfolgreich, wenn es dem Schwindler gelang, Erwartungen zu erfüllen und auf diese Weise der Entlarvung zu entgehen.

Die Engländer waren überzeugt, daß der Fall Moulin Quignon sie nichts anging. Sie führten ihn allein auf die Kurzsichtigkeit der Franzosen zurück. Fünfzig Jahre später aber sollten sie selbst auf die größte Fälschung in der Geschichte der Paläontologie hereinfallen.

Die Affäre Moulin Quignon veranschaulicht noch etwas anderes: Mitte der sechziger Jahre des 19. Jahrhunderts hatte man recht konfuse Vorstellungen davon, wie menschliche Fossilien auszusehen hatten. Rückblickend ist kaum nachzuvollziehen, daß erfahrene Wissenschaftler den Moulin-Quignon-Kiefer allen Ernstes für ein menschliches Fossil halten konnten. Obwohl viele Experten die Knochen aus dem Neandertal archaischen, vorgeschichtlichen Menschen zuordneten, wußten nur wenige, wonach sie zu suchen hatten. Besonders diejenigen, die sich mit dem Gedanken einer menschlichen Evolution nicht recht anfreunden mochten, glaubten immer noch, daß fossile Menschen genauso wie moderne aussahen und daß es nur darauf ankam, ihre Knochen in dem entsprechenden vorgeschichtlichen Zusammenhang zu finden.

Die Entwicklung verlief vorerst ruhig. Im Jahr 1865 veröffentlichte der englische Archäologe John Lubbock, ein Nachbar der Familie Darwin, das vielbeachtete Buch *Pre-Historic Times,* in dem er alles zusammenfaßte, was bis zum damaligen Zeitpunkt über die »Prinzipien der vorgeschichtlichen Archäologie« bekannt war. Besonderen Wert legte er auf die »Voraussetzungen für die *conditio humana* in der Urzeit«.[7] Trotz der Neuheit dieses Fachgebiets – das Buch führte den Begriff *prehistory* (Vorgeschichte) in England überhaupt erst ein – mußte Lubbock umfangreiches Material abdecken. Er begann mit der Erweiterung des damals gebräuchlichen Schemas, wonach archäologische Reste nach ihrer Zugehörigkeit zur Eisenzeit, Bronzezeit und Steinzeit klassifiziert wurden (nach zunehmendem Alter geordnet). Er schlug vor, die älteste Periode in zwei Zeitalter zu unterteilen, das paläolithische (was soviel wie »alter Stein« bedeutet), in dem die Geräte einfach nur behauen wurden, und das neolithische (was soviel wie »neuer Stein« bedeutet), in dem die Steine poliert und geschliffen wurden und in dem erstmals Gold als Schmuck verwendet wurde. Dieser chronologische Rahmen wurde überall sofort übernommen. Erst sehr viele Jahre später unterteilte man das Paläolithikum noch weiter in Altpaläolithikum, Mittelpaläolithikum und Jungpaläolithikum.

Lubbocks Zeiteinteilung enthält einige wichtige Elemente. Zum einen impliziert sie eine lineare universale Weiterentwicklung in der Evolution des Menschen, deren aufeinanderfolgende Stufen an den Techniken festgemacht werden, mit denen die einzelnen Menschentypen Materialien bearbeiteten. Stillschweigend nahm man an, daß beispielsweise alle paläolithischen Fundstätten ungefähr aus der gleichen Zeit stammten und das Neolithikum in ganz Europa gleichzeitig vorkam. Lubbock bemerkte hierzu:

> Um jeglichen Mißverständnissen vorzubeugen, muß an dieser Stelle darauf hingewiesen werden, daß ich im Augenblick diese Klassifizierung nur auf Europa anwende, obwohl sie aller Wahrscheinlichkeit nach auch auf die benachbarten Regionen Asiens und Afrikas ausgedehnt werden kann. Was andere zivilisierte Länder, wie beispielsweise China und Japan betrifft, so wissen wir zum gegenwärtigen Zeitpunkt noch nichts über ihre vorgeschichtliche Archäologie. Es ist offensichtlich, daß einige Nationen, wie die Fueguinos [Bewohner Feuerlands] und die Andamaner [Bewohner der Andamanen] usw., noch heute in der Steinzeit leben oder bis vor kurzem gelebt haben.[8]

Ein Teil der Schwierigkeiten rührte daher, daß man technischen Fortschritt oder technische Weiterentwicklung mit der physischen Evolution vermengte. Mitte des 19. Jahrhunderts zweifelten die Europäer immer noch daran, ob die Naturvölker, denen sie auf ihren Forschungsreisen begegneten, auch tatsächlich Menschen waren. Konnte ein Feuerländer wie Jemmy Button mit der Hilfe Captain Robert FitzRoys von der *Beagle* im Jahr 1830 wirklich über seine barbarische Kultur »erhoben« werden? Konnte er, wenn man ihn auf einem Segelschiff nach England entführte, ihn mit Kleidung und rudimentären Kenntnissen der englischen Sprache, der Sitten und Gebräuche ausstattete, in einen Menschen verwandelt werden, der den Londonern, die ihn bestaunten, vergleichbar war?

131

Offensichtlich war das möglich, und nur wenige hielten es für anmaßend, unmoralisch oder falsch, daß man solche Experimente durchführte oder Button nach Feuerland zurückbrachte, als die *Beagle* drei Jahre später, diesmal mit Darwin an Bord, wieder dorthin zurückkehrte. Tatsächlich bewunderten viele Captain FitzRoy für seinen edelmütigen Versuch, einen Wilden »emporzuheben«. Wenn die nicht-industrialisierten Völker, insbesondere die Jäger und Sammler, vollkommen menschlich waren, so waren sie doch Überbleibsel einer vergangenen Zeit, lebende Vertreter früherer Entwicklungsstufen, die man durch Erziehung zu besseren Menschen machen konnte und sollte. Die Geschichte Buttons ist nur die unromantische Version der Geschichte Eliza Doolittles, die George Bernard Shaw Jahre später in *Pygmalion* so ausgezeichnet satirisch darstellte.

Äußerst wichtig für das Weltgeschehen wurde die tiefverwurzelte Überzeugung, daß rückständige Wilde, die zu den unmoralischsten und abstoßendsten Praktiken neigten, zivilisiert werden konnten. Des »weißen Mannes Last«, wie Kipling es 1899 formulierte, bestand darin, die Fremde zu bereisen und den Unwissenden und Ungebildeten die moderne Welt nahe zu bringen. Den Eingeborenen das Wort Gottes zu predigen und ihnen die Würde, die Reinlichkeit und die richtigen moralischen Werte eines zivilisierten Menschen zu vermitteln, lag in der Verantwortung jener, die das Glück gehabt hatten, als Briten (oder Franzosen oder Deutsche) geboren worden zu sein. Daneben lieferte das Studium der Bräuche, der Anatomie, der Sprache und der Techniken der »Wilden« oder »Barbaren« Erkenntnisse, die Lücken in der archäologischen Überlieferung schließen halfen. Lubbock erklärte diesen archäologischen Ansatz so:

Obwohl unser Wissen über die Vorzeit in den letzten Jahren stark angewachsen ist, ist es doch noch sehr unvollkommen, und wir können es uns nicht leisten, eine mögliche Informationsquelle unbeachtet zu lassen. Es ist offensichtlich, daß die Geschichte nicht sehr viel Licht auf die *conditio humana* werfen kann, weil die Entdeckung – oder richtiger die Verwendung – von Metall immer der Schrift vorausgeht ... Da die Geschichte in dieser [frühen] Phase dem Archäologen keine Hilfestellung geben kann, dieser aber zugleich von der unangenehmen Behinderung durch die Tradition befreit ist, hat er freie Hand, jene Methoden anzuwenden, die schon so erfolgreich in der Geologie verfolgt worden sind – die primitiven Knochen und Steinwerkzeuge vergangener Zeiten sind für die einen das, was die Überreste ausgestorbener Tierarten für die anderen sind ... Zum Beispiel haben die Arten, die heute noch in einigen Teilen Asiens und Afrikas heimisch sind, zu unserem Wissen über unsere fossilen Pachydermen (Dickhäuter) beigetragen ... Wenn wir die Altertümer Europas verstehen wollen, müssen wir sie mit den primitiven Gerätschaften und Waffen vergleichen, die noch immer oder bis vor kurzem von den Wilden in allen Teilen der Welt verwendet wurden.[9]

Die zweite große Welle kolonialer Expansion schwappte gerade über die Welt, und Lubbocks Buch erhellte die Hintergründe. Allein der Aufbau des Buches legt die impliziten Ziele der damaligen prähistorischen Forschung offen. Es beginnt nicht etwa bei den ältesten Funden und endet bei modernem Material, sondern verfährt in umgekehrter chronologischer Reihenfolge: Die Ursprünge der Gegenwart – sei es nun Anatomie, Technik, Sprache oder Brauchtum – werden bis in die Vergangenheit zurückverfolgt. Es galt nicht zu entdecken, was es in der Vergangenheit gegeben hatte, sondern herauszufinden, wie die moderne Welt entstanden war.

Nahezu alle neueren Bücher über die Evolution des Menschen oder die Archäologie beginnen mit den ältesten Belegen und sprechen von blind endenden Entwicklungsreihen, vom Aussterben einzelner Formen, von verlorengegangenen Kenntnissen oder Bräuchen und von den wenigen überlebenden Formen – eine Vielzahl von Möglichkeiten wird auf dem Weg bis zur Gegenwart ausgesondert. Die Vergangenheit scheint Zeugnis zu geben über die wunderbaren Experimente der Evolution, über die Mannigfaltigkeit, aus der ausgewählt wurde, über die Vielfalt, die bedauerlicherweise stark reduziert wurde. Lubbocks Buch veranschaulicht, wie im 19. Jahrhundert Vergangenheit gedeutet wurde. Man neigt dazu, die fossilen und archäologischen Zeugnisse als eine teleologische oder sogar moralische Geschichte zu interpretieren.

Weil das Ende (die moderne Zivilisation) bekannt ist, sind alle vorausgegangenen Stufen nur Stationen auf dem Weg zu diesem Ziel. Die Evolution bewegt sich auf einen bestimmten Punkt zu. Der Archäologe oder Paläontologe verfolgt auf diese Weise eher eine Kette von Gliedern, die in linearer Anordnung in die Vergangenheit führen, als daß er die Ausbreitung verschiedener Lebewesen oder Techniken skizziert, von denen nur einige wenige überdauert haben. Im 19. Jahrhundert dachte man noch nicht viel über Artenvielfalt nach und wußte sie auch noch nicht zu schätzen. Die Archäologen und Paläontologen verbanden Punkte durch gerade Linien miteinander und zeichneten noch keine Stammbäume mit vielen Verästelungen.

Wie Lyell zwei Jahre zuvor, erklärte auch Lubbock in seinem Buch, daß er die menschlichen Fossilien für echt und für sehr alt halte. Solche Ansichten wurden in England immer »salonfähiger«. Nicht so in Frankreich und Deutschland.

In Frankreich waren entwicklungsgeschichtliche Ideen und anthropologische Interessen immer noch eng mit linker Politik verknüpft. Dies war auch der Grund, warum Broca auf so große Schwierigkeiten gestoßen war, als er 1859 die Société d'Anthropologie de Paris gegründet hatte. Um 1864 trat in Paris ein weiterer rebellischer Anthropologe in Erscheinung: Gabriel de Mortillet. Er war gerade aus einem fünfzehnjährigen Exil zurückgekehrt, das er vor allem in Italien und in der Schweiz verbracht hatte, und schloß sich unverzüglich Brocas Gesellschaft an.

De Mortillet, 1821 geboren und aus gutbürgerlichen Verhältnissen stammend, war von Jesuiten erzogen worden, distanzierte sich später jedoch vehement von dieser religiösen Erziehung. Er studierte Ingenieurwesen am Conservatoire des Arts et Métiers in Paris sowie Naturgeschichte am Muséum National d'Histoire Naturelle. Doch wie viele junge Männer, die in bewegten Zeiten leben, widmete er der Politik mehr Aufmerksamkeit als seinen Studien. Aufmerksam verfolgte er den Machtkampf in der Zweiten Republik in Frankreich. Im Sommer 1848 – in den sogenannten Junitagen vom 23. bis zum 26. – brach in Paris ein blutiger Bürgerkrieg aus. Unzufriedene Arbeiter, Arbeitslose, hitzköpfige Studenten und Radikale errichteten Straßenbarrikaden gegen die republikanischen Armeen.

Auch de Mortillet war sehr aktiv und schimpfte Ende der vierziger Jahre in aufrührerischen Schriften auf die Kirche, die autokratische Herrschaft des Staates und die Macht der Bourgeoisie. 1848 setzte er sich in einer weiteren Publikation für die Verstaatlichung von Banken, Eisenbahnen und großen Unternehmen ein. Im revolutionären Überschwang behauptete er sogar, daß »das Recht zu leben über den Eigentumsrechten steht. Ein Mensch, dessen nackte Existenz bedroht ist, kann das Eigentum eines anderen an sich nehmen und reinen Gewissens stehlen.«[10] Solche Äußerungen hörten besonders diejenigen nicht gerne, die über beträchtliches Eigentum verfügten. Die republikanische Armee unter General Louis-Eugène Cavaignac rückte in die Stadt ein und schlug den Aufstand nieder. Mindestens tausendfünfhundert Rebellen wurden getötet und weitere zwölftausend gefangengenommen. Um der Gefängnisstrafe zu entgehen, flüchtete de Mortillet ins Exil.

Im Ausland arbeitete er in naturgeschichtlichen Museen, wobei er sich besonders mit Fossilien und geologischen Fragen beschäftigte. Dabei gelangte er zu anderen Erkenntnissen, als sie in den führenden akademischen Zirkeln in Paris vorherrschten, die den Evolutionsgedanken nach wie vor ablehnten. Als er 1864 nach Paris zurückkehrte, griff er sogleich die Gelehrten von der Académie des Sciences offen an, die immer noch stur an den überholten Theorien Cuviers festhielten. Sein Sprachrohr war die von ihm gegründete und herausgegebene Zeitschrift *Matériaux pour l'histoire positive et philosophique de l'homme* (Material zur positivistischen und philosophischen Menschheitsgeschichte).

De Mortillet war bereit und willens, Zeugnisse der menschlichen Abstammung – sobald sich ihm welche darboten – zu bestätigen und sogar zu verteidigen. Er brauchte nicht lange zu warten. 1865 wurde er gebeten, vor einem wissenschaftlichen Kongreß in der italienischen Stadt La Spezia einen Überblick über die vorgeschichtliche Forschung zu geben. Sein Vortrag war so erfolgreich, daß er zur Gründung des Congrès International d'Anthropologie et Préhistoire Archéologique führte, dessen Schriftführer er wurde.

Kurz nach dieser erfreulichen Anerkennung wurde ein weiteres wichtiges Fossil entdeckt. Die Aufmerksamkeit, die den jüngsten Funden geschenkt worden war, führte dazu, daß die belgische

Regierung starkes Interesse daran entwickelte, ob es da noch mehr prähistorische Schätze gäbe. Schmerling hatte dreißig Jahre zuvor in der Provinz Namur den Schädel von Engis gefunden. Gab es dort vielleicht noch weitere Fossilien? Tatsächlich entdeckte der belgische Geologe Edouard Dupont, der die Provinz für das Innenministerium vermaß, die große Höhle von Le Trou de la Naulette und fand in ihrem Innern einen menschlichen Unterkiefer, eine Ulna (Elle) und ein Metacarpale (Mittelhandknochen).

Die Fossilien waren durch vier stalagmitische Strata von der Oberfläche getrennt, was auf ein hohes Alter schließen ließ. Im Gegensatz zu den Fossilien aus der Feldhofer Grotte fanden sich in der gleichen geologischen Schicht, in der der Kiefer von La Naulette eingeschlossen war, auch die Überreste von ausgestorbenen Eiszeit-Säugetieren wie wollhaarigen Nashörnern, Rentieren,

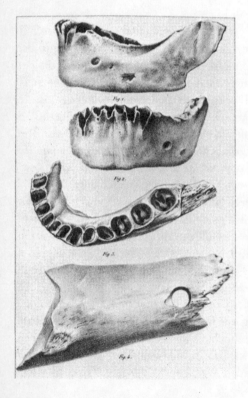

18. Zeichnungen vom Unterkiefer des Neandertalers, den Edouard Dupont 1866 im Trou de la Naulette, Belgien, geborgen hat, sowie von einem künstlich durchbohrten Knochen aus derselben Höhle. Trotz der archaischen Merkmale des Kiefers und der Positionierung in eindeutig alten Ablagerungen waren nur wenige Forscher bereit, sich von der Existenz prähistorischer menschlicher Vorfahren wie der Neandertaler überzeugen zu lassen.

Wildschweinen und Mufflons (Wildschafen). Auch deshalb konnte sein hohes Alter schwerlich in Frage gestellt werden.

Außerdem war der Unterkiefer von La Naulette im Gegensatz zu dem Kiefer von Moulin Quignon anatomisch nicht modern. Besonders auffällig war, daß das vorstehende Kinn des modernen Menschen fehlte. Der vordere Teil des Unterkiefers fiel unterhalb der Zähne schräg nach hinten ab; das Kinn war fliehend und im Profil sogar affenähnlich. Die Höhlen oder Alveolen der Zähne (nach dem Tod leider vollzählig ausgefallen) deuteten nach Auffassung einiger Wissenschaftler darauf hin, daß der Eck- oder Augenzahn wie bei den Affen und Menschenaffen ungewöhnlich groß gewesen sein muß.

Der prominente französische Anatom Broca erstellte eine der ersten detaillierten Untersuchungen über das neue Fossil. Darin heißt es:

Stammt dieser Unterkiefer, der der Mammutzeit angehört, von einem Menschen? M. Dupont zweifelte zunächst daran. Einige Naturforscher hielten ihn für einen Affenkiefer; M. Dupont begab sich daraufhin nach Paris, um Rat bei M. Pruner-Bey einzuholen, der nun seinerseits Zweifel äußerte. Hier ist der Unterkiefer; ich lege heute dar, daß er zweifellos von einem Menschen stammt. Aber man muß sich darüber im klaren sein, daß der Kiefer eine Form aufweist, wie sie bisher als typisch für Affenkiefer galt.[11]

Dann verglich Broca den Kiefer systematisch mit dem Kiefer eines Schimpansen, eines modernen Melanesiers, eines Parisers und mit zwei neolithischen Kiefern. Er zeigte, daß die verschiedenen primitiven Merkmale des Exemplars von La Naulette in eine Reihe mit den anderen gebracht werden konnten. Obwohl der Kiefer von La Naulette der affenähnlichste von allen war, stammte er nach Meinung Brocas von einem Menschen. Der Anatom zögerte zwar, die Evolutionstheorie Darwins vorbehaltlos anzuerkennen – seiner Meinung nach mußte sie noch bewiesen werden –, doch war er davon überzeugt, daß der Unterkiefer von La Naulette »das erste Faktum war, welches den Anhängern Darwins anatomische Beweise lieferte. Er bildet das erste Glied in einer Kette, welche vom Menschen zum Menschenaffen führt.«[12] Broca betrachtete menschliche Fossilien also unter dem Aspekt ihrer Bedeutung für die Evolutionstheorie.

Er kam zu dem Schluß, daß der Kiefer von La Naulette ebenso wie die Fossilien aus dem Neandertal von einem Menschen stammte, daß beide jedoch ausgeprägtere affenähnliche Merkmale aufwiesen als jedes andere bisher bekannte Fossil. Und weil er mit Widerspruch rechnete, fügte er eine kühne Erklärung an, die an die Rede Huxleys in Oxford erinnerte:

Was mich betrifft ... wäre ich viel lieber ein vollkommener Affe als ein degenerierter Adam. Ja, wenn man mir beweist, daß meine bescheidenen Vorfahren Vierbeiner waren, auf Bäumen lebende Pflanzenfresser, Brüder oder Vettern derjenigen, die auch die Vorfahren von Affen und Menschenaffen waren, so

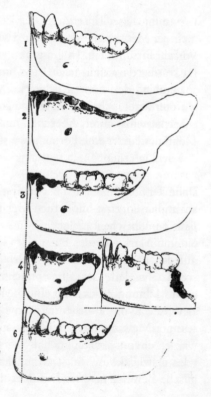

19. Vergleich des La Naulette-Kiefers (2) mit einem Schimpansen-Kiefer (1) und den Kiefern von vier modernen Menschen (3, 4, 5 und 6) aus einer Abhandlung Paul Brocas. Nach Brocas Ansicht sprachen verschiedene Merkmale dafür, daß der Unterkiefer von La Naulette der primitivste unter den menschlichen Kiefern war und nicht einmal dem Schimpansen-Kiefer ähnelte.

werde ich nicht etwa aus Scham vor diesem Stammbaum und der Herkunft meiner Art erröten, sondern ich werde stolz sein auf all das, was die Evolution zustande gebracht hat – auf die kontinuierliche Verbesserung, die uns in den höchsten Rang erhebt, auf die vielen aufeinanderfolgenden Triumphe, die uns über alle anderen Arten gestellt haben ... auf das großartige Ergebnis des Fortschritts.

Zum Schluß möchte ich noch folgendes sagen: Eine Unveränderlichkeit der Arten ist nahezu unmöglich, denn sie widerspricht dem Modus der Nachfolge und der Verteilung der Arten in der Aufeinanderfolge lebender und ausgestorbener Tierarten. Es ist deshalb sehr wahrscheinlich, daß Lebewesen veränderlich und der Evolution unterworfen sind.

Aber die Gründe und Mechanismen für diese Evolution sind noch unbekannt.[13]

Dieser Punkt sollte eine unglückliche Umdeutung erfahren, denn nicht jedermann war so erpicht darauf, Menschenaffen zu seinen Vorfahren zu zählen. Dupont wandte sich in seinen Schriften über La Naulette explizit gegen eine ungewöhnliche Behauptung, die so, zumindest in schriftlicher Form, noch gar nicht aufgestellt worden war, daß nämlich die Fossilien aus dem Neandertal Reste eines kannibalischen Festmahls seien. Und er begründete seine Meinung damit, daß die Knochen zwar natürliche Brüche aufwiesen und in einer Höhle gefunden worden seien, aber eben nicht zusammen mit bearbeiteten Steinen oder Spuren von einer Feuerstelle. Dupont selbst suchte gezielt nach solchen Dingen, legte aber trotz aller Sorgfalt nur gebrochene Tierknochen und drei menschliche Knochen frei. Möglicherweise antwortete er indirekt auf die Kannibalismus-These, die zuvor ein gewisser Monsieur Spring aufgestellt hatte, der über die moderneren Funde aus dem belgischen Chauvaux schrieb. Spring hatte an Feuerstellen zertrümmerte Menschen- und Tierknochen gefunden und sah darin den Beweis, daß Tiere wie Menschen als Nahrung behandelt worden waren. Dupont selbst fand keine solchen Hinweise.

Die Behauptung, daß die Neandertaler Kannibalen waren, kam merkwürdigerweise im Zusammenhang mit einem Fund auf, der gerade nicht auf Kannibalismus schließen ließ. So erklärte C. Carter Blake in seiner englischsprachigen Beschreibung von Duponts Funden, der Forscher habe die Ansicht vertreten, daß die Knochen von La Naulette Anzeichen von Kannibalismus aufwiesen. Handelte es sich hier um eine falsche Übersetzung, ein Mißverständnis oder um Nachlässigkeit? Und sogar noch im Jahr 1930 schrieb der physische Anthropologe Aleš Hrdlička von der Smithsonian Institution Dupont erneut die Behauptung zu, die Knochen von La Naulette zeigten Anzeichen von Kannibalismus. Hrdlička arbeitete sehr genau und sprach fließend französisch. Möglicherweise hatte er Duponts Ablehnung dieser These in seiner Erinnerung unbewußt ins Gegenteil verkehrt oder mehr Gewicht auf spätere, unbewiesene Anklagen gelegt.

Dupont könnte einen tieferen Beweggrund gehabt haben. Laut William Arens, einem Anthropologen des 20. Jahrhunderts, ist es eine gebräuchliche Methode, andere Menschen, von denen man sich abgrenzen will, als Kannibalen zu bezeichnen.[14] Dieser Vorwurf zählt zu den schwersten Beleidigungen. Kannibalismus ist ein deutliches Indiz für Unmenschlichkeit. Wie der Inzest – der häufig mit dem Kannibalismus-Vorwurf gekoppelt ist – stellt er ein universales Tabu und eine der abstoßendsten, unzivilisiertesten Verhaltensweisen dar. Obwohl es Duponts ursprüngliches Motiv gewesen sein mag, den Vorwurf des Kannibalismus zurückzuweisen, sollte die Beschuldigung im Gedächtnis der Menschen haften bleiben. Neandertaler – denn auch der Kiefer von La Naulette wurde bald mit den Fossilien aus der Feldhofer Grotte in Verbindung gebracht – waren nicht nur affenähnlich, sie aßen auch ihre Artgenossen. Gab es einen eindeutigeren Beweis dafür, wie sehr sie sich vom Menschen unterschieden?

Die abfällige Meinung über die Wildheit und die affenartigen Eigenschaften des Individuums, von dem der Kiefer stammte, gewann die Oberhand über Brocas rationalere Sichtweise. Pruner-Bey und sein englischer Freund Blake sprachen von riesengroßen, vorstehenden Eckzähnen, ein Punkt, den Darwin in seinem 1871 erschienenen Buch *Die Abstammung des Menschen* aufgriff und zitierte.[15] Offensichtlich bemerkte Darwin nicht, daß es einen großen Unterschied machte, ob man – wie Broca – von der Zahnhöhle auf die Zahngröße schloß oder ob man – wie Blake und Pruner-Bey – voll Überzeugung von den großen vorstehenden

Zähnen selbst sprach. Doch Blake, in einer seltenen Anwandlung von Zurückhaltung, sagte:

Die unzweifelhafte Ähnlichkeit des [La Naulette-Kiefers] mit dem Kiefer eines jungen Menschenaffen wage ich nicht zu bestreiten. Trotzdem werde ich nicht versuchen, eine Theorie über den geistigen oder sozialen Status des Individuums, seine Hautfarbe, seine Körpergröße oder wahrscheinliche äußere Erscheinung aufzustellen.[16]

Andere waren nicht immer so vorsichtig. Einige Jahre später wartete Rudolf Virchow, der sich wegen der evolutionären Begeisterung seines Landsmannes Hermann Schaaffhausen für den Unterkiefer von La Naulette zu einer Reaktion veranlaßt sah, mit einer für ihn mittlerweile typischen Antwort auf. Er war überzeugt, daß das offensichtliche Fehlen des Kinns das einzige Merkmal war, das den Kiefer von La Naulette von dem eines neuzeitlichen Menschen unterschied. Ganz richtig erkannte er, daß der Knochen von einem jungen Erwachsenen stammte und daß alle vermeintlich affenähnlichen Merkmale darauf beruhten, daß der vordere Teil des Kiefers schräg nach hinten abfiel. Als Virchow das Originalfossil in Brüssel mit Duponts Genehmigung untersuchte, entdeckte er laut eigener Aussage unter den Vorderzähnen, oberhalb der Stelle, an der das Kinn sein sollte, eine pathologische Hyperostose oder Knochenwucherung, die er für das abnorme Zurückschwingen in diesem Bereich und das scheinbar fehlende Kinn verantwortlich machte. Das eigenwillig klingende Argument wäre durchaus vertretbar gewesen, wenn nicht alle modernen Beurteilungen des Fossils übereinstimmend das Vorliegen einer Wucherung verneinten. Wieder einmal hatte sich Virchow auf sein eigenes Spezialgebiet berufen und dem Grundprinzip einer ehrlichen Begutachtung zuwidergehandelt, um einen fossilen Menschen zu »begraben«. Er zog den üblichen Schluß: Der Unterkiefer von La Naulette sei genausowenig ein Beleg für die menschliche Evolution wie die klassischen Funde aus dem Neandertal.

Die Ulna und das Metacarpale fanden wenig Beachtung. Dupont beschrieb die Ulna als unvollständig, klein und »normal«. Als in neuerer Zeit beide Knochen noch einmal untersucht wurden, stellte sich heraus, daß sie im Gegensatz zum Kiefer größere Ähnlichkeit mit den Knochen neuzeitlicher Menschen als mit denen von Neandertalern haben.

Der Kiefer von La Naulette eröffnete de Mortillet die Gelegenheit, auf die er gewartet hatte. Er schlug vor, die kulturellen und physischen Aspekte bei der Erforschung der menschlichen Vorgeschichte miteinander zu verknüpfen: Danach schritt die kulturelle (durch Steinwerkzeuge belegte) Evolution gemeinsam mit der physischen (durch Knochen belegten) Evolution während einer Reihe von Eiszeiten und Zwischeneiszeiten voran, die der schottische Geologe Archibald Geikie erst kurz zuvor klassifiziert hatte. Zwischen 1867 und 1873 erarbeitete de Mortillet in etlichen Abhandlungen und Büchern sein lineares System für die Betrachtung der menschlichen Evolution, wobei er auf die Arbeiten Lartets und Lubbocks zurückgriff.

Laut de Mortillet konnte das Paläolithikum noch weiter aufgeteilt werden. Die jüngsten postglazialen Kulturen waren das Magdalénien (benannt nach La Madeleine, wo Lartet das gravierte Bild eines Mammuts gefunden hatte) und davor das Aurignacien, benannt nach dem Material, das Lartet in der Aurignac-Höhle ausgegraben hatte. Noch früher war das Solutréen, benannt nach der außergewöhnlichen Fundstätte in Frankreich, die 1866 entdeckt worden war. In Le Solutré sind modern aussehende menschliche Überreste zusammen mit fossilisierten Knochen von Wildpferden und wunderschön bearbeiteten Abschlagwerkzeugen freigelegt worden. Die vorangegangene Kultur, das Moustérien, fiel mit einer Eiszeit zusammen und wurde nach den Sammlungen von Le Moustier benannt. Die obere Grotte der Fundstätte war von Lartet erst kurz zuvor ausgegraben worden. (Die untere Grotte sollte später menschliche Überreste freigeben, und zwar unter Bedingungen, die den französischen Nationalstolz tief verletzten.) De Mortillet nahm an, daß in all diesen Kulturstufen Menschen gelebt hatten, die dem modernen Menschen ähnlich waren. Seiner Meinung nach waren die Neandertaler noch vor der eiszeitlichen Moustérien-Kultur im Chelléen (benannt nach der Fundstätte Chelles) anzusiedeln.

Auch wenn de Mortillets Versuch einer großen Synthese geologischer, archäologischer und paläontologischer Fakten anerkennenswert war, so fiel er doch auch der fatalen Versuchung anheim, zu spekulieren. Beispielsweise stellte er an das entfernteste Ende seiner linearen Folge von kulturellen und physischen Evolutionsstufen eine weitere Stufe, um die es harte Auseinandersetzungen geben sollte. So behauptete er, daß vor der Chelléen-Kultur der Neandertalrasse, wie er sie nannte, eine weitere Gattung existiert hatte, der er zuerst den Namen *Anthropopithecus* und später *Homosimius* gab. Diese Wesen hatten spezielle Steinwerkzeuge verwendet, die sogenannten Eolithen (Steine der Morgenröte). Dieser Name war von dem belgischen Geologen Rutot aus dem Präfix *eo-*, was soviel heißt wie »Frühzeit«, und dem Suffix *-lith,* was »Stein« bedeutet, gebildet worden. Ursprünglich verstand man unter Eolithen Steine, die nicht zu standardisierten Formen oder Werkzeugtypen bearbeitet, sondern in ihrer natürlichen gebrochenen Form verwendet worden waren. Das bedeutete aber, daß jeder Feuerstein, der ohne Einwirkung von Menschenhand gebrochen war, als Eolith bezeichnet werden konnte. Da diese Steine laut de Mortillet Beweise für die Aktivitäten der frühesten menschlichen Vorfahren waren, reichten die Zeugnisse der menschlichen Evolution mit einem Mal sehr weit in die Vergangenheit zurück. Doch nur wenige schenkten dieser Theorie Beachtung.

Als wichtig galt dagegen de Mortillets Stufenschema. Für die Franzosen implizierte es bezeichnenderweise einen linear und ohne Unterbrechungen verlaufenden evolutionären *Fortschritt* und eben keinen sprunghaften, immer wieder von Katastrophen unterbrochenen Verlauf, wie ihn die letzten Anhänger Cuviers propagierten. De Mortillet nannte es »la loi de progrès de l'humanité« (»das Gesetz des Fortschritts der Menschheit«). Dieser Fortschritt erfolgte langsam und kontinuierlich in Richtung auf Verbesserung und Perfektion. Was es in de Mortillets Augen jetzt noch zu erreichen galt, war eine gesellschaftliche Vervollkommnung, für die er und andere Linke gemäß ihren Vorstellungen von Utopia leidenschaftlich kämpften.

Die Fortschrittsidee wurde von dem neuen Fachgebiet Ethnographie (beschreibende Völkerkunde) gestützt, das sich mit der Erforschung des Lebens, der Bräuche und der Religionen lebender, nicht-westlicher Völker befaßte, die damals noch allgemein als »primitiv« angesehen wurden. Die Ethnographen teilten zum

Großteil die Ansicht, daß sich die Menschheit über verschiedene kulturelle Entwicklungs- oder »Evolutions«-Stufen weiterentwikkelt hatte, wobei die Europäer offensichtlich eine höhere Kulturstufe erreicht hatten als die Bewohner aller anderen Erdteile. Am deutlichsten werden diese Ansichten in zwei Büchern vertreten. 1871 publizierte der Engländer Edward Tylor mit *Die Anfänge der Cultur* eine der ersten systematischen kulturübergreifenden Studien. Zu ähnlichen Schlußfolgerungen wie Tylor kommt der Amerikaner Lewis Henry Morgan, doch im Gegensatz zu seinem englischen Kollegen, der seine Beobachtungen nur auf Reisen machen konnte, hatte er bei verschiedenen Indianerstämmen gelebt und sie zu einer Zeit erforscht, als es allgemein noch großen Abscheu erregte, bei Eingeborenen zu wohnen. Besonders viel Zeit verbrachte er bei den Irokesen. Für sie und die anderen Stämme, die er näher kennenlernte, entwickelte er große Hochachtung. Seine Ergebnisse faßte er in mehreren Büchern zusammen, deren bedeutendstes den vielsagenden Titel trägt: *Die Urgesellschaft: Untersuchungen über den Fortschritt der Menschheit aus der Wildheit durch die Barbarei zur Civilisation.* Wie Lubbock glaubten auch Morgan und Tylor, daß bei Eingeborenenstämmen die Lebensweise und Gewohnheiten unserer Vorfahren in gewisser Form noch vorzufinden waren. Morgan sah den Entwicklungsprozeß als dreistufiges Modell: Die Menschheit findet aus der Wildheit über die Barbarei zur Zivilisation. An verschiedenen Aspekten einer Kultur – ihren Nahrungsquellen, Techniken und sozialen Regeln – konnte der Forscher festmachen, wie weit sie auf dem Weg zur Zivilisation fortgeschritten war.

Die Verfechter dieser Ansicht ordneten die Neandertaler und andere vorgeschichtliche Menschen bereits vorhandenen Stufen zu, steckten sie in Schubladen und benutzten sie dazu, den »evolutionären« Aspekt der menschlichen Geschichte und des menschlichen Fortschritts zu bekräftigen. Dies veranschaulicht höchst eindrucksvoll die vermutlich erste bildliche Darstellung eines Neandertalers, die am 19. Juli 1873 auf der Titelseite von *Harper's Weekly* erschien – einer Publikation, welche bezeichnenderweise den Untertitel *A Journal of Civilization* (Kulturzeitschrift) trägt. Sie zeigt ein Neandertaler-Pärchen in seinem Unterschlupf. Die dramatische Szene wird von dem anonymen Autor so beschrieben:

Wenn auch die Ansichten der Gelehrten weit auseinandergehen, so ist der Künstler, dessen Zeichnung wir dem Leser hier vorstellen, bei dieser Idealdarstellung eines Neandertalers seiner eigenen Urteilskraft gefolgt. Einen noch wilder aussehenden und dem Gorilla ähnlicheren Menschen kann man sich kaum vorstellen. Der Wilde steht in beinahe »äffischer« Haltung vor seiner Höhle, in der seine Gefährtin, eingehüllt in zottige Felle, schläft. Immer bereit anzugreifen oder sich zu verteidigen, hält er ein primitives Beil in den Händen, welches aus einem abgeschlagenen Feuerstein besteht, der in einen hölzernen Stiel eingepaßt ist. Sein Speer, welcher ebenfalls mit einer Spitze aus Feuerstein ausgestattet ist, lehnt gegen den Felsen. Ein Bullenschädel und andere Knochen, darunter ein aufgespaltener Markknochen, zeugen vom Jagderfolg des Wilden. So also hat der Mensch der Mammutzeit vermutlich gelebt![17]

Während de Mortillet und die Presse von einem linearen Fortschritt in der menschlichen Evolution sprachen, stellten die französischen Wissenschaftler ein eigenes Schema auf, in das sie aber, anders als de Mortillet, die Geologie und die archäologischen Funde nicht miteinbezogen. 1873 versuchten de Quatrefages und sein Assistent am Muséum National d'Histoire Naturelle, der junge Ernest Jules Hamy, die Verbindungen zwischen den fossilen Menschenresten herauszuarbeiten und ihre Beziehung zu modernen Rassen zu verstehen. Europaweit entzündete sich eine rege Debatte zwischen den Monogenetikern und den Polygenetikern. Die einen glaubten wie de Quatrefages und Hamy in Frankreich, Darwin und Huxley in England und Haeckel in Deutschland, daß alle Rassen aus einer einzigen gemeinsamen Stammform hervorgegangen waren. Die anderen, zu denen Broca und Pruner-Bey in Frankreich, Blake und Barnard Davis in England und Virchow in Deutschland zählten, waren dagegen überzeugt, daß die unterschiedlichen Rassen aus verschiedenen Stammformen entstanden waren.

De Quatrefages und Hamy stellten die Theorie auf, daß Europa ursprünglich von einer dolichozephalen (langköpfigen) Menschenrasse bewohnt war. Die Crania dieser Rasse glichen denen, die im Neandertal oder in Gibraltar gefunden worden waren, und die Kiefer entsprachen dem von La Naulette. Nach einem massigen Schädel mit großen Überaugenwülsten, der 1700 in der Nähe von Cannstatt entdeckt worden war, prägten sie den Begriff Cannstatt-Rasse. Dieser Schädel war bei den Ausgrabungsarbeiten nahe einem römischen Oppidum gefunden worden und mit hoher Wahrscheinlichkeit römisch und nicht sehr alt. Er war lediglich der erste von vielen Schädeln, die man an Orten wie Staegnaes in der Schweiz, Puy en Velay in Südfrankreich, Olmo bei Florenz, Enguisheim bei Colmar und Clichy bei Paris entdeckte. Die Crania stammten mit ziemlicher Sicherheit von neolithischen oder noch späteren Menschen und auch von vollkommen modernen Individuen, die zufällig etwas massigere Schädel, eine niedrigere Stirn und relativ große Überaugenbögen besessen hatten. Die wiederholte Entdeckung solcher Schädel im 19. Jahrhundert machte die Existenz einer Cannstatt-Rasse noch wahrscheinlicher und bewirkte, daß die Verwechslung von zweifelhaften Vertretern dieser Rasse (robusten modernen Menschen) mit echten Neandertalern weiter anhielt. De Quatrefages und Hamy trugen zu dieser Verwirrung kräftig bei. Sie glaubten, daß der klassische Schädel aus dem Neandertal und der Schädel von Gibraltar extreme Beispiele dieses Cannstatt-»Typs« darstellten. Es habe keine echte Evolution stattgefunden, so argumentierten sie – beide waren schließlich die geistigen Erben Cuviers –, es habe nur eine Migration von Rassen gegeben.

Man stellte sich vor, daß diese eingeborene, langköpfige Rasse von den rundköpfigen oder brachyzephalen Ariern aus Asien verdrängt worden waren. Die Langköpfigen hatten sich zu den Lappen, Finnen und Basken weiterentwickelt, während aus den rundköpfigen Ariern die Deutschen, Engländer und andere »überlegene« europäische Rassen hervorgegangen waren. Die sogenannte arische »Frage« wurde nicht von de Quatrefages und Hamy, sondern erstmals von Linguisten aufgeworfen; die beiden versuchten lediglich, die arische Rasse mit bestimmten fossilen Exemplaren in Verbindung zu bringen. Obwohl beide an der Evolutionstheorie Darwins zweifelten, ganz zu schweigen von der Abstammung des Menschen vom Affen, hielten sie eine begrenzte Art von Transformismus für wahrscheinlich, der es ermöglicht hatte, daß alle wichtigen Rassengruppen aus einer einzigen Stammform hervorgegangen waren.

Im Jahr 1868 hatte man ein halbes Dutzend anatomisch im wesentlichen moderner Skelette in der Cromagnon-Höhle in Südwestfrankreich freigelegt. Die Fossilien wurden von Bahnarbeitern gefunden, die die Teile der verschiedenen Individuen völlig durcheinanderbrachten. Diese Skelette schienen die Wissenschaftler in der Vorstellung zu bestärken, daß sich zwischen fossilen und modernen Rassen Verbindungen ziehen ließen. Louis Lartet, Sohn des mittlerweile verstorbenen Edouard Lartet und selbst Geologe, hatte die Arbeit seines Vaters im Vézère-Tal fortgesetzt. Cromagnon erwies sich als ergiebige Fundstätte. Neben zahlreichen Steinwerkzeugen, gravierten Rentiergeweihen, Anhängern aus Stoßzähnen und einer großen Zahl Muscheln, die offensichtlich zum Auffädeln durchbohrt worden waren, fand man dort Knochen von fünf oder mehr Individuen. Die Umstände (soweit sie von Lartet rekonstruiert werden konnten) deuteten auf eine Bestattung hin. Die ebenfalls dort gefundenen Tierknochen und die geologischen Gegebenheiten ließen auf ein hohes Alter der Fundstücke schließen. Die Individuen waren, so argumentierten de Quatrefages und Hamy, Vertreter einer ausgestorbenen, aber anatomisch modernen Rasse, deren Nachkommen bis heute in der Dordogne zu finden seien. Sie gaben dieser Rasse den Namen Cromagnon.

Wie nicht anders zu erwarten war, kritisierte Virchow die beiden Forscher heftig. Da er selbst fest an die Polygenese glaubte und der Ansicht war, daß die modernen Rassen aus verschiedenen, ihnen ähnlichen Stammformen hervorgegangen waren, war es unwahrscheinlich, daß er das Schema de Quatrefages' und Hamys wohlwollend aufnehmen würde. Virchow war gerade eifrig damit beschäftigt, seinen Einfluß in Berlin zu vergrößern. Er gründete die Berliner Anthropologische Gesellschaft – der er auch als Präsident vorstand – und arbeitete als Redakteur ihrer angesehenen *Zeitschrift für Ethnologie*.

Wie Huxley in England – wenn auch aus ganz anderen Gründen – bemühte sich Virchow, dem arischen Mythos ein Ende zu bereiten. Ein Grund für seine Abneigung gegen die Naturphilosophen war der im Verlauf des 19. Jahrhunderts immer größer werdende Einfluß ihrer Ideen auf Politik und Gesellschaft. Die ersten schwachen Vorboten einer rassistischen Nazi-Ideologie, die Gleichsetzung eines »vollkommenen« Menschentyps mit der gesunden, frischen, blonden und blauäugigen arischen Jugend, waren um die Jahrhundertmitte ein fester Bestandteil naturphilosophischen Gedankenguts. Virchows mißtrauische Abneigung gegen die Naturphilosophie und entwicklungsgeschichtliche Ideen erreichte einen kritischen Punkt. In den siebziger Jahren des 19. Jahrhunderts versuchte er, die Klischeevorstellung vom blonden, blauäugigen Deutschen auszurotten, indem er eine wissenschaftliche Studie über die Haut-, Haar- und Augenfarbe tausender deutscher Kinder erstellte. Obwohl er nachweisen konnte, daß die meisten dem arischen Prototyp nicht entsprachen, konnte er die allgemein verbreitete Überzeugung, wie der typische Deutsche auszusehen habe, nicht erschüttern. Er selbst war überzeugter denn je, daß die unterschiedlichen Rassen schon immer voneinander getrennt waren und so ausgesehen hatten wie heute: Die Evolution blieb für ihn eine unbewiesene, gefährliche und romantische Vorstellung.

Außerdem konnte Virchow seine frühere Erklärung, die fraglichen Fossilien seien sowohl pathologisch als auch rezent, 1874 nur wiederholen. Die Skelette von Urmenschen glichen denen, die man bei Cromagnon gefunden hatte. Sie entsprachen den Skeletten moderner Menschen und nicht jenen kranken und entstellten Resten aus dem Neandertal und La Naulette. Virchow hatte natürlich ganz richtig erkannt, daß de Quatrefages und Hamy auf ein Sammelsurium verschiedener Knochen zurückgegriffen hatten (die selbst nach damaligen Maßstäben äußerst mangelhaft datiert waren). Die Knochen stammten von weit verstreut liegenden Fundstätten und sollten nun zu einer schlüssigen Abfolge zusammengesetzt werden. Und doch: Trotz ihrer Fehler war die Synthese von Hamy und de Quatrefages einer der ersten Versuche, alle Fossilien miteinander in Beziehung zu setzen und eine Verbindung zu den modernen Rassen herzustellen.

Virchows Zynismus und Kritik wurden ernst genommen. Da Preußen in den sechziger und siebziger Jahren des 19. Jahrhunderts einen enormen Aufstieg erlebte, erlangte der große preußische Wissenschaftler einen beispiellosen Einfluß, der weit über die heutigen Grenzen Deutschlands hinausreichte. Die Expansion Preußens hatte 1861 begonnen, als Wilhelm I. die Thronfolge seines geisteskranken Bruders angetreten hatte. Die Liberalen wie

Virchow hofften auf Reformen; statt dessen ernannte Wilhelm I. den preußischen Junker Otto von Bismarck zum Ministerpräsidenten.

Für Virchow symbolisierte Bismarck all die aristokratischen und militaristischen Eigenschaften, die er am meisten verabscheute; Bismarcks »Blut und Eisen«-Programm, mit dem er die deutsche Einigung herbeiführte, war nichts weiter als die brutale Eroberung Deutschlands durch die Preußen. Virchow ergriff die Initiative und wurde als Oppositioneller ins preußische Abgeordnetenhaus gewählt. Doch Bismarck war nicht aufzuhalten. Die persönliche Feindschaft zwischen den beiden Männern verschärfte sich. Im Jahr 1865 übte Virchow so scharfe Kritik an Bismarck, daß dieser ihn zum Duell herausforderte. Virchow lehnte ab.

Im Deutschen Krieg von 1866 schlug das Preußische Königreich Österreich, annektierte weite Gebiete und gründete einen neuen Staat, den Norddeutschen Bund, der die dominierende Macht in Mitteleuropa wurde. Dadurch verstärkte sich auch die intellektuelle Vormachtstellung der deutschen Elite in Berlin, die von Virchow angeführt wurde, gegenüber den Wissenschaftlern aus weniger bedeutenden geistigen Zentren wie Wien. Die Niederlage der Franzosen im Deutsch-Französischen Krieg 1871 hatte die gleichen Auswirkungen. Obwohl Virchow die preußische Militärmaschinerie haßte und bekämpfte, stärkte die politische Vorherrschaft Preußens über einen Großteil Europas seine Position noch zusätzlich.

Doch nicht alle deutschen Wissenschaftler teilten Virchows Ansichten. So bezog Ernst Haeckel, vormals sein Schützling, immer deutlicher Stellung gegen ihn und entwickelte sich rasch zu seinem Gegenspieler. Haeckel trat 1861 eine Stelle als Privatdozent für Zoologie an der Universität Jena an. Jena war lange Zeit die »Kinderstube« sowohl der Naturphilosophie als auch entwicklungsgeschichtlicher Ideen, so abwegig sie auch gewesen sein mögen. Als Haeckel Darwins großes Werk in Bronns Übersetzung las, begriff er sofort, daß sich mit dieser Theorie die Welt der Natur erklären ließ. Haeckel, der sowohl bei den großen Männern der Naturphilosophie, wie etwa Johannes Müller, als auch (zeitweilig) bei strengeren modernen Wissenschaftlern, darunter Virchow selbst, in die Lehre gegangen war, hatte keine

20. *Ernst Haeckel als junger Naturforscher auf der Nordseeinsel Helgoland.* Haeckel *war Professor in Würzburg und wurde als entschiedener Befürworter der Naturphilosophie und der Evolutionstheorie der Erzfeind Rudolf Virchows, der seine Position als einer der einflußreichsten Wissenschaftler Deutschlands dazu benutzte, entwicklungsgeschichtliches Gedankengut zu unterdrücken.*

Schwierigkeiten, die Evolutionstheorie anzuerkennen. Er machte sich nicht nur daran, Darwins Ideen zu verteidigen und zu verbreiten, sondern ging auch so weit, sie auf den Menschen anzuwenden. Haeckel wußte nicht, daß Bronn in seiner Übersetzung den einzigen Hinweis auf die Stellung des Menschen in der Natur und damit – wie Huxley meinte – die zentrale Frage aus Darwins Werk entfernt hatte. Dennoch machte er sich nicht nur daran, Darwins Ideen zu verteidigen und zu verbreiten, sondern auch, die Auslassung in Darwins Buch richtigzustellen und dessen Ideen auf den Menschen anzuwenden. Zu dieser Zeit wurde Haeckel zu Virchows Gegenspieler und zum schwarzen Schaf in der deutschen Wissenschaft.

Ernst Haeckel, der im Februar 1834 geboren wurde, stammte aus einer recht wohlhabenden, konservativen protestantischen Familie in Potsdam. Sein Vater, ein Anwalt, interessierte sich für die

Naturphilosophie, insbesondere für die Werke Goethes. Der Sohn war der geborene Naturforscher. Er begeisterte sich für die Botanik und arbeitete gerne im Freien – Neigungen, die seine Mutter förderte. Er war ein guter Schüler, stand in gutem Einvernehmen mit seinen Lehrern und nahm ihre Anregungen begierig auf. Als er 1852 die höhere Schule abschloß, wurden sein Charakter und seine Fähigkeiten in höchsten Tönen gelobt:

> Voll warmer Ehrerbietung gegenüber seinen Lehrern, liebenswert und freundlich zu seinen Schulkameraden, befolgte er immer genau die Regeln ... in jeder Hinsicht beispielhaft und untadelig ... Er verfügt über vorzügliche Talente, die er durch höchst löblichen Fleiß, den er während seiner gesamten Schulzeit an den Tag gelegt hat, gewissenhaft fördert.[18]

Eine solche Beurteilung würde alle Eltern mit Stolz erfüllen. Haeckel besaß Charisma und die Fähigkeit, Freunde zu gewinnen. Er legte ein vorbildliches Verhalten an den Tag, war intelligent, fleißig, zeigte eine Vorliebe für die Naturgeschichte und war gläubiger Christ (was sich später ändern sollte). Zudem war er groß, kräftig und gutaussehend.

Im Herbst 1852 nahm Haeckel in Würzburg das Studium der Naturgeschichte und Medizin auf. Außerdem besuchte er ab November Abendvorlesungen der Physikalischen Gesellschaft, deren Präsident Virchow, einer seiner künftigen Professoren, war. Er sah ihn zum ersten Mal bei einer Vorlesung. Virchow sprach über das Thema Kretinismus in Unterfranken, wobei er sich wie üblich auf Tatsachen und nicht auf Ideen konzentrierte. Allerdings mußte Haeckel feststellen, daß der »geistige Gigant« der deutschen Wissenschaft nur ein kleines, drahtiges und blasses Männlein mit spitzer Nase und von ganz und gar unattraktiver Erscheinung war. Trotzdem war er so beeindruckt, daß er seinen Eltern den Abend in aller Ausführlichkeit schilderte.

Haeckels Briefe handeln aber nicht nur von Begegnungen mit berühmten Wissenschaftlern, sondern geben auch Aufschluß über ihn selbst. Er hatte die gleichen Sorgen und beging die gleichen Dummheiten wie alle anderen Studenten: Er wollte die Medizin an den Nagel hängen, war fasziniert von seinen anderen Studien, litt unter Geldmangel, benötigte ein bestimmtes Buch, das man ihm schicken sollte, beteiligte sich an den üblichen Studentenstreichen, unternahm läuternde Wanderungen in die Berge, trank Champagner, traf sich mit Freunden zum Kaffee und zu Diskussionen. Vor allem aber zeigen sich in den Briefen ganz deutlich seine extravagante, romantische Denk- und Schreibweise sowie seine Ergebenheit gegenüber seiner Familie und seinen Freunden. Er strebte zwar nach wissenschaftlicher Erkenntnis, aber in seinem Denken und Fühlen war er ein unverbesserlicher Romantiker.

Haeckels Briefe zeugen von seiner Hochachtung und seinem Respekt gegenüber Virchows Gelehrtheit und Intelligenz. Täglich bekam er einen Schreibkrampf bei dem Versuch, jedes Wort seines Lehrers zu notieren. Die Wissensfülle des Professors überstieg die Aufnahmefähigkeit des Studenten so sehr, daß er nach der einstündigen Vorlesung drei oder vier Stunden damit zubrachte, über Virchows Worte nachzugrübeln. Haeckel versuchte seinen Eltern Virchows rationalistische und reduktionistische Sicht des Lebens zu erklären.

> Das Leben betrachtet er [Virchow] als die Summe der Funktionen der einzelnen, materiell, chemisch und anatomisch verschiedenen Organe. Der ganze lebende Körper zerfällt danach in eine Summe einzelner Lebensherde, deren spezifische Tätigkeit an die Beschaffenheit ihrer Elementarteile, also in letzter Instanz an die Zellen, aus denen der ganze Körper besteht, gebunden ist.[19]

Nach Haeckels Meinung lag hier jedoch ein Fehler: Virchow ging nicht auf den wichtigsten Punkt ein, nämlich auf das Verhältnis der Seele zu diesem organisierten komplexen Ganzen aus unabhängigen Lebensherden, die auf die Materie beschränkt sind. Für Virchow war die Seele eine philosophische, nicht-existente Abstraktion. Über sie zu diskutieren war schlichtweg unmöglich.

An Haeckels folgenden Worten wird deutlich, wie groß der Unterschied zwischen seiner und Virchows Denkweise war:

> Diese rationalistisch materielle Anschauungsweise der ganzen Lebenserscheinungen ist übrigens durch und durch Virchows ganzem Wesen entsprungen. Überall tritt in seinem ganzen Wort

und Werk Dir der absolute Verstandesmensch mit klarer und schneidender Schärfe entgegen; tiefe Verachtung und höchst feinwitzige Verspottung Andersdenkender, religiöser Rationalismus ... dabei außerordentliche Festigkeit des Charakters.[20]

Haeckel vermerkte auch Virchows »klare, logische Strenge ... seinen feinsinnigen, aber sarkastischen Humor ... sein großes Selbstbewußtsein«. Wie fremd mußte diese nüchterne Lebenseinstellung auf den überschwenglichen jungen Mann gewirkt haben, der von »wunderschönen Bäumen, düsteren Berghängen, lieblichem Wiesenland und romantischen Ansammlungen von Steinen an den Ufern eines Bergflüßchens, das wild über Flußsteine sprudelt und elegante Wasserfälle bildet«[21] schwärmte.

Im Sommer 1854 reiste Haeckel auf die Nordseeinsel Helgoland, um Invertebraten (wirbellose Tiere) zu untersuchen, ein Thema, das zu seinem wichtigsten wissenschaftlichen Spezialgebiet werden sollte. Auch hier konnte der Gegensatz zwischen der romantischen und ästhetischen Wertschätzung, die er für sein Fach empfand, und der kalten und analytischen Vorgehensweise Virchows kaum größer sein. Haeckel war außer sich vor Freude und voll Entzücken über seine Entdeckungen: »die herrlichste Qualle; den schönsten Seestern ... von einem wunderschönen Lila und einen halben bis einen dreiviertel Fuß im Durchmesser ... die phantastischsten Polypen, Krabben, die in Muscheln leben« etc. Auch hielt er »die tiefe, ruhige, angenehme Betrachtung der einzelnen Wunder der Natur« fest.[22] Er liebte es, an der frischen Luft zu sein, sie tief einzuatmen, zu wandern, Proben zu sammeln und mehr seine Muskeln als seine Hirnzellen zu betätigen.

Trotz aller philosophischen und psychologischen Unterschiede bewunderte er Virchows Intelligenz und arbeitete hart. Der Erfolg stellte sich bald ein: Im Sommer 1856, kurz vor Virchows Abreise nach Berlin, wurde er dessen »Königlich-bayerischer Assistent am Würzburger Institut für Pathologische Anatomie«. Wie rücksichtslos Virchow menschliche Gefühle mißachtete, wurde deutlich, als er seinem frischgebackenen Assistenten den ersten Auftrag gab: Haeckel sollte an einem befreundeten Kommilitonen, der ganz unerwartet an akuter Tuberkulose gestorben war, eine Autopsie vornehmen. Es war seine erste unangenehme Arbeit in einem langen Sommer, den er zwischen verwesenden Leichen, Schmutz und Gestank zubrachte. Obwohl er sich bemühte, gelang es ihm nicht, seinen natürlichen Enthusiasmus zu zügeln und Virchows kalter, objektiver Art nachzueifern.

Das offizielle Arbeitsverhältnis zwischen beiden wurde am Ende des Sommers 1856 gelöst, offensichtlich in bestem Einvernehmen. In den folgenden Jahren verfaßte Haeckel eine meisterhafte Monographie über Radiolarien (Strahlentierchen), im Meer lebende Einzeller, die er im italienischen Messina erforscht hatte. Das monumentale Werk fand ein so positives Echo, daß man ihm an der Universität Jena eine Stelle anbot, die er freudig annahm. Nur vier Jahre lagen zwischen dem Sommer, den Haeckel in Virchows Diensten verbracht hatte, und dem Ausbruch eines erbitterten Konflikts zwischen den beiden.

Haeckel, der große romantische Theoretiker, der das Leben so liebte, war sofort von Darwins Ideen eingenommen. Die Fülle an überzeugenden Beispielen und die Großartigkeit der Hypothese sprachen ihn an; aus den gleichen Gründen verachtete Virchow die neue Theorie. Haeckel wurde zu Darwins Huxley in Deutschland. Er erklärte, verteidigte und rechtfertigte die Evolutionstheorie so engagiert wie kein anderer. Wie Huxley hatte auch er Feuer gefangen und griff auf sein eigenes Fachwissen zurück, um Darwins Ideen weiterzuentwickeln.

Haeckels Veröffentlichungen und Vorträge über die Einheit des Lebens und seinen Ursprung aus den Moneren, den primitiven Meereseinzellern, die sich, wie er glaubte, aus den chemischen Verbindungen im Meer gebildet hatten, erreichten bald ein großes Publikum. Er sprach mit der spontanen Entstehung des Lebens (Urzeugung) nicht nur ein Thema an, das Virchow ganz und gar zuwider war, sondern behauptete auch, daß die Evolutionsgeschichte sich bei der Entwicklung eines Embryos wiederhole. Diese Vorstellung findet sich in dem Schlagwort »Ontogenese wiederholt Phylogenese« wieder.

Die Häresie, die in diesem Verständnis der menschlichen Evolution steckte, bereitete Haeckel keine Gewissensqualen. Er legte den christlichen Glauben 1864, kurz nach dem plötzlichen Tod seiner geliebten Frau, ab und wandte sich naturphilosophischen Anschauungen zu, die Gott und Natur, Körper und Seele, Materie und Geist miteinander vereinten. Mit dem Eifer des Neubekehrten griff er die Vorstellung von der Darwinschen und insbesondere der menschlichen Evolution auf. Er wurde ein Experte für die Anatomie von Menschenaffen und hielt den Gibbon für unseren nächsten Verwandten (worin er sich irrte).

Tatsächlich war Haeckels Enthusiasmus so grenzenlos, daß er allein – wie einer seiner Biographen meinte – »all den Haß und die Bitternis, die die Evolutionstheorie in bestimmten Kreisen hervorrief, auf sich zog« und »es sich in Deutschland in erstaunlich kurzer Zeit einbürgerte, Haeckel allein zu beschimpfen, während Darwin als Idealbild eines vorausdenkenden und bescheidenen Menschen hochgehalten wurde«.[23] Haeckels energische Verteidigung des Evolutionsgedankens veranlaßte seinen neuen Helden Charles Darwin, ihn sanft zu tadeln. Er schrieb:

Ihr Brief vom 18. [Mai 1867) hat mich sehr erfreut, denn Sie haben das, was ich gesagt habe, auf die freundlichste und herzlichste Art aufgenommen. Sie haben teilweise das von mir Gesagte sehr viel stärker aufgefaßt, als ich beabsichtigt hatte. Mir ist niemals auch nur für einen Moment in den Sinn gekommen, daran zu zweifeln, daß Ihr Werk, in dem das gesamte Thema so bewundernswert und klar gegliedert ist und das durch so viele neue Fakten und Argumente untermauert ist, unserem gemeinsamen Ziel nicht aufs höchste förderlich wäre. Ich bin jedoch der Ansicht, daß Sie Zorn erregen werden und daß dieser Zorn jeden völlig blind machen wird, so daß ihre Argumente keine Chance haben, jene zu beeinflussen, die unsere Ansichten nicht teilen. Aufgrund der freundschaftlichen Gefühle, die ich Ihnen entgegenbringe, will mir gar nicht gefallen, daß Sie sich unnötigerweise Feinde schaffen. Es gibt bereits genug Schmerz und Verdruß auf der Welt ... Doch ich wiederhole noch einmal, daß ich nicht daran zweifle, daß Ihr Werk unserer Sache sehr förderlich ist, und ich wünsche mir von ganzem Herzen, daß es für mich und für andere ins Englische übersetzt werden könnte.[24]

Haeckels Begeisterung wurde dadurch nicht gedämpft. Ohne Fossilien und sich nur auf logische Folgerungen stützend veröffentlichte er einen »Stammbaum« oder eine Phylogenese (Stammesgeschichte) des Menschen, dessen Entwicklung geradlinig von den Menschenaffen über einen ausgestorbenen hypothetischen Vorfahren verlief. Da Haeckel die Sprache für das entscheidende Merkmal des Menschen hielt, nannte er die fehlende Übergangsform zwischen Mensch und Menschenaffe *Pithecanthropus alalus* – Affen-*(pithec-)* Mensch *(-anthropus)* ohne Sprache *(alalus)*. Er war nicht zufällig der erste, der den Baum als Metapher für entwicklungsgeschichtliche Verwandtschaftsverhältnisse benutzte. Virchow lehnte es natürlich ab, daß Bezeichnungen für Objekte geprägt wurden, die es nicht einmal gab. Bald schon kam es zu erbitterten Auseinandersetzungen.

Dieser Kampf um Macht und Einfluß in der Wissenschaft dauerte jahrelang an und erreichte 1877 seinen Höhepunkt, als sich die Kontrahenten bei einem Kongreß in München gegenseitig der »Idiotie« bezichtigten. Offensichtlich ging der Streit um Haeckels Vorschlag, die Evolutionstheorie an den Schulen zu lehren. Virchow lehnte diese Idee entschieden ab, weil er die Evolution für unbewiesen und in höchstem Maße spekulativ hielt. Auch fürchtete er, daß ein solcher Schritt weitere vage Mutmaßungen und Haeckelschen Unsinn in die Klassenzimmer bringen würde, wie beispielsweise die neue Vererbungstheorie, nach der jede Zelle ihre eigene Seele und Elementarteilchen (Plastidulae) besaß, die wiederum ein ererbtes Gedächtnis aufwiesen.

Ein wichtiger Grund für die gegenseitige Verbitterung waren die vollkommen unterschiedlichen Weltanschauungen und Arbeitsstile der Kontrahenten. Hinzu kam, daß Haeckel in seinem Enthusiasmus dazu neigte, nachlässig durchgeführte Arbeiten zu veröffentlichen und auf der Grundlage dürftiger Beweise im Interesse seiner Ansichten zu verallgemeinern – Eigenschaften, die Virchow zumal bei einem eigenen Schüler für Todsünden halten mußte. Die breite Öffentlichkeit, zu der Haeckel jetzt sprach, kümmerte sich nicht um Virchows Kritik und verstand sie auch nicht. Dagegen akzeptierte sie Haeckels überzeugende Ausführungen als absolute Wahrheiten. Und je mehr dessen Ansehen wuchs, desto mehr wurde er von Virchow verachtet und kritisiert.

Haeckels Ruhm und Einfluß in der Öffentlichkeit nahmen ungeahnte Ausmaße an. Virchow war zwar der genialere Kopf, doch Haeckel besaß Ausstrahlung und die Fähigkeit, sich anderen mitzuteilen. Seine Vorlesungen über den Ursprung des Menschen waren überfüllt; die Niederschrift *Natürliche Schöpfungsgeschichte* (erstmals veröffentlicht 1868) und sein späteres Werk *Die Welträtsel* verkauften sich viele hunderttausend Mal in allen europäischen Sprachen.

Man ist versucht, in Haeckel den sonnigen und charmanten Helden zu sehen, der mit dem mürrischen und hartherzigen Bösewicht Virchow um den größeren Einfluß in der Öffentlichkeit kämpfte. Doch gilt es auch einen anderen wichtigen Aspekt zu berücksichtigen. Haeckels verwirrtes Denken und seine enorme Überzeugungskraft verleiteten ihn dazu, sich mit der Entwicklung eugenischer Theorien zu befassen. Er ging soweit, die Überlebenstheorie des Stärkeren rassistisch zu interpretieren und damit den Grundstein für nationalsozialistisches Gedankengut zu legen.[25] Die Evolutionstheorie war in Haeckels Augen eine elitäre Theorie, denn sie bewies, daß es rechtens war, die bestangepaßten Individuen (jene arischer Abstammung) an die Spitze der Gesellschaft zu stellen, damit sie herrschen und sich fortpflanzen konnten. Die Untauglichen dagegen (und damit meinte er geistesgestörte Menschen sowie Juden, denen er mißtraute und gegen die er eine unverhohlene Abneigung hegte) mußte man zum Wohle aller davon abhalten, sich zu vermehren.

Vor allem diese Bevorzugung einer bestimmten Rasse, dieses verwerfliche Elitedenken, war letztlich der Grund für Virchows Ablehnung der Evolutionstheorie und der Person Haeckels selbst. Und weil Evolution, Eugenik und romantisch verklärte Wissenschaft in Deutschland unwiderruflich mit menschlichen Fossilien in Zusammenhang gebracht wurden, mußte Virchow auch die Bedeutung dieser Fossilien bestreiten – und er, der Gründer der Berliner Anthropologischen Gesellschaft für Ethnologie und Urgeschichte und des Museums für Ethnologie, der Mitarbeiter und Herausgeber der größten wissenschaftlichen und anthropologischen Fachzeitschriften, tat alles in seiner Macht stehende, um dieses Ziel zu erreichen. Nur Haeckel wagte es, ihm zu widersprechen. Während er damit in Deutschland nicht immer erfolgreich war, fand er in England, wo der junge E. Ray Lankester, ein Schützling Huxleys, einen Großteil seiner Werke übersetzte, geneigtere Ohren.

In Frankreich kam es zu einem ähnlichen Kampf um die Vormachtstellung in der Wissenschaft. Die etablierten Wissenschaftler am Muséum National d'Histoire Naturelle, angeführt von de Quatrefages und Hamy, standen der Evolutionstheorie noch immer skeptisch gegenüber und befaßten sich vor allem mit Rassentheorien. Sie versuchten, die »typischen« Schädel der verschiedenen ethnischen Gruppen und Menschenrassen detailliert zu beschreiben, und veröffentlichten die Ergebnisse ihrer Arbeit 1882 unter dem Titel *Crania Ethnica*. Dagegen sammelte sich die Gruppe der oppositionellen Wissenschaftler um den jovialen Broca, darunter auch de Mortillet, der mit einigen anderen besonders kämpferische Positionen vertrat. Diese Gruppe arbeitete in der Société d'Anthropologie mit und gründete 1872 die Zeitschrift *Revue d'Anthropologie,* deren Herausgeber Broca wurde.

Nebenbei war Broca weiterhin als Chirurg tätig und untersuchte das menschliche Gehirn – ein Gebiet, auf dem er bald zu einem anerkannten Experten wurde. Der Tod eines Patienten, der nach einer Hirnverletzung die Sprache verloren hatte, ermöglichte ihm eine wichtige Entdeckung. Die Autopsie ergab, daß durch die Verletzung nur ein bestimmter Bereich der linken Gehirnhälfte beschädigt worden war, der heute Brocasches Sprachzentrum genannt wird. Broca folgerte daraus, daß dort das Zentrum für die Beherrschung der Muskeln lag, die für die Erzeugung artikulierter Sprache verantwortlich waren. Bisher war es kaum gelungen, eine solch spezielle Funktion einem bestimmten Hirnbereich zuzuordnen. Damit wurde Broca zum wissenschaftlichen Erben der Phrenologie. Wichtiger aber war, daß hier deutlich gezeigt wurde, daß das menschliche Gehirn eine Einheit bildet, die sich – ähnlich wie eine gut eingestellte, aber sehr komplizierte Maschine – aus einzelnen, funktionsfähigen Teilen zusammensetzt. Diese Entdeckung untermauerte die positivistischen und materialistischen Ansichten Brocas, de Mortillets und ihrer Kollegen und war ein wichtiger Beweis gegen die vagen, beinahe mystischen Ansichten über das menschliche Gehirn, wie sie von den etablierten Wissenschaftlern vertreten wurden.

Grundlage für Brocas anatomische Arbeit war seine tiefverwurzelte Überzeugung, daß man die ganze Variationsbreite und nicht nur die Idealtypen der menschlichen Lebensform verstehen muß, um die Bedeutung anatomischer Unterschiede zu erkennen. Aus diesem Grund erfand er mehrere wissenschaftliche Instrumente, die teilweise noch heute verwendet werden, so etwa Geräte zum präzisen und korrekten Ausmessen verschiedener Winkel und Maße von Schädeln und Gehirnen. Broca war demnach einer der ersten, der mit statistischen Begriffen – wenn auch sehr einfachen – arbeitete, um die Variationsbreite bei menschlichen Skeletten zu untersuchen.

Neben seinen sonstigen Pflichten wollte Broca in Paris eine Ecole d'Anthropologie gründen – ein äußerst schwieriges Unterfangen. Da er als Wissenschaftler und Ehrenmann jedoch geachtet und beliebt war, stellte ihm der Dekan der Ecole des Hautes Etudes im Jahr 1875 Räume – wenn auch kein Geld – zur Verfügung. Broca wandte sich hilfesuchend an die Mitglieder der Société d'Anthropologie, die ihm daraufhin fünfunddreißigtausend Francs zusicherten. Unglücklicherweise alarmierten ihr Engagement und ihr Ruf als linke »Protestler« den Erziehungsminister, der die Eröffnung verhindern wollte.

Am 15. Dezember 1876 schließlich wurde die Ecole d'Anthropologie trotz der fehlenden Unterstützung und Kooperation von seiten der Regierung eröffnet.[26] Auf der Genehmigung, die jedes Jahr erneuert werden mußte, war der Lehrkörper namentlich aufgeführt. Diese genaue Überwachung der Einrichtung wurde bis zu ihrer offiziellen Anerkennung und Genehmigung im Jahr 1878 fortgesetzt. Die Société d'Anthropologie, die Ecole d'Anthropologie und Brocas eigenes Forschungslaboratorium wurden zu einem Institut mit dem imposanten Namen l'Institut d'Anthropologie zusammengeschlossen.

Die Grundprinzipien der Schule – freie Zulassung und freier Unterricht – entsprachen den radikalen Ansichten, für die de Mortillet hatte ins Exil gehen müssen. Tatsächlich stellte die Gründung der Lehranstalt ein Bündnis dar zwischen Brocas Gruppe, die daran interessiert war, die physischen Aspekte der Anthropologie ungehindert erforschen zu können, und de Mortillets Anhängern, die eine Machtbasis benötigten, von der aus sie ihr politisches Programm durchsetzen konnten. De Mortillet hätte nie die Chance bekommen, Gründer und Leiter einer solchen Institution zu werden, weil die Regierung seinen Aktivitäten verständlicherweise äußerst kritisch gegenüberstand. Bei Broca dagegen verhielt es sich anders. Er genoß in weiten Kreisen so großen Respekt, daß er die Schule eröffnen konnte und zu ihrem Direktor ernannt wurde. Paul Topinard, ein Schüler Brocas und sein potentieller Nachfolger, wurde stellvertretender Direktor. Drei der sechs Lehrstühle wurden aber von de Mortillet und seinen Anhängern beansprucht.

Kaum im Amt, entwickelte diese Gruppe eine immer radikalere und freimütigere Betrachtungsweise der Anthropologie als revolutionäres Werkzeug und verfolgte Interessen, die immer stärker von denen der Gruppe um Broca abwichen. De Mortillets Schema eines linearen Fortschritts in der Evolution erfuhr eine Umdeutung: Die menschliche Evolution wurde zu einer lehrreichen und moralischen Geschichte. Daß in älteren Fundstätten keine Hinweise auf Begräbnisrituale gefunden worden waren, diente de Mortillet als Beweis dafür, daß Religion eine unerwünschte Erfindung jüngerer Zeit war. Die Frühmenschen waren nicht etwa rückständig oder barbarisch gewesen, sondern hatten als edle Wilde in Frieden und Eintracht miteinander gelebt, bis die Religion und die Priester mit ihren Versuchen, die Freiheit und die natürlichen Instinkte zu unterdrücken, Konflikte und Verwirrung in die Welt brachten.

André LeFevre, Charles Letourneau und andere, die sich de Mortillet an der Ecole d'Anthropologie bald anschlossen, verfaßten sogenannte »Kampfschriften«, in denen sie den Materialismus und die Evolutionstheorie verteidigten und versuchten, Aberglauben und schädliche religiöse Anschauungen aus den Köpfen der Menschen zu vertreiben. Sie verknüpften physische, kulturelle und sittliche Veränderungen zu einem einzigen Evolutionsmodell, taten gleichzeitig aber wenig dafür, die konservativen Ansichten der etablierten Wissenschaftler zu reformieren. So wurde Darwin erst 1878 zum korrespondierenden Mitglied der Académie des Sciences gewählt – und das auch nur wegen seiner Pflanzenstudien für den Bereich Botanik und nicht etwa wegen seiner Evolutionstheorie.

Im Jahr 1879 wurden Brocas aufrichtige Bemühungen, die Anthropologie als eine auf Medizin und Naturgeschichte beruhende wissenschaftliche Disziplin zu etablieren, und seine großartigen Beiträge zur medizinischen Wissenschaft endlich anerkannt. Der linke Flügel des Senats nominierte ihn für die Wahl zum Senator auf Lebenszeit als Vertreter der Wissenschaft; der rechte oder monarchistische Flügel widersetzte sich heftig, verlor aber. Im Februar 1880 wurde Broca zu Ehren ein Bankett gegeben. In seiner Dankesrede sprach er seine Ansichten klar aus:

> Man hätte nicht an mich gedacht, wenn man nicht sicher gewußt hätte, daß man mit meiner Ergebenheit zu republikanischen Prinzipien rechnen kann; und wenn man unter vielen anderen, die nicht weniger vertrauenswürdig sind und die über weit größere politische Fähigkeiten als ich verfügen, einen Mann der Wissenschaft ausgewählt hat, so geschah dies, weil man der Wissenschaft große Hochachtung entgegenbringt und glaubt, daß derjenige, welcher der Wissenschaft dient, auch gleichzeitig dem eigenen Land dient ... Wäre ich abergläubisch, so würde ich aufgrund der großen Freude, die ich heute erfahre, glauben, daß mir irgendeine große Gefahr droht.[27]

Und so war es auch. Fünf Monate später, im Alter von sechsundfünfzig Jahren, starb Broca. Nach seinem unerwarteten Tod spitzte sich die Situation am Institut zu. De Mortillets Gruppe gewann schließlich den Machtkampf, entfernte Brocas Nachfolger Topinard aus dem Amt als Direktor und übernahm die Leitung. Politischer Zank hatte für einige Jahre Priorität vor der Wissenschaft.

In der Zwischenzeit waren mehrere Funde gemacht worden. In den Jahren 1874 und 1876 hatte man Fossilien der Neandertaler in Lagerstätten bei Pontnewydd (Nordwales) und bei Rivaux (Südfrankreich) gefunden. Im August 1880 entdeckte man das Unterkieferfragment eines Neandertalerkindes bei Šipka in Mähren, einige Jahre später frühe Überreste moderner Menschen bei Mladeč und Brno, ebenfalls in Mähren. Doch die Funde von Wales und Frankreich wurden in ihrer Bedeutung verkannt und erst über hundert Jahre später, als sie erneut untersucht wurden, gebührend gewürdigt. Ähnlich verhielt es sich mit den menschlichen Überresten von Mladeč. Man nahm lediglich an, daß sie die östlichste Ausdehnung des Territoriums markierten, das die modern aussehenden, aber sehr alten Cromagnon-Menschen besiedelt hatten. Sehr viel mehr Aufsehen erregte dagegen der Kiefer von Šipka.

von vorn

von rechts

von hinten

von unten

21. *Vier Ansichten auf den fragmentarischen Unterkiefer des Neandertalers aus dem mährischen Šipka in der ehemaligen Tschechoslowakei, den Karel Maška 1880 gefunden hat. Es handelt sich um das Vorderstück eines nicht-pathologischen Unterkiefers eines Neandertalerkindes mit noch nicht durchgebrochenen Zähnen. Dies ist eines der Fossilien, deren hohes Alter Rudolf Virchow nicht anerkannte und die er als abnormal bezeichnete.*

Der Šipka-Unterkiefer war von Karel Maška gefunden worden, einem Lehrer, der sich dem Studium der Vorgeschichte zugewandt hatte und heute allgemein als einer der Begründer der paläolithischen Archäologie in Mitteleuropa gilt. Die Ausgrabung – eine der sorgfältigsten in jener Zeit – bewies, daß das Exemplar zwischen Kulturüberresten und Feuerstellen gefunden wurde. Seine Assoziation mit Werkzeugen des Moustériens (Mittelpaläolithikum) und ausgestorbenen Tierarten stand außer Frage. Lediglich

seine Bedeutung für die menschliche Evolution war noch unge-
klärt. Diese Frage sollte von einigen bekannten Wissenschaftlern
debattiert werden, die wieder die gleichen Positionen wie früher
einnahmen.

Schaaffhausen veröffentlichte noch im Jahr der Entdeckung
eine kurze Notiz, in der er das Fossil der Art *Homo primigenius*
zuordnete – eine Artbezeichnung für den Neandertaler, die damals
in Deutschland immer üblicher wurde. Sein alter Gegner Virchow
reagierte schnell und erklärte – nicht überraschend –, daß der
Šipka-Kiefer ein weiteres pathologisches, ansonsten aber vollkommen modernes Exemplar sei.

Doch dieses Mal verdrehte Virchow die Fakten auf bizarrste
Art und Weise. Das Šipka-Fossil bestand lediglich aus dem gebrochenen Vorderteil eines Kiefers, in dem sich noch drei der vier
Schneidezähne befanden. Die angrenzenden drei Zähne – die Eck-
bzw. Augenzähne und die Prämolaren – waren zwar erhalten,
wiesen aber nur unentwickelte Wurzeln auf und waren zum Zeitpunkt, als das Individuum starb, noch nicht durch das Zahnfleisch
gebrochen. Virchow mußte als Anatom gewußt haben, daß die
Schneidezähne eines Kindes im sechsten oder siebten Lebensjahr
und die Eckzähne und Prämolaren im elften bis dreizehnten Lebensjahr durchbrechen. So war es nur logisch, daß der Kiefer von
einem Kind stammte, das älter als sechs oder sieben und jünger
als elf bis dreizehn Jahre alt war: Vermutlich gehörte er einem
Acht- oder Neunjährigen. Da es sich um den Kiefer eines Neandertalers handelte, war er für ein Kind dieses Alters jedoch ungewöhnlich kräftig und groß. Virchow behauptete, er stamme von
einem Erwachsenen, bei dem ein abnormer oder pathologischer
Zahndurchbruch vorgelegen habe, der den Kiefer kindlich erscheinen ließ. Er war nicht bereit, ein Kind mit großem Kiefer zu
akzeptieren.[28] Damit gab es ein weiteres Fossil, das von den einen
als echter Neandertaler anerkannt, von den anderen als pathologisch und modern ignoriert wurde.

Während Virchow das Šipka-Fossil ablehnte, hatte Topinard
noch einmal den Unterkiefer von La Naulette eingehend studiert.
Im Jahr 1886 veröffentlichte er seine Untersuchungsergebnisse,
aus denen klar hervorgeht, daß sich einige seiner Ansichten stark
gewandelt hatten. Topinard wiederholte Brocas Argument, daß

22. *Paul Topinard, einer der Nachfolger Paul Brocas, in der anthropologischen Abteilung des Muséum National d'Histoire Naturelle in Paris. Im Jahr 1886 verfaßte Topinard eine meisterhafte Studie über den La Naulette-Kiefer, die mit dem Aufruf, weitere Fossilien zu suchen, endete.*

die Darwinsche Evolutionstheorie, obwohl noch immer umstritten, durch die Funde fossiler Übergangsformen gestützt wurde. Da sich die meisten Evolutionsbiologen auf das Studium lebender Arten beschränkt hatten, um an ihnen evolutionäre Prozesse nachzuweisen, war dies eine wichtige neue Erkenntnis. Tatsächlich maß zu dieser Zeit selbst Haeckel den Fossilien noch keine große Bedeutung zu. Topinard wies außerdem darauf hin, daß solche Übergangsformen bereits gefunden worden seien, wie das Nebeneinander von menschenaffenähnlichen und menschenähnlichen Merkmalen beim Unterkiefer von La Naulette zeige. Nichts anderes müsse man erwarten, wenn Darwins Ideen richtig seien. Der Unterkiefer von La Naulette, so räumte er ein, sei für einen eindeutigen Beweis zwar zu fragmentarisch, doch weise er in die richtige Richtung.

Ferner unterstrich er die enge Beziehung zwischen anatomischer Form und Funktion. Dies war ein Paradigma, an dem schon seit langer Zeit festgehalten wurde, und in der Anatomie fast schon ein Gemeinplatz. Aber Topinard ging, wieder Brocas Beispiel folgend, noch einen Schritt weiter und betonte, daß anatomische Vergleiche zwischen Fundstücken nur dann Sinn machten, wenn man die Funktion der verschiedenen Merkmale miteinbezog. Wie Broca unterstrich auch er die Notwendigkeit von quantitativen Studien über Form und Funktion sowie von sorgfältigen, reproduzierbaren Messungen in standardisierter Form; nur dann könne die Anthropologie wissenschaftlich sein.

Topinard zog aus seinen quantitativen Vergleichen einige interessante Schlußfolgerungen. Der Unterkiefer wies eine Vermischung menschenaffenartiger und menschlicher Merkmale auf; er war dem kurz zuvor gefundenen Unterkiefer von Šipka äußerst ähnlich; es gab keinen Beweis für Virchows Behauptung, daß die Kiefer von La Naulette und Šipka pathologisch seien.

Topinard schloß seine Arbeit mit den prophetischen Worten: »Am klügsten, meine Herren, wird es sein, sich aller Mutmaßungen zu enthalten und die Entdeckung neuer Fossilien abzuwarten. Es ist Sache der Archäologen, sie zu finden und uns zu übergeben, denn unsere Aufgabe ist es, ihre Bedeutung zu entschlüsseln. Wir zählen auf sie.«[29]

Topinards Wunsch sollte unverhofft schnell in Erfüllung gehen. Anfang Juli 1886 gelang bei der belgischen Fundstätte Betcheaux-Rotches ein großartiger Fund, mit dem er wohl nie gerechnet hätte.

4
Ans Licht gebracht
1886–1905

Paul Topinard forderte 1886 zur Suche nach weiteren Fossilien auf, weil er hoffte, mit ihrer Hilfe die vielen ungeklärten Fragen zu den Fossilien aus Gibraltar, dem Neandertal oder La Naulette beantworten zu können. Und tatsächlich gelangen solche Funde in der Folgezeit. Sie verhalfen den Wissenschaftlern zu einer soliden Basis, auf der sich aufbauen ließ.

Wie auf Bestellung machten im Juli 1886[1] zwei Belgier – der Jurist und Hobby-Archäologe Marcel de Puydt und der Geologe Marie Joseph Maximin (bekannt als Max) Lohest von der Universität Lüttich – einen schicksalhaften Fund. Auch sie arbeiteten in der fossilienreichen Provinz Namur, wo bereits Schmerling den Schädel von Engis und Dupont den Unterkiefer von La Naulette gefunden hatten. Ihre Entdeckung in der Grotte von Spy d'Orneau war so bemerkenswert, daß die Fachwelt in Frankreich neue Ideen entwickelte und man in Deutschland sogar begann, an Virchows Urteil zu zweifeln.

Die Grotte lag in einem Kalkstein-Kliff, das in der Gegend Betche-aux-Rotches genannt wurde. Ihr Eingang befand sich an einem Hang, von dem aus man ein kleines Tal überblicken konnte. Schon seit Anfang der achtziger Jahre des 19. Jahrhunderts galt die Grotte als reicher Fundort für Fossilien und Steinwerkzeuge. Hobby-Archäologen hatten sie bereits gründlich durchsucht und Unordnung geschaffen, als Lohest und de Puydt 1885 mit ihrer systematischen Arbeit begannen. Sie stellten fest, daß der Platz vor dem Höhleneingang noch nicht umgegraben worden war. In einer der untersten Schichten fanden sie zwei nahezu vollständig erhaltene Skelette des Neandertalers. Die Knochen wurden zusammen mit Artefakten des Moustérien gefunden – eine Kombination, die

166

so vertraut werden sollte, daß Moustérien-Werkzeuge bald als Beweis für die Präsenz von Neandertalern galten.

Lohest war Geologe und Paläontologe, sein Spezialgebiet waren paläozoische Fische, und der Archäologe de Puydt war noch weniger mit Knochenresten vertraut. Lohest lud den Anatomen Julien Fraipont, ebenfalls aus Lüttich, dazu ein, gemeinsam mit ihm die beiden Skelette von Spy zu beschreiben.

23. Maximin Lohest (links), Marcel de Puydt (Mitte) und Julien Fraipont (rechts). Lohest und de Puydt entdeckten 1886 an der Fundstätte Betche-aux-Rotches im belgischen Spy d'Orneau zwei Neandertaler-Skelette. Lohest und Fraipont beschrieben die Fossilien und wiesen erstmals nach, daß die Neandertaler keine pathologischen modernen Menschen waren, sondern tatsächlich archaische fossile Menschen.

Im Jahr 1857 geboren, war Fraipont nur wenige Wochen älter als Lohest. Beide stammten aus ähnlichen Verhältnissen; Lohests Vater war Doktor der Rechte und Kaufmann, Fraiponts Vater war Bankier. Die Familie Lohest rechnete offenbar nie damit, daß der Sohn in das väterliche Geschäft eintreten würde, und so studierte er nach Abschluß der höheren Schule an der Fakultät für Philosophie und Literatur der Universität Lüttich. Nach einigen Jahren wechselte er auf die Bergbauschule, wo er 1883 das Ehrendiplom der Ingenieurwissenschaften erhielt. Zur Zeit der Funde von Spy war der junge Geologe gerade im Begriff, sich einen Namen zu machen. Erst 1897 wurde er Professor der Geologie.

Fraipont trat unmittelbar nach Abschluß der höheren Schule in die Bank seiner Familie ein und wurde bald Juniorpartner. Doch die Arbeit langweilte ihn. Er begann, Zoologiekurse an der Universität Lüttich zu besuchen, und lernte bei Edouard Van Beneden. Fraipont war so fasziniert vom Fach, daß er mit einunddreißig Jahren zur Enttäuschung der Familie seine vielversprechende Bankkarriere aufgab und Van Benedens Präparator wurde. Dieser Schritt sollte sich letztlich als richtig erweisen. Innerhalb weniger Jahre wurde er zum Assistenten befördert, und Mitte der achtziger Jahre hielt er selbst Kurse in Paläontologie, Tiergeographie und systematischer Zoologie an der Universität ab. Er stieg schnell auf und erhielt 1886 eine Professur.

Lohest, der Experte für Fische, und Fraipont, eine Kapazität auf dem Gebiet der Protozoen (einzelligen Tiere) und der Hydrozoen (Hohltiere), verfaßten in Rekordzeit ein gemeinsames Werk über den Neandertaler (es erschien 1887, nur etwa ein Jahr nach dem Fund), das für eine Arbeit des 19. Jahrhunderts von höchster Qualität war. Die beiden zeigten, daß die Überreste »in einem hohen Maße neandertaloid«[2] und sehr alt waren. Die exzellente Doku-

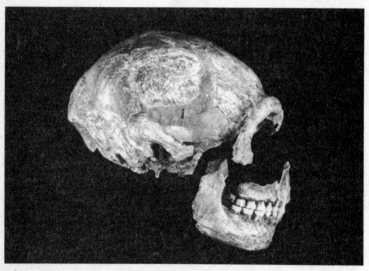

24. *Schädel des Spy I-Neandertalers. Schädeldecke, Überaugenwülste und Gliedmaßenknochen dieses Fundes ähneln den Knochen der Funde aus dem Neandertal und von La Naulette. Deshalb waren sich fast alle Betrachter einig, daß die Neandertaler normale, ausgestorbene und frühe fossile Menschen waren.*

mentation des unanfechtbaren geologischen Zusammenhangs, in dem die Überreste gefunden worden waren, entkräftete alle Einwände bezüglich ihres Alters. Die präzisen Messungen und die detaillierten Beschreibungen entsprachen ebenfalls höchsten Anforderungen. Da Lohest und Fraipont beinahe vom ganzen Körper Skelettreste vorweisen konnten, überzeugten ihre Befunde.

Die beiden Forscher deuteten sogar an – auch wenn sie es nie explizit äußerten –, daß die beiden Neandertaler von Spy bestattet worden waren, und begründeten dies mit der Lage der Skelette im Boden. Viele der Knochen waren noch in ihrer ursprünglichen anatomischen Stellung. Allerdings besaßen Lohest und Fraipont keine zwingenden Beweise für ihre Vermutung und verfolgten die Frage deshalb nicht weiter. Schließlich erwartete niemand, daß es so früh schon Bestattungen oder andere Rituale gegeben hatte, und de Puydt und Lohest hatten bei der Freilegung der Skelette natürlich nicht nach Beweisen für eine solche Behauptung gesucht.

Nun endlich konnte man sich ein vollständiges (oder fast vollständiges) Bild vom Neandertaler machen. Zwar war keiner der Schädel komplett erhalten, doch die Form wurde deutlich: Das Cranium war langgestreckt und niedrig – es war in der Tat extrem dolichozephal, ein Merkmal, das den Neandertaler mit den primitiveren Rassen verbindet –, und es besaß starke, vorstehende Überaugenwülste, wie die Crania, die in Gibraltar und im Neandertal gefunden worden waren. Das Gesicht, obwohl nicht vollständig erhalten, war wuchtig. Der Kiefer hatte eine »tierische Größe und Festigkeit«[3] und wies ein fliehendes Kinn auf, wie man es bereits bei dem Unterkiefer von La Naulette gesehen hatte. Die Eckzähne waren weder sehr groß noch vorstehend, wie Pruner-Bey und Blake angenommen hatten. Dennoch wirkte der Schädel insgesamt ausgesprochen menschenaffenähnlich. Wie Huxley glaubten auch Fraipont und Lohest, daß diese Neandertaler keine Zwischenform zwischen Menschenaffe und Mensch gewesen waren, sondern Menschen, wenn auch sehr menschenaffenähnliche.

Die postcranialen Knochen – das heißt die des Rumpfes und der Gliedmaßen – waren überaus groß und ebenfalls sehr aufschlußreich. Die Gliedmaßen waren kräftig gebaut, mit kurzen, schweren Knochen und großen Gelenken, wie sie die Exemplare der Feldhofer Grotte besaßen. Auch die Anatomie der Beinknochen fand Beachtung, aber dieses Mal nicht, weil man annahm, sie seien durch häufiges Reiten oder durch Krankheit verformt worden. Fraipont und Lohest kamen zu einer aufschlußreichen Interpretation:

> Wenn die Menschen von Spy aufrecht standen, muß ihr Femur (Oberschenkelknochen) im spitzen Winkel vom Rücken ausgehend nach vorne verlaufen sein, wo es auf die Tibia (den Unterschenkelknochen) traf, die wiederum in einem schräg nach hinten geneigten Winkel zum Knöchel hinab verlief.[4]

Mit anderen Worten, sie glaubten, daß die Neandertaler mit gebeugten Knien standen und liefen, wie ein auf zwei Beinen gehender Menschenaffe. Die schleppende Gangart und die finsteren, menschenaffenartigen Gesichtszüge wurden zu einem eindrucksvollen Bild des Neandertalers vereint; es war in vieler Hinsicht falsch und wurde doch für lange Zeit als Tatsache angesehen.

Kurz nach Veröffentlichung dieser Ergebnisse wies Topinard, der damals noch Direktor der Ecole d'Anthropologie und Herausgeber der *Revue d'Anthropologie* war, Fraipont auf die Arbeit eines gewissen Dr. René Collignon hin, die 1880 in der *Revue* erschienen war. Darin unterstrich Collignon die Bedeutung des Winkels in dem anatomischen Bereich, der als Tibiakopf oder tibiale Gelenkfläche bekannt war: das relativ flache Paar von Gelenkflächen auf der Tibia (dem großen Knochen des Unterschenkels), das den Oberschenkelknochen im Knie trifft und ihn stützt. Collignon behauptete, und Fraipont glaubte, daß dieses Plateau nahezu waagerecht liegen und rechtwinklig zur langen Achse der Tibia stehen mußte, damit das Knie durchgestreckt und das Bein gerade gestellt werden konnte. Wenn die tibiale Gelenkfläche nach hinten geneigt war – ein Zustand, der Retroversion des Tibiakopfes genannt wird –, mußte das Knie ständig gebeugt bleiben.

Anhand dieser Erkenntnis ließen sich Fraiponts und Lohests Vorstellungen vom Gang des Neandertalers überprüfen. Als Fraipont den Winkel der tibialen Gelenkfläche an der einzigen intakten Tibia von Spy ausmaß, stellte er tatsächlich fest, daß sie nach

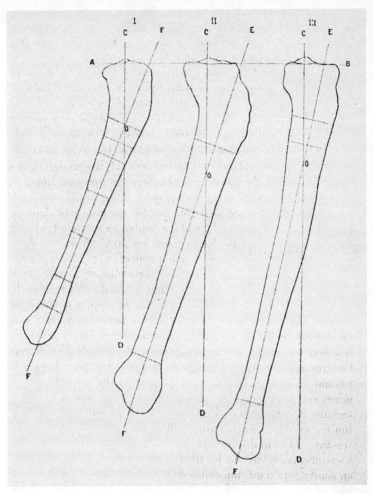

25. *Julien Fraipont fertigte 1888 diese Zeichnungen an, die den Winkel der tibialen Gelenkfläche (der oberen Fläche des Schienbeinknochens) veranschaulichen. Er nahm irrtümlicherweise an, daß die tibiale Gelenkfläche für Gang und Haltung eines normalen Menschen waagrecht sein muß. Die Abschrägung nach hinten oder Retroversion der tibialen Gelenkfläche bei Spy II (Mitte) verleitete ihn zu der Annahme, daß die Neandertaler wie Schimpansen (links) und im Gegensatz zu modernen Menschen (rechts) gebeugte Knie hatten.*

hinten geneigt war, und zwar in einem Winkel von ungefähr acht-zehn Grad. Vergleiche mit den Beinknochen von Schimpansen, Gorillas und Orang-Utans ergaben, daß deren Winkel jeweils eine noch größere Neigung nach hinten besaßen; Messungen an mo-dernen Menschen und an Skeletten aus dem Neolithikum zeigten, daß die Retroversionswinkel kleiner, nahezu waagerecht waren. Fraipont hielt deshalb seine Annahme für bewiesen, daß die frü-hen Menschen mit gebeugten Knien, schleppend und nicht voll-ständig aufrecht gegangen waren – ein weiteres Beispiel für ihr affenartiges Wesen.

Diese Schlußfolgerung klang durchaus vernünftig und fundiert und trug wesentlich dazu bei, daß man sich unter dem Neander-taler allgemein ein tierisches, wildes und primitives Wesen vor-stellte. Ehrliche, anständige *Menschen* schritten aufrecht und stolz einher; die gebückte Haltung, die gebeugten Knie und der schlep-pende Gang hingegen paßten zu den finsteren, bestialischen, in Höhlen lebenden Vorfahren. Es sollte siebzig Jahre dauern, bis den Neandertalern die aufrechte Haltung zuerkannt wurde, und beinahe hundert Jahre, bis man die wahre Bedeutung der Tibia-Retroversion verstand.

Als Anatom erlangte Fraipont größere Berühmtheit durch die Untersuchung und Beschreibung der Fossilien. Der Geologe Lo-hest widmete sich wieder der Mineralogie und der Tektonik.

Als der örtliche Grundbesitzer, der Comte A. de Beaufort, de Puydt und Lohest die Genehmigung für die Ausgrabungen in Spy erteilte, verlangte er, daß sie die Funde nach Beendigung ihrer Studien dem belgischen Staat aushändigten, eine heute allgemein übliche Praxis, die damals jedoch noch ungewöhnlich war. Unab-hängig davon, welche Rolle die beiden bei der eigentlichen Unter-suchung des Materials von Spy spielten: Fraipont verwahrte am Ende die Tierknochen und Steinwerkzeuge, Lohest die menschli-chen Fossilien sowie die Schmuckstücke und Werkzeuge aus be-arbeiteten Tierknochen, die aus den jüngeren, die Neandertaler bedeckenden Schichten stammten. Fraipont hielt sich an das Ab-kommen und überließ seinen Teil des Fundes der Universität Lüt-tich. Lohest dagegen beanspruchte die Fossilien als sein per-sönliches Eigentum. Noch heute gehören sie der Familie Lohest, obwohl sie im Institut royal des Sciences naturelles de Belgique in

Brüssel aufbewahrt werden. Wiederholte Versuche, ihre Übergabe an den belgischen Staat zu erreichen, scheiterten.

Lohest behandelte seine Funde von Spy wie den größten Schatz seines Lebens, was dazu führte, daß sie seit ihrer Entdeckung erstaunlich weit herumgekommen sind. Als die Deutschen 1914 in Belgien einmarschierten, war der siebenundfünfzigjährige Lohest überzeugt, das deutsche Heer suche diese nationalen Kostbarkeiten, um sie zu »befreien«. Heimlich schaffte er sie aus dem Laboratorium der Universität Lüttich, wo sie untersucht worden waren, und versteckte sie in seinem Privathaus in einer Truhe – wie es heißt, lagerten sie dort jahrelang unter einem Stapel von Decken und Tüchern. Was zunächst wie die Zwangsvorstellung eines alten Mannes anmutete, erwies sich als richtig: Die Deutschen suchten tatsächlich nach den Fossilien, wenn auch vergeblich. Das Material tauchte nach dem Ersten Weltkrieg wieder auf. Doch in ihrem Versteck waren die Knochen der beiden Neandertaler völlig durcheinandergeraten. Als in den zwanziger Jahren der physische Anthropologe Aleš Hrdlička Lohest besuchte, um die Fossilien zu untersuchen, ließ sich nicht mehr sagen, welche Knochen zusammengehörten. Hrdlička mußte sie auf der Grundlage von anatomischen Merkmalen und logischen Folgerungen neu sortieren. Er stellte fest, daß einige kleinere Teile, die im Originalbericht von Fraipont und Lohest aufgelistet waren, fehlten. Ob sie sich in einem anderen, vergessenen Versteck befanden? Bis heute sind sie nicht wieder aufgetaucht.

Einem anderen Bericht zufolge wurden die Fossilien am Vorabend des Zweiten Weltkriegs aus ähnlichen Gründen in einem Koffer, den man hinten auf das Auto der Lohests band, nach Frankreich gebracht. Auf diese Weise verhinderte man zwar, daß sie nach Berlin gebracht und dort bei einem Bombenangriff zerstört werden konnten, doch dafür erlitten einige kleinere Schäden, andere gingen sogar verloren. Physische Anthropologen in Belgien blicken heute beschämt auf die Ereignisse zurück, obwohl sie immer gut für eine unterhaltsame Geschichte waren.

Die Fossilien von Spy waren so gut dokumentiert, so vollständig erhalten und den Resten aus dem Neandertal, aus La Naulette und Gibraltar so ähnlich, daß sie nur schwerlich ignoriert werden konnten. Sie machten eine Korrektur der vorherrschenden Meinung unausweichlich. Behauptungen, daß sie pathologisch seien oder von Schwachsinnigen stammten, mußten mittlerweile als töricht gelten. In einer etwas schrullig anmutenden Retrospektive aus dem Jahr 1896, in der die Anfänge der Debatte über die Knochen der Neandertaler nachgezeichnet werden, heißt es:

> Mehr als ein Vierteljahrhundert wurde dem Menschen aus dem Neandertal, selbst in seinem eigenen Land, keine Ehre zuteil, ja man zweifelte an ihm und verunglimpfte ihn noch, als seine Verwandten, die Menschen von Spy, ihm zu Hilfe kamen und der Frühgeschichte der menschlichen Rasse ein neues Kapitel hinzugefügt wurde.[5]

Mit den Skelett-Funden von Spy fand die pathologische Interpretation der Neandertaler ein Ende. Nur die deutschen Wissenschaftler dachten noch anders, aber selbst bei ihnen schlichen sich, trotz Virchows angestrengter Bemühungen, Zweifel ein. Zahlreiche Forscher gewannen die Überzeugung, daß es nicht nur ein oder zwei Individuen mit diesen ungewöhnlichen anatomischen Merkmalen gegeben hatte, sondern eine ganze Spezies fossiler Menschen. Der amerikanische Paläontologe Edward Drinker Cope, der für seine spektakulären fossilen Dinosaurierfunde im Westen Amerikas weit bekannter ist als für seine Beiträge zur menschlichen Evolution, ließ William Kings *Homo neanderthalensis* als korrekte wissenschaftliche Bezeichnung für diese Gruppe wieder aufleben. Die Presse sprach bereits vom Neandertaler. Unbemerkt von den prominenten Wissenschaftlern, die sich eifrig zu den Fossilien und ihrer Bedeutung äußerten, machte sich ein entschlossener junger Holländer an die Durchführung eines Vorhabens, das sich als fruchtbringender erweisen sollte als alles dogmatische Gerede.

Marie Eugène François Thomas (bekannt als Eugène) Dubois[6] wurde 1858 als Sohn eines Landapothekers in der französischsprachigen Grenzstadt Eysden in den Niederlanden geboren. Der Vater war erfreut, als der Junge naturwissenschaftliche Neigungen zeigte, und bestärkte ihn in seinem Interesse für Botanik und Chemie. Aus eigenem Antrieb begann sich Eugène für Fossilien zu interessieren, die er an Fundorten in unmittelbarer Nähe des Elternhauses sammelte. Seine Eltern beschlossen, ihn auf ein staatliches Gymnasium zu schicken, obwohl sie, wie viele Katholiken, über die naturwissenschaftliche Ausrichtung solcher Schulen beunruhigt waren. Vielleicht dachten sie ebenso selbständig wie ihr Sohn später.

Nach dem Wunsch des Vaters sollte Dubois Pharmazie studieren, doch er bestand darauf, seinen eigenen Weg zu gehen – ein für ihn typischer Charakterzug –, und schrieb sich 1877 an der Universität Amsterdam für Medizin ein. Während des Studiums legte er den katholischen Glauben ab, weil er seiner Meinung nach dem klaren Denken hinderlich war. So blieb ihm ein Gewissenskonflikt erspart, als Religion und Naturwissenschaft in Widerspruch zueinander gerieten. Dubois stellte bald fest, daß er sich nur wenig für die praktische Seite der Medizin interessierte. Er spezialisierte sich auf die Anatomie und wurde 1881 Assistent seines Professors Max Fürbringer. Die Werke von Darwin, Wallace und Haeckel über die Evolution verschlang er förmlich. Fürbringer selbst war ein Schüler Haeckels an der Universität Jena gewesen. Ohne Zweifel ist es seinem Einfluß zu verdanken, daß Dubois die Wichtigkeit des *missing link* erkannte, das Haeckel in seinen Büchern erwähnt hatte. Fürbringer förderte den scharfsichtigen und stattlichen jungen Mann mit dem kantigen Kinn, empfahl ihn für verschiedene Lehrtätigkeiten und weckte in ihm die Erwartung, seinen Posten übernehmen zu können, wenn er selbst eines Tages nach Deutschland zurückkehren werde.

Dubois aber war nicht recht glücklich, da er nur ungern unterrichtete und die Anatomie ihn mehr und mehr ernüchterte. Er war ein intelligenter Mensch, doch zog er den entscheidenden ersten Schritt oder erste Einblicke der langwierigen Schinderei vor, der es bedurfte, um eine sorgfältige Datensammlung anzulegen. Die Forschung erschien ihm nicht so interessant, wie er erwartet hatte. Er war ruhelos und vielleicht auch begierig darauf, sich einen Namen zu machen. Auf den fernen Tag zu warten, an dem Fürbringer seinen Posten freimachen würde, war kaum nach dem Geschmack des zupackenden Dubois. Er liebäugelte wieder mit der Paläontologie und suchte während der Ferien in den neolithischen Flintminen in der Nähe von Rijckholt nach Fossilien.

Was Dubois letztendlich dazu bewog, seine Arbeit plötzlich aufzugeben und nach Ostindien abzureisen, ist nicht bekannt. Wir wissen aber, daß er mit Fürbringer wegen einer Kehlkopf-Studie aneinandergeriet. Er war wohl der Meinung, Fürbringer beanspruche zu viel Anerkennung für sich und schmälere den Wert seiner eigenen Arbeit. Obwohl Dubois schließlich einer Änderung seines Manuskripts zustimmte und darauf hinwies, daß es auf frühere Arbeiten Fürbringers aufbaute, hegte er einen tiefen Groll und behauptete später, Fürbringer habe ihn um seine rechtmäßige Anerkennung »betrogen«.

Anstatt die Kehlkopf-Studie mit den lästigen Änderungen zu veröffentlichen, reiste Dubois als Militärarzt nach Ostindien ab. Anscheinend brach er die Verbindung zu Fürbringer abrupt ab, denn er weigerte sich, die Briefe seines ehemaligen Mentors zu beantworten. Vermutlich wollte er nicht mehr über ihre Differenzen diskutieren und betrachtete die Angelegenheit als erledigt. Sein förmlicher Abschied von dem Mann, der so viel für ihn getan hatte, bestand lediglich in einem Brief, der erst nach seiner Abreise ankam.

Dubois verfügte nicht nur über beträchtliche intellektuelle Selbständigkeit – manche mögen es auch Dickköpfigkeit nennen –, ihm lag auch sehr viel daran, daß seine »geistigen Eigentumsrechte«, wie er es nannte, anerkannt wurden. Zeitlebens plagte ihn die Wahnvorstellung, andere wollten seine Ideen stehlen und statt seiner die Anerkennung dafür ernten. Fotografien, die vor der Abreise nach Ostindien aufgenommen wurden, zeigen einen sympathischen, aufgeschlossenen jungen Mann mit großen Augen – auf einigen ist er glattrasiert, auf anderen trägt er einen Bart –, aber sein offener Blick und seine aufrechte Haltung strahlen Stolz und vielleicht auch Empfindlichkeit aus. Er war ein junger Mann, der seinen eigenen Weg ging.

Obwohl Dubois sich unbedingt von seinem Mentor befreien und auf eigenen Füßen stehen wollte, hatte er noch einen weiteren Beweggrund, den er selbst als noch wichtiger bezeichnete: Er verließ seine Heimat mit der Absicht, das *missing link* zu finden. Damit würde er einen hervorragenden Beitrag zur Biologie leisten und sich auf Anhieb einen Namen machen. Er war überzeugt davon, daß er wußte, wie und wo er ein solches Fossil finden

26. *Der junge Eugène Dubois mit seiner Frau Anna, kurz vor ihrer Abreise nach Java, wo er Fossilien des* Pithecanthropus *finden sollte (heute* Homo erectus *genannt).*

konnte, auch wenn seine Versuche, von der holländischen Regierung finanzielle Unterstützung zu erhalten, ohne Erfolg blieben. Anstatt seinen Plan aufzugeben, trat er der Königlich Niederländisch-Indischen Armee als Militärarzt bei, was ihm ein finanzielles Auskommen und ein Haus in Ostindien sicherte. Zusammen mit seiner jungen Frau Anna, die ein sehr duldsamer Mensch gewesen sein muß, ließ er die vertraute Welt hinter sich und folgte seinem Schicksal. Dubois' Vorhaben zeugte von einer unglaublichen

Überheblichkeit – umso erstaunlicher, weil er tatsächlich Erfolg haben sollte.

Am 11. Dezember 1887 traf er in Padang auf Sumatra ein und wurde einem Armeekrankenhaus zugeteilt – eine Stelle, die ihm zu seiner Enttäuschung nur wenig Zeit für Erkundungen und Forschungen ließ. Nun, da er in Sumatra war, bemühte er sich erneut um Unterstützung von offizieller Seite. Ein Artikel, den er 1888 veröffentlichte, war der mehr oder weniger unverhohlene Versuch, die Regierung zur Finanzierung seines Projekts zu überreden. Unter dem Titel *Over de wenschelijkheid* … (Über die Ratsamkeit, die diluviale Fauna Niederländisch-Indiens, insbesondere Sumatras, zu erforschen) legte Dubois seinen originellen, fünf Punkte umfassenden Gedankengang folgendermaßen dar.

Erstens glaubte Dubois ebenso wie Darwin, daß die menschliche Evolution in den Tropen begonnen hätte. Ausgangspunkt war die Feststellung, daß die Menschen im Laufe der Entwicklung ihr affenartiges Fell verloren hätten. Im kalten, sogar glazialen Pleistozän habe in Europa ein Klima geherrscht, in dem der Verlust eines solchen nützlichen Kälteschutzes nicht sinnvoll gewesen wäre. Dafür sprächen auch die fossilen Belege aus Europa, die ungefähr den primitivsten Menschenrassen entsprächen, und aus anatomisch modernen Menschen und pathologischen Typen beständen, wie zum Beispiel dem Fund aus dem Neandertal.

Zweitens seien unsere nächsten Verwandten, die Menschenaffen, allesamt in den Tropen heimisch, und weil die Tropen die einzigen Regionen seien, in denen sich das Klima nicht radikal geändert hätte, müßte man dort nach dem gemeinsamen Vorfahren von Menschenaffe und Mensch suchen.

Drittens deuteten neuere Fossilfunde darauf hin, daß der Ursprung des Menschen auf dem asiatischen Kontinent und nicht in Afrika zu suchen wäre. Dubois führte insbesondere den »Siwalik-Schimpansen« oder *Anthropopithecus* an, einen fossilen Menschenaffen, dessen Kiefer Richard Lydekker 1878 in einem Gebiet gefunden hatte, das heute an der Grenze zwischen Indien und Pakistan liegt. Auf der Grundlage dieses Fundes und eines orangutan-artigen Eckzahnes aus der gleichen Fundstätte hatte Lydekker angenommen, daß in der Pandschab-Region urtümliche Menschenaffen gelebt hatten. Die Schwierigkeit bestand darin, daß diese Region britische Kolonie war. Doch sowohl moderne Belege (die Arbeit von Wallace) als auch fossile Reste (die Arbeit des holländischen Geologen Karl Martin) ließen vermuten, daß der indische Subkontinent sehr viele Jahre lang die gleiche Fauna wie die ostindischen Inseln besessen hatte. Deshalb bestand guter Grund zu der Annahme, daß in Ostindien fossile Primaten und sogar menschliche Vorfahren gefunden werden könnten.

Viertens war Dubois wie Haeckel der Ansicht, daß der Gibbon besonders nahe mit dem Menschen verwandt sei. Gibbons laufen aufrecht und besitzen kugelförmige Schädel, die keine massiven Scheitelkämme oder knochigen Überaugenwülste aufweisen; zudem sind ihre Gesichter weniger vorstehend als die anderer Menschenaffen: In all diesen Punkten ähneln sie dem Menschen. Und da Gibbons auf dem Malaiischen Archipel und nicht auf dem asiatischen Festland heimisch sind, war Sumatra ein vorzüglicher Ort, um nach ihren Vorfahren zu suchen.

Als letzten Punkt stellte Dubois fest, daß bis zu diesem Zeitpunkt alle wichtigen fossilen menschlichen Überreste in Höhlen gefunden worden seien, und davon gäbe es in Sumatra eine ganze Menge.

Soweit die logischen Argumente, die Dubois ins Feld führte. Allerdings war er auch Politiker genug, um zu wissen, daß Logik allein nicht immer ausreichte. Und so wies er am Ende des Artikels darauf hin, daß die genannten Punkte so offensichtlich und einleuchtend seien, daß ausländische Gelehrte schon bald in Scharen nach Niederländisch-Indien strömen würden, weil zu erwarten sei, daß man dort zu einem besseren Verständnis der Evolution des Menschen im besonderen und der Säugetiere im allgemeinen kommen werde. Dubois schloß mit der klug formulierten Frage:

Und wollen die Niederlande, die doch so viel für die Naturwissenschaften der Ostindischen Kolonien getan haben, angesichts solch wichtiger Fragen gleichgültig bleiben, obgleich der Weg zu ihrer Lösung bereits vorgezeichnet ist?[7]

Wie hätte die Regierung eine solche Herausforderung ignorieren können? Während Dubois auf eine Antwort wartete, bewies er seine Beharrlichkeit. Er bat um Versetzung von dem Krankenhaus in der Küstenstadt Padang an das Sanatorium von Pajakombo im Landesinneren. Sein Antrag wurde bewilligt. In Pajakombo wurde er von seinen ärztlichen Pflichten weniger in Anspruch genommen, und so begann er in seiner Freizeit, die Höhlen in der näheren Umgebung zu erforschen, wo er die Knochen von Menschenaffen (Orang-Utans und Gibbons), Nashörnern, Tapiren, Elefanten, Hirschen, Rindern und Schweinen fand. Prompt schickte er darüber einen Bericht an die Regierung Niederländisch-Indiens.

Seine Strategie war erstaunlich erfolgreich und brachte ihm die Unterstützung seiner Vorgesetzten im medizinischen Armeekorps, des Ostindischen Komitees für wissenschaftliche Forschung und einiger einflußreicher Kolonialbeamten ein. Auch aus der Heimat erhielt er zunehmend Unterstützung: der Leidener Geologe Martin, der Zoologe Max Weber und das Komitee für die Förderung der naturwissenschaftlichen Forschung in den holländischen Kolonien stellten sich hinter ihn.

Seine Beharrlichkeit zahlte sich aus. Am 6. März 1888 wurde er vom Direktor für Erziehung, Religion und Gewerbe mit der ausdrücklichen Aufforderung, auf Sumatra und eventuell auch auf der nahen Insel Java paläontologische Forschungen durchzuführen, abberufen. Außerdem wurden ihm zwei Ingenieure und fünfzig Sträflinge für Ausgrabungsarbeiten zur Verfügung gestellt.

Nach der Überwindung so vieler Hindernisse rechnete Dubois wohl mit raschen Erfolgen, doch daraus wurde nichts. Am 27. Oktober 1889 schrieb er an F. A. Jentink, den Direktor des Reichsmuseums der Naturgeschichte, einen Brief, der so gespickt ist mit Nörgeleien und Entschuldigungen, daß er fast schon wieder amüsant wirkt. Dubois jammert zwar über die Arbeitsbedingungen, scherzt aber auch darüber, daß die Fossilien Überreste der Sintflut seien – eine Lehre, die er ganz sicher nicht unterstützte. Im Ergebnis waren die Grabungen auf Sumatra ein einziges Fiasko.

Noch im gleichen Jahr gab er die Suche auf und begab sich nach Java, obgleich er für diese Insel zuvor wenig Interesse gezeigt hatte. Doch jetzt erschien sie ihm um einiges vielversprechender. Kurz zuvor hatte ein Bergbauingenieur in der Nähe der Stadt Wadjak (moderne Schreibung Wajak) einen fossilen Menschenschädel gefunden. Der Kurator der Königlich-Ostindischen naturwissenschaftlichen Gesellschaft, C. P. Sluiter, der nicht recht wußte, was er von dem Schädel halten sollte, schickte ihn Dubois. Obwohl das Cranium versteinert war, beurteilte es Dubois als vollkommen menschlich und sprach vom »ersten Vertreter der Ureinwohner Javas«[8], eine Einschätzung, die heute nicht viel anders lautet. Doch danach hatte Dubois nicht gesucht, und so verzichtete er in den folgenden zwanzig Jahren darauf, den Schädel von dem Gestein, das an ihm haftete, zu befreien und ihn formal zu beschreiben. Es war typisch für ihn, daß er das Cranium in der Zwischenzeit von keinem anderen Fachmann untersuchen ließ. Es gehörte ihm allein, auch wenn es ihn nicht übermäßig interessierte.

Auf Java begann Dubois mit den beiden Unteroffizieren der Pioniertruppe G. Kriele und A. De Winter zusammenzuarbeiten. Außerdem änderte er seine Vorgehensweise und führte seine Ausgrabungen nicht nur in Höhlen, sondern auch auf offenem Gelände durch. Er ließ sich in Toeloeng Agoeng nieder. Der Ort lag in einiger Entfernung von den Ausgrabungsstätten, die er in regelmäßigen Abständen besuchte. Ansonsten wartete er auf Krieles und De Winters schriftliche Berichte oder besser noch auf die Holzkisten mit den in Teakbaumblättern eingewickelten Fossilien, die sie ihm sofort zuschickten, sobald man etwas gefunden hatte. Die Ufer des Flusses Solo – auch unter dem einheimischen Namen Bengawan bekannt – waren reich an Säugetierfossilien. Im September 1891 entdeckte man an dem Fundort Trinil – so benannt nach einem nahegelegenen Dorf – erstmals Überreste, die Dubois' hochgesteckte Erwartungen erfüllen sollten.

Zusammen mit Tierknochen, die viele Kisten füllten, fanden sich in Trinil ein Backenzahn und schließlich ein wuchtiges Schädeldach (oder Kalotte) des *missing link,* das Dubois in Ostindien suchte. Zunächst übernahm er den Gattungsnamen *Anthropopithecus,* den Lydekker kurz zuvor dem Siwalik-Schimpansen gegeben hatte; der Speziesname *javanensis* gab den Herkunftsort an. Mehr konnte Dubois nicht tun, denn er besaß keine vergleichbare Sammlung von modernen oder fossilen Knochen. Eilig schrieb er nach Holland und bat Max Weber, ihm sofort einen Schimpansenschädel zu schicken. Der Schädel traf aber erst Ende 1892 ein. In der Zwischenzeit versuchte Dubois, das Gehirnvolumen (die

181

Hirngröße) der Kalotte zu schätzen, obwohl sie mit einer steinernen Matrix gefüllt war, die zu entfernen er Bedenken hatte.

Mit dem Einsetzen des Monsuns wurden die Ausgrabungen bei Trinil bis zum folgenden Frühling eingestellt. Dann, im August 1892, legten die Arbeiter ein nahezu vollständiges linkes Femur (Oberschenkelknochen) frei, und zwar, wie sie glaubten, in der gleichen Schicht wie im Vorjahr den Zahn und die Kalotte. Nun besaß Dubois die beiden Enden des Geschöpfes – und was war es für ein eigenartiges Geschöpf!

Überraschenderweise glich das Femur keineswegs dem eines Schimpansen, Orang-Utans oder Gorillas. Obwohl seine Innenseite eine pathologische Knochenwucherung aufwies – eine Wucherung, die von einer Wunde oder Verletzung herrührte, wie der Arzt Dubois erkannte –, bestanden kaum Zweifel an der funktionalen Anatomie des Femur. Dubois schrieb in seinem Bericht:

> Dieses Geschöpf ... war in keiner Weise dafür gerüstet, auf Bäume zu klettern wie ein Schimpanse, Gorilla oder Orang-Utan ... Ganz im Gegenteil: Der gesamte Aufbau des Femur läßt erkennen, daß dieser Knochen die gleiche mechanische Aufgabe erfüllte wie im menschlichen Körper ... Bei dieser Beurteilung des Oberschenkelknochens kann man mit absoluter Sicherheit sagen, daß der *Anthropopithecus* von Java aufrecht stand und sich wie ein Mensch fortbewegte.[9]

Dieser unerwartete Beweis bewog Dubois dazu, den Namen seines neuen Schatzes von *Anthropopithecus javanicus* in *Anthropopithecus erectus* zu ändern, womit er seiner Überzeugung Ausdruck verlieh, daß das Geschöpf eine aufrechte Körperhaltung besessen hatte.

Bereits in den letzten Dezembertagen 1893 änderte Dubois den Namen erneut, nachdem er den Rauminhalt des unvollständigen Schädels durch mehrmalige Berechnungen bestmöglich bestimmt hatte. Zu seiner eigenen Befriedigung mußte das Gehirnvolumen bei etwa tausend Kubikzentimeter gelegen haben (im Gegensatz zu vierhundertzehn beim Schimpansen und tausenddreihundert bis tausendvierhundert beim Jetztmenschen). Weil dieses Geschöpf aufgrund seiner Andersartigkeit nicht mehr länger mit dem

Siwalik-Schimpansen in Verbindung gebracht werden konnte, wählte Dubois einen Namen, der auf die größere Ähnlichkeit zum Menschen verweisen sollte und den er sicherlich noch aus seiner Studienzeit kannte: *Pithecanthropus* – Haeckels Gattungsname für den Affenmenschen oder das *missing link* – und *erectus* wegen seiner aufrechten Haltung. Den Trivialnamen *alalus* (das heißt »sprachlos«), den Haeckel geprägt hatte, verwendete Dubois dagegen nicht. Vielleicht hielt er die Bezeichnung *alalus* nicht für angemessen, weil der erhaltene Teil des Schädels keine Rückschlüsse auf die sprachlichen Fähigkeiten des Lebewesens zuließ. Es ist aber auch möglich, daß Dubois, der sich gern von anderen abgrenzte und seinen eigenen Weg ging, es einfach vorzog, ihm selbst einen Namen zu geben.

Im Jahr 1894 veröffentlichte Dubois den ersten detaillierten Bericht über seine neue Entdeckung, der Zeichnungen der Fossilien und Vergleiche mit den Schädeln von drei Gibbons und einem Schimpansen – mehr besaß er nicht – enthielt. Während die Beschreibung der Überreste in der kurzgefaßten Monographie fachkundig war, besonders unter Berücksichtigung der schwierigen Arbeitsbedingungen in den Kolonien, fernab von Museen und aktuellen Publikationen, fiel die Dokumentation des geologischen Zusammenhangs der Funde miserabel aus. Dubois war nur selten bei den Ausgrabungen zugegen gewesen, und De Winter und Kriele hatten anscheinend keine detaillierten Aufzeichnungen gemacht oder Karten erstellt. Dubois fügte nicht einmal eine Zeichnung des geologischen Schnitts des Flußufers bei und machte nur überaus vage Angaben zu den genauen Fundorten, die er sicherlich nicht kannte. Darauf kam es ihm nicht an. Im Brustton der Überzeugung erklärte er, es sei »thöricht«, daran zu zweifeln, daß die Fossilien von einem einzigen Wesen stammten.

Dagegen behandelte er ausführlich die Folgerungen, die sich seiner Meinung nach aus dem Fund ergaben. Dubois führte die Abstammung des Menschen auf eine gibbonartige Form zurück, die er *Prohylobates* (zum Gibbon hin) nannte und die sich über Lydekkers *Anthropopithecus* und den neuen *Pithecanthropus erectus* zum modernen Menschen weiterentwickelt hatte. Der fossile Schädel weise, so Dubois, deutliche Ähnlichkeiten zu dem des Gibbons auf. Seine Schlußfolgerungen waren klar und einfach:

183

Aus der Betrachtung des Femur und aus der des Schädels folgt also mit Gewissheit, dass diese fossile Form auch nicht zur Familie der *Simiidae* gezählt werden kann ... Und wie bezüglich des Schädels, so ist nun auch bezüglich des Femur der Abstand, der die fossile Form vom Menschen trennt, kleiner als der, welcher zwischen ihr und dem höchsten und am nächsten verwandten Anthropoid besteht ... Obschon in der Differenzirung des menschlichen Typus schon weit gelangt, hatte diese pleistocäne Form ihn noch nicht erreicht ... *Pithecanthropus erectus* ist die Uebergangsform, die der Entwicklungslehre zufolge zwischen dem Menschen und den Anthropoiden existirt haben musste; er ist der Vorfahr des Menschen.[10]

Er verglich sein Material nicht mit den Fossilien aus dem Neandertal, weil er diese für pathologisch und modern hielt. Gemessen an Fraiponts und Lohests solider Monographie über die Fossilien von Spy, die viele geologische und anatomische Messungen und detaillierte Aufzeichnungen enthielt, wirkte Dubois' Publikation alles in allem mehr als fragwürdig.

Noch vor dem offiziellen Erscheinen der Monographie wurde Kritik laut. Dubois' vierteljährlicher Bericht an seine Vorgesetzten, in dem er seine wichtigsten Erkenntnisse darlegte, wurde in der *Tijdschrift van het Koninklijke Nederlandsch Aardriijksundig Genootschap* (Zeitschrift der Königlich-Holländischen Geographischen Gesellschaft) abgedruckt. Ihr Herausgeber J. A. C. A. Timmerman nahm sich die Freiheit, Dubois' Behauptung, die Wiege der Menschheit stehe in Ostindien, anzugreifen, und kommentierte: »Diese letzte Schlußfolgerung scheint recht voreilig getroffen worden zu sein.«[11]

Sein Urteil gehörte noch zu den milderen. Als die Monographie Ende 1894 erschien, fielen die Kommentare der europäischen Wissenschaftler weit negativer aus. Der Schweizer Anthropologe Rudolf Martin sprach beispielsweise von »luftigen Spekulationsgebäuden«[12], die bei genauerer Untersuchung sofort in sich zusammenfielen. Sogar ein Landsmann von Dubois, der Anthropologe Herman F. C. ten Kate erklärte, er wolle lieber »thöricht« gescholten werden, als zu glauben, daß die weit verstreuten Reste von demselben Wesen stammten. Zu diesem Zeitpunkt hatte nicht

27. *Léonce-Pierre Manouvrier, Nachfolger Paul Brocas an der Ecole d'Anthropologie in Paris. Er trat sowohl für Eugène Dubois' Interpretation ein, daß die* Pithecanthropus-*Fossilien von frühen Menschen stammten, als auch für die Auffassung, daß die menschliche Evolution kontinuierlich erfolge.*

einer der Paläontologen oder Anthropologen, die derartige Kritik äußerten, die umstrittenen Fossilien selbst oder Abgüsse davon zu Gesicht bekommen, und nicht einer hatte Dubois über das Thema sprechen hören.

Eine der frühesten ausführlichen Antworten gab Léonce-Pierre Manouvrier am 3. Januar 1895 bei einer Versammlung der Pariser Société d'Anthropologie. Manouvrier war in den vorausgegangenen Jahren zu einem der führenden Anthropologen der westlichen Welt aufgestiegen. Seine Meinung zu Dubois' Funden war entscheidend.[13]

Manouvrier war am 20. Juni 1850 als eines von zwölf Kindern in dem mittelfranzösischen Dorf Guéret im Département Creuse zur Welt gekommen. Er verließ seinen Geburtsort und ging nach Paris, wo er Medizin studierte. Im Deutsch-Französischen Krieg 1870/71 diente er als Militärarzt. Obwohl er niemals ins Département Creuse zurückkehrte, ließ er die Verbindungen zu seiner Heimat nie ganz abbrechen. Er blieb in den lokalen wissenschaftlichen Gesellschaften aktiv und engagierte sich leidenschaftlich für den Schutz der Landschaft und der Flüsse vor der Verwüstung durch Steinbrüche und Fabriken.

Im Jahr 1878 unternahm Manouvrier einen Schritt, der seine

gesamte weitere Laufbahn verändern sollte. Seinen Interessen folgend, wurde er Brocas Assistent und Präparator an der Ecole d'Anthropologie. Schon bald spezialisierte er sich auf die Untersuchung der Beziehung zwischen Gehirn und Schädel und stellte 1880, zwei Jahre nach Brocas frühem Tod, seine Doktorarbeit fertig. Im Jahr 1885 wurde er Professor für physische Anthropologie an der Ecole d'Anthropologie, 1900 Direktor des Anthropologischen Laboratoriums an der Ecole Pratique des Hautes Etudes und 1902 stellvertretender Direktor der physiologischen Forschungsstation des Collège de France.

Bis zu seinem Tod im Jahr 1927 stellte Manouvrier sein Leben ganz in den Dienst der Anthropologie. Er war der unbestrittene akademische und geistige Nachfolger Brocas und bildete fast die gesamte kommende Generation von physischen Anthropologen aus. Entsprechend groß war sein Einfluß. Ehrgeizige junge physische Anthropologen aus aller Welt wurden von seinen Laboratorien angezogen. Einer seiner Studenten aus den neunziger Jahren des 19. Jahrhunderts, der in der Tschechei geborene Amerikaner Aleš Hrdlička, nahm sich Manouvriers Karriere zum Vorbild und versuchte – allerdings erfolglos –, an den Ufern des Potomac ein amerikanisches Gegenstück zur Ecole d'Anthropologie aufzubauen.

Manouvrier ging ganz in seiner Arbeit auf und entwickelte so viele Ideen, daß nur ein kleiner Teil davon gedruckt erschien, obwohl er eine stolze Zahl an Arbeiten über eine Vielzahl von Themen schrieb. In seinen Laboratorien wurde diskutiert und experimentiert. Außerdem war er bekannt dafür, daß er nächtelang, manchmal bis zum frühen Morgen, mit Kollegen, Studenten und Freunden durch die Pariser Straßen wandelte, tief versunken in Gespräche über philosophische oder wissenschaftliche Themen.

Am bekanntesten wurde Manouvrier dadurch, daß er Ende des 19. und Anfang des 20. Jahrhunderts der physischen Anthropologie in Frankreich zu ihrer ersten Blüte verhalf. Einer seiner wichtigsten Beiträge war seine These, daß neben der Vererbung drei weitere Faktoren – Umwelt, gewohnheitsmäßige Verhaltensweisen sowie Körpergröße und -proportionen – tiefgreifende Auswirkungen auf das Skelett haben können. So erklärte er die Tibia-Retroversion, die man bei den Fossilien von Spy festgestellt hatte, mit den Handlungsmustern dieser Lebewesen zu Lebzeiten und legte ganz richtig dar, daß dieses Merkmal nur wenig über die Fähigkeit aussagte, aufrecht zu stehen.

Mit ähnlichen Argumenten unterstützte Manouvrier den Evolutionsgedanken, so wie man ihn in Frankreich verstand (im späten 19. Jahrhundert war auch der Begriff Transformismus sehr geläufig). Wenn der Körper formbar war, so Manouvriers Überlegung, dann mußte es irgendeine Art von Evolution geben, die von einem Lamarckschen Mechanismus angetrieben wurde. Obwohl Manouvrier nicht glaubte, daß die Darwinsche natürliche Selektion mehr war als ein einfacher Filter für einzelne abnorme Formen – eine recht weitverbreitete Meinung zu jener Zeit –, unterstützte er uneingeschränkt den Evolutionsgedanken. Tatsächlich setzte er sich mit der ganzen Autorität seiner akademischen Ämter für die Evolutionstheorie ein und überzeugte viele seiner Kollegen.

In den letzten Jahren vor der Jahrhundertwende war Manouvrier ein ruhiger, disziplinierter Mann mittleren Alters, etwas korpulent und mit einem ergrauenden Knebelbart. Aber sein konservatives Äußeres und seine untadeligen Referenzen als prominentes Mitglied des akademischen Establishments täuschten über seine politischen Ansichten hinweg. Seine tief verwurzelte Überzeugung, daß ein Individuum sich entscheidend verändern konnte, traf auf soziale wie auch auf wissenschaftliche Belange zu. Er glaubte uneingeschränkt an den Fortschrittsbegriff des 19. Jahrhunderts und an die Fähigkeit des einzelnen, es aus eigener Kraft zu etwas zu bringen: Genetik war nicht Schicksal – eine Ansicht, die zunehmend tendenziös werden sollte.

Manouvrier war eine führende Autorität auf dem Gebiet der Anthropometrie, der Wissenschaft von der Vermessung der menschlichen Gestalt. Wie Topinard, Brocas zweiter berühmter Schüler, glaubte Manouvrier, daß das Messen eine Möglichkeit bot, Beobachtungen objektiv und exakt zu machen. Als einer der ersten entwickelte er eine Methode, mit deren Hilfe sich die Körpergröße anhand der Länge einzelner Röhrenknochen schätzen ließ – eine Methode, die inzwischen mit Hilfe statistischer Techniken, die um die Jahrhundertwende noch nicht verfügbar waren, verbessert wurde. Manouvriers Ansatz paßte zu den damals weit-

187

verbreiteten Versuchen, an Skeletten psychologische und philosophische Eigenschaften abzulesen. Es handelte sich um eine Art Phrenologie des gesamten Körpers, ein unwissenschaftliches – aber zu jener Zeit vollkommen glaubwürdiges – Verfahren, sich mit der physischen Variabilität des Menschen zu beschäftigen.

Tatsächlich war das Institut d'Anthropologie führend in solchen Studien der menschlichen Anatomie, und Manouvrier wurde stark von dem Physiologen Etienne-Jules Marey beeinflußt. Obwohl Manouvrier am Institut lehrte, forschte er auch in Mareys Laboratorium – dessen stellvertretender Direktor er später wurde –, wo neuartige Studien zur menschlichen und tierischen Fortbewegung durchgeführt wurden. Mit der Zeit verlagerte sich Manouvriers Interesse von der ausschließlich deskriptiven Anatomie – dem Messen als Selbstzweck – hin zu einem Verständnis dessen, was die anatomischen Unterschiede im Hinblick auf die Funktion bedeuteten.

Manouvriers Untersuchungen zur Hirngröße sollten faszinierende Konsequenzen haben, die alle Erwartungen weit übertrafen. Eine seiner wichtigsten Feststellungen – die der früheren Arbeit Brocas widersprach – lautete, daß der Unterschied zwischen der Hirngröße des Mannes und der der Frau keine Bedeutung hat. Der offensichtliche Unterschied, den Broca und andere entdeckt hatten, lag lediglich in der Körpergröße des Mannes begründet. Menschen mit größeren Körpern besaßen größere Gehirne und Menschen mit kleineren Körpern kleinere, aber die Proportionen blieben konstant. Diese Entdeckung schlug sich sofort in der französischen Bildungspolitik nieder, denn fortan wurden Frauen mehr intellektuelle und berufliche Möglichkeiten eröffnet.

Das also war der Mann, der in Frankreich Dubois' Fossilien beurteilen und seine Thesen überprüfen sollte. Manouvrier faßte in seinem Vortrag vor der Pariser Société d'Anthropologie zunächst Dubois' wichtigste Aussagen über die Fossilien von Trinil zusammen: daß die Knochen von einem Tier stammten, das eine Zwischenform zwischen den Menschenaffen und dem Menschen darstelle, daß es aufrecht gegangen sei (daher auch der Name *Pithecanthropus erectus*), daß es ein echter Vorfahr des Menschen sei und vom Gibbon abstamme. Dann fuhr Manouvrier fort:

Da aber unglücklicherweise der Zahn einen Meter vom Femur und fünfzehn Meter vom Cranium entfernt gefunden wurde, ist es nicht absolut sicher, daß diese drei Stücke von einem einzigen Wesen stammen. M. Dubois verleiht nachdrücklich seiner Überzeugung Ausdruck, daß dies der Fall sei, aber Zweifel sind angebracht.[14]

Dies war der wichtigste und häufigste Kritikpunkt: Schädel, Zahn und Femur stammten nicht vom selben Körper. Dubois mochte zwar versichern, daß es »thöricht« sei, die Verwandtschaft der drei Funde in Frage zu stellen, aber sein Wort allein genügte nicht. Das Fehlen einer detaillierten geologischen Dokumentation forderte solche Vorwürfe geradezu heraus.

Manouvrier sprach aus, was viele dachten, als er behauptete, daß sich dieses Femur durch kein einziges Merkmal von einem modernen und in jeder Hinsicht menschlichen Femur unterscheide. Die pathologische Knochenwucherung auf dem Femur sei von der Art, wie sie beim Menschen auftrete, und nur deshalb bemerkenswert, weil sie in extremer Form vorliege. (Tatsächlich glauben bis heute die meisten Wissenschaftler, daß dieses Femur von einem modernen Menschen stammt. Im Vergleich mit den mittlerweile zahlreich vorliegenden Femora des *Pithecanthropus,* heute *Homo erectus* genannt, kann es als sicher gelten, daß das Trinil-Femur in seiner Ähnlichkeit zu dem des modernen Menschen einzigartig ist und sich von allen anderen deutlich unterscheidet.)

Der Zahn dagegen war recht menschenaffenähnlich und konnte durchaus zu dem Schädeldach gehören. Manouvrier bestätigte die Schätzung Dubois', der das Schädelvolumen des *Pithecanthropus* mit ungefähr tausend Kubikzentimetern angegeben hatte. Das hieß: Wenn das Wesen tatsächlich so groß gewesen war, wie das Femur vermuten ließ, so mußte es sich um einen mikrozephalen Idioten gehandelt haben. Doch Manouvrier zweifelte, ob der Schädel wirklich pathologisch war. Er glaubte vielmehr, daß zwischen der Kalotte und den Schädeln der Neandertaler bedeutungsvolle Ähnlichkeiten bestanden, besonders was die großen Überaugenwülste anbelangte. Er schloß seine Ausführungen mit der Vermutung, daß Dubois möglicherweise eine der Zwischenformen zwischen Mensch und Menschenaffe gefunden habe, von der in der Evolutionstheorie die Rede sei. Im weiteren Verlauf der Debatte unterstützte er zusammen mit de Mortillet und wenigen anderen die Ideen Dubois' in zunehmendem Maße. Vielleicht kam Dubois in Frankreich zugute, daß er fließend französisch sprach und seine Idee unverfälscht weitergeben konnte.

In Deutschland wurden Dubois' Funde in gewohnter Manier besprochen. So erklärte Wilhelm Krause in einem Vortrag vor Virchows Gesellschaft (die inzwischen Berliner Anthropologische Gesellschaft hieß) voller Hohn, er *als Anatom* könne mit Dubois' unsinnigen Ideen kurzen Prozeß machen. Da Dubois selbst Anatom war und in Amsterdam gearbeitet hatte, waren solche Zweifel an seiner fachlichen Kompetenz eine schwere Beleidigung. Krause war der Ansicht, das Femur stamme von einem Menschen, das Schädeldach von einem Riesengibbon; der Zahn sei ebenfalls menschenaffenartig, und mehr gebe es dazu nicht zu sagen. Daß man die Überreste nebeneinander im Boden gefunden habe, sei ebenfalls ohne Bedeutung, denn »in Flußbetten liegen die verschiedenartigsten Dinge neben- und übereinander ...«[15]. Krause gestand Dubois lediglich zu, eine neue große Gibbon-Spezies entdeckt und nachgewiesen zu haben, daß moderne Menschen offensichtlich schon im oberen Pliozän gelebt hatten (dem Zeitalter, dem die Duboisschen Funde gewöhnlich zugeschrieben wurden).

Natürlich wohnte auch Virchow, der als Gründer der Gesellschaft auch ihr berühmtestes Mitglied und Präsident auf Lebenszeit war, dem Treffen bei und meldete sich in der anschließenden Diskussion zu Wort. Die Beschreibung der geologischen Beschaffenheit und der Umstände, unter denen die Funde gemacht worden waren, so sein Urteil, seien vollkommen unzureichend. Mit Dubois' eigenen Worten erklärte er, es sei »thöricht« gewesen, nicht in Betracht zu ziehen, daß die Fossilien von unterschiedlichen Wesen stammen könnten: So stamme der Schädel wahrscheinlich von einem großen Gibbon, desgleichen das Femur, auch wenn es sich nur geringfügig von dem eines modernen Menschen unterscheide. Der Zahn hingegen sei zu beschädigt, als daß man etwas Verbindliches über ihn sagen könne. Kurz und gut: Dubois' Behauptung, er habe das *missing link* gefunden, basiere auf gewagten Spekulationen, die keiner wissenschaftlichen Überprüfung standhielten. Dubois habe lediglich einen sehr interessanten Gibbon entdeckt, mehr nicht.

Virchow bestritt kategorisch jegliche Ähnlichkeit zum Menschen, während einige seiner Kollegen behaupteten, das Schädeldach stamme von einem Menschen. Die Überaugenwülste waren groß, darin stimmten alle überein, aber genau hinter diesen Überaugenwülsten wies das Schädeldach eine Verengung auf – ein Merkmal, das postorbitale Einschnürung genannt wird und nach Virchow beim Menschen niemals auftrat. Außerdem, so Virchow, gehe Dubois von einer falschen Ursache für die pathologische Wucherung an dem Femur aus. Er, der bedeutendste Pathologe Europas, vermutete vielmehr, daß die Wucherung durch eine Infektion verursacht worden sei, vermutlich an der Wirbelsäule. Während des Heilungsprozesses habe das Wesen sich nicht bewegen können und von anderen gepflegt werden müssen, was auf einen Menschen schließen lasse, während jenes Wesen, von dem die Kalotte stamme, einer anderen Spezies angehöre. Dennoch wollte Virchow, der sich damit selbst widersprach, die Möglichkeit nicht ausschließen, daß das Femur einem Affen gehört hatte.

Wie nicht anders zu erwarten, blieb Virchows Ansicht in Deutschland nicht unwidersprochen. Ernst Haeckel war mit ihm bereits so verfeindet, daß beide gar nicht mehr anders konnten, als in dieser Sache gegensätzliche Standpunkte zu vertreten. Hinzu kam, daß Haeckel sich durch Dubois' Wahl des Namens *Pithecanthropus* überaus geschmeichelt fühlte. Außerdem hatte ihm Dubois einen taktvollen Brief geschrieben, in dem er ihm mitteilte, daß er den Fund des *missing link* als eine Möglichkeit ansehe, seine Dankbarkeit für Haeckels Einfluß zum Ausdruck zu bringen. Sowohl Dubois' Interpretation der Funde als *missing link* als auch seine Phylogenie, das heißt sein Stammbaum, fanden Haeckels uneingeschränkte Zustimmung. Ja, er setzte sich an der Universität Jena sogar dafür ein, Dubois die Ehrendoktorwürde zu verleihen, drang damit aber nicht durch, da man Dubois für zu umstritten hielt. Doch auch Haeckel selbst, der mehr als geneigt war, Dubois zu glauben, zweifelte an dessen Beurteilung des Femurs und bemerkte die Ähnlichkeiten zwischen dem Trinil-Schädeldach und den Crania aus dem Neandertal und von Gibraltar. Obwohl Haeckel bislang wenig Zeit auf die Untersuchung von

Fossilien verwendet hatte, vertrat er nun die Ansicht, daß sowohl der *Pithecanthropus* als auch der Neandertaler Übergangsformen in der Entwicklungslinie waren, die Mensch und Menschenaffe miteinander verband.

In England war die Monographie ähnlich umstritten. Eine neue Ära war angebrochen. Fast alle großen Männer der Wissenschaft waren tot. Lyell war 1875 gestorben, Darwin 1882, und Huxley folgte ihnen nach mehrmonatiger Krankheit im Jahr 1895, gerade zu der Zeit, als die *Pithecanthropus*-Debatte in vollem Gange war. Die nachrückende Generation von Wissenschaftlern hatte, auch wenn sie durchaus kompetente Leute zu den Ihren zählte, einfach nicht mehr das Format der Alten. Keiner war da, der über die notwendige Intelligenz, Überzeugungskraft und Position verfügte, um in der britischen Paläanthropologie die Führungsrolle zu übernehmen. Die Folge war, daß eine ganze Palette unterschiedlicher Meinungen vertreten wurde.

Einige Wissenschaftler wiederholten unwissentlich ähnliche Argumente, wie sie schon im Zusammenhang mit den Fossilien aus dem Neandertal gefallen waren. Der Paläontologe Lydekker[16], der den *Anthropopithecus* in den Siwalik-Bergen gefunden und auch benannt hatte, glaubte, daß Dubois' Funde von einem mikrozephalen Menschen stammten. Der Anatom Daniel J. Cunningham kritisierte Dubois in einem Vortrag vor der Royal Dublin Society, indem er ihm vorhielt, das Schädeldach nicht mit den Neandertaler-Resten oder mit den Crania anderer primitiver Rassen verglichen zu haben. Obwohl das Trinil-Schädeldach ihn an einen Mikrozephalen erinnerte, war es den Crania aus dem Neandertal auffallend ähnlich. War es möglich, daß die Mikrozephalen einen Atavismus darstellten, also eine Rückkehr zu einem entwicklungsgeschichtlich als alt geltenden Zustand? Cunningham zog die Schlußfolgerung, daß eine direkte Abstammungslinie vom *Pithecanthropus* über den Neandertaler zum modernen Menschen gezogen werden konnte. Er wurde nicht müde, seine Argumente in Publikationen und Vorlesungen zu wiederholen, so auch bei einem Vortrag, den er am 13. Februar 1896 vor der Anatomical Society of Great Britain and Ireland hielt.

An dieser Veranstaltung nahm auch der ehrgeizige, junge schottische Anatom Arthur Keith[17] teil, der gerade als Prosektor für

Anatomie ans London Hospital berufen worden war. Keith sollte eine der führenden Kapazitäten in Großbritannien auf dem Gebiet menschlicher Fossilien werden. 1866 geboren, war er wenige Tage vor Cunninghams Vortrag dreißig Jahre alt geworden. Als vierter Sohn von Jessie Keith, geborene Macpherson, und dem Kleinbauern John Keith war er bemüht, sich in den wissenschaftlichen Kreisen Londons einen Namen zu machen. Die Diskussion um Dubois' *Pithecanthropus* schien ihm dafür bestens geeignet.

Obwohl die Finanzmittel der Familie knapp bemessen waren, hatte es der junge Arthur geschafft, an der University of Aberdeen Medizin zu studieren. Er war ein unverbildeter Junge vom Land, der bei der Aussprache des *R* seine Schwierigkeiten hatte, was ihm den Spott der Kommilitonen eintrug und seinen Stolz verletzte. Dennoch schnitt er hervorragend ab und erhielt als Auszeichnung für seine herausragenden Leistungen im Fach Anatomie ein Exemplar von Darwins *Die Entstehung der Arten* mit einer persönlichen Widmung des berühmten Professors John Struthers. Als Keith auch bei einer Ausleseprüfung die besten Noten erzielte, wurde ihm für die letzten drei Jahre auf der Medical School ein großzügiges Stipendium gewährt. Nach Beendigung des Studiums 1888 suchte er verzweifelt nach Arbeit. Schließlich fand er eine Anstellung als Assistent bei dem Mansfielder Arzt Dr. Trevor Jones, der seine Karriere als junger Mediziner in Westafrika begonnen hatte, dort Erfahrungen gesammelt und sich ein bescheidenes Vermögen zusammengespart hatte. Obwohl Keith seinen englischen Mentor verehrte, griff er sofort zu, als sich ihm eine unverhoffte Chance bot: Einer seiner früheren Professoren hatte ihn als Arzt für ein Goldminen-Projekt in Siam (dem heutigen Thailand) empfohlen. Man stellte ihm ein gutes Gehalt, ein Haus mit Bediensteten sowie kostenlose Hin- und Rückreise in Aussicht und warb mit der Gelegenheit zu Forschung und Abenteuer. Keith bat Jones, ihn aus seinem Vertrag zu entlassen, und begründete sein Ersuchen damit, daß sich ihm hier eine ähnlich günstige Gelegenheit biete wie Jones seinerzeit. Die Gefühle siegten, und Keith reiste nach Bangkok.

Wie Dubois in Sumatra, so erwies auch Keith sich als tüchtiger Arzt – obwohl Malaria und Alkohol der übrigen europäischen Bevölkerung in Siam stark zusetzten – und nutzte seine knapp bemessene freie Zeit dazu, den Grundstein für seine wissenschaftliche Karriere zu legen. Er sammelte Pflanzen für Joseph Hooker, der in Kew Gardens, dem botanischen Garten von Richmond, arbeitete, sezierte Affen und Menschenaffen und beschäftigte sich mit den unterschiedlichen Menschenrassen – ein Interesse, das sein ganzes Leben anhalten sollte. 1892 kehrte er nach Großbritannien zurück und studierte am University College in London und wieder in Aberdeen. Im Jahr darauf erhielt er als erster überhaupt den nach seinem Anatomielehrer benannten Struthers-Preis für seine in Siam begonnene Arbeit über den Vergleich der Ligamente von Menschenaffen und Menschen. 1894, ungefähr zu der Zeit, als Dubois' Monographie herauskam, war Keith am Ziel seiner beruflichen Wünsche: Er wurde zum Fellow des Royal College of Surgeons gewählt und erhielt in Aberdeen seinen M. D. (Dr. med.) für eine Studie über die Muskulatur von Primaten. (Für diesen akademischen Grad mußte man in Großbritannien ein eigenes Forschungsprojekt zum Abschluß gebracht haben.) Damit besaß er alle nötigen Referenzen, um seine Ansichten über die Anatomie der Menschenaffen und der Menschen zu Gehör zu bringen, auch wenn er damals noch wenig Erfahrung mit Fossilien hatte. Und er gehörte nicht zu denen, die eine Gelegenheit verstreichen ließen, Kostproben ihres Wissens zu geben.

In der Diskussion, die auf Cunninghams Vortrag folgte, wies Keith darauf hin, daß sowohl das Alter als auch die Zusammengehörigkeit der Fossilien fraglich seien, da man sie am Ufer eines Flusses gefunden habe, der alljährlich Hochwasser führe. Seiner Ansicht nach war der Molar (Backenzahn) zu »äffisch«, um zu dem Schädel oder dem Femur zu gehören.

Keiths bedächtige und etwas unbeholfene Art zu sprechen stand in deutlichem Kontrast zu dem oft schneidenden Stil seiner Schriften, der in späteren Jahren fast Virchowsche Schärfe annahm. Seine Veröffentlichung über den *Pithecanthropus,* in der er von seiner ursprünglichen Interpretation des Femurs abrückte und den Fund als Beweis für eine viel umfassendere Theorie ansah, gibt einen Eindruck davon:

Ich halte es [nun] für sehr wahrscheinlich, daß die menschliche Gestalt ihre Eignung zur Fortbewegung auf zwei Beinen lange vor der Zeit erlangte, als das Gehirn seine heutige komplexe

Struktur erhielt. Wenn man dies für wahrscheinlich oder sogar möglich hält, spricht nichts dagegen, das Femur der Bengawan-Frau [*Pithecanthropus erectus*] zuzuschreiben ... Wir können [nun] mit einiger Sicherheit sagen, daß sich der Mensch seit dem Ende des Tertiärs nicht sehr verändert hat ... Um einen Hinweis auf die menschliche Abstammungslinie zu erhalten, helfen uns die bis zum heutigen Zeitpunkt bekannten fossilen Reste in keinem Punkt weiter.[18]

Mit anderen Worten: Keith behauptete, daß das Femur, obwohl es sehr modern war, zu den anderen Fossilien gehörte und ein Beweis dafür war, daß der Körper der menschlichen Vorfahren lange vor dem Gehirn moderne Gestalt angenommen hatte. Deshalb sei der *Pithecanthropus* mit »modernen« Beinen und einem dem Neandertaler ähnlichen, affenartigen Kopf durchaus denkbar, wenn auch nicht sehr hilfreich. Dies ist ein wichtiger Punkt, allerdings weniger für die Rezeption des *Pithecanthropus* als vielmehr für das Verständnis der Denkweise von Keith. Mitte der neunziger Jahre des 19. Jahrhunderts fand die Meinung des jungen Forschers in der Wissenschaft noch keine große Beachtung. Doch zwanzig Jahre später sollte seine These, daß sich das Gehirn erst nach dem übrigen Körper entwickelt hat, maßgeblichen Einfluß auf die Rezeption der anderen noch zu untersuchenden Fossilien haben.

Sir William Turner war ein weiterer Wissenschaftler, der sich zu Dubois' Fossilien äußerte. Er war das beste Beispiel für einen Mann, dessen beruflicher Aufstieg mehr auf harter Arbeit und Charakterstärke denn auf überragender Intelligenz beruhte. Im Verlauf seiner Karriere veröffentlichte Turner viele und sogar recht umfangreiche Werke über die Anatomie des Menschen und der Primaten – insgesamt liegen von ihm 276 Publikationen über dieses Thema vor. Er versuchte sich an diversen Themen. So schrieb er über neolithische Schädel aus Schottland und verfaßte Studien über das menschliche Gehirn. Rückblickend wirken seine Arbeiten zwar kompetent, aber langweilig. Daß er in verschiedene Ämter gewählt wurde, verdankte er denn auch weniger der Qualität seiner Forschungen als vielmehr der Energie und Gewissenhaftigkeit, mit der er seine Arbeit in Gesellschaften und Komitees versah. Als prominenter und einflußreicher Anatom war er 1894 häufig in der Öffentlichkeit zu sehen. Er war zum Ritter geschlagen worden und Fellow der Royal Society (von London und von Edinburgh). Außerdem war er Leiter des Fachbereichs Anatomie an der University of Edinburgh, Gründer und Herausgeber des *Journal of Anatomy and Physiology* und Präsident der Anatomical Society of Great Britain and Ireland.

Wie viele, die gern in Komitees arbeiten und Berichte verfassen, nutzte auch Turner jede Gelegenheit, mit wissenschaftlichen Themen an die Öffentlichkeit zu treten. So ging er in einem Vortrag, den er am 4. Februar 1895 vor der Royal Society of Edinburgh hielt, ausführlich auf das Material aus Java ein. Eitel, wie er war, neigte er dazu, seine Zuhörer immer wieder an seine Auffassungen zum Thema menschliche Evolution zu erinnern, die er seit mehr als dreißig Jahren vertrat. In seinem Vortrag schwang ein »natürlich habe ich das schon immer gesagt« mit, obwohl die fraglichen Schriften teilweise so doppeldeutig waren, daß sie später dazu benutzt werden konnten, zwei gegensätzliche Meinungen zu untermauern. Zu Beginn seines Vortrags legte er einmal mehr seinen Standpunkt zur Neandertaler-Frage dar:

In einer Abhandlung, die ich vor einunddreißig Jahren verfaßt habe …, habe ich gezeigt, daß sich die Merkmale der Neandertaler an den Schädeln von heutigen Wilden und sogar an einigen Exemplaren moderner europäischer Crania wiederfinden … Die obige Schlußfolgerung wird heute allgemein anerkannt, so daß Anthropologen bei der Untersuchung von Schädeln wilder und zivilisierter Rassen nicht selten davon sprechen, daß sie neandertaloide Merkmale besäßen.

[Fraipont und Lohest] haben den Einfluß der Körperhaltung, der [bei den Neandertalern] eine Veränderung der Gliedmaßenknochen bewirkt haben könnte, ebensowenig in ausreichendem Maße berücksichtigt wie die Auswirkungen von Betätigung, Gewohnheiten und Muskelaktivität auf die noch verformbaren Knochen während der Wachstumsphase. In der von mir im Jahr 1886 veröffentlichten Untersuchung … habe ich auf die bei vielen Wilden übliche Hockstellung hingewiesen. Merkmale, die nach Auffassung der Herren Collignon und Fraipont auf die Unfähigkeit, eine wirklich aufrechte Haltung einzunehmen, hindeuteten, waren eine Folge der gewohnten Hockstellung, welche die Wilden in früherer Zeit eingenommen haben und auch heute noch einnehmen. Wir besitzen daher keinen Beweis, daß der Mensch des Quartärs nicht ebenso wie der moderne Mensch in der Lage gewesen wäre, seinen Körper in eine aufrechte Haltung zu bringen.[19]

Nachdem Turner den Neandertaler als mögliche Zwischenform ausgeschlossen hatte, wandte er sich dem *Pithecanthropus* zu. Seiner Meinung nach lag der erste Schwachpunkt der Arbeit von Dubois darin, daß er nur über eine begrenzte Auswahl von Menschenaffen für seine vergleichende Untersuchung verfügt hatte. Deshalb legte Turner seine eigenen Ergebnisse vor. Sie beruhten auf Messungen, die er an zwei Schimpansen, zwei Orang-Utans und sieben Gorillas vorgenommen hatte – also an kaum mehr Tieren, als Dubois zur Verfügung gestanden hatten. Desweiteren habe Dubois den Fehler begangen, das Schädeldach nur mit den Crania von Europäern, also Angehörigen zivilisierter Rassen, zu vergleichen. Statt dessen hätte er Schädel von Wilden heranziehen sollen, dann wäre ein Gehirnvolumen von tausend Kubikzentimetern nicht ungewöhnlich klein; er selbst verfüge beispielsweise über zwanzig aus einer »großen Sammlung« von Crania aus Indien, Australien, von den Andamanen und anderen Orten, die dieses Volumen aufwiesen. Was den Zahn angehe, so gehöre er vermutlich nicht zum Cranium, und das Femur liege durchaus im normalen Rahmen menschlicher Variabilität, was Dubois bei der Untersuchung einer ausreichend großen Zahl festgestellt hätte. Mit einem Wort: Turner war von Dubois' Behauptung, er habe eine Zwischenform gefunden, ebensowenig überzeugt wie von seiner Arbeitsmethode.

Außer von Haeckel, Manouvrier und später de Mortillet erhielt Dubois nur noch von dem Amerikaner Othniel Charles Marsh begeisterte Unterstützung. Marsh war Paläontologe in Yale, und obwohl er den Großteil seiner Karriere den Dinosauriern und fossilen Pferden widmete, hatte er keine Bedenken, sich auf dilettantische Weise mit der menschlichen Evolution zu befassen. Er veröffentlichte eine vielbeachtete Abhandlung, in der er sich schmeichlerisch über Dubois' »bewundernswerte« Publikation äußerte, die ihn als einen Anatomen ausweise, »der über mehr als die üblichen Kenntnisse verfügt und voll dazu befähigt ist, den von ihm gemachten wichtigen Fund zu dokumentieren«[20]. Obwohl Marsh nicht in allen Punkten mit Dubois übereinstimmte, folgerte er:

... Er hat der Wissenschaft die Existenz einer neuen prähistorischen anthropoiden, tatsächlich nicht menschlichen Form bewiesen, die aber, was Größe, Gehirnvolumen und aufrechte Haltung anbelangt, dem Menschen viel näher steht als jedes andere bisher entdeckte, lebende oder ausgestorbene, Tier ... Es kann keinen Zweifel darüber geben, daß seine Entdeckung ein ähnlich interessantes Ereignis ist wie die des Neandertaler-Schädels.[21]

Für Dubois, der die Neandertaler als pathologische Menschen ansah, die nur fälschlicherweise mit der menschlichen Evolution in Zusammenhang gebracht wurden, war das freilich ein zweifelhaftes Kompliment. Marsh beschrieb auch, was sich am 21. September 1895 auf dem dritten internationalen Zoologenkongreß in Leiden ereignete, auf dem sich Dubois nach monatelangen Angriffen schließlich seinen Kritikern stellte.

Dubois' Empfang hätte nicht schlechter ausfallen können, selbst wenn er planmäßig vorbereitet worden wäre. Virchow, einer seiner unverblümtesten und mächtigsten Kritiker, war Kongreßvorsitzender. Sein Standpunkt war klar; er brachte seine eigenen Exemplare mit, um seine Argumente zu veranschaulichen und zu zeigen, in welchen Punkten sich Dubois geirrt hatte. Auch wurden mehrere Exemplare, die von Angehörigen unterschiedlicher Menschenrassen und von Menschenaffen stammten, für einen Vergleich aus den Sammlungen des Leidener Museums geholt. Dubois lud Marsh, Virchow und William Flower dazu ein, sich eine Stunde vor Beginn der Zusammenkunft einzufinden und seine Fossilien zu begutachten. Er wußte, daß er in Leiden nicht vor gleichgesinnten Kollegen sprach, denn er hatte ihre Kritiken gelesen. Vielleicht meinte er, daß seine Gegner ihre Ansichten ändern würden, wenn sie die Fossilien erst einmal gesehen hatten. Doch Virchow hielt stur an seiner Haltung fest.

Dennoch zahlte sich Dubois' Strategie aus, denn Marsh war von dem offensichtlich hohen Alter der stark fossilisierten Überreste tief beeindruckt. Ihr tatsächlicher Zustand war aus den Zeichnungen und Fotografien in der Monographie nicht überzeugend abzulesen gewesen. Auch Manouvrier war beeindruckt, als er im darauffolgenden Monat Dubois' Material in Paris zu Gesicht bekam. Und so erging es auch anderen Wissenschaftlern, Virchow ausgenommen.

Dubois hatte begriffen, daß das Fehlen geologischer Daten gegen ihn sprach. Aus diesem Grund beschrieb er in seinem Vortrag die Fundstätte, lieferte einige Informationen über die dort gefundenen Faunenreste, die auf das Pliozän schließen ließen, und legte einen geologischen Schnitt vor, auf dem die Position der Fossilien vermerkt war. Mit dieser Fülle neuer Informationen kaschierte er geschickt, daß er tatsächlich nicht genau wußte, woher die Fossilien stammten, und beruhigte seine Zuhörer etwas.

Dubois bekräftigte auch seine Behauptung, daß das Femur nicht von einem Menschen stamme, und verwies auf Vergleiche mit vierhundert Femora, die er seit seiner Rückkehr aus Java mit Hilfe Manouvriers durchgeführt hatte. Er betonte, daß der Schädel sowohl menschliche als auch menschenaffenartige Merkmale aufweise. Dies sei auch der Grund für die Meinungsverschiedenheiten unter den Wissenschaftlern und belege letztlich, daß es sich um eine Übergangsform handele. Das unvollständige Cranium gleiche nicht den pathologischen Schädeln aus dem Neandertal und von Spy, denn deren Hirnschalen seien größer.

Den neuesten und dramatischsten Beweis hob sich Dubois allerdings für den Schluß seines Vortrags auf. Er präsentierte einen neuen Molaren, der, wie er sagte, nur drei Meter vom Schädeldach entfernt entdeckt worden sei und sein Argument stütze, daß die Funde von einem einzigen Wesen stammten. Dieser zweite Molar gibt Rätsel auf: In der wichtigsten neueren Abhandlung über das von Dubois gefundene Material wird behauptet, daß es sich um einen beschädigten Affenzahn gehandelt habe, den man bereits Jahre zuvor gefunden und erst nachträglich als menschlich klassifiziert habe, um den Einwand zu entkräften, die Funde gehörten nicht zusammen. Ein weiteres Fragment, so die Überlegung, würde es wahrscheinlicher erscheinen lassen, daß alle Teile von einem einzigen Wesen stammten. Logisch betrachtet, macht dieses Argument keinen Sinn, denn bei der Präsenz von zwei Individuen wäre die Möglichkeit, einen weiteren Teil von einem der beiden zu finden, sogar noch größer. Die emotionale Wirkung des Arguments war allerdings groß.

Dieser Versuch zu »beweisen«, daß Fossilien, die an unterschiedlichen Orten gefunden worden waren, von einem einzigen Wesen stammten, gab bereits einen Vorgeschmack von dem, was sich zwanzig Jahre später im Fall des gefälschten Piltdown-Schädels ereignen sollte. Dieser Fund löste die nächste große Debatte über die Zusammengehörigkeit fossiler Überreste aus. Ebenso wie in Leiden präsentierte man auch in Piltdown einen weiteren gefundenen Zahn, der »beweisen« sollte, daß die Fossilien von einem einzigen Wesen stammten. Nahmen an dem Treffen in Leiden Personen teil, die später in den Piltdown-Schwindel verwickelt waren?

Es steht außer Frage, daß Dubois in Leiden einige neue Anhänger gewann. Gleichwohl stimmten ihm am Ende der Diskussion nur wenige uneingeschränkt zu. Einig war man sich nur darin, daß ihm eine sehr wichtige Entdeckung gelungen war. Die Erklärungen, die in diesem Sinn abgegeben wurden, wirken allerdings wie Versuche, den Entdecker zu beschwichtigen, und erinnern an das Ergebnis der Untersuchung von Moulin Quignon dreißig Jahre zuvor. Ebenso wie Boucher de Perthes war auch Dubois alles andere als zufrieden. Er fühlte sich mißverstanden und herabgesetzt.

Dubois reagierte mit der ihm eigenen Sturheit und Beharrlichkeit, begab sich auf eine Vortragsreise und hielt überall emphatische Reden, so in Lüttich, Brüssel, zweimal in Paris, London, Edinburgh, Dublin, Berlin und Jena. Bis zu einem gewissen Grad war es seiner Sache förderlich, daß er die Fossilien seinen Kollegen zeigte und seine Thesen erläuterte. Mehrere angesehene Wissenschaftler akzeptierten zumindest einige seiner Schlußfolgerungen. Uneingeschränkt stimmten jedoch nur wenige zu, und die Kontroverse setzte sich noch Jahre fort. Bis 1900 erschienen zu diesem Thema mindestens achtzig Artikel, Abhandlungen und Bücher.

Die Ähnlichkeit der Fossilien mit den einst so umstrittenen Neandertalern wurde von vielen überrascht zur Kenntnis genommen.

Inzwischen galt es als gesichert, daß die Neandertaler entweder sehr primitive Menschen oder Vorfahren des Menschen mit menschenaffenartigen Merkmalen waren. Als Dubois die Neandertaler-Fossilien von Spy in Lüttich zum ersten Mal untersuchte, erklärte er, daß er sich geirrt habe: Sie seien nicht pathologisch und wiesen große Ähnlichkeiten mit dem *Pithecanthropus* auf. Das war eines der wenigen Male, daß Dubois seine Meinung änderte, und bezeichnenderweise ging es dabei nicht um sein eigenes Material.

In Berlin wehrte er sich vehement gegen die nahezu einstimmige Ablehnung seiner Vorstellungen, die hauptsächlich von Virchow ausging, der unbeirrt an seiner Behauptung festhielt, die Überreste stammten von einem Gibbon. Es gebe keinen Beweis, so argumentierten Virchow und seine Anhänger, daß der *Pithecanthropus* eine Übergangsform zwischen Mensch und Menschenaffe sei; und im übrigen werde man einen solchen Beweis auch niemals finden, denn die Evolution selbst sei nur ein Phantasiegebilde aus wilden Spekulationen. In dem Maße, wie sich der Streit um die menschliche Evolution in Deutschland zuspitzte, schlug Virchow immer schärfere Töne an und verstärkte seine verbalen Attacken gegen diejenigen, die nicht seinem Beispiel folgten. Er bestritt, daß eine Evolution stattgefunden hatte; und er bestritt auch, daß die Fossilien irgend etwas mit der menschlichen Evolution zu tun hatten. Und doch schickte er den jungen Vaughan Stevens mit dem Auftrag nach Malakka, das *missing link* zu finden. Allerdings verstand er darunter wohl eher die primitivste moderne Menschenrasse und nicht das Fossil einer Übergangsform zwischen Menschenaffe und Mensch. Virchow wurde alt und widersprach sich gelegentlich selbst, aber er war immer noch der einflußreichste Biologe in Deutschland. Er verurteilte Dubois' Arbeit als »Verwechselung individueller, meist auf vorgefaßter Absicht beruhender teleologischer Vorstellungen mit naturwissenschaftlichen Beweisen«, und er hielt seine Kollegen dazu an, sich davor zu hüten, »dem Publikum den Glauben an die Sicherheit der naturwissenschaftlichen Forschung zu schmälern«[22]. Die Deutschen folgten ihm nahezu einmütig.

Dubois versuchte es nun auf anderem Wege, doch gelang es ihm nicht, Virchow umzustimmen. Um seinen Standpunkt zu untermauern, legte er seine Arbeit über das Verhältnis von Hirngröße zu Körpergewicht vor – die erste aus einer langen Reihe von Studien, mit denen er sich einen Großteil seines weiteren Lebens beschäftigen sollte. Die Methode für solche Untersuchungen stammte von seinem größten Fürsprecher Manouvrier, allerdings hatte Dubois sie in vielen Punkten verbessert. Er war in der Lage zu zeigen, daß bei Säugetieren das Verhältnis von Hirngröße zu Körpergewicht festen Regeln folgt, was bedeutet, daß eine Größe anhand der anderen berechnet werden kann. Obwohl das Verhältnis berechenbar ist, ist es doch nicht konstant; als Dubois unterschiedlich große Spezies miteinander verglich, bemerkte er, daß die Hirngröße nicht im gleichen Verhältnis zunahm wie das Körpergewicht. Er zog den korrekten Schluß, daß große Tiere im allgemeinen über weniger Gehirn pro Kilogramm Körpergewicht verfügen als kleine Tiere.

Was hatte das mit dem *Pithecanthropus* zu tun? Nun, da die Matrix aus dem Schädeldach entfernt worden war, konnte Dubois das Schädelvolumen genauer schätzen und kam auf einen geringfügig niedrigeren Wert. Um bei einem Volumen von neunhundert Kubikzentimetern eine menschenaffenartige Proportion von Hirngröße zu Körpergewicht zu erhalten, hätte der Körper mit ungefähr zweihundertdreißig Kilogramm unvorstellbar schwer sein müssen.[23] Deshalb konnte das fossile Schädeldach nicht von einem Riesengibbon stammen. Wenn man dagegen das für den Menschen typische Verhältnis von Körpergewicht zu Hirngröße zugrunde legte, dann mußte der *Pithecanthropus* über ein Gewicht von etwa neunzehn Kilogramm verfügt haben – ein ähnlich unsinniges Ergebnis in Anbetracht der Femurgröße. Die einzige Möglichkeit, eine vernünftige Schätzung des Körpergewichts zu erhalten, bestand darin, ein Verhältnis von Hirngröße zu Körpergewicht anzunehmen, das zwischen den beiden ersten Berechnungen lag. Damit war klar, daß es sich bei dem *Pithecanthropus* um eine Zwischenform handeln mußte.

Im Jahr 1896 fertigte Dubois eine Rekonstruktion des gesamten Schädels – Cranium und Unterkiefer – sowie aller Zähne des *Pithecanthropus*. Obwohl ihm viele Informationen fehlten, entspricht die Nachbildung in bemerkenswerter Weise den anatomischen Fakten, die inzwischen durch spätere Funde belegt sind.

Manouvrier, der inzwischen vollkommen von Dubois' Sache überzeugt war, legte eine eigene Rekonstruktion mit weniger menschenaffenähnlichem Kiefer und menschlicheren Zähnen vor. Auch de Mortillet stimmte mit Dubois überein. Der *Pithecanthropus* war für ihn die Bestätigung seiner Vorhersage, daß es den Affenmenschen, den er *Anthropopithèque* genannt hatte, tatsächlich als Übergangsform gegeben habe.

In den folgenden Jahren sollte die Debatte in Frankreich, Deutschland, England und den Vereinigten Staaten immer wieder aufleben. Dubois hielt unerschütterlich an seinen Ideen fest und entwickelte sie weiter, während andere ihre Meinung allmählich änderten und wieder andere alle neuen Ansätze vehement ablehnten.

Der Disput führte schließlich dazu, daß eine stattliche Zahl von Gelehrten den *Pithecanthropus* (zumindest das Cranium) als eine Übergangsform anerkannte und damit klar in einen evolutionären Zusammenhang stellte. Den Verfechtern der Evolutionstheorie wie Haeckel, Manouvrier und de Mortillet fiel dies nicht schwer. Am längsten widersetzten sich die Wissenschaftler, die stark von Virchows Ablehnung des Evolutionsgedankens beeinflußt waren.

Die meisten Anhänger der Evolutionstheorie erkannten, daß der *Pithecanthropus* aufgrund seiner Merkmale keine Übergangsform zwischen Mensch und Menschenaffe, sondern zwischen Neandertaler und Menschenaffe war. Statt der Dreierreihe – Mensch, Neandertaler, Menschenaffe – mußte nun von der Viererreihe ausgegangen werden. Da die Funde von Spy bestätigt hatten, daß die Anatomie des Neandertalers nicht pathologisch war, und die Diskussion sich fortan auf den *Pithecanthropus* konzentriert hatte, zählten die Neandertaler nun zu den »guten« menschlichen Vorfahren. Viele Briten, darunter Keith, Cunningham und der Geologe William Sollas, reihten sowohl den Neandertaler als auch den *Pithecanthropus* in die direkte Vorfahrenreihe des Menschen ein.

Obwohl ein Teil seiner Ideen zunehmend akzeptiert wurde, war Dubois verbittert über die scharfe Kritik und den grausamen Spott. Er selbst rückte selten auch nur einen Millimeter von seinem Standpunkt ab. Trotzdem war er zornig und tief verletzt, weil nur wenige Kollegen bereit waren, ihre Ansichten zu ändern. Aus dem aufgeschlossenen jungen Mann war mit den Jahren ein eigenbrötlerischer, gesetzter Herr von kräftiger Statur geworden, der Zweireiher und einen üppigen Schnurrbart trug. Er war es leid, gegen seine sturen Widersacher zu kämpfen. Im Jahr 1898 ging er an die Universität von Amsterdam und übernahm den reizlosen Posten als Professor für Kristallographie, Mineralogie, Geologie und Paläontologie. Sein Einkommen war bescheidener als zehn Jahre zuvor, als er noch ein einfacher Dozent für Anatomie gewesen war – und das, obwohl er der Mann war, der das *missing link* gefunden hatte.

Dubois stürzte sich in seine Arbeit über das Verhältnis von Hirngröße zu Körpergewicht, die er begonnen hatte, um die Zwischenstellung des *Pithecanthropus* zu belegen. In den folgenden zwanzig Jahren trat er nur noch gelegentlich an die Öffentlichkeit, so etwa bei der Weltausstellung 1900 in Paris, wo er eine lebensgroße plastische Nachbildung des *Pithecanthropus* präsentierte. Die männliche Figur stand aufrecht, besaß aber wie ein Menschenaffe einen abgespreizten großen Zeh, der offenbar zum Klettern diente. Die Arme waren lang, und der Daumen war wie bei einem Menschenaffen deutlich kürzer als die anderen Finger. Die Lenden bedeckte ein knapper, sarongähnlicher Rock aus Tierfell.

Am meisten erstaunte der Gesichtsausdruck. Die Gestalt mit dem unbehaarten Gesicht besaß ein kleines Schädeldach und einen etwas vorstehenden Kiefer. Seltsam verwirrt betrachtete sie das Hirschgeweih, das sie in Händen hielt und dessen Sprossen gegen ihren Unterleib gerichtet waren. Mit dieser Besonderheit wollte Dubois seine Ansicht (die sich später als richtig herausstellte) zum Ausdruck bringen, daß der *Pithecanthropus* Werkzeuge hergestellt und verwendet habe. Doch die Haltung des Affenmenschen suggerierte, daß er sich das Geweih in selbstmörderischer Absicht in den Bauch stoßen wollte. Die Anspielung hätte lächerlich gewirkt, wäre die Figur nicht in einer Zeit entstanden, in der Dubois tief verbittert und desillusioniert war. Er war im Begriff, sich von genau jener wissenschaftlichen Arbeit zurückzuziehen, von der er einst geglaubt hatte, daß sie ihm Ruhm und Respekt einbringen würde.

Nach 1900 veröffentlichte Dubois lange Jahre nichts mehr über seine Fossilien und hielt sie unter Verschluß. Die Vitrinen, in denen er sie in seinem Haus aufbewahrte, hatte er mit Zeitungspapier zugeklebt. Sein Starrsinn war so groß, daß Gerüchte kursierten, er habe sich wieder dem Katholizismus zugewandt, die Fossilien zerstört oder unter dem Boden seines Eßzimmers versteckt. Doch solche Behauptungen entbehrten jeglicher Grundlage. Als Dubois älter wurde und mehr der Kritik ausgesetzt war, wuchs seine Angst, andere könnten sich seiner Ideen bemächtigen. Er führte ein Leben voller Gram und Mißtrauen.

Zusätzlich geschürt wurde sein Argwohn durch das Verhalten des Anatomen Gustav Schwalbe von der Universität Straßburg. Schwalbe, der 1844, fünfzehn Jahre vor Dubois, geboren war, hatte Medizin studiert. Sein Spezialgebiet war die vergleichende Anatomie von Menschenaffe und Mensch. Wie Haeckel war auch er ein vehementer Verfechter des Darwinismus. Doch im Gegensatz zu Haeckel glaubte er, daß die fossilen Zeugnisse viel über die Evolution aussagen konnten. So schrieb er: »… eine Zoologie der Säugethiere ohne Paläontologie [ist] nur eine höchst mangelhafte, [die] für die Abstammungsgeschichte des ganzen Säugethiersystems und seiner einzelnen Glieder nur höchst unvollkommenes Material bringen kann …«[24] Und als angesehener Anatom war Schwalbe bestens gerüstet, es mit Virchow aufzunehmen.

Im Frühjahr 1897 besuchte er Dubois, um die Fossilien persönlich zu begutachten. Dubois war erfreut, doch diesmal sollte seine Großzügigkeit gegenüber einem Kollegen böse Folgen haben. Von 1899 an veröffentlichte Schwalbe eine ausführliche vergleichende Studie über das *Pithecanthropus*-Schädeldach von Trinil, die auf mehrere hundert Seiten anwuchs und Dubois' eigene Monographie dagegen unbedeutend erscheinen ließ. Ein Großteil der Studie erschien in der *Zeitschrift für Morphologie und Anthropologie*, die Schwalbe neu gegründet hatte, um, wie er vorgab, die Entwicklung der physischen Anthropologie als Wissenschaft zu fördern. Tatsächlich aber wollte er den redaktionellen Einfluß Virchows schmälern, der als Herausgeber aller anderen anthropologischen Zeitschriften in Deutschland fungierte. Schwalbes Studie über Dubois' Fossilien war überaus gründlich und stellte neue Methoden für das standardisierte Ausmessen und Vergleichen von Schädeln vor. Er zeigte sehr detailliert, worin sich das Trinil-Schädeldach von dem eines Gibbons unterschied; seitenlang schrieb er über die Vielzahl von Merkmalen, die dafür sprachen,

28. *Gustav Schwalbe, der deutsche Pa-*
läontologe, der sich mit seinen Studien
über die Neandertaler- und Pithecan-
thropus-*Fossilien darum bemühte, die*
Paläontologie des Menschen um die
Jahrhundertwende zu einer anerkannten
Wissenschaft zu machen.

daß der *Pithecanthropus* zwischen Neandertaler und Menschenaffe anzusiedeln war. Angeregt durch seine Arbeit über den *Pithe-*
canthropus veröffentlichte Schwalbe zwischen 1901 und 1906 die
Ergebnisse einer anderen langwierigen Untersuchung, die sich mit
den Neandertalern befaßte. Erneut brachte er sein Hauptanliegen
vor, das er in allen seinen Schriften wiederholte: Die Neandertaler
würden sich so stark von modernen Menschen (sogar von Wilden)
unterscheiden, daß solche Fossilien *Homo primigenius* genannt
werden sollten. Daß die Neandertaler eine eigene ausgestorbene
Spezies waren, wurde Schwalbes *Cause célèbre*. Ihre Akzeptanz
wurde dadurch erleichtert, daß heftiger Widerspruch ausblieb,
denn Virchow war am 5. September 1902 im Alter von vierund-
achtzig Jahren gestorben.

Zusätzlich stellte Schwalbe zwei Phylogenien (Stammesge-
schichten) zur Diskussion, die auf den damals vorhandenen Informationen über fossile Menschen beruhten. In der ersten war der
Pithecanthropus sowohl ein direkter Vorfahre des modernen
Menschen als auch des Neandertalers – eines ausgestorbenen Sei-
tenzweigs. In der zweiten wurde davon ausgegangen, daß die Evolution direkt vom *Pithecanthropus* über den Neandertaler (*Homo*
primigenius) zum modernen Menschen (*Homo sapiens*) vorange-
schritten sei und daß es keine Seitenzweige gegeben habe. Damals
schien Schwalbe der direkten Stammlinie den Vorzug zu geben,
obwohl er später die erste für wahrscheinlicher hielt:

Wie gesagt, lege ich wenig Wert auf eine Entscheidung in der Frage, ob gerade die vorliegenden fossilen Schädel der direkten Vorfahrensreihe des Menschen angehören oder seitliche Abzweigungen darstellen. Denn auch in letzterem Falle müssen die Vorfahren ähnlich ausgesehen haben, wie die erhaltenen Reste von *Pithecanthropus* und *Homo primigenius*. Im rein zoologischen Sinne ist in beiden Fällen der *Homo primigenius* eine Zwischenform zwischen *Homo sapiens* und *Pithecanthropus erectus*.[25]

Schwalbe hielt die Einzelheiten von Phylogenien für unbedeutend; viel wichtiger war ihm zu zeigen, daß *Homo primigenius* und *Pithecanthropus erectus* außerhalb der Bandbreite normaler menschlicher Variabilität lagen und deshalb aus anatomischen Gründen jeweils einer eigenen Spezies zugerechnet werden mußten.

In Sachen wissenschaftlicher Methode und logischer Schlüssigkeit war damit ein längst überfälliger Durchbruch gelungen. Für Dubois hingegen war die Angelegenheit ein Ärgernis, denn seine schlimmsten Befürchtungen hatten sich bestätigt. Kaum hatte er einem Kollegen erlaubt, seine wertvollen Fossilien zu begutachten, war seine Meinung nicht mehr maßgeblich, geschweige denn die einzig maßgebliche. Es sollte Jahre dauern und ein Übermaß an diplomatischem Geschick erfordern, bevor Dubois einem Kollegen wieder die Erlaubnis erteilte, einen Blick auf seine Schätze zu werfen.

Am Ende des Jahrhunderts konnte auf eine erfolgreiche Forschung zurückgeblickt werden. Nach fast fünfzig Jahren war die Evolutionstheorie nun weithin akzeptiert, zwei fossile Menschenformen waren bekannt und genau untersucht worden, und die Neandertaler waren, nach langem Hin und Her, in die direkte Vorfahrensreihe des Menschen eingereiht worden. Der Neandertaler, der viele tausend Jahre zuvor in der Feldhofer Grotte gestorben war, rückte wieder in den Mittelpunkt der Diskussion. Man hatte ihn abwechselnd modern, schwachsinnig und pathologisch genannt, doch nur wenige hielten noch an diesen Ansichten fest. Die Kannibalismus-These, die erst kurz zuvor aufgestellt worden war, und die Behauptung, die Neandertaler hätten sich mit gebeugten Knien fortbewegt, standen aber ebenso noch im Raum wie der Vorwurf der allgemeinen moralischen Verderbtheit.

Daß der Neandertaler nun als Vorfahre des Menschen akzeptiert wurde, lag nur daran, daß Dubois' *Pithecanthropus* ins Kreuzfeuer der Kritik geraten war und einige Jahre von den Neandertalern abgelenkt hatte. Dubois war vorgeworfen worden, er sei inkompetent und habe den *Pithecanthropus* falsch gedeutet. Besonders interessant dabei ist, daß im Zusammenhang mit den Neandertalern fast die gleichen Vorwürfe geäußert worden waren. Würde man den Fossiliennamen durch ein X ersetzen, so könnte man dem Inhalt der meisten wissenschaftlichen Abhandlungen nicht entnehmen, auf welche der beiden Fossilien sie sich bezogen. Hatte man nichts dazugelernt?

Offenbar nicht genug. Die Reaktionen waren immer noch stark von Emotionen geprägt. Die Vorstellung, von einem Tier abzustammen, erschreckte die Menschen. Der Neandertaler sah nur deshalb vertrauter und weniger »äffisch« und furchteinflößend aus, weil uns der *Pithecanthropus* mit einem noch wilderen Funkeln in den Augen aus der Vergangenheit entgegenblickte. Während die Wissenschaftler sich gegenseitig zu ihren Erkenntnissen, ihren neuen objektiven Meßmethoden und Techniken beglückwünschten, wurden in einer abgelegenen Gegend in Kroatien Fossilien freigelegt, die den Alptraum wiederaufleben ließen.

5
Das Studium der Menschheit
1906–1918

Dubois hatte mit dem *Pithecanthropus* eine fossile Menschenform entdeckt, die noch primitiver war als alle bisher bekannten Formen und den Neandertaler vergleichsweise menschlich erscheinen ließ. Doch auch seine Entdeckung war nur eine Etappe in der Wissenschaftsgeschichte. Seit 1899 führte ein ungewöhnlicher junger Mann an einem abgelegenen Ort Ausgrabungen durch, die außergewöhnliche Ergebnisse liefern sollten. Bald drangen erste Gerüchte über seine Funde an die Öffentlichkeit. Man berichtete geheimnisvoll von einer Bestie in der Ahnenreihe des Menschen.

Dragutin Gorjanovic-Kramberger[1], von den Eltern Karl Kramberger getauft und den meisten als Gorjanovic bekannt, war im Jahr 1856, dem Jahr des ersten Neandertaler-Funds, geboren worden. Schon in seiner Jugend sorgten die Zeugnisse der Vorzeit und der menschlichen Evolution für ständigen Diskussionsstoff – auch wenn man die Funde in Zagreb damals noch kritisch betrachtete. Besonders lebhaft wurde die Debatte 1871, als der in Wien ausgebildete Zoologe Spiridion Burina am Nationalmuseum von Zagreb eine öffentliche Vorlesung mit dem kühnen Titel »Über die Vorzeit der Menschheit« hielt. Gorjanovic war mit seinen fünfzehn Jahren im idealen Alter, die angesprochenen Probleme zu verstehen und Gefallen an einer Theorie zu finden, die ältere Wissenschaftler in helle Aufregung versetzte. Anders als die erste Forschergeneration, die sich mit den Überresten fossiler Menschen befaßt hatte, war er nicht schockiert, als er mit einer These konfrontiert wurde, die der bisherigen Lehrmeinung und tief verwurzelten Vorurteilen widersprach.

Mitte des 19. Jahrhunderts versuchte Zagreb mit aller Kraft, seinen Ruf als rückständige Provinzstadt abzulegen. In gewissem

29. Karl (Dragutin) Gorjanovic-Kramberger, der kroatische Paläontologe, der in Krapina eine große Zahl von Neandertaler-Fossilien ausgrub, beschrieb und deutete.

Sinn war ganz Kroatien im Begriff, sich von einem Status zu befreien, der dem der heutigen Dritte-Welt-Länder vergleichbar ist; als Agrarstaat war das Land unterentwickelt und arm, es fehlte an Ausbildungs- und Förderungsstätten. Mit der Gründung des Nationalmuseums im Jahr 1846 hoffte man zu einer Verbesserung der Situation beizutragen. Zwanzig Jahre danach wurde die Kroatische Akademie der Wissenschaften ins Leben gerufen und später die Universität gegründet. In diese Aufbruchstimmung hinein wurde Gorjanovic geboren. Er war das einzige Kind des Schuhmachers und Gastwirts Matija Kramberger und der verwitweten Terezija Dušek, geborene Vrbanović, die drei Kinder mit in die Ehe gebracht hatte.

Schon in jungen Jahren war Gorjanovic, wie viele berühmte Evolutionsforscher, fasziniert von der Naturgeschichte. Stundenlang bestaunte er die Fundstücke, die Slavoljub Wormastiny, der Pharmazeut und Tierpräparator des Nationalmuseums und ein Nachbar der Familie, in seinem »Museum« zusammengestellt hatte. Oder er studierte die Sammlung fossiler Fische, die der ganze Stolz des Postangestellten Gönner war. Häufig fragte er bei den Steinbrechern im nahegelegenen Dorf Dolje nach, ob sie ihm Fossilien für sein eigenes »Museum« überlassen könnten.

Trotz der bescheidenen Stellung des Vaters durfte Gorjanovic eine »renommierte« Grundschule besuchen. Die Lehrer attestierten ihm »außergewöhnlichen Fleiß, Disziplin und Intelligenz, die mit aufrichtigem und stetem Bemühen gepaart, aber eher durchschnittlich ist«[2] – ein Zusatz, der nicht gerade begeistert klingt. Dennoch wechselte der Junge auf die weiterführende Schule und später auf die pädagogische Hochschule. Für einen jungen Kroaten seiner Zeit genoß er damit eine recht umfassende Ausbildung. Gorjanovic hatte jedoch nicht die Absicht, Lehrer zu werden, er steckte sich höhere Ziele. Er verließ Kroatien und schrieb sich an der Universität Zürich ein – ein teures Vorhaben und eindeutig ein Aufstieg für den »durchschnittlich intelligenten« Sohn eines Gastwirts. Bald kehrte er der Schweiz wieder den Rücken, wechselte an die Universität München und studierte bei Karl Zittel Paläontologie. Dort endlich konnte er seine Fähigkeiten entfalten und legte glänzende Prüfungen ab. Gorjanovics internationale Ausbildung beweist einerseits die Dominanz der deutschen Wissenschaft – München stand im Rang höher als Zürich –, andererseits die krassen Mängel des kroatischen Bildungssystems. In seiner Heimat gab es keine Universität und nur wenige weiterführende Schulen, an denen ein, wie sich nun eindeutig zeigte, intelligenter junger Mann eine angemessene Ausbildung erhalten konnte.

Der Münchner Professor Zittel war ein Morphologe, der hohe Anforderungen stellte. Er verlangte von seinen Studenten, daß sie beim Sezieren detaillierte Zeichnungen von den anatomischen Strukturen anfertigten und die Merkmale verschiedener Wirbeltiere miteinander verglichen. Das war eine gute Schule, und Gorjanovic machte es sich zur Gewohnheit, alle Gegenstände, die er untersuchte, zu zeichnen und sich Notizen zu machen. Seine Notizbücher waren gefüllt mit Skizzen von Proben, geologischen Schnitten und ähnlichem. Im Jahr 1879 wurde ihm, inzwischen dreiundzwanzig Jahre alt, für eine Studie über fossile Fische aus den Karpaten von der Universität Tübingen der Doktortitel der Naturwissenschaften verliehen.

Gorjanovic kehrte in seine Heimat zurück, wo sich die Ausbildungssituation inzwischen verbessert hatte. Während seiner Abwesenheit war die einstige Universität Zagreb wieder eingerichtet worden, und die Kroatische Akademie der Wissenschaften und das Nationalmuseum bemühten sich um internationales Ansehen. Der Staat vergab Stipendien und ermöglichte es Gorjanovic, für ein Jahr nach Wien zu gehen und seine Kenntnisse in den Fächern Geologie und Paläontologie zu vertiefen. Im Jahr 1880 kehrte er zurück und wurde Kurator der mineralogischen und geologischen Abteilung am Zagreber Nationalmuseum.

Der Posten war für den engagierten jungen Gorjanovic ideal. Die Paläontologie steckte in Kroatien noch in den Kinderschuhen, und so bot sich reichlich Gelegenheit zur Arbeit im Gelände. Sein Glück war vollkommen, als er 1881 Emilija Burijan zur Frau nahm, eine Kroatin tschechischer Abstammung, die dem stattlichen jungen Wissenschaftler mit dem üppigen Haar und dem sorgfältig nach oben gedrehten Schnurrbart sehr zugetan war. Ganz im Zeichen des aufblühenden Nationalstolzes setzte er im Jahr 1882 den kroatischen Namen Gorjanovic vor den deutschen Namen Kramberger seines Vaters. Warum er gerade diesen Namen wählte, ist unklar, denn es war weder der Geburtsname seiner Mutter noch der seiner Frau. Danach gefragt, antwortete er scherzhaft: »Es gibt eine ganze Menge Krambergers, aber es sind auch einige Taugenichtse darunter, deshalb gereicht es mir zum Vorteil, wenn ich mich Gorjanovic nenne.«[3] Unter diesem Namen wurde er denn auch bekannt.

Gorjanovic glich einem Wirbelwind. Obwohl er viel im Gelände arbeitete, veröffentlichte er jedes Jahr mehrere wissenschaftliche Artikel, meist über fossile Fische. Da aber der Kreis der Wissenschaftler, die auf diesem Gebiet arbeiteten, klein war, forderte man ihn immer wieder dazu auf, sich auch mit anderen Aspekten der Paläontologie oder Geologie zu beschäftigen, ja man holte sogar bei Problemen mit der Wasserversorgung der Stadt Zagreb und anderen wichtigen Fragen seinen Rat ein. Gorjanovic gründete die kroatische Gesellschaft für Naturgeschichte sowie die Bergsteiger-Gesellschaft und erhielt einen Ruf an die Universität Zagreb. Im Jahr 1892 wurde er außerordentliches Mitglied der Akademie der Wissenschaften und ein Jahr später Direktor seiner Abteilung am Museum. Außerdem beteiligte er sich an der Bildung des geologischen Landesamtes Kroatiens.

Ende des 19. Jahrhunderts genoß Gorjanovic in seiner Heimat als wissenschaftlicher Experte einen ausgezeichneten Ruf, und im übrigen Europa kannten ihn zumindest die Paläontologen und Anatomen. Aus Briefen bekannterer Paläontologen jener Zeit geht hervor, daß man ihn für einen tüchtigen Mann hielt, gleichzeitig aber auch der Auffassung war, daß er sich wie viele Kollegen aus der akademischen Provinz hoffnungslos am Rande der wichtigen intellektuellen Strömungen bewege. Doch wie so oft bedurfte es nur eines glücklichen Fundes, um vom Rand in den Brennpunkt des Interesses zu rücken.

Im August 1899 ging Gorjanovic, wie jeden Sommer, seiner Lieblingsbeschäftigung nach: Er wanderte durch das Land und sammelte Fossilien und Gesteinsproben. In Krapina machte er halt und besichtigte die Lagerstätte, von der einige Knochen ausgestorbener Rhinozerosse und Büffel ans Museum geschickt worden waren. Unklar ist, ob er dabei von den Entdeckern des Fundortes – dem Lehrer Rehorić und dessen Kollegen Kasimir Semenić – begleitet wurde oder sich lediglich nach deren Anweisungen richtete. Einige hundert Meter vom Stadtzentrum entfernt befand sich, rund fünfundzwanzig Meter oberhalb eines Baches, der Eingang zu einer Höhle, aus der seit Jahren Sand zum Bauen geholt wurde. Gorjanovic beschrieb seine ersten Eindrücke wie folgt:

In einiger Entfernung von der offenen Höhle konnte man mehrere dunkle Schichten erkennen, die mehr oder weniger parallel in der hellgelben, freigelegten Sandsteinwand verliefen. Als ich den Fels erreichte, bemerkte ich, daß diese Schichten Asche, angebrannten Sand und Holzkohle enthielten. Ich begriff sofort, daß es sich um eine ganze Reihe von Feuerstellen handelte, die immer wieder in der acht bis neun Meter hohen Sandsteinwand zu sehen waren. Damit war klar, daß dort Wesen gewohnt hatten, die Feuer gemacht hatten. In der Nähe einer solchen Feuerstelle fand ich das Bruchstück eines feuersteinartigen Steins, welcher für den Gebrauch geformt worden war. Außerdem bemerkte ich Knochenstücke von Tieren und fand – damals zum ersten Mal – einen einzelnen menschlichen Zahn. Der geschätzte Leser kann sich sicherlich vorstellen, daß mich diese Entdeckung über alle Maßen begeisterte! Schließlich stand ich auf der Schwelle einer urzeitlichen menschlichen Siedlung, die sich von allen bisherigen Entdeckungen in unserem Land unterschied.[4]

Glücklicherweise erkannte Gorjanovic auf den ersten Blick, wie wichtig die Fundstätte war, und überredete den Bürgermeister und die Bevölkerung von Krapina, den Sandabbau in der Höhle zu stoppen. Und offenbar begriff er auch, daß sich ihm hier die einmalige Chance bot, aus der Anonymität herauszutreten und sich einen internationalen Ruf zu verschaffen.

30. *Ausgrabungen bei Krapina um die Jahrhundertwende. Der Mann in schwarzem Anzug und Hut ist vermutlich Karl (Dragutin) Gorjanovic-Kramberger, der Mann neben ihm in Anzug und Stiefeln sein Assistent Stjepan Osterman.*

Im September kehrte er zusammen mit seinem Assistenten Stjepan Osterman, der an der Universität Zagreb studierte, zum Fundort zurück. Bei den Ausgrabungen gingen sie systematisch vor und folgten einem exakten Plan. Die gesamte vertikale Fläche wurde in neun Zonen eingeteilt, die wiederum in Kulturschichten unterteilt waren. Jeder Fund – sei es ein Knochenfragment, ein Zahnsplitter oder ein Steinwerkzeug – wurde mit einer Nummer versehen, aus der seine stratigraphische Position hervorging. Stets überwachte einer der beiden Forscher die Arbeiten, und Gorjanovic hielt geologische Schnitte und Skizzen genauestens in seinen

214

Notizbüchern fest. Ihre Methode war bewundernswert. Sie lag weit über dem damals üblichen Standard und war mindestens ebenso gut oder sogar noch besser als die, die Lohest und de Puydt in Spy angewandt hatten. Die erste Ausgrabung dauerte dreiunddreißig Tage und förderte neben Fossilien ausgestorbener Säugetierarten, Steinwerkzeugen und Resten von Feuerstellen menschliche Fossilien zutage, die Gorjanovic zunächst dem *Homo sapiens* zuschrieb, und zwar eindeutig dem Neandertaler.

Merkwürdigerweise entsprach die Anzahl der Menschenknochen, die Gorjanovic ans Zagreber Museum mitnahm, der Anzahl der Tierknochen. Normalerweise enthalten archäologische Fundstätten hundertmal so viele Tierknochen – Essensreste – wie Menschenknochen, weil jeder Mensch in einem gewissen Zeitraum mehr als nur ein Tier ißt. Das bedeutet, daß Gorjanovic offensichtlich eine Auswahl traf. Aber eine solche Selektion beim Sammeln war um die Jahrhundertwende üblich, fast schon Standard. Gorjanovic gab sich unendlich viel Mühe, selbst die kleinsten menschlichen Fossilteile zu identifizieren. Zusätzlich zu großen und offensichtlich von Menschen stammenden Knochen fanden sich unter den Neandertaler-Fossilien auch kleinere Wirbelteile, Rippen, Hand- und Fußknochen. Im Gegensatz dazu sind die Tierfossilien in der Regel die »besseren« Fundstücke: Häufig sind es leicht zu identifizierende Kiefer mit Zähnen, Schädel oder wichtige Gliedmaßenknochen, und nicht nur Teile und Fragmente. Trotz Gorjanovics gewissenhafter Arbeit blieben einige der kleineren Neandertaler-Fossilien unkatalogisiert und lagerten in gesonderten Kisten auf seinem Schreibtisch; einige gerieten sogar unter die Tierknochen und wurden erst in den achtziger Jahren unseres Jahrhunderts identifiziert. Wichtig dagegen war, daß er viele Knochen der Neandertaler besaß und sie auch auf Anhieb richtig deutete.

Die Nachricht vom Fund der Frühmenschen verbreitete sich rasch in ganz Kroatien. Gorjanovic sprach vor wissenschaftlichen Versammlungen, stellte seine vorläufigen Ergebnisse vor und verlieh seiner Überzeugung Ausdruck, daß er Vertreter von de Mortillets Moustérien-Menschen gefunden habe. Doch auch er stieß auf die übliche Kritik. Ein Nachteil für ihn war, daß er keinerlei Erfahrung in der Analyse menschlicher Fossilien hatte – überhaupt hatte er sehr wenig über Säugetiere gearbeitet. Außerdem hatte er keine der aufregenden Entdeckungen der letzten dreiundvierzig Jahre, die in den wissenschaftlichen Zeitschriften diskutiert wurden, mit eigenen Augen gesehen. Allerdings hatte er vor allem die deutschen Publikationen gelesen – verschiedene Bemerkungen lassen darauf schließen, daß er Virchows Auffassungen schätzte –, so daß er mit den Problemen zumindest vertraut war.

Am 16. Dezember 1899 hielt Gorjanovic eine Ansprache in der Kroatischen Akademie der Wissenschaften. Er verwies auf die Überreste von La Naulette und Šipka, die er, wie Virchow, für pathologisch hielt, und verkündete:

> Von den bisher bekannten und zweifelsfrei aus dem Diluvium stammenden Kieferknochen sind diese Fossilien aus dem Krapina-Diluvial nicht nur die am vollständigsten erhaltenen, sie stammen überdies auch von vollkommen normalen Individuen und weisen bestimmte Merkmale auf, die beim heutigen Menschen nicht auftreten.[5]

Wie bei Wissenschaftlern aus kleineren, eher randständigen Staaten üblich, erlag auch Gorjanovic der Versuchung, mit der einzigartigen Bedeutung seines Fundes zu prahlen. Es ist jedoch durchaus verzeihlich, daß er die Gelegenheit nutzte, um seinen Nationalstolz zu demonstrieren:

> Der begrenzte Umkreis, in dem diese Überreste gefunden wurden, die Art und Weise, wie sie mit Erdschichten bedeckt waren, und insbesondere die Tiere, die zur gleichen Zeit wie dieser Mensch lebten, namentlich die Knochen ausgestorbener Tierarten und die Überreste des Menschen selbst machen Krapina nicht nur zur herausragendsten, sondern – das kann ich wohl uneingeschränkt behaupten – zur charakteristischsten Fundstätte, die uns bis heute bekannt ist. Abgesehen von der Fundstätte selbst, sind die menschlichen Skelettreste, vor allem die Kiefer mit Zähnen, einzigartig auf der Welt.[6]

Mit seinen Aussagen lag er wissenschaftlich vollkommen richtig, und doch schenkten ihm außerhalb Kroatiens nur wenige Kollegen Beachtung, selbst als er in Wien einen Vortrag hielt. Wer war schon dieser Bursche mit dem unaussprechlichen Namen, dem osteuropäischen Akzent, der gewundenen Syntax und einem Bart wie Georg V.? Was wußte er überhaupt über fossile Menschen?

Nicht viel, das stimmte. Sobald es seine anderen Pflichten zuließen, begann Gorjanovic, die in Wien und Budapest aufbewahrten Skelette moderner Menschenrassen gründlich zu studieren. Schon in diesen ersten Jahren mühte er sich nach Kräften, um die neuesten Methoden für die Untersuchung seiner Fossilien zu nutzen. Er verwendete den Fluor-Test, um das hohe Alter der Funde nachzuweisen (er konnte jedoch nur zwei Proben analysieren lassen), und arbeitete später – bereits kurze Zeit nach ihrer Entdeckung 1895 – mit Röntgenstrahlen, um die innere Struktur der fossilen Knochen zu untersuchen.

Die Ausgrabungen in Krapina wurden im Sommer 1900 wieder aufgenommen. Gorjanovic überwachte persönlich die Arbeiten und machte täglich Notizen zu den zahlreichen Funden. Er wies die Arbeiter an, Dynamit zum Sprengen einzelner Teile der übergelagerten Sedimente oder Deckschichten zu verwenden. Heutige Wissenschaftler machen dieses Verfahren für die Fragmentierung der Fossilien mitverantwortlich. 1901 erkrankte Gorjanovic an Tuberkulose, die vermutlich durch Überarbeitung noch verschlimmert wurde, und legte bis zum Sommer 1903 eine Ruhe- und Erholungspause ein. Die Ausgrabungen wurden jedoch bereits 1902 unter der Leitung Ostermans fortgesetzt.

Allmählich verbreitete sich auch außerhalb Kroatiens die Nachricht, daß Gorjanovic einen bedeutenden Fund gemacht hatte, obwohl man eine solch wichtige Entdeckung in dieser entlegenen Region für unwahrscheinlich hielt und die auf kroatisch verfaßten Publikationen Gorjanovics kaum zugänglich waren. Dieser hatte den Fund in einem offenen Schreiben an den deutschen Anthropologen Johannes Ranke, das 1900 in Virchows Zeitschrift *Korrespondenzblatt der Deutschen Gesellschaft für Anthropologie, Ethnologie und Urgeschichte* erschienen war, erwähnt, obwohl Ranke die Vorstellung von einer menschlichen Evolution entschieden ablehnte. Auch eine Wiener Zeitschrift berichtete über den Fund. Viele Anthropologen und Anatome erkundigten sich daraufhin direkt bei Gorjanovic nach den Fossilien, über die noch kein detaillierter Bericht erschienen war. Einige baten sogar ganz unverfroren um die Übersendung der Originalfossilien. Man zweifelte allgemein an Gorjanovics Fähigkeit, das Material adäquat zu beschreiben und zu analysieren; vielleicht hielt man ihn auch einfach für zu inkompetent, um die Bedeutung der Funde ermessen zu können.

Nicht nur die bloße Anzahl der Fossilien, sondern auch ihre Fragmentierung stellte ein großes Problem dar. Schließlich lagen fast tausend Fragmente menschlicher Knochen, dreitausend Tierknochen und tausend Steinwerkzeuge oder -geräte vor. Das Säubern, Beschriften, Kleben und Rekonstruieren der Fossilien war eine Arbeit, die hohe Anforderungen stellte. Der bekannte Heidelberger Anthropologe Hermann Klaatsch war einer der ersten, der Gorjanovic persönlich aufsuchte. Er half ihm bei der Rekonstruktion eines der relativ vollständig erhaltenen Schädel.

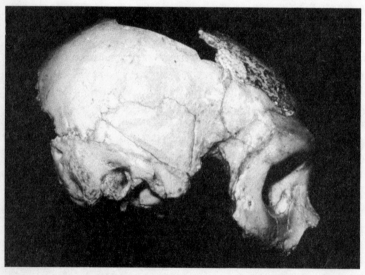

31. *Das Cranium des Neandertalers von Krapina, bekannt als »C«-Schädel, gefunden von Karl (Dragutin) Gorjanovic-Kramberger. Unter den Hunderten von Neandertaler-Knochen, die Gorjanovic zwischen 1899 und 1906 ausgrub, war dies der vollständigste Schädel, den er barg. Der dunklere Teil der Stirn, der sich unter den von Gorjanovic aufbewahrten Schädelfragmenten befand, wurde von Milford Wolpoff 1978 in den Schädel eingepaßt.*

218

Klaatsch, der Sohn eines gutsituierten Berliner Arztes, hatte bei Karl Gegenbaur, einem Freund und Kollegen Haeckels, Medizin studiert. Als junger Anatomieprofessor in Heidelberg folgte er wie viele andere dem Beispiel Virchows und lehnte die Evolutionstheorie Darwins ab. Er war ein ehrgeiziger und schroffer junger Mann – einer seiner Zeitgenossen bezeichnete ihn als »arroganten Schaumschläger«[7], ein anderer erinnerte sich an Klaatschs »kraftvollen Körper« und Geist, wie sie bei Preußen oft anzutreffen sind«.[8] Er arbeitete unermüdlich an seiner Karriere oder an der Sicherung seiner Position. So ließ er keine Möglichkeit ungenutzt, Virchow in seinen Auffassungen zu bestätigen. Im Jahr 1899 bezeichnete er es als Zeitverschwendung, fossile menschliche Überreste wie den klassischen Neandertaler-Schädel auf menschenaffenähnliche Merkmale hin zu untersuchen; selbst die frühesten ihm bekannten Fossilien seien vollkommen menschlich und anatomisch modern.

Um Belege für seine Ansichten zu sammeln, unternahm Klaatsch in den folgenden Jahren weite Reisen, besuchte Fundstätten und untersuchte viele menschliche Fossilien. Seine Reisen führten ihn bis ins ferne Java und nach Australien, wo er Informationen über die Kunst und die Bräuche der Ureinwohner (viele davon waren seiner Ansicht nach atavistisch), aber auch über Frühmenschen sammelte. Er behandelte in seinen Veröffentlichungen eine Vielzahl von Themen und machte sich schnell einen Namen. Vermutlich diente sein Abstecher nach Zagreb dem gleichen Zweck: Er wollte sich mit eigenen Augen davon überzeugen, daß die Fossilien von Krapina keine Anzeichen für eine pithekoide Anatomie aufwiesen.

Vielleicht hoffte Klaatsch auch, sich ein Anrecht auf das Material zu sichern, indem er mit dem kroatischen Wissenschaftler schnell Freundschaft schloß. Auf jeden Fall schrieb er wiederholt an Gorjanovic und drängte ihn zur Veröffentlichung seines Materials.

Die Ausgrabungen wurden bis 1905, einem besonders erfolgreichen Jahr, fortgeführt. Ein Großteil der Neandertaler wurde in diesem Jahr entdeckt, und Gorjanovic stand kurz vor der Veröffentlichung seiner Berichte. Bezugnehmend auf eine These Gorjanovics, wonach die Funde von Krapina Anzeichen von Kannibalismus aufwiesen, schrieb Klaatsch 1902 in einem seiner Briefe an den Kroaten:

Aufgrund der großen theoretischen Bedeutung Ihrer Funde wäre es wirklich wundervoll, wenn man zum Zagreber Museum kommen und einen Blick [auf das neue Material] werfen könnte. Wie steht es bei Ihnen mit weiteren Ausgrabungen[?] Nun, da Sie bereits so bedeutende Ergebnisse erzielt haben, dürfen Sie es dabei nicht bewenden lassen. Gibt es in der Nähe von Krapina keine anderen Orte, wo möglicherweise neue Funde zu erwarten wären? Wäre es nicht phantastisch, wenn wir unsere Kollegen davon überzeugen könnten, daß es wahrhaftig paläolithische Kannibalen gegeben hat?[9]

Dieser Brief klingt zwar freundlich, doch enthält er kaum verhüllte Wünsche. Klaatsch hoffte offenbar, der naive Kroate würde ihm die wertvollen menschlichen Fossilien anvertrauen, um andernorts nach weiteren zu graben. Er, der Anatom und Fachmann für prähistorische Menschen, hielt Gorjanovic anscheinend nur für einen Experten für Fische und Arbeiten im Gelände. Die Fossilien konnten ihm einen Ehrenplatz in der Anthropologie sichern, deshalb wollte er sie unbedingt besitzen. Doch Gorjanovic war keineswegs so dumm, auf die wichtigen Fossilien, die er in mühevoller Arbeit ausgegraben hatte, zu verzichten. Er widerstand allen Überredungskünsten Klaatschs, und als er seine Beschreibung und Analyse der Krapina-Fossilien veröffentlichte, zeichnete er als alleiniger Autor verantwortlich. *Der Diluviale Mensch von Krapina in Kroatien* erschien 1906 in deutscher Sprache. Auf 277 Seiten mit 14 Bildtafeln der Neandertaler-Fossilien wurden die Fundstücke detailliert und höchst sachkundig beschrieben und analysiert. Die Qualität des Buches verblüffte offenbar viele westeuropäische Anthropologen.

Gorjanovic widmete sein Werk wohl ganz bewußt nicht Klaatsch, sondern dem Anatomen Gustav Schwalbe, dessen unlängst erschienene ausführliche Studie über die Neandertaler und den *Pithecanthropus* er schätzte und den er für den führenden Experten auf dem Gebiet des prähistorischen Menschen hielt. Der Brief, in dem Schwalbe den Empfang des Werkes bestätigt, ist bezeichnend:

Ich freue mich, daß Sie mir Ihr Werk zugesandt haben und mir diese Ehre zuteil werden ließen, die ich wohl zu schätzen weiß... Ihre Illustrationen sind in vielerlei Hinsicht lehrreich, und ich werde mein Bestes tun, es aufmerksam zu lesen. Zum gegenwärtigen Zeitpunkt ist mir das allerdings nicht möglich, weil ich noch mit meinen Vorlesungen beschäftigt bin, aber ich werde dies bei der nächstbesten Gelegenheit nachholen.[10]

Schwalbe schrieb zwar freundlich und taktvoll, ließ aber jeglichen Enthusiasmus für das Werk oder dessen Bedeutung vermissen. Anscheinend nahm er an, daß die Monographie zweitklassig und nur von mäßigem Interesse sei. Die Vorbereitung auf seine Vorlesungen erschien ihm wichtiger, als sich durch seitenlange Beschreibungen unbedeutender oder gar falsch identifizierter Knochen- und Steinstücke zu quälen. Doch kaum hatte er das Werk gelesen, wich sein höfliches Desinteresse aufgeregter Begeisterung. In einem zweiten Brief schreibt er:

> Ihr Buch zeigt erstmals alle Skeletteile des *Homo primigenius* und liefert so ein verblüffendes Bild einer menschlichen Spezies. Es wird mir bei meiner weiteren Forschung hilfreich sein. Ich spreche Ihnen mein Lob für ein Werk aus, das anhand des *Homo primigenius* den wichtigen Aspekt herausarbeitet, [daß nämlich der Neandertaler eine ausgestorbene fossile Spezies ist]. Es ist überaus freundlich von Ihnen, mir dieses Werk zu widmen.[11]

Tatsächlich beschrieb Gorjanovic mehr als nur die Fossilien der Neandertaler. In seiner Monographie lieferte er auch geologische und stratigraphische Informationen und eröffnete die Diskussion über die archäologischen Funde und die Tierknochen. Er vertrat die heute noch weitgehend anerkannte These, daß alle Werkzeuge aus dem Moustérien stammten. Ausgehend von den Werkzeugen und Tieren nahm er allerdings irrtümlich an, daß die Neandertaler gleichen Alters waren und wahrscheinlich aus dem Riß-Würm-Interglazial zwischen den letzten beiden Eiszeiten stammten (als einem Zeitraum, der vor 127 000 Jahren begann und vor 73 000 Jahren endete). Aus diesem Grund kürzte Gorjanovic die Diskussion der Stratigraphie und der geologischen Beschaffenheit ab, und so blieben viele Informationen, die er in seinen Notizbüchern festgehalten hatte, unberücksichtigt. Erst in der zweiten Hälfte des 20. Jahrhunderts wurde seine Annahme in Frage gestellt.

Eine der Vorstellungen, die Gorjanovic in seiner Monographie vertritt und die sich mit am längsten gehalten hat, betrifft – wie bereits erwähnt – den Kannibalismus, diesen gefürchteten, bestialischen Brauch, der schon früher mit den Neandertalern in Verbindung gebracht worden war. Gorjanovic wies darauf hin, daß die Krapina-Fossilien, die von vielen verschiedenen Skeletten stammten, durchweg zergliedert, zerbrochen und in verschiedenen Schichten verstreut waren. Die Lage der Knochen gab keinen Aufschluß darüber, welcher Schädel zu welchen Rippen gehört hatte oder welches Femur mit welcher Tibia verbunden gewesen war. Hinzu kam, daß alle großen Knochen, die eßbares Mark enthalten hatten, aufgebrochen waren und zudem angebrannte und versengte Knochen von Neandertalern gefunden wurden. Gorjanovic sah seine Kannibalismus-Hypothese auch dadurch bestätigt, daß viele der gefundenen Individuen noch nicht ausgewachsen waren. Am ausführlichsten geht er auf den Kannibalismus in einer Reihe von Aufsätzen ein, die schließlich unter dem Titel *Pračovjek iz Krapine (Prähistorischer Mensch von Krapina)* erschienen. Mit erstaunlich heiteren und urteilsfreien Worten entwarf er darin ein lebendiges Bild seines »Krapinci«:

Er war wohl aufgrund seiner niedrigen Stirn und der dicken Wülste über den Augen ein Mensch von wildem Äußeren. Seine Nase war flach und breit, und der vorgewölbte Kiefer glich mehr oder weniger einer Schnauze. Sein wildes Aussehen wurde sicherlich noch durch seine langen Haare und sein bärtiges Angesicht verstärkt ... Diese Menschen gingen auf zwei Beinen (in den Knien vielleicht etwas gebeugt), und sie benutzten zum Arbeiten beide Hände, was für das Sammeln von Nahrung, die Verteidigung, die Arbeit mit Werkzeugen usw. notwendig war ... Der prähistorische Mensch war ungefähr einhundertsechzig Zentimeter groß ... Die Hauptbeschäftigung des prähistorischen Menschen war das Sammeln von Nahrung, die größtenteils aus dem Fleisch von Waldtieren, wilden Rindern, Fischen und sehr wahrscheinlich verschiedenen Wurzeln und Früchten bestand. Die primitiven Werkzeuge, die der Mensch mit auf die Jagd nahm, waren ... recht begrenzt. Er brauchte Mut und Geschicklichkeit, um mit den wilden Wald- und Wiesenbewohnern, die in seiner Umgebung lebten, zu kämpfen ... Zweifellos wurde er in seinem Territorium zuweilen von Nachbarhorden angegriffen, die über keine so reichen Jagdgründe verfügten. Dieser Mensch war Jäger und Nomade; unter solchen Bedingungen fanden Kämpfe auf Leben und Tod statt. Auf jeder Seite fielen Menschen, und die Sieger verfuhren mit den Toten wie mit der Beute aus einer erfolgreichen Jagd. Diese Menschen aßen ihre Stammesangehörigen, und zudem brachen sie die hohlen Knochen auf und sogen das Mark heraus ... Außerdem wurden andere Menschenknochen gefunden, sogar Schädel, die zertrümmert und durch Feuer verkohlt waren. Wir werden bald hören, daß dieser prähistorische Mensch mit ihnen ebenso verfuhr wie mit Tierknochen, das heißt, er warf sie ohne den geringsten Sinn für Ordnung in der Höhle herum.[12]

Gorjanovics Worte, obwohl sicherlich mißbilligend, ließen den offenen Abscheu und den Ekel vermissen, die frühere Berichte über das Leben der Neandertaler geprägt hatten. Seine Darstellung des Neandertalers klang wissenschaftlich, unvoreingenommen, ja sogar nüchtern und hinterließ einen stärkeren Eindruck, als wenn er sich empört geäußert hätte.

In den folgenden fünfundzwanzig Jahren wurde die Kannibalismus-Hypothese von den Autoren der wichtigsten Bücher über die menschliche Evolution sehr unterschiedlich aufgenommen. Der Franzose Marcellin Boule bestätigte zwar, daß die Knochen verkohlt waren, unterließ es aber, daraus entsprechende Schlüsse zu ziehen. In England und den Vereinigten Staaten fielen die Reaktionen unterschiedlich aus. Einige bestätigten zwar, daß die Knochen verkohlt und aufgebrochen waren, äußerten jedoch Zweifel, ob dies ein Beweis für die Kannibalismus-Hypothese sei. Andere vertraten eine abgeschwächte Form dieser Hypothese und vermuteten, daß die Neandertaler nur zu Kannibalen geworden seien, wenn ihnen der Hungertod drohte. Einzig der Anthropologe Aleš Hrdlička, der in regem Briefkontakt mit Gorjanovic stand, akzeptierte die Kannibalismus-Hypothese ohne Einschränkung. Er wiederholte noch einmal die Behauptung, daß der La Naulette-Kiefer von Kannibalen zertrümmert worden war – eine Behauptung, der sich insbesondere der Franzose Dupont in seiner Beschreibung der La Naulette-Reste widersetzt hatte. Erneut hatte man das Schreckgespenst eines menschenfressenden Menschen heraufbeschworen. Die Kannibalismus-Hypothese war zwar noch lange nicht allgemein akzeptiert, und doch veränderte sie das Bild vom Neandertaler.

Gorjanovic wurde nach der Veröffentlichung seiner Monographie 1906 die ihm gebührende Anerkennung zuteil. Nur wenige Monate später, Anfang 1907, wurde er zum Hofrat ernannt und erhielt von Kaiser Franz Joseph die Goldmedaille des Österreich-Ungarischen Kaiserreichs (zu dem damals auch Kroatien gehörte). Gegen Ende des Ersten Weltkriegs ließ Gorjanovic die Medaille verkaufen und spendete den Erlös zugunsten von Kriegsinvaliden – eine Geste, die an Huxleys Verkauf seiner Royal Medal erinnerte.

Festzuhalten ist, daß Gorjanovic in seiner Heimat ein Held blieb. Er war zu seinen Lebzeiten fast der einzige Wissenschaftler, der Arbeiten über das Krapina-Material veröffentlichte. Zwar weigerte er sich nicht, seine Fossilien von Kollegen untersuchen zu lassen, doch ermutigte er sie auch nicht, darüber zu schreiben.

Wie einst Dubois nach dem Erscheinen seiner Monographie über die Trinil-Fossilien, so begab sich nun auch Gorjanovic auf Vortragsreise und besuchte Nürnberg, Wien, Frankfurt, Köln, Brüssel, Straßburg, Budapest und München. Seltsamerweise sprach er nicht in Paris, London oder einer amerikanischen Stadt. Vielleicht fanden seine Funde dort weniger Beachtung, aber wahrscheinlich spielten Sprachschwierigkeiten eine entscheidende Rolle. Jedenfalls war Gorjanovic beleidigt, als er in den zwanziger Jahren feststellte, daß die Franzosen sich erst jetzt die Mühe machten, seine Publikationen (die größtenteils auf deutsch verfaßt waren) zu lesen.

Auf jeden Fall verlief die Reise des Kroaten weit angenehmer als seinerzeit die des Holländers; wo Dubois auf Widerspruch und Unglauben gestoßen war, wurde Gorjanovic für seine faszinierenden und wichtigen Entdeckungen gelobt. Virchow war 1902 gestorben, und so mußte er nicht gegen den Einwand ankämpfen, bei seinen Funden handele es sich um pathologische Menschen.

Gorjanovic machte sich mit den Krapina-Funden einen Namen

als Evolutionsforscher und besaß mit ihnen einen Vorrat an Fossilien, die ihn sein ganzes Leben lang mit Arbeit versorgen sollten. Und nicht nur das: Die Funde stellten die Wissenschaftler vor eine neue Herausforderung. War durch die Skelette von Spy bereits bewiesen worden, daß die Neandertaler keine pathologischen Menschen waren, so wurde dies durch die Fossilien von Krapina noch bestätigt. In Krapina hatte man nicht die Überreste von zwei, sondern von zwei bis drei Dutzend Neandertalern gefunden, jeder durch zahlreiche Knochen belegt; diese Zahl wurde durch die verstreut liegenden Kiefer und Zähne noch auf etwa siebzig Individuen erhöht. Erstaunlich war, daß vom Kleinkind bis zum Erwachsenen alle Altersstufen vertreten waren. Erstmals stand der Wissenschaft so etwas wie eine biologische Population fossiler Menschen zur Verfügung – statt wie bisher nur ein oder zwei Individuen. Dies verlangte nach einer neuen Beurteilung und einem gründlichen Studium der anatomischen Variationsbreite unter den Überresten. Enthusiastisch übernahm Gorjanovic diese Aufgabe – neben seinen anderen Projekten, wie etwa der geologischen Aufnahme Kroatiens. In den kommenden Jahren veröffentlichte er detaillierte Studien über Zähne, Kiefer und Scapula (Schulterblätter) sowie Arbeiten über Steinwerkzeuge, Mollusken (Weichtiere) und verschiedene Säugetierarten Krapinas.

Nach Gorjanovics Auffassung bewiesen die Fossilien von Krapina, daß der Neandertaler ein direkter Vorfahr des modernen Menschen war, eine These, die bereits von Schwalbe aufgestellt worden war. Viele stimmten ihm darin zu, nur nicht Klaatsch. In einer Reihe von Publikationen, die zwischen 1901 und 1910 erschienen, beharrte Klaatsch darauf, daß der moderne Mensch wie zum Beispiel der Cromagnon-Mensch zeitgleich mit dem Neandertaler gelebt hatte und deshalb nicht sein Nachkomme sein konnte. Er versuchte nachzuweisen, daß sich neben dem Neandertaler oder *Homo primigenius* eine anatomisch moderne Spezies unter den Krapina-Resten befand, die er *Homo aurignacensis* nannte. Gorjanovic widersprach dieser Behauptung aufs heftigste.

Zu der Zeit, als Gorjanovics Monographie über Krapina veröffentlicht wurde, geriet sein großartiger Fund etwas aus dem Blickfeld. Der Grund war die Vielzahl neu entdeckter oder ausgegrabener Fossilien. Da war zum einen der Gibraltar-Schädel: Zu-

225

nächst fand er nicht die ihm gebührende Beachtung, vielleicht weil er mit einer extrem harten steinernen Matrix bedeckt war, die sich nur schwer entfernen ließ. Hugh Falconer hatte 1864, George Busk 1865 und Paul Broca 1869 festgestellt, daß der bereits 1848 gefundene Gibraltar-Schädel von einem Neandertaler stammte. Trotzdem lag er viele Jahre unbeachtet im Hunterian Museum am Royal College of Surgeons in London – obwohl er der einzige Schädel eines Neandertalers war, dessen Gesicht und Schädelbasis erhalten waren. Die erste detaillierte Beschreibung wurde 1907 von dem bekannten englischen Geologen William Sollas erstellt, was insofern erstaunlich war, als er nur über oberflächliche Anatomiekenntnisse verfügte. (Seine Vorliebe, über anatomische Themen zu schreiben, machte ihn bei Fachleuten nicht gerade beliebt.) Nur zwei Jahre später untersuchte der Italiener Giuseppe Sera das Cranium. Er hielt besonders die Schädelbasis für aufschlußreich, da sie flacher war als beim modernen Menschen und in dieser Hinsicht weit mehr einem Menschenaffenschädel ähnelte.

Die neue Aufregung um den Gibraltar-Schädel war nichts gegen das Aufsehen, das ein rätselhafter Unterkiefer erregte, der 1907 bei Mauer in der Nähe von Heidelberg gefunden wurde. Klaatsch hätte sicherlich Anspruch auf dieses Fossil erhoben, wenn er nicht bereits an die Universität Breslau gewechselt wäre. Und so gelangte es in die Hände seines früheren Heidelberger Kollegen Otto Schoetensack, wie er Anatom und Paläontologe. Schoetensack kannte die Kiesgruben des Herrn Joseph Rosch in der Nähe des Dorfes Mauer, weil man dort in den vorausgegangenen zwanzig Jahren immer wieder Fossilien ausgestorbener Säugetierarten aus dem Pleistozän gefunden hatte. Freundlicherweise hatte Rosch das gesamte Material der Universität Heidelberg überlassen und sich bereit erklärt, auch weiterhin die Augen offenzuhalten.

Am 21. Oktober 1907 meldete Rosch, daß das menschliche Fossil, das die Forscher zu finden gehofft hatten, in einer Tiefe von etwa fünfundzwanzig Metern aufgetaucht sei. Der hocherfreute Schoetensack nahm den nächsten Zug und fand in Mauer einen beinahe vollständigen Unterkiefer vor. Er war durch den Spatenstich eines Arbeiters in zwei Teile zerlegt worden, ließ sich aber problemlos wieder zusammenfügen.

Der Kiefer war massiv und wies noch alle Zähne auf. Trotz

seiner pithekoiden Robustheit besaß er aber im Gegensatz zum Affenkiefer keine vorstehenden Eckzähne. Schoetensack stellte fest, daß die Zähne vollkommen menschlich waren und nur die Pulpahöhle ungewöhnlich groß ausfiel. Der Ramus (der aufsteigende hintere Teil des Unterkieferknochens) war außergewöhnlich breit und niedrig. Wie beim Neandertaler fehlte auch hier das Kinn, der vordere Teil des Kiefers wich deutlich zurück.

Aufgrund der primitiven Morphologie des Kiefers und seines hohen Alters, auf das die tiefe Lage in den Sedimenten schließen ließ, glaubte Schoetensack, einen überaus wichtigen Fund gemacht zu haben. Im Jahr 1908 veröffentlichte er eine Monographie, in der er erklärte, er habe mit dem Kiefer einen neuen Menschentyp, den *Homo heidelbergensis,* gefunden. Niemand zweifelte ernsthaft daran, daß es sich um den ältesten in Europa gefundenen fossilen Menschen handelte und daß er viel älter war als die Fossilien der Neandertaler. 1909 besprach der amerikanische Anthropologe George Grant MacCurdy den Fund in einem *Smithsonian Report.* Er schrieb:

> Es kann keine Zweifel mehr geben, daß die Unterkiefer von La Naulette, Spy und Krapina ein und dieselbe Evolutionsstufe des *Homo sapiens* repräsentieren. Ein sorgfältiger Vergleich der fraglichen Exemplare beweist, daß sie eine Zwischenstufe zwischen dem heutigen Menschen und dem *Homo heidelbergensis* darstellen. Der Unterkiefer von Mauer ist deshalb präneandertaloid. Daß er auch präanthropoide Merkmale aufweist, verleiht ihm eine wichtige Stellung in der menschlichen Evolutionsreihe. Dr. Schoetensack wurde für seine zwanzigjährige Wachsamkeit reichlich belohnt. Man muß ihm dazu gratulieren.[13]

Einige vermuteten sogar, daß der Unterkiefer von Mauer von einem Lebewesen wie Dubois' *Pithecanthropus* stammte – was wiederum Anlaß zu der Vermutung gab, daß er möglicherweise von einem Gibbon und nicht von einem Menschen herrührte –, ein Gedanke, der glücklicherweise rasch wieder verworfen wurde.

Doch bald schon wurde die Aufmerksamkeit der Wissenschaftler auf ein anderes Fossil gelenkt – eher wohl wegen der Umstände

Fouilles O. Hauser 1911
Laugerie intermédiaire voir le Guide O. Hauser
„Le Perigord Préhistorique 1911"

32. *Otto Hauser (im Vordergrund) 1911 bei einer Ausgrabung in der Nähe von Les Eyzies-de-Tayac an der Dordogne (Abbildung nach einer von Hauser verteilten Postkarte). Der Schweizer Sammler von Altertümern war bei den Franzosen wegen seiner ungehobelten Art und seiner außerordentlich erfolgreichen Grabungen auf französischem Territorium unbeliebt.*

seiner Entdeckung und Erforschung als wegen seiner tatsächlichen Bedeutung. Am 7. März 1908 machte der Schweizer Otto Hauser, gegen den besonders französische Anthropologen eine abgrundtiefe Abneigung hegten, eine spektakuläre Entdeckung.

Zeitgenössischen Berichten zufolge war Hauser ein schwieriger und unangenehmer Mensch. Da er schon als Kind kränklich war und ein lahmes Bein hatte, machte man seine Behinderung für sein ungehobeltes und zänkisches Wesen verantwortlich. Er verärgerte und beleidigte nahezu alle, insbesondere die Franzosen. Nur mit Hermann Klaatsch, mit dem er zusammenarbeitete, kam er gut aus. Seine Unbeliebtheit rührte auch daher, daß er Hobbyforscher war – er hatte weder eine akademische Ausbildung, noch besaß er Verbindungen zu akademischen Kreisen – und mit seinen archäologischen Funden Handel trieb. Er verkaufte die Altertümer, die er ausgrub, an Museen oder private Sammler. Seine ersten Unternehmungen in der Schweiz riefen unter seinen Landsleuten Ablehnung und Verachtung hervor, so daß er sich schwor, nie wieder dort zu arbeiten. Verbittert verlagerte er sein Tätigkeitsfeld nach Frankreich und pachtete oder kaufte mit dem Geld seiner Eltern große Geländestreifen im Tal der Vézère, wo auch Lartet gearbeitet hatte. Er heuerte eine große Zahl von Arbeitern an und ließ sie die Höhlen nach Faustkeilen und anderen Artefakten absuchen, die er nach eigener Aussage zur Deckung seiner Unkosten wieder verkaufen wollte.

Natürlich war er nicht der einzige Schatzsucher an der Vézère, denn ganze Scharen von Freizeitarchäologen fielen in das Tal ein. Pech nur für ihn, daß die Abneigung der Franzosen gegen die Deutschen damals in offenen Haß umschlug und er durch seinen deutschen Akzent und seine deutsche Erziehung unangenehm auffiel. Gar nicht davon zu reden, daß er aus Profitgier einige der schönsten Landstriche der Dordogne erworben hatte, »die ältesten und wertvollsten Archive Frankreichs«[14]. Ein weiterer Fehler war sein Reichtum. Eine Fotografie, die Anfang des 20. Jahrhunderts aufgenommen wurde, zeigt ihn als stattlichen Mann mit dichtem, schwarzem Schnurrbart, dunklem Anzug, heller Weste, steifem Kragen und Melone. Er sitzt in einer einspännigen Kutsche. Das repräsentative Bild kann den persönlichen Eindruck jedoch nicht wiedergeben. Beschreibungen zeitgenössischer Franzosen dokumentieren, welche Vorbehalte man gegen ihn hegte; tatsächlich lesen sie sich wie ein Leitfaden für üble Nachrede. Hauser wird wie folgt charakterisiert:

... eine unsympathische Erscheinung, humpelnd, ein großer Esser und starker Trinker ... Anfänglich machte er auf Archäologen und Arbeiter den Eindruck eines äußerst bescheidenen Menschen und »Pfundskerls«. Doch kaum hatte er sich die Dokumente und Papiere für die Arbeit in der Dordogne und der gesamten Region um Les Eyzies verschafft, änderte sich seine Haltung. Er wurde eingebildet, arrogant und noch dicker und entpuppte sich bald als eifersüchtiger Konkurrent, was typisch ist für das Land, in dem er erzogen wurde [Deutschland]. Er war zu allem bereit, wenn es darum ging, Vollmachten und Genehmigungen zu erlangen. Geld, Versprechungen, Drohungen, Orgien – diesem Mann war jedes Mittel recht. Schon zu Beginn bot er das Bild eines erbärmlichen Menschen, und man konnte zusehen, wie er immer weiter verkam, Geld aus dem Fenster warf und die Bewohner des Landes mit seinem Hochmut und seiner Überheblichkeit ducken wollte ... Doch seine häufigen Orgien erregten bei der ehrlichen und friedfertigen Bevölkerung von Eyzies und Bugue ebenso Anstoß wie seine brutale Siegerpose gegenüber den eroberten Ländern.[15]

Am unverzeihlichsten war, daß Hauser schließlich einen großartigen Fund machte. Die französischen Prähistoriker haßten ihn dafür, und Hauser wiederum verunglimpfte ihre Arbeit als »dilettantisch, sensationslüstern und reine Freizeitbeschäftigung«.[16]

In Le Moustier, jenem Dorf, nach dem die Moustérien-Kultur benannt ist, hatte Hauser in einem Felsdach direkt unterhalb des Grabungsortes von Edouard Lartet das vollständig erhaltene Skelett eines Heranwachsenden entdeckt. Da Hauser wußte, daß die Echtheit des Fossils bestätigt werden mußte, wenn er sich nicht dem Vorwurf aussetzen wollte, falsche Angaben über die stratigraphische Lage und das Alter gemacht zu haben, hieß er die Arbeiter, das Skelett wieder zu vergraben, und rief eilig Zeugen herbei. Der Bürgermeister und ein Mitglied des Gemeinderats waren unter den ersten, die am 10. April eintrafen. Vermutlich konnten sie mit dem, was sie sahen, wenig anfangen, doch sie unterschrieben, daß der Schädel *in situ* zu sein schien, das heißt in seiner ursprünglichen, unveränderten Lage im Boden. Hauser

FOUILLES DE O. HAUSER
LES EYZIES
DORDOGNE (FRANCE)

LAUGERIE HAUTE (Les Eyzies)

LAUGERIE HAUTE (LES EYZIES)	Bureau de la Direction des Fouilles préhistoriques.	LAUGERIE HAUTE (LES EYZIES)
BUREAU DER AUSGRABUNGSLEITUNG	ACHEULLÉEN, MOUSTERIEN AURIGNACIEN,	Prehistoric excavations Manager's office
Ausstellung prähistorischer Funde	SOLUTRÉEN, MAGDALÉNIEN.	EXHIBITION OF PREHISTORIC OBJETS
PLÄNE PHOTOGRAPHIEN	Exposition des objets préhistoriques, Plans, Photographies	PLANS PHOTOS
Wagen Gute Zimmer Angenehmer Aufenthalt	VOITURES, CHAMBRES SÉJOUR AGRÉABLE	Carriages Rooms to let. Agreable sejourn.
DUNKELKAMMER	CHAMBRE NOIRE	DARK ROOM

33. Postkarten-Werbung (etwa um 1911) für Hausers Ausgrabungen in Les Eyzies-de-Tayac an der Dordogne. Links oben ein gravierter Stein aus dem Aurignacien (frühen Jungpaläolithikum), rechts oben der Schädel eines erwachsenen Neandertalers von Le Moustier, in der Mitte das Museum und die Zentrale von Hausers Ausgrabungen mit wehender schweizerischer und französischer Flagge, unten in den Sprachen Deutsch, Französisch und Englisch eine Touristeninformation.

hielt das Ereignis auf einer Fotografie fest. Im Juni präsentierte er seinen Fund deutschen, im Juli amerikanischen Besuchern.

Doch die eigentliche Prüfung stand noch aus. Er lud eine beeindruckende Zahl von Wissenschaftlern ein, welche die »Wiederentdeckung« des Skeletts am 10. August 1908 bezeugen sollten, darunter auch Klaatsch und Virchows Sohn Hans, der mittlerweile als Anthropologe arbeitete. Eingeladen wurden nur deutsche Experten, aber kein einziger französischer Anthropologe, Paläontologe oder Geologe – was wenig überraschte, wenn man bedenkt, daß sie alles in ihrer Macht Stehende getan hatten, um Hauser loszuwerden. Damit verletzte er abermals ihren Stolz.

Hauser veröffentlichte Anfang 1909 in *L'Homme Préhistorique* einen nahezu vollständigen Bericht über das Fossil. Er bestimmte es als das Skelett eines Neandertalers, der so begraben worden war, wie wir ihn gefunden haben: in einer Körperhaltung, als ob er schlafe ... Die Gestalt ruhte auf der rechten Seite: der Arm stützte den Kopf; die Wange lag auf dem Ellbogen; die rechte Hand befand sich am Hinterkopf; der Rücken war nach oben gedreht, die linke Schulter in Richtung Unterkiefer gehoben. Der linke Arm war gerade ausgestreckt; zu einem Zeitpunkt, als wir noch nicht wußten, daß das Gelände, das wir erforschten, ein Skelett barg, fanden wir in unmittelbarer Umgebung den schönsten Faustkeil, der an dieser Fundstätte jemals gefunden wurde ... Die ganze rechte Seite der Gestalt ruhte auf einer Art Pflaster oder Bett aus Feuersteinen ... einer Art »Steinkissen«.[17]

Das vollständig erhaltene Skelett eines Neandertalers – die erste gut dokumentierte Bestattung – und obendrein wunderschöne Steinwerkzeuge? Gefunden von diesem Halunken Hauser? Die Franzosen schäumten vor Wut.

Am 26. August 1909 – also ein starkes Jahr, nachdem die Fachleute in Le Moustier den Fund des ersten Skeletts bezeugt hatten – fand Hauser in der Dordogne ein zweites, und zwar in einer Grotte, die unter dem Namen Combe Capelle bekannt war. Er entdeckte es im untersten Teil einer Schicht, die Aurignacien-Geräte enthielt (deren Alter heute auf dreißig- bis fünfunddreißigtausend Jahre geschätzt wird). Das besondere daran war, daß dieser Mensch mit Muschelschmuck bestattet war. Hauser telegrafierte seinem Mitstreiter Klaatsch, der sofort aus Breslau herbeieilte. Die Ausgrabung, die tatsächlich unter den Augen vieler Zeugen stattfand, bewies, daß ein primitives Grab aus dem Höhlenboden ausgehoben worden war. Auch dieses zweite Skelett lag in einer als »Hockerbestattung« bekannten Stellung, das heißt, Arme und Beine waren fest angewinkelt, vielleicht sogar gefesselt; in der Nähe der Leiche waren Steingerätschaften aus dem Aurignacien zurückgelassen worden. Aber die Anatomie des Skelettes war vollkommen modern. Obwohl es nur wenige Zentimeter über der Moustérien-(Neandertaler-)Schicht gefunden worden war, stammte es auf keinen Fall von einem Neandertaler, sondern von einem Cromagnon-Menschen.

Klaatsch verbreitete in der Folgezeit mehrere Theorien, die heute ausgesprochen abstoßend wirken. Er erklärte das Wesen von Combe Capelle zu einem Vertreter des *Homo aurignacensis,* einer neuen fossilen Spezies Mensch. Damit rückte er von seinem bisherigen Standpunkt, der Menschenaffe habe nichts mit der Abstammung des Menschen zu tun, ab und stellte anhand des Fundes von Combe Capelle eine neue polygenetische Theorie auf. Anatomisch betrachtet, so Klaatsch, seien die Menschenrassen zwar schon lange modern, stammten jedoch nicht von einem einzigen Vorfahren ab (was bedeutete, daß sie nicht der gleichen Spezies angehörten). Tatsächlich hätten sich die unterschiedlichen Rassen aus verschiedenen »äffischen« Vorfahren entwickelt. Die negroiden Rassen ließen sich beispielsweise auf die Neandertaler zurückführen, die wiederum von gorillaähnlichen Vorfahren abstammten. Die Kaukasier, so Klaatsch weiter, stammten vom *Homo aurignacensis* ab und, wenn man noch weiter zurückblickte, von »Invasoren« aus Asien, die auf die gleiche gemeinsame Wurzelform zurückgingen wie der große asiatische Menschenaffe, der Orang-Utan.

Die Schlußfolgerung lautete, daß die Neandertaler aus dem Mittelpaläolithikum viele tierische Merkmale und wenig Anzeichen von Zivilisation oder Kultur aufwiesen, obwohl sie Moustérien-Werkzeuge hergestellt und ihre Toten bestattet hatten. Der Menschentyp, der in der unmittelbar angrenzenden geologischen Schicht, nur wenig über der Moustérien-Neandertaler-Schicht, gefunden worden war, erhielt viele verschiedene Namen: Aurignac-Mensch, Cromagnon-Mensch, jungpaläolithischer oder früher moderner Mensch. Menschen dieses so ganz anderen Typs besaßen mehr und raffiniertere Werkzeuge und bewiesen ihr großes künstlerisches Talent in atemberaubend schönen Wandmalereien von Bisons, Mammuts, Pferden und Rentieren, mit denen sie Höhlen in Frankreich und Spanien schmückten. Der große psychologische Unterschied zwischen diesen beiden Menschenformen, die zeitlich so nah beieinander lagen, war verwirrend und ärgerlich zugleich. Wie hatten sich die tierischen, finster blickenden, sogar kannibalischen Neandertaler so schnell zu großen, schlanken Jägern weiterentwickeln können, die imstande waren, solche Kunstwerke hervorzubringen?

Im Jahr 1923 wartete Klaatsch mit einer Antwort auf, die auf einer düsteren Interpretation der Krapina-Funde beruhte und zum

Ausdruck brachte, was viele dachten. Er behauptete, daß die Neandertaler in einem blutigen Überlebenskampf, der »Schlacht von Krapina«, vom modernen Menschen (*Homo aurignacensis*) getötet und verspeist worden waren. Demnach hatte sich der Neandertaler nicht zum *Homo aurignacensis* entwickelt, sondern war, als niedriger entwickelte Menschenform, von einer höher entwickelten Form ausgelöscht worden. Diese Vorstellung sollte sich lange halten, obwohl sie verdächtig nach einer Rechtfertigung für Rassenkrieg und Ausrottung klang. Da Klaatsch und Hauser nicht sehr beliebt waren, fanden diese Theorie und die Zuordnung der Combe Capelle-Fossilien zu einer eigenen Spezies keine allgemeine Zustimmung.

Die größte Beleidigung aus französischer Sicht war, daß die Fossilien ins Ausland gebracht wurden: Nach der Ausgrabung verkaufte Hauser die beiden kostbaren Skelette von Le Moustier und Combe Capelle für einhundertsechzigtausend Goldmark an das Museum für Völkerkunde in Berlin. Das war für damalige Verhältnisse eine ungewöhnlich hohe Summe, die von den Franzosen nicht aufgebracht werden konnte. Sie waren darüber tief verbittert und haben Hauser niemals verziehen. Viele Deutsche waren kaum glücklicher, schließlich hatten sie für ein paar alte Knochen ein Vermögen ausgegeben. Auch für Hauser selbst nahm die Angelegenheit ein höchst unerfreuliches Ende, denn die Schweizer Bank, an die das Geld überwiesen wurde, meldete kurz darauf Konkurs an, und er verlor fast die gesamte Summe.[18] Am Ende hatte er den Nationalschatz der Franzosen gewissermaßen für ein Butterbrot verkauft.

Ironischerweise wurden die Fossilien, die Hauser nach Meinung der Franzosen unrechtmäßig außer Landes geschafft hatte, auch den Deutschen wieder entwendet. Während des Zweiten Weltkriegs verschwanden die Funde von Le Moustier und Combe Capelle zusammen mit weiteren archäologischen Schätzen aus dem Berliner Museum. Der Le Moustier-Schädel tauchte in den fünfziger Jahren in St. Petersburg (dem damaligen Leningrad) wieder auf. Er befand sich in einer der Kisten, die man bei Kriegsende aus Berlin mitgenommen hatte, doch der Rest des Skeletts und die gesamten Combe Capelle-Fossilien scheinen für immer verschollen zu sein.

Im Jahr 1914, als der Erste Weltkrieg ausbrach, geriet Hauser in eine heikle Lage. Die Franzosen nahmen ihm seine Verbindung zur deutschen Regierung sehr übel und beschuldigten ihn, ein Spion und »Handlanger der deutschen Wissenschaft«[19] zu sein. Seine Arbeitsräume wurden aufgebrochen und verwüstet; als Entschädigung erhielt er zweihundert Francs, eine Summe, die er für schäbig hielt, die die Franzosen aber als äußerst großzügig ansahen. Seine Post wurde beschlagnahmt und geöffnet, weil vermutet wurde, er gebe Informationen an die Deutschen weiter. Einheimische, die in seinem Dienst standen, warnten ihn vor schlimmeren Übergriffen, woraufhin er in seine Schweizer Heimat floh. Die französische Regierung beschlagnahmte seine Grundstücke im Vézère-Tal. In der Schweiz veröffentlichte Hauser eine Reihe populärwissenschaftlicher Bücher über das Leben in prähistorischer Zeit. Es waren lebendige und phantasievolle Schilderungen der Gebräuche unserer Vorfahren, in denen er mit unverhohlenem Spott die ihm bekannten französischen Prähistoriker und Anthropologen kritisierte.

Hauser kehrte niemals nach Frankreich zurück und führte auch andernorts keine nennenswerten Ausgrabungen mehr durch. Er soll zusammen mit seiner Frau mehrmals das Berliner Museum für Völkerkunde besucht und einen großen Blumenstrauß auf die Glasvitrinen gelegt haben, in denen die Skelette von Le Moustier und Combe Capelle ruhten.[20] Vielleicht hegte Hauser besondere Gefühle für jene Menschen, deren Knochen er ausgegraben hatte, vielleicht besuchte und ehrte er aber auch nur die Früchte seines größten Triumphes.

Marcellin Boule, damals Professor am Muséum National d'Histoire Naturelle, gehörte zu jenen, die über den Verkauf der Skelette besonders empört waren und Hausers Triumph als persönliche Beleidigung auffaßten. In einem Kommentar, den er in den zwanziger Jahren über das Skelett von Le Moustier schrieb, übte er scharfe Kritik an Hausers Arbeit:

Der wissenschaftliche Wert dieses Relikts wird in hohem Maß durch die Dürftigkeit wichtiger stratigraphischer oder paläontologischer Daten gemindert, und insbesondere durch die beklagenswerte Art und Weise, in der es freigelegt und gelagert

34. *Marcellin Boule, französischer Paläontologe, der in seiner zwischen 1911 und 1913 erschienenen Monographie den Neandertaler von La Chapelle-aux-Saints beschrieb. Mit seiner folgenreichen Studie über die Neandertaler wurde er zwischen den beiden Weltkriegen der Nestor der Paläontologie des Menschen in Frankreich. Diese Fotografie entstand, als Boule bereits ein etablierter Wissenschaftler war. So selbstbewußt wie hier schaut er bereits auf jüngeren Bildern drein, die ihn noch mit üppigem Bart zeigen.*

wurde. Die Rekonstruktion des Schädels durch den Anatomieprofessor Klaatsch kann nur als Farce bezeichnet werden.[21]

Klaatsch war mit einer zweiten Rekonstruktion offenbar selbst nicht zufrieden. Als er starb – offenbar an der Malaria, die er sich in Java zugezogen hatte –, war er gerade dabei, eine dritte anzufertigen. Einer der Techniker des Museums vollendete seine Arbeit, doch ersetzte er die fehlenden Teile durch so raffiniert angemalten Gips, daß niemand mehr beurteilen könnte, was echt und was hinzugefügt worden war. Diese stümperhafte Rekonstruktion beweist, daß Gorjanović gut daran getan hatte, Klaatsch von seinen Krapina-Fossilien fernzuhalten. Erst in den zwanziger Jahren wurden die Schädelstücke von Le Moustier durch den deutschen Anthropologen Hans Weinert anatomisch angemessen zusammengefügt.

Ähnlich kritisch äußerte sich Boule zu den Fossilien von Combe Capelle:

Es wurde versucht, ihn [den Combe Capelle-Menschen] zum Vertreter einer eigenen Spezies namens *Homo aurignacensis* zu erklären, und der deutsche Anthropologe Klaatsch stellte diesbezüglich die gewagtesten Hypothesen auf. Tatsächlich ist das

Wesen, wie wir später sehen werden ... nichts weiter als eine Spielart der Cromagnon-Rasse.[22]

Boule sollte lebenslang Hausers Erzfeind bleiben. Ein Grund war Hausers Dreistigkeit, ein Fossil zu verkaufen – noch dazu an die Deutschen –, das Boule sicherlich gerne selbst untersucht hätte. Doch auch ihre unterschiedliche Nationalität, Herkunft und Ausbildung spielten eine Rolle.

Der 1861 in Montsalvy geborene Boule hatte zunächst an der Universität Toulouse studiert. Im Gegensatz zu Hauser stammte er nicht aus einer reichen Familie und konnte nur durch besondere Leistungen beruflich vorankommen. Der berühmte Archäologe Emile Cartailhac, sein Lehrer in Toulouse, nahm sich seiner an. Boule erlangte akademische Grade in mehreren naturwissenschaftlichen Disziplinen. Sein Spezialgebiet war die Geologie. 1887 erhielt er die begehrte Lehrbefugnis und ging mit einem Stipendium an das Muséum National d'Histoire Naturelle. Dort traf er Edouard Lartet und den Paläontologen Albert Gaudry, der sein engster Freund und Mentor werden sollte. Gaudry veranlaßte Boule, sein Interesse, das ursprünglich der Geologie gegolten hatte, auf die Paläontologie zu verlagern. Zusammen mit seinem alten Freund Cartailhac veröffentlichte Boule Studien über verschiedene Moustérien-Halbhöhlen. Nachdem er einige Jahre unterrichtet hatte, setzte er seine Forschungsarbeit in Paris fort. 1888 veröffentlichte er in einem langen und wichtigen Artikel eine Übersicht über den geologischen Zusammenhang aller bekannten fossilen Menschen, einschließlich einiger Fossilien, von denen lediglich angenommen wurde, daß sie vom Menschen stammten. Mit dieser Arbeit begründete er seinen Ruf als exzellenter Kenner der einschlägigen Literatur, obgleich er nur wenig praktische Erfahrung mit Fossilien hatte.

In den neunziger Jahren des 19. Jahrhunderts übernahm Boule nach und nach die Leitung der *L'Anthropologie,* die zu einer der wichtigsten anthropologischen Fachzeitschriften werden sollte. Im Jahr 1890 von Cartailhac, Hamy und Topinard gegründet und aus einem Zusammenschluß von Hamys *Revue d'Ethnologie* und Topinards *Revue d'Anthropologie* hervorgegangen, war sie das wichtigste Organ der physischen Anthropologie, in dem die Gegner des

Bulletin de la Société de Paris zu Wort kamen, jener Zeitschrift, die ehemals von Broca und nun von seinen Nachfolgern an der Ecole d'Anthropologie herausgegeben wurde. Bis 1894 hatte man die Redaktion von *L'Anthropologie* erweitert und neben einigen anderen auch Boule und René Verneau in den Kreis der Mitarbeiter aufgenommen. Gegen Ende des Jahres waren beide Mitherausgeber. Sie sollten diese Position behalten, bis sie in den dreißiger Jahren ihren Schülern die Leitung übertrugen. Mit Hilfe dieser Zeitschrift eroberte sich Boule eine dominierende Stellung in der physischen Anthropologie seines Landes. Sie war für ihn ein ideales Forum, seine Meinung kundzutun, sein Urteil über neue Funde zu verbreiten und bei jeder sich bietenden Gelegenheit leidenschaftliche Schmähschriften gegen Hauser zu veröffentlichen.

Boules beruflicher Aufstieg verlief stetig, wenn auch nicht spektakulär. 1892 beendete er seine Doktorarbeit und wurde Gaudrys Präparator. Zwei Jahre später wurde er Assistent, und weitere sechs Jahre später übernahm er die Lehrstuhlvertretung für den von 1900 bis 1901 beurlaubten Gaudry. Nach dessen Emeritierung 1902 wurde er Professor und Leiter des paläontologischen Labors.

Boule hatte zu Gaudry über viele Jahre hinweg ein ungewöhnlich enges Verhältnis – ein moderner Wissenschaftshistoriker bezeichnet ihn als Gaudrys »Jünger«[23], was nicht einmal übertrieben sein dürfte. Gaudry war Boules Lehrer, Vaterfigur, Mentor, Vorbild, engster Freund und Mitarbeiter. Durch ihn inspiriert und geleitet, richtete Boule seine Karriere nach ihm aus.

Gaudry hatte es immer vermieden, sich auf das schwierige Thema der menschlichen Evolution einzulassen – nicht etwa, weil es ihn nicht interessierte, sondern weil es in beruflicher Hinsicht gefährlich war. Zu einer Zeit, als am Muséum National d'Histoire Naturelle immer noch Cuviersche Evolutionsgegner den Ton angaben, wollte er die entwicklungsgeschichtliche Paläontologie am Leben erhalten. Vermutlich gab es keine offiziellen Absprachen, sondern nur die stillschweigende Übereinkunft, daß Gaudry seine Arbeit über die Evolution so lange fortführen durfte, wie er nur Tiere untersuchte. Sollte er zuwiderhandeln und über unerwünschte Themen schreiben, würde es Ärger geben. Gaudry verhielt sich diplomatisch, auch wenn er sich gelegentlich auf gefährliches Terrain vorwagte, so etwa, als er einen Bericht über die Begleitfauna des Chancelade-Skeletts, eines Cromagnon-Fundes von 1888, veröffentlichte, in dem er aber auf das Skelett selbst nicht einging.

Nachdem Boule Gaudry abgelöst hatte, betrachtete er es als seine Aufgabe, »den Weg zu erweitern«, den Gaudry markiert hatte, und das »quälende Problem der menschlichen Abstammung« anzugehen, zumal die menschliche Evolution mittlerweile größere Akzeptanz erfuhr und sogar als ein aufregendes Thema galt.[24] Es war seine Aufgabe, seine Schuldigkeit, ja, seine heilige Pflicht, Gaudrys Beispiel zu folgen und die Tradition seiner Arbeit in neuen Bereichen fortzuführen, die Gaudry selbst verwehrt geblieben waren.

Doch wie konnte er dieses Ziel verwirklichen, wenn ihm keine menschlichen Fossilien zur Verfügung standen? Boule hatte einen kurzen Bericht über einige Cromagnon-Skelette verfaßt, die 1901 bei Ausgrabungen im italienischen Grimaldi entdeckt worden waren. An diesen Ausgrabungen hatte auch Prinz Albert I. von Monaco teilgenommen, der sich leidenschaftlich für die menschliche Vorgeschichte interessierte. Die Grimaldi-Funde schienen darauf hinzudeuten, daß neben Neandertalern auch anatomisch moderne Menschen im Moustérien gelebt hatten, was die Frage, ob der Neandertaler ein Vorfahr des modernen Menschen war, noch komplizierter machte. Alle Grimaldi-Skelette waren, wie bei menschlichen Fossilien aus dem Jungpaläolithikum häufig, bestattet worden. An den Knochen fanden sich noch Spuren roten Okkers, der wohl ursprünglich auf die Haut aufgetragen worden war. Rings um die Skelette lagen Muschel- und anderer Schmuck. Aber nicht Boule wurde mit der Analyse der Grimaldi-Reste betraut, sondern Verneau, der sich noch immer intensiv mit Rassenproblemen und Rassenmigration befaßte, Themen, die Ende des 19. Jahrhunderts die Wissenschaftler fesselten.

Verneau kam zu dem bizarren Schluß, daß die beiden ältesten (der vier) Skelette aus der Grotte des Enfants bei Grimaldi eindeutig negroid waren. Kurz zuvor hatte der an der Universität Lyon tätige Anthropologe L. Testut erklärt, daß das Chancelade-Skelett, das 1888 in der Nähe von Périgueux gefunden worden war, von einem Eskimo stamme. In der Folgezeit nahmen die Spekulationen über Rassenmigrationen beinahe groteske Formen an, ja man vermutete sogar, daß moderne Rassengruppen in wilder Hast durch Frankreich gezogen und dann ausgestorben seien. Heute wissen wir, daß Testut und Verneau anatomische Varianten – die ihre Ursache teilweise in Gewohnheiten und Verhaltensweisen der Menschen hatten – mit anatomischen Merkmalen verwechselten, die für Rassengruppen genetisch festgelegt sind. Selbst mit modernem Wissen und statistischen Methoden ist es nicht immer einfach zu entscheiden, welcher Rasse ein Schädel zuzuordnen ist, und es ist eher unwahrscheinlich, daß Verneau oder Testut viele Schädel von Afrikanern oder Eskimos untersucht hatten. So unwahrscheinlich ihre Ansichten damals auch geklungen haben mögen, sie warfen ein schwieriges politisches, gesellschaftliches und anatomisches Problem auf. Der Prinz von Monaco hatte das Fossil zur Analyse an Verneau weitergegeben. Er wurde später ein prominenter Förderer der Paläanthropologie und gründete das Anthropologische Museum von Monaco. 1906 setzte er sich für den dreizehnten Internationalen Kongress für Anthropologie und Prähistorische Archäologie ein, dessen Durchführung bis dahin noch ungewiß war.[25] Am besten vermied man jeglichen Ärger im Zusammenhang mit der Interpretation der Grimaldi-Funde.

Boule benötigte für seine Arbeit nach wie vor ein geeignetes menschliches Fossil. Bitter für ihn war, daß das Neandertaler-Skelett, das den Höhepunkt seiner Karriere als Paläanthropologe markieren sollte, am 3. August 1908 entdeckt wurde, nur eine Woche vor Hausers großer Präsentation des Le Moustier-Fundes. Die jungen französischen Brüder Amédée und Jean Bouyssonie fanden bei Ausgrabungen in einer kleinen Höhle bei La Chapelle-aux-Saints, einem Dorf südlich von Brive-la-Gaillarde im mittelfranzösischen Département Corrèze, einen Neandertaler, der vollständiger erhalten war als jeder andere bis zu diesem Zeitpunkt. Er sollte der bekannteste Vertreter dieser Menschenform werden.

Die Brüder Bouyssonie – kurz zuvor hatten sie die Priesterweihe empfangen – gehörten einer noch jungen »modernistischen« Bewegung innerhalb der katholischen Kirche in Frankreich an. Amédée, zehn Jahre älter als sein Bruder, setzte sich intensiv mit dem Verhältnis von Wissenschaft und Natur (einschließlich der Evolution) auf der einen und dem katholischen Glauben auf der anderen

Seite auseinander. Verzweifelt suchte er nach einem Kompromiß, der es ihm und anderen erlaubte, ihrem Glauben treu zu bleiben und ihn mit den unanfechtbaren Beweisen für die Evolution und andere Naturgesetze in Einklang zu bringen. Am Ende wurde er ein Anhänger der, wie wir heute sagen, Orthogenese. Darunter versteht man eine Art »gesteuerte« Evolution, die zwar durch ihre eigenen Mechanismen vorangetrieben wird, in die aber ein höheres Wesen gelegentlich schicksalhaft eingreift.[26]

Ein wichtiges Zentrum dieser »modernistischen« Bewegung war das Seminar Saint-Suplice bei Issy-les-Moulineaux, unweit von Paris. Jean Bouyssonie hatte die Jahre 1897 und 1898 dort verbracht und sein Zimmer mit dem jungen Henri Breuil geteilt, der später ein namhafter Experte für paläolithische Kunst wurde. Es war der Beginn einer langen Freundschaft. Neben der Religion verband die beiden jungen Seminaristen, die bald Abbés wurden,

35. Die kleine Höhle bei La Chapelle-aux-Saints, die als Bouffia Bonneval bekannt war, nach der Entdeckung des Neandertaler-Skeletts. Von links nach rechts: Josef Bonneval, der bei der Familie Bonneval, der die Höhle gehörte (und mit der er nicht verwandt war), in Diensten stand und der den Brüdern Bouyssonie bei den Grabungsarbeiten half; Monsieur Bouygés, ein ortsansässiger Bürger, der mit auf das Bild kommen wollte; Monsieur Bru, ein Nachbar, und Félix Bonneval, der sechzehnjährige Sohn des Grundbesitzers. Josef Bonneval entdeckte das Skelett, als er mit seinem Pickel auf die Seite des Schädels traf.

auch eine gemeinsame Leidenschaft für die Vorgeschichte. In Breuils Fall beschränkte sich diese Leidenschaft anscheinend nicht auf das Wissenschaftliche. Französische Kollegen der nachfolgenden Generation nannten ihn einen *antiquaire de génie,* einen »genialen Antiquar«. Mit diesem zweifelhaften Kompliment wird Breuil unverdientermaßen zu einem cleveren Antiquitätenhändler abgewertet, der nicht viel besser gewesen sei als Otto Hauser. Zusammen mit den Brüdern Bouyssonie besuchte er viele der prähistorischen Fundstätten in der Gegend um Brive-la-Gaillarde.

Im Sommer 1908 also radelten die Bouyssonies wie schon in den vorangegangenen Jahren die dreißig Kilometer von Brive zu dem in der Nähe von La Chapelle-aux-Saints gelegenen Dorf Gines. Sie wollten einen Besuch bei Verwandten mit der Suche nach prähistorischen Werkzeugen verbinden. Außerhalb von La Chapelle-aux-Saints gruben sie in einer kleinen Höhle, die von den Einheimischen Bouffia Bonneval genannt wurde – *Bouffia* bedeutete im regionalen Dialekt »Fuchsloch«, und Bonneval war der Name des Grundbesitzers. Die Arbeit war sehr anstrengend, und so bot Monsieur Bonneval den jungen Abbés die Hilfe seines Bediensteten Josef Bonneval an, der nur zufällig den gleichen Nachnamen wie sein Arbeitgeber trug. Josef Bonneval war es dann auch, der am 3. August 1908 mit dem Pickel auf einen dumpf klingenden Gegenstand stieß.[27] Wie sich herausstellte, handelte es sich um den Schädel eines bemerkenswert vollständigen Neandertaler-Skelettes.

Topographie und Stratigraphie der Höhle waren einfach. Die Höhle war 6 Meter lang, zwischen 2,5 und 4 Meter breit und nur 1 bis 2 Meter hoch. Der gesamte Höhlenboden war mit einer archäologischen Schicht bedeckt, die aus einem »Magma« aus gebrochenen Tierknochen und Flint-Werkzeugen bestand, eingebettet in eine harte, gelbliche Erde. Die Tierknochen stammten von ausgestorbenen Rentieren, Steinböcken, Pferden, Rhinozerossen, Wölfen und anderen Arten aus dem Pleistozän. Die Werkzeuge waren eindeutig aus dem Moustérien.

Zusammen mit Louis Bardon veröffentlichten die Abbés in Boules Zeitschrift *L'Anthropologie* einen Bericht über Entdeckung und Lage des Skelettes:

Der Mensch, den wir gefunden haben, wurde *absichtlich be-stattet*. Man hatte ihn in eine Furche gelegt, die in die mergelige Erde der Höhle gegraben worden war. Diese weiße Erde, die schwer gegraben werden konnte, unterscheidet sich stark von der der archäologischen Schicht. Dieses Grab oder diese Furche ... war beinahe rechteckig, 1 Meter breit, 1,45 Meter lang und etwa 30 Zentimeter tief.

Der Tote war darin ungefähr in Ost-West-Richtung beerdigt worden; er lag auf dem Rücken, mit dem Kopf nach Westen, und berührte an einer Ecke den Rand des Loches. Er war durch mehrere Steine dort verkeilt. Der rechte Arm war angewinkelt und auf den Kopf gerichtet. Der linke Arm war gerade ausgestreckt. Die Beine waren ebenfalls nach rechts zurückgebeugt. Über dem Kopf befanden sich drei oder vier Fragmente von Röhrenknochen; über ihnen und noch miteinander verbunden waren das Ende des großen Metatarsus, die beiden ersten Phalangen sowie die zweite Phalanx [Knochen des Mittelfußes und des Hufs] eines Rindes. Das beweist eindeutig, daß das Bein vollständig mit Fleisch dort hingelegt worden war – vielleicht als Nahrung für den Toten. (Es zeigt auch, daß das Grab unberührt geblieben war.) Um den restlichen Körper herum lag, wie auch in der übrigen archäologischen Schicht, eine große Zahl von Quarzwerkzeugen, bearbeiteten Feuersteinen, mehrere Okkerstücke, gebrochene Knochen usw.[28]

Breuil empfahl den Bouyssonies, das Skelett Marcellin Boule zu schicken. Warum ausgerechnet Boule? Nun, zum einen hatte er in seinem 1888 verfaßten Aufsatz über die Paläontologie des Menschen bewiesen, daß er über umfangreiche Kenntnisse verfügte und über die neuesten Funde auf dem laufenden war. Noch wichtiger aber war, daß Breuil zusammen mit Boule an der Universität Toulouse bei Cartailhac studiert hatte. Breuils Einfluß und Beziehungen war es also zu verdanken, daß Boule mit den Bouyssonies überhaupt in Kontakt kam und sie ihm das Skelett zur Analyse schickten. Dies war eine schicksalhafte Entscheidung, sowohl für Boule als auch für den Neandertaler.

Nun endlich besaß Boule das Fossil, das er sich gewünscht hatte. Schon lange wartete er auf eine Gelegenheit zu beweisen,

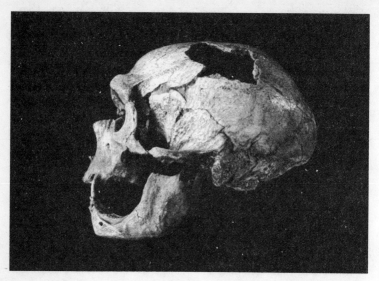

36. *Der Schädel des 1908 in La Chapelle-aux-Saints gefundenen Neandertalers (Seitenansicht). Die von Marcellin Boule ausgearbeitete Studie führte dazu, daß die tierische Natur des Neandertalers betont und er als ausgestorbener Vertreter eines Seitenzweiges im Stammbaum des Menschen plaziert wurde. Der Neandertaler von La Chapelle war bei seinem Tod erst etwa dreißig Jahre alt, hatte aber bereits die meisten seiner Backenzähne verloren. Dadurch entsteht der Eindruck, als sei der Mund geöffnet.*

daß menschliche Fossilien ebenso rigoros wie andere Bereiche der Paläontologie erforscht werden konnten. Auch hatte er bestimmte Vorstellungen über den Verlauf der Evolution, wenn auch vermutlich keine, die ausdrücklich anerkannt waren.[29] Boules frühere Studien über Säugetiergruppen hatten interessanterweise einige übereinstimmende Schlußfolgerungen zugelassen. Wiederholt hatte er festgestellt, daß Säugetiergruppen früher als ursprünglich angenommen entstanden waren und daß vermeintliche Vorfahren oft zu ausgestorbenen Seitenzweigen gehörten und ihren angeblichen Nachkommen lediglich glichen. Boule, wie auch schon Gaudry vor ihm, hatte also festgestellt, daß es viele Seitenzweige gab, die nicht weiterführten und mit dem Aussterben bestimmter Säugetiere endeten. Und da er in seinen Schriften über die Grimaldi-Funde behauptet hatte, daß die Neandertaler und die Cromagnon-Menschen nur eine kurze Zeitspanne voneinander trennte, waren seine Schlußfolgerungen über den Neandertaler von La Chapelle-aux-Saints schon beinahe vorhersehbar.

Vor diesem Hintergrund begann Boule mit der Untersuchung des »Alten von La Chapelle-aux-Saints«, wie man das Skelett später nennen sollte. Er gab sich alle Mühe, Zwischenberichte und vorläufige Teile seiner Studie so schnell wie möglich zu veröffentlichen, weil sein Gegenspieler Hauser immer wieder neue Fossilien fand. Erste Veröffentlichungen erschienen ab Dezember 1908 in *L'Anthropologie*. Darin unterstrich er, daß die Gebeine bestattet worden seien, daß sie zweifelsfrei von einem Neandertaler stammten und daß die Morphologie des Skeletts (ungeachtet Virchows Machtwort im vorangegangenen Jahrhundert) normal und nicht pathologisch sei, wenn auch in vielerlei Hinsicht affenartig.

Boule und viele andere französische Paläontologen und Anthropologen taten so, als seien die Funde von La Chapelle-aux-Saints die ersten eindeutigen Belege für eine Neandertaler-Bestattung, obwohl Hauser kurz zuvor in Le Moustier eine Bestattung entdeckt hatte und einiges darauf hindeutete, daß auch die Skelette von Spy beerdigt worden waren. Doch selbst dieser zutiefst menschliche Brauch, die Toten mit einer Zeremonie und mit Grabbeigaben zu bestatten, die offensichtlich dafür bestimmt waren, ihnen das Leben nach dem Tode zu erleichtern, änderte nichts am grundsätzlichen Bild, das man sich vom Neandertaler machte. Wuchtige Überaugenwülste wogen mehr als Begräbnisse.

Boules vorläufige Interpretationen des Skeletts von La Chapelle-aux-Saints erschienen in *L'Anthropologie,* die erste im Dezember 1908. Er betonte, daß die Überreste in einem absichtlich angelegten Grab gefunden worden waren, daß sie zweifelsfrei von Neandertalern stammten und daß die Morphologie des Skelettes, entgegen Virchows Ansichten, normal und nicht pathologisch ist, wenn auch »äffisch« in vielerlei Hinsicht.

Im Jahr 1909 folgte eine weitere Entdeckung bei La Ferrassie, ebenfalls in der Dordogne. Seit 1899 hatten die beiden Prähistoriker Denis Peyrony und Dr. Louis Capitan die Halbhöhle untersucht, die viele schöne Artefakte freigab. Am 17. September 1909 entdeckten sie zusammen mit Monsieur Raveau in einer der Schichten Menschenknochen. Wie mittlerweile üblich, zogen sie Sachverständige zu Rate, darunter auch Boule, Bouyssonie, Bardon, Cartailhac, Breuil und ein Monsieur Feaux, der bei den Ausgrabungen von Chancelade mitgearbeitet hatte. In einer stratigraphischen Schicht – man vermutete, der gleichen wie bei La Chapelle-aux-Saints – legte die Gruppe das Skelett eines erwachsenen männlichen Neandertalers frei. Auch er lag wieder in gebeugter Haltung in einem ausgehobenen Grab. Außerdem wurden in der Schicht Moustérien-Werkzeuge gefunden. Im Jahr darauf fand Peyrony ein zweites Skelett, diesmal ein weibliches. Die beiden fossilen Menschen La Ferrassie 1 und 2 wurden in Boules Labor gebracht, wo man sie als »Ersatz« für fehlende Teile des Skeletts von La Chapelle-aux-Saints benutzte. In den folgenden Jahren wurden die Gebeine von fünf Kindern entdeckt, die bei La Ferrassie bestattet worden waren. Doch für Boule kamen diese Funde zu spät, er konnte sie in seiner Monographie nicht mehr berücksichtigen. Ohnehin hat er sich nie die Mühe gemacht, die Fossilien von La Ferrassie angemessen zu beschreiben. Wahrscheinlich dachte er, daß es nach La Chapelle-aux-Saints über den Neandertaler nichts mehr zu sagen gebe.

Im Jahr 1910 entdeckte der praktische Arzt Henri Martin, ein Freund Boules, in La Quina die Knochen von zwei weiteren Neandertalern. Martin hatte 1905 seine lukrative Praxis aufgegeben, war in das Département Charente gezogen und hatte seitdem die Region erforscht. Einige Jahre vor seinem Umzug hatte der lokale Hobby-Archäologe Gustave Chauvet die Halbhöhle von La Quina bei Straßenbauarbeiten am Fuße eines Felsens entdeckt. Chauvet war der erste, der die herrlichen Moustérien-Werkzeuge sammelte, darunter auch später nach diesem Fund benannte Quina-Schaber. Doch der betuchte Pariser Arzt Martin kaufte die Fundstätte und sperrte sie für (andere) Hobby-Forscher, was zu erheblicher Verstimmung unter den Einheimischen führte.

In der alten Halbhöhle, die sich über eine beträchtliche Strecke am Fuß eines Felsens erstreckte, fand auch Martin bald Moustérien-Werkzeuge und Knochen ausgestorbener Tierarten. Und nach Jahren mühevollen Grabens wurde er 1910 schließlich mit menschlichen Fossilien belohnt: Er fand zwei Tali (Sprungbeine), die offensichtlich von einem Neandertaler stammten. Von entscheidender Bedeutung war Martins Erkenntnis, daß der eigenartige Winkel des Sprungbeinkopfes bei Neandertalern *nicht* darauf hindeutete, daß der große Zeh wie beim Menschenaffen von den anderen Zehen abgespreizt war. Er veröffentlichte seinen Befund, und auch sein Freund Boule muß ihn gekannt haben, auch wenn er ihm später keine Beachtung schenkte. Im September 1911 fand Martin das bestattete Skelett eines erwachsenen Neandertalers. Kurz vor der Veröffentlichung des ersten Teils von Boules Monographie blieb ihm wenig Zeit, sich eine Meinung zu dem Fund zu bilden.

Von Oktober 1911 bis März 1913 wurde Boules Werk in vier Teilen in den *Annales de Paléontologie* veröffentlicht. Eine solche Aufteilung war ungewöhnlich und wohl auf Boules Sorge zurückzuführen, Hauser könnte ihm zuvorkommen. Die Monographie wurde auf Anhieb zum Klassiker und trug maßgeblich dazu bei, daß sich die Paläontologie des Menschen – die Paläanthropologie, wie sie später genannt wurde – als wissenschaftliche Disziplin etablierte.

Boules Schlußfolgerungen sollten das Bild des Neandertalers nachhaltiger beeinflussen als alle bisherigen Werke. Die Arbeit war wissenschaftlich, detailliert und genau; sie war methodisch unanfechtbar und hielt sich streng an die Verfahren, die Boule bereits in früheren Studien über Säugetierfossilien angewandt hatte. Er beschrieb systematisch jedes einzelne Skeletteil und verglich es mit Material von anderen Neandertalern, Menschenaffen und Menschen. Am Ende konnte er sich zurücklehnen und befriedigt feststellen, daß »die Paläontologie nun tatsächlich eine Wissenschaft war, gleich ob sie sich mit dem Menschen oder mit Tieren befaßte«[30]. Genau dieses Ergebnis hatte er sich erhofft.

Trotz Boules unbestrittener Gelehrsamkeit und Sorgfalt waren viele seiner Schlußfolgerungen falsch. Er ging davon aus, daß der »Alte von La Chapelle-aux-Saints« der Prototyp eines Neandertalers gewesen war – nicht in formal taxonomischer, sondern in psychologischer Hinsicht –, und er entwarf ein detailliertes Bild von der Anatomie der Neandertaler, das allgemein anerkannt wurde. Nach diesem Bild waren sie äußerst primitiv und »äffisch« und kamen folglich auch nicht als Vorfahren der wundervollen Cromagnon-Menschen in Frage, die nur kurze Zeit nach ihnen gelebt hatten. Der Neandertaler war allenfalls ein ausgestorbener und entfernter Verwandter des modernen Menschen.

Boules Ergebnisse überraschen nicht, denn noch bevor er den »Alten« sah, hatte ihm der rasche Übergang vom Neandertaler zum modernen Menschen bereits Kopfzerbrechen bereitet. Immer wieder stellte er die physischen Ähnlichkeiten zwischen Neandertalern und Menschenaffen heraus und betonte die Unterschiede zwischen fossilen und modernen Menschen. Die von ihm rekonstruierte Wirbelsäule war sehr viel gerader als die des modernen Menschen, was eine gebeugte Haltung und einen schleppenden Gang zur Folge gehabt hätte. Der Kopf seines Neandertalers war nach vorn geneigt, wodurch seine Länge, das vorspringende Gesicht und die großen Überaugenwülste betont wurden, die Knie waren ständig gebeugt, und er besaß einen weit abgespreizten großen Zeh. Die Zeichnung in seiner Monographie prägte sich in den Köpfen der Anthropologen ein. Sie zeigte einen höchst unvollkommenen Troglodyten (Höhlenmenschen): einen primitiven Wilden, der als Vorfahre des modernen Menschen ausschied.

Boule prüfte, inwieweit die Knochen der Hirnschale vollständig miteinander verwachsen waren, und kam zu dem Ergebnis, daß der »Alte« bei seinem Tod älter als fünfzig Jahre gewesen sein mußte. Diese Annahme wurde durch die zahlreichen Degenerationserscheinungen am Skelett verstärkt. Der »Alte« hatte vor seinem Tod einen Großteil seiner Backenzähne verloren und an schwerer Arthritis im Nacken, Rücken und in den Schultern gelitten; er hatte lange genug gelebt, um eine gebrochene Rippe auszukurieren, und seine linke Hüfte wies starke Abnutzungserscheinungen auf. Er hatte es fraglos nicht leicht gehabt. Seine körperliche Verfassung ist um so bemerkenswerter, als nach neueren Schätzungen davon auszugehen ist, daß er bei seinem Tod erst ungefähr dreißig Jahre alt war.

Boule nahm zwar einen Großteil dieser Abnormitäten zur Kenntnis, war aber fest entschlossen, mit dem Skelett von La Chapelle-aux-Saints einen echten und »normalen« Neandertaler zu präsentieren. Deshalb erwähnte er die Veränderungen und Verletzungen nur kurz und versuchte zu rekonstruieren, wie das Skelett ohne sie ausgesehen hätte. Die fehlenden oder krankhaften Teile »ersetzte« er durch die Fossilien von La Ferrassie – ironischerweise hielt Boule den gebrochenen Hüftbereich von La Ferrassie für normal (wenn auch für eigenartig).

Er nahm deutlich die Verletzungen und Krankheiten seines Neandertalers wahr, dennoch übersah er absichtlich deren wahre Bedeutung. Obwohl seine Beobachtungen korrekt waren, war seine Rekonstruktion des »Alten« inkorrekt in entscheidenden Punkten. Vielleicht spielte auch die Tatsache, daß Boule im Jahr 1911 fünfzig Jahre alt wurde, eine Rolle bei seiner Interpretation. Wollte er nicht sehen, daß der »Alte« weniger flink war als ein junger (Neandertaler)?

Modernen Analysen zufolge sind viele der Merkmale, die Boule als »äffisch« beschrieb und als Hinweise auf einen schleppenden Gang mit gebeugten Knien wertete, weder pathologisch, noch sind sie beim modernen Menschen gänzlich unbekannt.[31] Damals waren die Methoden der funktionalen Anatomie – der Analyse einer ausgestorbenen Spezies, um Haltung, Gang und gewohnheitsmäßige Handlungen zu bestimmen – noch nicht ausgereift. Deshalb ermittelte Boule zuweilen die falschen Maße oder verkannte ihre Bedeutung. Ein weiteres, immer wieder auftretendes Problem war die Variationsbreite. Es war nicht bekannt, inwieweit die Anatomie von normalen modernen Menschen (oder von Affen oder fossilen Menschen) variierte und wie sich feststellen ließ, ob ein Unterschied bedeutungsvoll war. Niemand war mit der menschlichen Morphologie ausreichend vertraut, um erkennen zu können, daß die für den Neandertaler typische Morphologie – muskulös und stark oder hypertrophiert – in vieler Hinsicht der Morphologie extremer Typen unter den modernen Menschen glich.

Boule war beispielsweise beeindruckt von der kräftigen Muskulatur und der Manivität des Hüftbereichs; davon zeugten die stark ausgeprägten Ansatzstellen der Muskeln sowie die Dicke und Substanz der Knochen. Fälschlicherweise nahm er an, daß es keine Stellung des Oberschenkels gab, die zu einer vollständigen Streckung der Hüfte geführt hätte. Wie Fraipont und Lohest in bezug auf die Fossilien von Spy vertrat auch er die Ansicht, daß aufgrund der Retroversion der tibialen Gelenkflächen die Knie nicht durchgedrückt werden konnten, obwohl zwei Studien (eine von Manouvrier) in den neunziger Jahren des 19. Jahrhunderts gezeigt hatten, daß einige moderne Menschen mit normalem Gang und normaler Haltung diese tibiale Retroversion ebenfalls aufwiesen. Boule nahm Manouvriers Schlußfolgerungen zwar zur Kenntnis, ignorierte aber erstaunlicherweise ihre Bedeutung für die Neandertaler. Auch war er der Meinung, daß der große Zeh wie bei Menschenaffen, die den Fuß zum Greifen gebrauchen, weit von den anderen Zehen abgespreizt war – ein Irrtum, der teils auf einer falschen Rekonstruktion fehlender Knochenteile, teils auf Messungen beruhte, die die Funktionsweise des Fußes nicht präzis wiedergaben. In diesem Punkt muß Boule absichtlich Martins Arbeit über die Funde von La Quina ignoriert haben.

Ähnliche Fehler unterliefen Boule, als er die Wirbelsäule, einen der wichtigsten Bereiche für die Rekonstruktion der Haltung, des Skeletts von La Chapelle-aux-Saints interpretierte. Seine Schlußfolgerungen beruhten auf einem Vergleich der Anatomie von Mensch und Menschenaffe. Die Wirbelsäule beim modernen Menschen hat normalerweise die Form eines Doppel-S. Von der Seite betrachtet wölbt sie sich im Halsbereich und ein zweites Mal im Lendenteil nach vorn. Der dazwischenliegende Bereich des Brustkorbs, wo sich die Rippen befinden, wölbt sich nach hinten und bildet nach vorne eine konkave Krümmung. Im Gegensatz dazu wölbt sich die Wirbelsäule des Menschenaffen von oben nach unten in einem einzigen Bogen, der nach vorne konkav ist. Natürlich war bei Boules Rekonstruktion die Wirbelsäule eindeu-

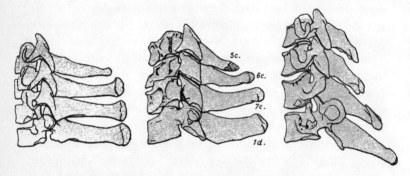

37. *Die letzten drei zervikalen (Hals-) Wirbel und der erste thorakale (Brust-) Wirbel des Neandertalers von La Chapelle-aux-Saints, verglichen mit denen eines Schimpansen (links) und eines modernen Europäers (rechts) – nach einer Zeichnung aus dem Jahr 1912 von Marcellin Boule. Die waagrechten Dornfortsätze der Wirbelsäule des »Alten von La Chapelle-aux-Saints« deuteten laut Boule auf eine schimpansenähnliche Kopfhaltung der Neandertaler hin.*

tig menschenaffenähnlich gekrümmt. Diese Interpretation wurde teilweise durch die Dornfortsätze gestützt, die fingerähnlichen, knochigen Fortsätze der Wirbel, die als harte Rundungen am Nakken ertastet werden können. Bei dem in La Chapelle-aux-Saints gefundenen Skelett waren die Dornfortsätze der Halswirbel lang und glichen deshalb oberflächlich denen eines Schimpansen. Doch bereits 1886 hatte der Anatom Daniel J. Cunningham festgestellt, daß auch der moderne Mensch ähnliche, wenn auch weniger massige Dornfortsätze besitzen kann. Cunninghams Publikation muß Boule bekannt gewesen sein, aber er schenkte ihr offensichtlich keine Beachtung.

Sein Unwille, der Wirbelsäule des Neandertalers eine menschliche Krümmung zuzuschreiben, wurde an einem weiteren vielsagenden Detail deutlich. Jeder Wirbel besitzt einen annähernd zylindrischen Teil, den sogenannten Wirbelkörper, der durch Scheiben von den oben und unten anschließenden Wirbeln getrennt ist, die leider dazu neigen, noch zu Lebzeiten zu verschleißen. Die Wirbelkörper des Skelettes waren im unteren Bereich beschädigt, so daß Boule die fehlenden Teile aus Ton modulierte. Die ergänzten Wirbelkörper waren keilförmig, daß heißt, sie waren vorn größer als hinten. Obwohl die Wirbel nur dann sinnvoll in eine anatomische Stellung gebracht werden konnten, wenn die Wirbelsäule wie beim modernen Menschen im Lendenbereich gekrümmt war, ignorierte Boule das von eigener Hand Geschaffene, als er die Wirbel zu einer vollständigen Wirbelsäule aufeinanderschichtete.

Die Fehler in Boules Rekonstruktion sind vermutlich auf etwas anderes zurückzuführen als auf die Arthritis und die anderen physischen Anomalien des »Alten« von La Chapelle-aux-Saints. Boule studierte genaugenommen nur dieses eine Individuum, griff bei seiner Analyse aber häufig auf die größtenteils nicht pathologischen Überreste aus dem Neandertal, von Spy und La Ferrassie zurück. Wie bereits erwähnt, steckte die menschliche Paläontologie damals noch in ihren Kinderschuhen, und das Wissen darüber, wie eine funktionale Analyse durchgeführt werden sollte oder was noch innerhalb der normalen Variationsbreite lag, war noch nicht ausgereift. Auch wenn der damalige Stand der Wissenschaft – oder Technik – noch zu wünschen übrig ließ, so hatte Boule nicht das Recht, völlig unabhängig seine Folgerungen zu ziehen. Er ignorierte wiederholt wichtige Arbeiten von Kollegen und entschied sich stets für die Interpretation, die den Neandertaler weniger menschlich erscheinen ließ. Wie konnte dieser Mann so handeln und doch eine der einflußreichsten Monographien schreiben, die in der Geschichte der menschlichen Paläontologie jemals verfaßt worden ist?

Als Boule mit seiner Studie begann, hatte er mehrere Ziele im Auge. Einmal wollte er das Aufgabengebiet seines Laboratoriums auf die Erforschung der menschlichen Evolution ausdehnen, was ihm auch gelang. Desweiteren hoffte er darauf, die menschliche Paläontologie als ernstzunehmende Wissenschaft zu etablieren – auch darin war er erfolgreich. Er glaubte, daß die Neandertaler nichts mit der menschlichen Abstammung zu tun hatten, und mit seiner anatomischen Analyse gelang es ihm tatsächlich, diese tierischen Wesen aus dem Stammbaum des Menschen zu verbannen. Die Neandertaler waren gleich in doppelter Hinsicht fossil – sie waren sehr alt, und sie waren ausgestorben. Boule konnte das behaupten, ohne daß er eine Antwort auf die kniffligen Fragen finden mußte, weshalb oder wie sie ausgestorben waren oder wer, wenn nicht die Neandertaler, die Vorfahren des modernen Menschen waren.

Seine Schlußfolgerung schien zu belegen, daß die Evolution eher einem verzweigten Busch glich als einem geraden Stamm, wie in anderen Studien dargestellt. Und es war kein Zufall, daß dieses Ergebnis dem geradlinigen Schema der menschlichen Evolution widersprach, das Gabriel de Mortillet von der Ecole d'Anthropologie vorgeschlagen und für das sich auch sein Kollege Léonce Manouvrier eingesetzt hatte. Zu Beginn des 20. Jahrhunderts, wie auch schon Ende des 19. Jahrhunderts, konkurrierten das Muséum National d'Histoire Naturelle, an dem Boule arbeitete, und die Ecole d'Anthropologie miteinander, so daß eine Studie, mit der de Mortillet in Verlegenheit gebracht werden konnte, immer willkommen war. Boule hatte de Mortillet schon zuvor aus verschiedenen Gründen heftig angegriffen und dessen Schema als »Trugbild von Doktrinen« und als »Mumie« bezeichnet, »um die er jeden Tag neue Tücher schlingt«[32], um es vor Kritik zu schützen. Daß auch der deutsche Anatom Schwalbe de Mortillets Schema aufgriff, dürfte Boules Freude darüber, daß seine Studie etwas

Gegenteiliges vermuten ließ, zusätzlich gesteigert haben. Boule »frisierte« seine Ergebnisse sicher nicht absichtlich und wissentlich. Allerdings nahm er nur das bereitwillig zur Kenntnis, was ihm angenehm war, während er das übersah, was auf unbequeme Folgerungen hindeutete.

Mit seiner ausgezeichneten Monographie stärkte Boule sein Ansehen auf dem Gebiet der menschlichen Evolutionsforschung im In- und Ausland. Prinz Albert I. von Monaco suchte höchstpersönlich sein Laboratorium auf, um den »Alten« von La Chapelle-aux-Saints zu besichtigen. Er blieb bis zum Abend und bat Boule, ihm einen »Plan für die Einrichtung eines Institutes für menschliche Paläontologie zu entwerfen«[33]. Der Prinz war bereit, das Gebäude und zusätzlich 1 600 000 Francs zu stiften. Den prachtvollen Bau zierten Flachreliefs, auf denen Neandertaler sowie jungpaläolithische und noch spätere Menschen bei der Jagd, bei der Herstellung von Kunstgegenständen oder beim Fischen zu sehen waren. Der Schädel von La Chapelle-aux-Saints war über dem Haupteingang unter dem Familienwappen des Prinzen abgebildet. Dies war eine passende Huldigung an Boule, die menschliche Paläontologie und letztlich auch an den armen, kranken und vorzeitig gealterten Mann von La Chapelle-aux-Saints.

Boule ließ sich nicht zweimal bitten. Er stellte unverzüglich einen Plan auf und wurde am 15. Dezember 1910 Professor und Direktor des Institut de Paléontologie Humaine. Seine alten Freunde, die Abbés Henri Breuil und Hugo Obermaier, beide Experten für prähistorische Kunst, berief er als erste an sein Institut. Breuil hatte das im 19. Jahrhundert vorherrschende Paradigma, daß der kulturelle Fortschritt als eine universelle und voraussagbare Folge festgelegter Entwicklungsphasen zu verstehen sei, verworfen und war in seinen archäologischen Studien zu ähnlichen Ergebnissen gekommen wie Boule. Er schlug ein komplexeres, weniger voraussagbares und verzweigteres Schema für die kulturelle Entwicklung und Differenzierung vor und argumentierte, daß das Aurignacien – die frühe jungpaläolithische Kultur, die in Westeuropa mit anatomisch modernen Cromagnon-Menschen einherging – von außen in die Region eingedrungen sein muß. Seiner Ansicht nach hatten die Aurignacien-Werkzeuge nichts mit denen der vorausgegangenen Moustérien-Kultur zu tun, die von den »tierischen« Neandertalern hergestellt worden waren. Auch diese Ideen trugen dazu bei, daß sich Boules Ansehen vergrößerte.

Intellektuell lieferte Boules Werk eine wichtige Alternative – die als Präsapiens-Theorie bekannt wurde – zu Schwalbes und de Mortillets geradlinigem Schema. In Frankreich galt er als der Fachmann für Fragen der menschlichen Evolution schlechthin. Seine intellektuelle Vormachtstellung in der Anthropologie seines Landes war vergleichbar mit der Cuviers einige Jahre zuvor. Noch vor dem Erscheinen seiner Monographie waren bereits einige der wichtigsten Ergebnisse seiner Untersuchung, möglicherweise durch Berichte über seine diversen Vorlesungen, nach England gedrungen.

Der Gedanke, daß die Neandertaler aus dem Stammbaum des Menschen eliminiert werden konnten, fand zumindest bei dem Briten Arthur Keith, der damals schon kein unerfahrener Wissenschaftler mehr war, großen Anklang. Im Jahr 1908 zum Direktor des Hunterian Museum am Royal College of Surgeons in London ernannt, war er in die Fußstapfen George Busks getreten. Er war entschlossen, in seiner neuen Position seinen Ruf als wichtige Persönlichkeit in der englischen Anthropologie zu festigen. Er entwickelte einen scharfen und nahezu sarkastischen Schreibstil, mit dem er seine Ideen verteidigte und Andersdenkende kritisierte. Fotografien zeigen den zweiundvierzigjährigen Keith als großen, schlanken und stattlichen Mann mit blondem Haar, der jedoch seltsam angespannt und unsicher wirkt. Seine Augen blicken ängstlich, als sorge er sich darum, was andere denken oder tun.

Kaum hatte Keith die Leitung des Hunterian Museums übernommen, begann er mit den Vorbereitungen für eine Ausstellung über Frühmenschen in England. Er bemühte sich, alle in seinem Land verfügbaren wichtigen Fossilien zu beschaffen oder sie wenigstens neu zu untersuchen und in einen Zusammenhang mit den Funden auf dem Kontinent zu stellen. Natürlich sollte die Ausstellung die Wichtigkeit der britischen Funde unterstreichen – obgleich das in Frankreich entdeckte Material eindrucksvoller war. Und Keith selbst wollte sich als führender britischer Experte auf dem Gebiet fossiler Menschen hervortun. Er wollte also zwei Fliegen mit einer Klappe schlagen.

Keith hatte zunächst die Ansicht vertreten, daß die Neanderta-

38. *Arthur Keith im Jahr 1912. Keith war der junge britische Anatom, der mit Marcellin Boule in Frankreich die Neandertaler aus der Reihe menschlicher Vorfahren ausschloß und von einem hohen Alter des modernen Menschen überzeugt war. Er setzte sich für einige zweifelhafte alte Skelette ein, unter anderem auch für die Fossilien von Piltdown, und lieferte sich leidenschaftliche Debatten mit Arthur Smith Woodward, einem Paläontologen der naturgeschichtlichen Abteilung des British Museum, über die richtige Rekonstruktion des Piltdown-Craniums.*

ler Vorfahren des Menschen waren, seine Überzeugung aber Anfang 1911 abrupt geändert.[34] Die Gründe für seinen Meinungsumschwung sind nie ganz klar geworden. Tatsache ist, daß Keith noch vor Erscheinen von Boules Monographie' – aber nachdem Boule seine Hauptthesen in kurzen Zusammenfassungen veröffentlicht hatte – die Meinung äußerte, daß der moderne Menschentyp sehr alt sei und nicht vom Neandertaler abstamme.

Keith stützte seine Argumente auf eine interessante Auswahl von Fossilien, die eigentlich wenig vielversprechend waren. Zunächst überprüfte er das zu dem umstrittenen Kiefer von Moulin Quignon vorliegende Beweismaterial und kam zu dem Schluß, daß der Kiefer echt sei.[35] Dies war insofern überraschend, als nur wenige Franzosen und kein einziger Brite in den letzten Jahren dem Kiefer ein hohes Alter zugestanden hatten. Warum interessierte sich nun Keith für ihn? Vielleicht paßte der Kiefer zu Ideen, die er bei der Untersuchung von zwei anderen Fossilien entwickelt hatte. Dabei handelte es sich um die Versteinerungen von Galley Hill und Ipswich, deren hohes Alter er (im Gegensatz zu anderen Wissenschaftlern) anerkannte und deren Anatomie vollständig modern (und in keiner Weise den Neandertalern ähnlich) war. Der Mensch von Galley Hill war 1888 in Ken, im Kies der dreißig Meter breiten Terrasse der Themse gefunden worden. Der Hobbyforscher Robert Elliott, ein dunkelhaariger Schotte, hatte Arbeiter, die dort nach

Kreide gegraben hatten, gebeten, nach Flintwerkzeugen und Fossilien Ausschau zu halten. In der ersten Beschreibung der Fossilien schrieb er 1894, sechs Jahre nach ihrer Entdeckung:

> Bei einem meiner vierzehntägigen Besuche berichtete mir ein Mann namens Jack Allsop (der lange Zeit Geräte und ähnlich geformte Steine für mich gesucht und beiseite gelegt hatte ...), daß er einen Schädel unter dem Kies gefunden habe. Zuerst schenkte ich ihm keinen Glauben, doch als ich ihn bat, ihn mir zu zeigen, holte er mehrere Teilstücke unter einem Pfeilersockel aus laminiertem Ton und Sand hervor, wo er sie versteckt hatte. Ich fragte nach den übrigen Knochen, und er zeigte auf einen Abschnitt einige Meter entfernt, gegenüber dem Pfeiler. Er habe die anderen Knochen dort liegen lassen, damit ich sie an Ort und Stelle sehen könne. Tatsächlich ragten nur etwa 60 Zentimeter über der Kreide und etwa 2,5 Meter tief im Kies Knochenteile aus einer Matrix aus tonigem Lehm und Sand hervor ...
> Wir suchten sorgfältig nach Anzeichen, die auf eine Störung des Abschnitts hindeuteten [was ein Hinweis darauf gewesen wäre, daß das Skelett begraben worden war und deshalb aus jüngerer Zeit stammte], doch wir fanden keine.[36]

Rückblickend erscheint Elliotts Frage nach den übrigen Knochen ungewöhnlich, vorausgesetzt, die Ereignisse sind in dem Bericht tatsächlich wahrheitsgetreu wiedergegeben. Die Frage, *ob* es noch andere Knochen gab, wäre sehr viel naheliegender gewesen, weil Funde von relativ vollständigen Skeletten recht selten waren, es sei denn, es lag eine Bestattung vor. Gab es Anzeichen, die auf eine Bestattung schließen ließen, auch wenn dies von Elliott verneint wurde? Da fotografische oder geeignete schriftliche Dokumente fehlen, läßt sich das nicht mehr feststellen.

Ohne Elliotts Wissen arbeitete noch ein zweiter Hobbyforscher am Fundort, der mehr Wert auf eine korrekte Dokumentation legte. Sein Name war Matthew H. Heys. Er war der Leiter der Schule, die oberhalb der Fundstätte lag. Heys interessierte sich ebenfalls für die Vorgeschichte und war an Ort und Stelle, als der Schädel freigelegt wurde. Als Keith die Überreste 1910 zu untersuchen begann, bat er Heys, die Umstände der Entdeckung zu schildern. Der Schulleiter erinnerte sich, daß der Schädel teilweise freigelegt war und daß er die Arbeiter gebeten hatte, ihn *in situ* zu belassen, bis er mit einem Fotografen wiederkomme.

Noch bevor ich einen Fotograf bekommen konnte, stellte ich ein oder zwei Tage später zu meinem höchsten Erstaunen und meiner Entrüstung fest, daß sie von Mr. R. Elliott, der mir damals noch unbekannt war, entfernt worden waren, ohne daß man sie zuvor fotografiert hatte. Meine Hoffnung, sie zu besitzen, war damit zunichte gemacht.[37]

Auch Heys war der Ansicht, daß die übergelagerten geologischen Schichten unberührt waren, und er zitierte Jack Allsop, der gesagt hatte: »Der Mensch oder das Tier wurde von niemandem begraben.«[38] Allsop, Heys, Elliott und später Keith glaubten, daß das Skelett ebenso alt war wie die Artefakte aus Feuerstein, die im Kies gefunden worden waren und die wegen ihrer Machart der Chelléen-Kultur (heute Abbevillien) zugeschrieben wurden, der Kulturstufe also, die dem Moustérien vorausgegangen war, das im allgemeinen mit den Neandertalern in Verbindung gebracht wird.

Trotz dieser Zeugenaussagen bestanden viele berechtigte Zweifel an dem hohen Alter des Menschen von Galley Hill. Als der Fund 1895 vor der Geological Society beschrieben wurde, wies John Evans – einer der skeptischen englischen Geologen, die an dem Debakel von Moulin Quignon beteiligt gewesen waren – darauf hin, wie unwahrscheinlich es sei, daß ein Skelett ohne vorausgegangene Bestattung vollständig erhalten geblieben sei. Boule, dem das Fossil 1909 in Paris gezeigt wurde, bezeichnete es spöttisch als »Nippes«. Doch Keith hielt an seinem Glauben fest. Im Jahr 1915 argumentierte er, daß die Galley Hill-Reste vermutlich tatsächlich bestattet worden seien. Da es sich aber um eine Präneandertaler-Bestattung handele, bei der man das Grab nur in den untersten Teil des Kieses gegraben habe, sei der darüberliegende Kies, wie von Allsop, Heys und Elliott geschildert, unberührt geblieben.

Keith glaubte ebenso fest an das Ipswich-Skelett, das dem Galley Hill-Fossil – und dem modernen Menschen – anatomisch tatsächlich sehr ähnelte. Der Fund bestand aus einem teilweise erhaltenen Schädel und großen Teilen der wichtigsten Gliedmaßenknochen, die in einem Hockergrab angeordnet waren. Zuerst war Keith über die Modernität des Skelettes überrascht. Aufgrund der stratigraphischen Position hatte er einen Neandertaler oder eine Zwischenform zwischen Neandertaler und modernem Menschen erwartet. Keith verglich die Entdeckung mit dem Fund »eines modernen Flugzeuges in einer Kirchenkrypta, die seit den Tagen von Königin Elizabeth zugemauert war«[39]. Während diese Metapher zu suggerieren scheint, Keith habe Zweifel an der Datierung gehabt – die durchaus begründet gewesen wären, denn bei den Toten von Galley Hill und Ipswich handelt es sich in der Tat um bestattete moderne Menschen –, wählte er den anderen Weg: Er nahm an, daß Menschen mit moderner Anatomie sehr viel älter waren, als man bisher vermutet hatte, und daß sie zur gleichen Zeit wie die primitiveren Neandertaler gelebt hatten. Wie Boule in Frankreich setzte sich auch Keith dafür ein, die geradlinige Theorie der menschlichen Evolution aufzugeben und von einem verzweigteren Stammbaum auszugehen, an dem sich mehr als ein Zweig gleichzeitig entwickelte.

Warum Keith zu dieser Überzeugung gelangte, hat viele Gelehrte damals und heute verwirrt. Hätte er seine Meinung erst nach dem Erscheinen von Boules Monographie geändert, die scheinbar stichhaltig bewies, daß die Neandertaler keine direkten Vorfahren des Menschen waren, so wäre sein Sinneswandel um einiges verständlicher. Vielleicht ahnte er bereits, daß die Wissenschaft bald auf Boules Position einschwenken und die Neandertaler in zweifacher Hinsicht als fossil betrachten würde. Aber vielleicht wollte er auch nur ein wichtiges Fossil vorweisen können und damit seine Position in Großbritannien festigen, so wie es Boule in Frankreich getan hatte. Sicherlich hofften Franzosen und Engländer gleichermaßen, das erwartete menschliche Fossil mit der hochentwickelten Anatomie im eigenen Land zu finden.

Die Zeit war also reif für die sonderbaren Ereignisse, die der offiziellen Version zufolge (die sicherlich mit Falschaussagen gespickt ist) 1908 ihren Anfang nahmen. Die Fossilien, die in jenem Jahr in Sussex gefunden wurden, waren eindeutig gefälscht, und doch führten sie nahezu alle Fachleute über Jahre in die Irre. Es handelt sich um eine der bizarrsten und für die Fachwelt beschämendsten Episoden in der Geschichte des Studiums der menschlichen Evolution.

Wenn bereits der Kiefer von Moulin Quignon ein Schwindel war – und er war Boucher de Perthes sicherlich untergeschoben worden – dann handelte es sich bei den Piltdown-Fossilien um einen Schwindel wahrhaft gigantischen Ausmaßes. Der Betrug mit dem Fossil *Eoanthropus dawsoni,*[40] wie man es in Fachkreisen nannte, wurde so schlau eingefädelt, daß es bis heute nicht gelungen ist, die Wahrheit vollständig aufzudecken.

Die wichtigsten Berichte über die Entdeckung stammen von Charles Dawson, nach dem das Fossil benannt wurde. Von Beruf Anwalt, begeisterte er sich für alte Werkzeuge und Fossilien und träumte davon, eines Tages eine großartige Entdeckung zu machen, die ihm die Mitgliedschaft in der Royal Society sicherte. Möglicherweise erlag er der Versuchung, etwas nachzuhelfen, als seine Suche ohne Ergebnis blieb. Selbst die wohlwollendsten Kritiker taten sich schwer, etwas zu Dawsons Entlastung vorzubringen. Andere waren überzeugt, daß er an dem Betrug beteiligt gewesen war. Und daß er einen gelehrten Komplizen gehabt hatte.

Dawson war als Sohn eines Barristers (Rechtsanwalts) 1864 in Fulkeith Hall, Lancashire, geboren worden. Den Großteil seiner Jugend verbrachte er in Sussex, wo er auch später lebte. Der Direktor seiner Schule weckte sein Interesse für Geologie und Archäologie. Mit einundzwanzig Jahren wurde er in die Geological Society gewählt. Dort lernte er den jungen Arthur Smith Woodward kennen, der stolz darauf war, Assistent in der geologischen Abteilung des British Museum of Natural History in South Kensington zu sein. Dawson blieb sein Leben lang ein begeisterter Hobby-Geologe, aber es gibt keine Belege, daß er die Prinzipien wissenschaftlichen Arbeitens jemals wirklich begriff. Er gehörte zu jenen, deren Eifer und Leichtgläubigkeit den gesunden Menschenverstand und jede Vorsicht ausschalteten.

John Cookes berühmtes Gemälde zeigt neben den Wissenschaftlern, die an der Debatte über das Fossil von Piltdown beteiligt waren, auch Dawson; mit kahlem Kopf, buschigem Schnurrbart, weichen Gesichtszügen, vollen Wangen und Goldbrille. Er soll eine sympathische Erscheinung gewesen sein, großzügig, herzlich, fröhlich und redselig, allerdings auch allzu leichtgläubig. Die vielleicht treffendste Charakterisierung Dawsons stammt aus der Feder Pierre Teilhard de Chardins, der 1909 mit ihm zusammentraf, als er selbst noch Jesuit in der Ausbildung war:

Bei der Besichtigung eines in der Nähe gelegenen Steinbruchs [im englischen Hastings] bemerkten wir mit Erstaunen, daß der Verwalter die Ohren spitzte, als wir mit ihm über Fossilien sprachen. Er hatte kurz zuvor den riesigen Beckenknochen eines Iguanodons [ein Dinosaurier] entdeckt und ein Telegramm von Mr. Dawson [erhalten], der ihm mitteilte, daß er den Steinbruch besichtigen wolle. Inzwischen habe ich erfahren, daß das gefundene Iguanodon ziemlich vollständig war und daß man die einzelnen Teile in eine Kiste packte, um sie dem British Museum zu schicken. Wir waren noch vor Ort, als Mr. Dawson auftauchte. Er kam sofort auf uns zu und fragte mit freundlicher Miene: »Geologen?«[41]

Sie müssen ein interessantes Paar abgegeben haben: der hagere und redegewandte französische Intellektuelle und der stämmige englische Rechtsanwalt, der vor unkritischem Enthusiasmus förmlich überquoll.

Teilhard de Chardin war 1881 in Sarcenat als Sohn einer Adelsfamilie geboren worden. Er erlangte schnell ein hohes Ansehen als Fachmann für Fragen der menschlichen Evolution und später als Autor philosophischer Schriften über die katholische Kirche und die Evolution. Schon als Knabe interessierte er sich sowohl für die Paläontologie als auch für die Kirche. Seine Lehrer ertappten ihn häufig dabei, wie er aus dem Fenster starrte und von Fossilien träumte, anstatt dem Unterricht zu folgen. Im Jahr 1898 trat er dem Jesuitenorden bei, der für die Gelehrsamkeit seiner Mitglieder bekannt war, und wurde zuerst nach Aix-en-Provence und später auf die Insel Jersey geschickt. Mit vierundzwanzig Jahren nahm er eine Stelle in Kairo an und unterrichtete Physik und Chemie. Er nutzte seinen Aufenthalt in Ägypten zum Studium der dortigen Eozän-Schichten und -Fossilien. Von 1908 bis 1912 lebte Teilhard im Ordenshaus der Jesuiten im englischen Hastings, wo er theologische Studien mit seiner Leidenschaft für die Paläontologie der Vertebraten (Wirbeltiere) verband. Dort lernte er Dawson kennen und wurde in die Piltdown-Affäre hineingezogen.

Im Jahr 1912 verließ Teilhard England und studierte in Paris bei Marcellin Boule. Zehn Jahre später stellte er an der Sorbonne seine Doktorarbeit über die Eozän-Fossilien Frankreichs fertig. In der Folgezeit spielte er eine maßgebliche Rolle bei der Entdeckung und Beschreibung berühmter menschlicher Fossilien, von denen die Piltdown-Funde die ersten waren. Bald entwickelte er sich zu einem weithin anerkannten Experten. Und dabei stand ihm auch das Glück zur Seite: Er war oft zur rechten Zeit am rechten Ort, um an den bedeutenden Entdeckungen teilhaben zu können.

Neben zahlreichen positiven Eigenschaften besaß Teilhard auch einen boshaften Humor. Seine Vorliebe für Streiche und seine merkwürdig anmutende Abneigung, in späteren Jahren über die Piltdown-Affäre zu reden, veranlaßten einige zu der Vermutung, daß er entweder selbst der Fälscher oder aber der Beichtvater des Fälschers und deshalb zum Schweigen verpflichtet gewesen sei. Auf jeden Fall scheint Teilhard etwas gewußt zu haben. Vielleicht hatte er auch Angst, daß der Verdacht auf ihn fallen könnte, da er von allen Beteiligten der einzige Ausländer war. Es war eine der vielen prekären Situationen in seinem Leben, die er zu meistern hatte. In späteren Jahren geriet er wegen seiner religiösen (oder entwicklungsgeschichtlichen) Theorien in Konflikt mit der kirchlichen Obrigkeit. Mehrmals im Verlauf seiner Karriere verbot ihm die Kirche, zu lehren oder seine entwicklungsgeschichtlichen Theorien zu veröffentlichen, und verbannte ihn an entlegene Orte. Trotzdem entwickelte er eine sorgfältig ausgearbeitete Theorie, nach der die menschliche Evolution auf die Herausbildung eines höheren, kollektiven Bewußtseins zusteuert, einer Art »Über-Ich« sozialer Moral. Die meisten seiner großen philosophischen Werke wurden erst posthum veröffentlicht. Für die Kirche bewegten sie sich am Rande der Blasphemie und waren deshalb höchst unwillkommen.

Teilhard war ein großer, eleganter Mann mit Hakennase, freundlichen Augen und auffälligen Lachfältchen um den Mund. Als die Piltdown-Affäre ihren Anfang nahm, war er erst dreißig und steckte noch mitten in der langwierigen Ausbildung, die Jesuiten abverlangt wurde. Im Jahr 1912 wurde er zum Priester

39. *Arbeiter bei Piltdown im Jahr 1912 oder 1913. Von links nach rechts: Robert Kenward Jr., der Sohn der Familie, auf deren Grundbesitz die Fossilien gefunden wurden; Charles Dawson, Anwalt und Hobby-Altertumsforscher, der die Fossilien entdeckte; der Arbeiter Venus Hargreaves; die Gans Chipper, die stets auf Fotografien von Piltdown zu sehen ist; und Arthur Smith Woodward, der Paläontologe der naturgeschichtlichen Abteilung des British Museum.*

geweiht, also nachdem er Dawson kennengelernt hatte und bevor er einen wichtigen Zahn des Piltdown-Menschen fand. Aus Teilhards eigenem Bericht über die Entdeckung geht hervor, daß ihm Dawson die Stelle gezeigt haben muß und daß ein aufmerksamer Sucher den Zahn gar nicht übersehen konnte.

Die Geschichte beginnt damit, daß sich Dawson für den ungewöhnlichen Kies interessierte, der aus einer flachen Grube an der Straße zu Barkham Manor stammte. Dawson bat die Arbeiter (darunter einer mit dem köstlichen Namen Venus Hargreaves), auf Steinwerkzeuge und Fossilien zu achten. Wie es heißt, wurden 1908 einige Bruchstücke entdeckt, die von den Arbeitern aufgrund ihrer dunkelbraunen Farbe und der dünnen, gekrümmten Form für eine Kokosnuß gehalten wurden. Dawson erkannte, daß es sich um Teile eines menschlichen Craniums handelte. Bis zum Jahr 1911 wurden weitere Teile desselben Schädels und der Zahn eines fossilen Nilpferds entdeckt. Dawson berichtete seinem langjährigen Freund Arthur Smith Woodward vom British Museum of Natural History, einem Experten für Fische und Reptilien, von den Funden.

Smith Woodward, ein kleiner, beherrschter Mann mit Kneifer, schütterem Haar und ergrauendem Bart war damals Direktor der geologischen Abteilung am British Museum. Wie Dawson war auch er 1864 in Nordengland – Macclesfield – geboren worden, aber seine Familie stand gesellschaftlich unter der von Dawson. Woodwards Vater war Seidenfärber, und sein Sohn besuchte kein vornehmes Internat, sondern die höhere Schule am Ort. Harte Arbeit und Zielstrebigkeit führten Smith Woodward an das Owens College in Manchester, wo er bei W. Boyd Dawkins Paläontologie studierte. Sein Lehrer lobte ihn als »den besten Studenten der Geologie und Paläontologie seines Jahrgangs«. Vielleicht lag es an der harten Arbeit oder an seinen verbissenen Bemühungen, es trotz seiner Herkunft zu etwas zu bringen, daß Smith Woodward auf andere humorlos, leidenschaftslos und »äußerlich ziemlich kalt« wirkte.[42]

Trotz seiner persönlichen Unzulänglichkeiten hatte es Smith Woodward weit gebracht, seit er 1882 im Alter von achtzehn Jahren eine Stelle am British Museum angetreten hatte. 1885 wurde er in die Geological Society gewählt und trat in der Folgezeit bei vielen Zusammenkünften als Referent auf. 1892 wurde er stellvertretender Direktor der geologischen Abteilung am British Museum, und 1896 erhielt er die Lyell-Medaille der Royal Society für seine zahlreichen Beiträge über fossile Fische. 1901 wurde er zum Direktor der geologischen Abteilung befördert, was er bis zu seinem Ruhestand blieb. Zur Zeit der Piltdown-Affäre war er ein angesehener und renommierter Gelehrter, der zwar nicht für seinen Charme oder Esprit bekannt war, dafür aber für seine seriöse Arbeit über Fossilien. Smith Woodward war ein Mann, der sich selbst wichtig nahm – so wichtig, daß manche meinten, der Piltdown-Schwindel sei nur deshalb inszeniert worden, um ihn von seinem hohen Roß herunterzuholen.

Auf jeden Fall unterhielt er über viele Jahre eine Beziehung zu

Dawson, der ihm – als Gegenleistung für den stolzen Titel eines ehrenamtlichen Sammlers für das British Museum – mit Freude seine besten Fossilfunde übergab. So war es ganz natürlich, daß ihm Dawson im Mai 1912 auch die besagten schokoladenbraunen Bruchstücke brachte.

Am 2. Juni 1912 führte Dawson Smith Woodward und seinen neuen Freund Teilhard de Chardin begeistert zu der Fundstätte in der Nähe von Barkham Manor. Dort fanden sie einige Eolithen und Bruchstücke ausgestorbener fossiler Tiere. Smith Woodward war so beeindruckt, daß er beschloß, die Fundstätte im Sommer zusammen mit Dawson abzusuchen. (Man nimmt an, daß Teilhard anderweitig beschäftigt war.) Unterstützt wurden sie dabei von Venus Hargreaves. Ebenfalls mit von der Partie war eine große weiße Gans namens Chipper, die wie Hargreaves auf allen Fotografien von der Ausgrabung zu sehen ist. Der Sommer verlief erfolgreich, zumindest aus der Sicht des mysteriösen Fälschers.

Im Herbst 1912 kursierten erste Gerüchte über einen neuen fossilen Menschen, den man in Sussex freigelegt habe. Im November spielte eine Person, deren Identität nie geklärt wurde, dem Manchester *Guardian* Informationen zu, und am 21. November veröffentlichte das Blatt einen Artikel, in dem es unter anderem hieß:

Es scheint nicht der geringste Zweifel an seiner Echtheit zu bestehen, und es ist mehr als wahrscheinlich, daß es sich um das älteste menschliche Skelett handelt, das je auf diesem Planeten gefunden worden ist ... Es wird überaus interessant sein zu erfahren, inwieweit dieser Fund die Lücke zwischen den Schädeln der menschenähnlichsten Affen und der affenähnlichsten Menschen, die der Wissenschaft bisher bekannt sind, wird schließen können. Doch die Tatsache, daß man das Fossil ohne Zögern als menschlich und nicht als affenartig eingestuft hat, scheint darauf hinzudeuten, daß nicht einmal die Hälfte der Lücke geschlossen werden kann.[43]

Diese geschickt inszenierte »Indiskretion« ebnete den Weg für eine vorbehaltlose Anerkennung des Fundes. »Nicht der geringste Zweifel an seiner Echtheit ...« – was für eine interessante Formu-

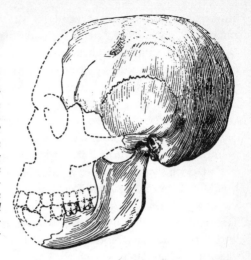

40. *Der Piltdown-Schädel, nach einer Nachbildung von Charles Dawson und Arthur Smith Woodward aus dem Jahr 1913. Ihre anatomischen Streitgespräche mit Arthur Keith bewirkten, daß sie die Rekonstruktion nachträglich geringfügig modifizierten, was aber an dem Eindruck nichts änderte, daß hier ein menschlicher Hirnschädel mit einem Menschenaffenkiefer verbunden worden war.*

lierung hatte man hier gewählt: das Schreckgespenst, die Fossilien könnten nicht echt sein (in diesem Zusammenhang bedeutet »nicht echt« natürlich »nicht wirklich alt«), wird heraufbeschworen und mit einer einzigen Formulierung abgetan, über die das Auge des Lesers so leicht hinweggleitet und die doch in sein Bewußtsein dringt.

Der Artikel erhöhte die Spannung, die von den vagen Gerüchten im Herbst ausgelöst worden war, noch weiter und lockte am 18. Dezember 1912 außergewöhnlich viele Zuhörer in die Versammlung der Geological Society in London, bei der Smith Woodward und Dawson das Material präsentierten. Sie hatten dem Fossil den wissenschaftlichen Namen *Eoanthropus dawsoni* (Dawsons Mensch der Morgenröte) gegeben und erklärt, es stamme vom wahren und ältesten Vorfahren des modernen Menschen. Sie zeigten einige Bruchstücke des Craniums – das wegen seiner großen Hirnschale, seiner senkrechten Stirn und seines allgemein hochentwickelten Aussehens bemerkenswert war – und dazu einen eindeutig menschenaffenähnlichen Kiefer. Selbstbewußt präsentierten sie eine Rekonstruktion mit vollständigem Cranium und Unterkiefer samt Zähnen, die veranschaulichen sollte, daß die Herausbildung des großen Gehirns und des modernen Gesichts dem entwicklungsgeschichtlich bedingten Verlust des menschen-

265

affenartigen Kiefers vorausgegangen war. Gegen Ende des Pliozäns (dem geschätzten Alter der Funde) habe es, so behaupteten Dawson und Smith Woodward, zwei unterschiedliche menschliche Abstammungsreihen gegeben: die von Piltdown, aus der sich die Menschen entwickelt hätten, und eine andere, zu der die Neandertaler gehörten, die schließlich ausgestorben sei. In ihrem Stammbaum des Menschen war kein degenerierter, tierischer und finster blickender Neandertaler mehr zu finden.

In der Folgezeit wurde das Piltdown-Material ausführlich diskutiert, doch sein hohes Alter wurde nie ernsthaft in Frage gestellt. Viele Geologen inspizierten den Fundort und ordneten ihn dem Pleistozän oder sogar dem älteren Pliozän zu. Mit den assoziierten Tierfossilien (die dort irreführenderweise deponiert worden waren und vermutlich aus Nordafrika stammten) konnten schließlich alle vom hohen Alter der Schicht überzeugt werden.

Als falsch wurde jedoch Smith Woodwards und Dawsons Rekonstruktion des Schädels abgelehnt, am vehementesten von Arthur Keith. Er gab einer Nachbildung mit bedeutend größerer Hirnschale den Vorzug. Dieser Punkt sollte in den folgenden Jahren zu einer zentralen Streitfrage zwischen Keith, Smith Woodward und ihren jeweiligen Anhängern werden. Gleichwohl war Keith hocherfreut, seine Lieblingstheorie vom hohen Alter des anatomisch modernen Menschen bestätigt zu sehen. Aus gutem Grund: Smith Woodward selbst hatte seine Ideen vor nicht allzu langer Zeit noch als »amüsante Häresie« bezeichnet und der Debatte damit eine besondere Brisanz verliehen.[44] Und natürlich ließ Keith jetzt keine Gelegenheit ungenutzt, seine intellektuellen Gegner wegen dieser Bemerkung und ihrer anatomisch falschen Rekonstruktion des Schädels zu attackieren. Die Tatsache, daß Keith durch die Affäre ein bekannter Mann wurde und daß die neuen Fossilien seine eigenartigen Ansichten über die Funde von Moulin Quignon, Galley Hill und Ipswich zu bestätigen schienen, hat den Verdacht erregt, daß er möglicherweise selbst an der Fälschung beteiligt war.

Einige Wissenschaftler – insbesondere Amerikaner, die sich von dem Stolz der Briten, die frühesten Vorfahren des Menschen entdeckt zu haben, nicht anstecken ließen – stellten die Zusammengehörigkeit von Kiefer und Cranium in Frage. (Ihre Zweifel waren berechtigt, wie sich später herausstellte. Der Kiefer, der gebrochen, verändert und gefärbt worden war, damit er zum Cranium paßte, stammt erwiesenermaßen von einem Orang-Utan. Das Cranium selbst ist zwar tatsächlich fossil, aber nicht sehr alt und anatomisch modern.) Zu den Skeptikern gehörten berühmte amerikanische Gelehrte wie der Mammaloge (Säugetierkundler) Gerrit Miller Jr. und der physische Anthropologe Aleš Hrdlička, beide von der Smithsonian Institution, sowie der Paläontologe William King Gregory vom American Museum of Natural History. Von allen »Dualisten«[45], wie sie später genannt wurden, war Hrdlička der einzige, der die These gelten ließ, daß der Kiefer von einem alten Schimpansen stamme, und der glaubte, daß das Cranium zu einem intrusiven, modernen menschlichen Skelett gehöre.

Diesseits des Ärmelkanals reihte sich Marcellin Boule unter die Zweifler ein. Ihn begeisterte zwar die Vorstellung, eine im wesentlichen moderne menschliche Hirnschale bereits auf das Pliozän oder Unterpleistozän datieren zu können, denn dies hätte seine Voraussagen bestätigt und seine Ablehnung der Neandertaler als Vorfahren des Menschen gerechtfertigt. Doch wie Miller, Hrdlička und Gregory fiel es ihm schwer, den Kiefer als Teil desselben Geschöpfes anzuerkennen. Er behauptete vielmehr, die Fossilien stammten von zwei unterschiedlichen Spezies: die Hirnschale vom *Homo dawsoni* und der Kiefer vom *Troglodytes dawsoni*.[46] (*Troglodytes* war eine alte Gattungsbezeichnung für den Schimpansen.)

Wie einst beim *Pithecanthropus* wurde auch hier rechtzeitig ein weiterer Zahn gefunden – ein eindeutig menschenaffenartiger Eckzahn, den Teilhard 1913 bei einem Besuch der Fundstätte aufhob. Wie auch der zweite *Pithecanthropus*-Zahn, den Dubois bei einer Veranstaltung, bei der auch der junge Keith zugegen gewesen war, präsentiert hatte, so überzeugte auch der neue Piltdown-Zahn zumindest einige Zweifler davon, daß die Fundstücke zusammengehörten.

Tatsache ist, daß die ursprünglichen Fossilien gezielt ausgewählt und mit großem Sachverstand gebrochen wurden. Das bedeutet, daß der Fälscher genau wußte, welche Merkmale vorhanden sein und welche fehlen mußten, um die Fachwelt zu überzeugen. Er ging nicht nur ausgesprochen fachmännisch und klug vor, sondern verwischte seine Spuren auch so geschickt, daß praktisch jeder, der mit dem Fossil zu tun hatte, früher oder später in Verdacht geriet.

Auch der zweite Piltdown-Fund spricht dafür, daß der Fälscher intelligent und vorsichtig zu Werke ging, denn der Eckzahn erfüllte die Voraussage, die Smith Woodward mit seiner Rekonstruktion gemacht hatte. Der Fund erinnert an die List, die Dubois angewandt hatte, nachdem seine Aussagen angezweifelt worden waren. Eine dritte und noch mysteriösere Entdeckung folgte genau zum richtigen Zeitpunkt, um die in den Vereinigten Staaten aufkommenden Zweifel über die Zusammengehörigkeit von Cranium und Kiefer zu zerstreuen. Im Jahr 1915 fand Dawson etwa 1,5 bis 3 Kilometer vom ursprünglichen Fundort entfernt – die exakte Lage hat er vor seinem frühen Tod nicht mehr offenbart – ein weiteres Fragment eines *Eoanthropus*-Schädels, einen Molar, und Teile von Nashornknochen. Der Fund kam wie »bestellt«. Zwar konnte er die Zweifel amerikanischer und französischer Wissenschaftler nicht völlig ausräumen, doch die Einwände wurden merklich leiser. In den folgenden Jahren äußerte niemand mehr einen ernsthaften Verdacht.

Auch die englische Fachwelt glaubte nahezu einmütig und vorbehaltlos an die Echtheit der Fossilien. Smith Woodward vom British Museum glaubte schon deshalb an ihre Echtheit, weil sie sein Besitz waren und ihn in die beneidenswerte Lage versetzten, frühere Theorien über die menschliche Evolution verwerfen zu können. Seinem eigentlichen Fachgebiet, den fossilen Fischen, wurde nie soviel Aufmerksamkeit oder Ehre zuteil. Keith vom Royal College of Surgeons erkannte die Funde deshalb an, weil sie ein Beweis waren für das hohe Alter des anatomisch modernen Menschen. Der Australier Grafton Elliot Smith von der University of Manchester, ein unbedeutender Gehirnspezialist und Anatom, erkannte sie an, weil sie seine Lieblingsthese stützten, nach der die Entwicklung des Gehirns der erste und bedeutendste Schritt in der Evolution des Menschen war. William Sollas in Oxford – unter allen Geologen, die sich zur menschlichen Evolution äußerten, der bedeutendste – glaubte, daß die Entwicklung zur Modernität mit dem aufrechten Gang begonnen habe und daß die Vergrößerung des Gehirns wenig später erfolgt sei. Er war der Auffassung, daß die Evolution schubweise verlief und sich einige Körperteile schneller weiterentwickelten als andere. Tatsächlich erfüllten die Piltdown-Funde seine Erwartungen so genau, daß er 1915 schreiben konnte, der Mensch der Morgenröte sei »schon seit langem als notwendige Stufe im Verlauf der menschlichen Entwicklung vorausgesagt worden«.[47]

Boule in Frankreich hegte zwar einige Zweifel an dem Kiefer, akzeptierte aber die Echtheit des Piltdown-Craniums, weil mit ihm bewiesen wurde, daß er die Neandertaler zu Recht aus dem Stammbaum der Menschen gestrichen hatte. Auch der Abbé Henri Breuil, Boules Kollege am Institut de Paléontologie Humaine, war mit einem verzweigten Schema der evolutionären Entwicklung einverstanden und lehnte die älteren, linearen Theorien ab, für die sich etwa de Mortillet einsetzte. Deshalb war Breuil als führender Archäologe auch gewillt, das Piltdown-Fossil als authentisch anzuerkennen. Der Wissenschaftshistoriker Michael Hammond schrieb hierzu:

> Wie durch die Gunst des Schicksals bewies diese Entdeckung die Fruchtbarkeit der theoretischen Spekulationen, welche die [anthropologische und paläontologische] Gemeinschaft kurz vor dem dramatischen Fund der Piltdown-Fossilien wie eine große Welle überschwemmt hatte … Offenbar kam niemand auf den Gedanken, alle Teile dieses überaus plausiblen Fossilfundes zu überprüfen.[48]

Bis 1918 war die Interpretation der Fossilien von Piltdown zwar in rund einhundertzwanzig Publikationen von mehr als fünfzig Wissenschaftlern diskutiert worden, und doch wurden sie als echt anerkannt. Smith Woodward und Dawson sahen sich keinerlei Demütigungen ausgesetzt wie seinerzeit Boucher de Perthes, dessen Leben nach der Entdeckung des Kiefers von Moulin Quignon zerstört worden war. Auch wenn weiterhin an der Zusammengehörigkeit von Kiefer und Cranium gezweifelt wurde, so galt der Piltdown-Mensch doch über lange Jahre als früher, intelligenter Vorfahr oder Beinahe-Vorfahr des Menschen.

Die Wirkung, die von Piltdown ausging, wirkte sich ausgesprochen negativ auf die Erforschung der Neandertaler aus und forcierte die Entwicklung, die Boule in Gang gesetzt hatte, als er die Neandertaler kurzerhand aus dem Stammbaum des Menschen entfernt hatte. Die Neandertaler waren Vertreter einer unwichtigen, degenerierten Seitenlinie und somit für die Forschung schlicht uninteressant.

Im Vorwort zur ersten Ausgabe seines wichtigen Werkes über die menschliche Evolution mit dem Titel *The Antiquity of Man* schrieb Keith im Juli 1915 vielsagend:

> Die Ereignisse dieses Jahres haben unser aller Auffassungen von Grund auf verändert. Wir sind plötzlich in eine kritische Phase im evolutionären Fortschritt der Menschheit geraten. Wir mußten die Probleme unserer fernen Vergangenheit beiseite legen und unsere Gedanken und Energien auf die unmittelbare Gegenwart richten. Lüttich und Namur, in diesem Buch als friedliche Fundstätten von Altertümern beschrieben, sind zu blutigen Kriegsschauplätzen geworden. Und doch hofft der Autor, trotz des Wahnsinns unserer Zeit, daß es Menschen geben möge, die den Wunsch haben, die Probleme unserer schicksalhaften Periode aus der distanzierten Sicht eines Forschers der frühmenschlichen Evolution zu betrachten.[49]

Es war nicht die Zeit, über Fossilien nachzudenken. Nach dem Attentat auf Erzherzog Ferdinand und seine Frau am 28. Juni 1914 in Sarajevo war der Erste Weltkrieg ausgebrochen, jener große Krieg, nach dem es keine Kriege mehr geben sollte. Erbitterte Kämpfe, Elend und unvorstellbare Greuel sollten vier lange Jahre die Welt erschüttern, bis am 11. November 1918 die Waffen wieder ruhten. Doch die Welt hatte sich unwiderruflich verändert, in Europa wie in den Vereinigten Staaten. Und mit ihr das Bild des Menschen von sich selber.

6

Ein Okapi der Menschheit
1918–1939

Der Krieg hatte negative Seiten der menschlichen Natur enthüllt, die auch der Optimismus und die Euphorie der Nachkriegszeit nur unzulänglich zu überdecken vermochten. Wissenschaftler und Öffentlichkeit wünschten sich nichts sehnlicher, als das aus den Fugen geratene Leben wieder in den Griff zu bekommen und zu einem Gefühl der Sicherheit und Geborgenheit zurückzufinden. Arthur Keith in England und Marcellin Boule in Frankreich indes hatten durchaus auch Grund zur Zufriedenheit: Sie, die den Neandertaler aus dem erlesenen Kreis der wahren Menschen ausgegrenzt hatten, galten in ihrer Heimat als anerkannte Autoritäten auf dem Gebiet der menschlichen Evolution.

Keith wurde 1921 zum Ritter geschlagen und erhielt damit die höchste offizielle Auszeichnung, die in England möglich war. Namhafte Forscher, die von der Echtheit des Piltdown-Fossils überzeugt waren, schlossen sich teils seinen Ansichten an, teils machten sie ihm seine Führungsposition streitig. Zu diesem Kreis gehörten der Anatom Grafton Elliot Smith, der Paläontologe Arthur Smith Woodward (beide später zum Ritter geschlagen) und der Geologe William Sollas. Keith hielt sich, wie möglicherweise auch Smith Woodward, für den größten Paläanthropologen Englands. Elliot Smith aber übertraf beide in seiner Wirkung auf die Nachwelt. Immer wieder lancierte er seine Schüler auf einflußreiche Posten und erhob sie damit zu Leitfiguren der kommenden Generation. Er schickte seine Studenten in alle Himmelsrichtungen, und manche kehrten tatsächlich mit Fossilien zurück, die der Wissenschaft zu neuen Erkenntnissen verhalfen. Keith und Smith Woodward hingegen arbeiteten in Museen und hatten daher nicht die Möglichkeit, ihre Ideen an viele junge Wissenschaftler weiterzugeben.

In Frankreich wurde die Paläanthropologie, sieht man einmal von einigen Andersdenkenden an der Ecole d'Anthropologie ab, fast völlig von Boule beherrscht. Er kontrollierte die beiden wichtigsten Institutionen – das Muséum National d'Histoire Naturelle und das Institut de Paléontologie Humaine – und genoß das Vorrecht, Posten mit seinen Schützlingen zu besetzen. Männer wie Pierre Teilhard de Chardin, der damals das Collège de France besuchte, Jean Piveteau von der Sorbonne und Henri Vallois vom Institut de Paléontologie Humaine wurden maßgeblich von ihm beeinflußt. Genaugenommen begannen sie erst nach Boules Tod, selbständige Forschungen über die menschliche Evolution anzustellen.

Boule und Keith festigten ihre Position dadurch, daß sie sich grenzüberschreitend verbündeten. Beide vertraten die Ansicht, daß der Mensch sich durch sein großes Gehirn vom Affen unterschied und aufgrund seiner Intelligenz und moralischen Stärke in der Lage war, seine tierischen Instinkte zu beherrschen. Wenn es aber tatsächlich das Gehirn war, das den Menschen auszeichnete, so konnte es ihn möglicherweise auch vor einem neuerlichen schrecklichen Krieg bewahren.

Überlegungen dieser Art führten dazu, daß nach dem Krieg das öffentliche Interesse an der Evolution des Menschen enorm wuchs. Es war an der Zeit, wieder Beistand bei einer sachkundigen Wissenschaft zu suchen. 1911 hatten Keith und Sollas Werke veröffentlicht, in denen sie das gesamte Wissen über die Ursprünge der Menschheit in beruhigenden, wohlgesetzten Worten und im Brustton der Überzeugung dargelegt hatten. Bereits 1915 kam Keith mit einem weiteren Buch heraus, das eine breite Leserschaft fand. Allein im ersten Jahr wurden zwei Auflagen gedruckt, die nächsten folgten 1916 und 1920. Eine überarbeitete zweite Ausgabe erschien im Januar 1925; sie wurde im Herbst 1925 und erneut 1926 wieder aufgelegt. Eine zweite amerikanische Ausgabe erschien 1928, und so weiter. Ähnlich umfassende und eindrucksvolle Arbeiten legten 1915 der Amerikaner Henry Fairfield Osborn (überarbeitet 1916 und 1918) und in den zwanziger Jahren sein Landsmann George Grant MacCurdy vor, ferner der Engländer Elliot Smith und der Franzose Boule (dessen Werk nach seinem Tod bis 1957 von seinem Schüler Henri Vallois regelmäßig überarbeitet wurde). In der unsicheren Zeit zwischen den beiden Weltkriegen machten neue Entdeckungen stets Schlagzeilen auf den ersten Seiten der Boulevardpresse, und ein interessiertes Publikum lauschte in überfüllten Hörsälen alten oder neuen Theorien über die Evolution des Menschen.

Die Arbeit der Anthropologen im besiegten Deutschland wurde in Frankreich und England weitgehend ignoriert. Doch in Deutschland selbst wurde weiter eifrig geforscht. Ernst Haeckel hatte seinen erbitterten Gegner Rudolf Virchow überlebt und war im In- und Ausland geschätzt, auch wenn er es in der Anthropologie niemals zu einer ähnlich dominierenden Stellung brachte wie Virchow. Haeckel war nach wie vor von der Untersuchung der Rassenunterschiede fasziniert und ließ seine Anschauungen über die moralischen und intellektuellen Eigenschaften der Rassen in seine verstiegenen Theorien über die Evolution des Lebens einfließen. Der blonde, blauäugige, deutsche Arier von athletischem Körperbau und lebhaftem Temperament war in seinen Augen moralisch, geistig, körperlich und sogar evolutionsgeschichtlich anderen Menschentypen überlegen.

Während des Krieges und danach wandte sich Haeckel bei seinem Studium der Rassenunterschiede und deren sozialen Ursachen in zunehmendem Maße der Eugenik zu, deren Ziel es war, die Fortpflanzung unter bestimmten hochwertigen »Typen« zu fördern und sie gleichzeitig bei minderwertigen drastisch einzuschränken. Haeckels ausgeprägt nationalistischer Romantizismus und seine Gabe, die Emotionen seiner Zuhörer aufzuwühlen, führten dazu, daß seine Theorien auf viele Deutsche eine große Anziehungskraft ausübten. Sie stellten einen willkommenen Gegenpol zu der pessimistischen Grundstimmung im Gefolge der deprimierenden militärischen Niederlage und der darauffolgenden Wirtschaftskrise dar.

Im Jahr 1919 griffen die Mitglieder der neugegründeten Deutschen Arbeiterpartei Haeckels Ideen auf – vielleicht weil er in diesem Jahr starb. Als die Partei ein Jahr später ihren Namen in Nationalsozialistische Deutsche Arbeiterpartei änderte, machte sie diese Ideen zur Grundlage ihrer Doktrin. Im Jahr 1921, als Adolf Hitler die Führung der Partei übernahm, umgab Haeckels Ideen bereits die mystische Aura des Prophetischen, und er selbst wurde zur Symbolfigur der dunkleren Seite des deutschen Imperialismus. Seine Vision einer genetisch überlegenen und zur Herrschaft berufenen Elite wurde von Hitler verdreht und verzerrt, der allein die Juden und die »minderwertigen« slawischen Völker für die Not und die demütigende Niederlage der Deutschen verantwortlich machte. In den zwanziger und dreißiger Jahren forderte er immer vehementer die Ausmerzung dieser verderblichen Elemente, denn erst dann könnten die Deutschen wieder die ihnen gebührende Machtposition in der Welt einnehmen. Leider fand seine Beschwörung des deutschen Nationalstolzes so großen Anklang, daß viele die Augen vor den häßlicheren Implikationen seiner Theorien verschlossen.

Obwohl Ursprung und Wesen des Menschen damals zentrale Fragen waren, spielten die Erkenntnisse, die aus Fossilfunden gewonnen worden waren, nur eine untergeordnete Rolle. Haeckel selbst hatte für Versteinerungen kaum Interesse gezeigt. Die Verachtung der Deutschen im Ausland war so groß, daß Gustav Schwalbes ursprüngliche Theorie, wonach die Neandertaler eine Entwicklungsstufe der Menschen seien, so gut wie keine Unterstützung mehr fand. Schwalbe selbst widerrief, nachdem er Boules Monographie über La Chapelle-aux-Saints gelesen hatte, und vertrat fortan die Auffassung, daß die Neandertaler keine direkten Vorfahren des modernen *Homo sapiens* seien. Bis zu seinem Tod 1916 war er in Deutschland der Hauptverfechter jener Theorie, nach der Dubois' *Pithecanthropus* ein Urahn des Menschen war, der sich zum Neandertaler wie auch zum modernen Menschen weiterentwickelt hatte. Schwalbe akzeptierte niemals, daß anatomisch moderne Menschen wie der Galley Hill- oder der Piltdown-Mensch Zeitgenossen des Neandertalers gewesen sein sollen, aber seine Meinung wurde weitgehend ignoriert. Für die Forscher in anderen Ländern sprach dagegen vieles dafür, den intelligenten Piltdown-Menschen als unseren Vorfahren anzuerkennen und die Neandertaler, diese tierischen Höhlenbewohner, aus unserer Ahnengalerie zu verbannen.

Jenseits des Atlantiks sah man die Dinge ein wenig anders. Die Amerikaner hatten sich im Krieg zwar als mutig, aber auch als eigentümlich naiv erwiesen: Das Land der unbegrenzten Möglichkeiten war stark und optimistisch, zugleich aber auch jung und unerfahren. Gegen dieses wenig schmeichelhafte Klischee kämpften die amerikanischen Paläanthropologen und Paläontologen um internationale Anerkennung als ernstzunehmende Wissenschaftler.

Es war ein schwieriger Kampf, aus mehreren Gründen. Zum einen nahmen die Engländer und teilweise auch andere Europäer eine paternalistische Haltung gegenüber den Kollegen aus der Neuen Welt ein. Während England, Frankreich und Deutschland auf eine langjährige Tradition anthropologischer Forschung zurückblicken konnten und bereits Mitte des 19. Jahrhunderts große Universitäten, wissenschaftliche Gesellschaften und Museen gegründet hatten, hatte in den Vereinigten Staaten zu der Zeit der Bürgerkrieg getobt. Während die Europäer intellektuellen Fragen nachgingen, kämpften die Amerikaner um den Erhalt ihrer Nation. Vor allem die Engländer neigten dazu, die »unzivilisierten« Amerikaner zu belächeln. Jahrelang hatten sie in gönnerhafter Manier Schriftsteller, Musiker, Künstler und Schauspieler nach Amerika geschickt, um den unwissenden Kolonialisten Kultur und Bildung nahezubringen. Erst Anfang des 20. Jahrhunderts konnte auch Amerika mit Experten aufwarten, die anthropologische Lehrveranstaltungen an Universitäten anboten.

Die Evolution des Menschen war ein heiß diskutiertes Thema, und doch hatte man auf dem amerikanischen Kontinent bislang keine nennenswerten Fossilien gefunden. Zwar wurde wiederholt das Gegenteil behauptet, doch im nachhinein hatten sich solche Behauptungen immer als falsch oder gar peinlich erwiesen. So hatte Florentino Ameghino, ein argentinischer Paläontologe italienischer Abstammung, in einer Reihe von Aufsätzen zu Beginn des 20. Jahrhunderts eine Handvoll Fossilien beschrieben, die er für wahre und echte Zeugnisse eines menschlichen Vorfahren hielt. Ohne den Großteil des bisher bekannten Materials zu berücksichtigen, vertrat der mit einer blühenden Phantasie ausgestattete Ameghino die Ansicht, der Mensch habe sich nicht von einem gemeinsamen Vorfahren mit den Menschenaffen – Schimpanse, Gorilla und Orang-Utan – entwickelt, sondern stamme direkt von einem affenartigen Urahn ab, der in Südamerika gelebt habe.

Aufgrund einiger Fossilfragmente, die sein Bruder gefunden

hatte, bezeichnete Ameghino den frühesten Vorfahren des Menschen als *Homunculus patagonicus* und erklärte ihn zum »Vorfahren der Affen des Alten und des Neuen Kontinents«.[1] 1909 gelang es ihm, aus weiteren, ebenfalls unrichtig bestimmten Fossilien von Primaten, die aus schlecht dokumentierten oder falsch interpretierten geologischen Kontexten stammten, ein diffiziles Konstrukt der menschlichen Evolution zu entwickeln. So behauptete Ameghino, der Mensch habe sich aus kleinen Frühformen der Primaten wie dem *Homunculus* über zumindest vier Zwischenstadien direkt zum modernen *Homo sapiens* weiterentwickelt. Vollzogen hätte sich dieser Prozeß, wie sollte es auch anders gewesen sein, in seiner Heimatprovinz Buenos Aires, und von dort aus habe sich der intelligente Mensch über den Globus ausgebreitet.

Ameghinos Arbeit war eine erstklassige Mischung aus Mißverständnissen, wissenschaftlicher Schlampigkeit und Chauvinismus. Die Fossilien stützten seine Behauptungen ganz und gar nicht – viele Knochen waren überhaupt nicht fossilisiert und zumindest die unter dem Namen *Diprothomo* bekannte Schädeldecke ähnelte Ameghinos Beschreibung in keiner Weise.

Aleš Hrdlička, der erste physische Anthropologe Amerikas, konnte es kaum erwarten, Ameghinos These zu überprüfen. Nachdem er das Fossil 1910 untersucht hatte, stellte er verblüfft fest: »Es erwies sich in jedem Punkt als das genaue Gegenteil dessen, was man sich aufgrund der vorliegenden Veröffentlichungen darunter vorgestellt hatte.« Tatsächlich hatte er ernsthafte Zweifel, das fragliche Relikt vor sich zu haben.[2] Hrdlička erkannte rasch, daß Nationalstolz und anatomische Unkenntnis Ameghino zu einer falschen Interpretation verleitet hatten.

Hrdlička hielt es für seine Pflicht, die These des Argentiniers als unhaltbar zu entlarven und zu zeigen, daß nicht alle Wissenschaftler auf dem amerikanischen Kontinent Dummköpfe waren. Da er selbst keine glaubwürdigen Fossilien vorzuweisen hatte, blieb ihm nur die Rolle des unentwegten Skeptikers. Freimütig veröffentlichte er Arbeiten über angebliche Frühmenschen-Funde auf dem amerikanischen Kontinent. Nachdem er Ameghinos Material ausgiebig studiert hatte, konnte er auch für Südamerika nur denselben Verdacht äußern wie zuvor bereits für Nordamerika:

Unter diesen Umständen kann es nur eine Schlußfolgerung geben, und die lautet, daß bis zum heutigen Tage keine Menschenknochen von unbestrittenem geologischem Alter auf diesem Kontinent bekannt sind. Dies bedeutet noch nicht, daß es in diesem Land keine Frühmenschen gegeben hat. Es bedeutet lediglich, daß aus Sicht der physischen Anthropologie bislang noch kein überzeugender Beweis für die Existenz von Frühmenschen in Nordamerika erbracht wurde.[3]

Hrdlička schenkte keiner der wiederholt vorgebrachten und wenig stichhaltigen Behauptungen Glauben, es habe in Amerika Funde fossiler Frühmenschen gegeben. Ameghino war darüber selbstverständlich nicht erfreut und veröffentlichte in jeder Zeitschrift, die bereit war, seine Attacken zu drucken, scharfe Erwiderungen. Dennoch wirkte Hrdličkas hyperkritischer Skeptizismus lange Zeit nach, gewissermaßen bis zum heutigen Tag. Jahre später spöttelte Earnest Hooton, ein langjähriger und höchst verdienstvoller Harvard-Professor für physische Anthropologie, über seinen alten Freund Hrdlička und beschrieb seine Rolle folgendermaßen:

Während die Wissenschaftler in der Alten Welt seit einem Vierteljahrhundert [d.h. seit 1911] immer neue anerkannte Fossilien anhäuften, stand der furchteinflößende und unbezähmbare Veteran Dr. Aleš Hrdlička wie Horatius an der Landbrücke zwischen Asien und Nordamerika und mähte mit tödlicher Präzision alle Eindringlinge in die Neue Welt nieder, die angeblich ein hohes geologisches Alter aufwiesen. Die Geschichte des vermeintlich fossilen Menschen in Amerika ist in Wahrheit die Geschichte, wie gut Hrdlička diese Landbrücke gehalten hat. Mit unfehlbarer Zielsicherheit und schonungsloser Kritik hat er alle Behauptungen über angebliche Fossilienfunde *seriatim* entlarvt. Damit hat er die Wissenschaft ganz ohne Zweifel davor bewahrt, viele Fossile, die angeblich aus dem amerikanischen Pleistozän stammten, allzu leichtgläubig anzuerkennen.[4]

Hrdlička hatte einen typisch amerikanischen Lebensweg hinter sich, bevor er sich selbst zum Wächter der Beringstraße, der einstigen Landbrücke zwischen Sibirien und Alaska, machte.[5] Er war

41. Aleš Hrdlička war in den dreißiger Jahren dieses Jahrhunderts der führende physische Anthropologe am Smithsonian Institute. Er untersuchte viele angeblich alte Skelette aus beiden Teilen Amerikas und wies nach, daß es sich dabei um moderne Funde handelte. Er gehörte zu den wenigen, die die Neandertaler für einen Vorläufer des modernen Menschen hielten.

am 29. März 1869 in einer kleinen Weberstadt an den Ausläufern des böhmisch-mährischen Hochlands als das erste von sieben Kindern der Eheleute Maximilian und Karolina Wagner Hrdlička geboren worden. Der Vater, ein erfolgreicher Tischler, war ein überaus ehrgeiziger Mann, die Mutter eine Bayerin mit einem ruhigen Temperament. Von ihr erbten die Kinder ihre Musikalität und ihre Liebe zur Oper.

Böhmen gehörte damals zum Reich der Habsburger, deren Herrschaft über Österreich-Ungarn zunehmend problematisch wurde. Der preußische Ministerpräsident Otto von Bismarck vollendete die deutsche Einigung mit dem Sieg im deutsch-französischen Krieg von 1870/71 und schielte auch interessiert nach den südlich von Preußen gelegenen Gebieten, darunter Böhmen, dessen Bewohner jedoch weder von den Habsburgern noch von den Preußen regiert werden wollten. Als das Land in eine Wirtschaftskrise geriet, machte ein tschechischer Landsmann, der nach Amerika ausgewandert war und sich in New York niedergelassen hatte, Hrdličkas Vater das Angebot, bei ihm zu arbeiten. Er nahm an.

Im Jahr 1881 fuhr Vater Hrdlička mit seinem zwölfjährigen Sohn nach New York. Der Rest der Familie sollte nachkommen, sobald er die Anfangsschwierigkeiten überwunden hatte. Vater und Sohn ließen sich in der Lower East Side von Manhattan nieder, wo viele Slowaken, Böhmen und andere Osteuropäer lebten. Der aufgeweckte Junge sprach fließend Tschechisch und Deutsch – obwohl er diese Sprache wegen seiner starken Aversion gegen die Deutschen gerne vermied. Außerdem beherrschte er Latein und Griechisch. Besondere Leistungen erbrachte er in Naturgeschichte, Geographie und Musik. Außerdem war er ein begeisterter Sammler von Steinen und Mineralien. Schon bald nach seiner Ankunft in New York sprach er fließend Englisch, wenn auch mit einem liebenswerten Akzent. Später lernte er noch Französisch, Russisch, Italienisch und Spanisch.

Im Jahr 1888 hatte die Familie in der neuen Heimat Fuß gefaßt. Für die Hrdličkas wurde der amerikanische Traum Wirklichkeit. Durch harte Arbeit und Ausdauer brachten sie es zu bescheidenem Wohlstand. Nach einer schweren Lungenentzündung beschloß der junge Hrdlička, sich der Medizin zu verschreiben, also der Wissenschaft, der er sein Leben verdankte. Es beeindruckte ihn, daß Wissen dem Menschen sogar Macht über Leben und Tod verlieh. Er nahm den Hausarzt der Familie, einen ungarischen Juden namens Meyer Rosenblueth, als Lehrer und belegte Vorlesungen und praktische Kurse am Eclectic Medical College der Stadt New York, das er 1892 als Jahrgangsbester verließ. Vom Vater hatte er ganz offensichtlich die Gründlichkeit und den Ehrgeiz geerbt, von der Mutter die Emotionalität, das dichte schwarze Haar, die durchdringenden Augen, den vollen Mund und das zarte Gesicht.

Hrdlička hatte dezidierte Vorstellungen über Forschung und Leistung. Ein Biograph aus jüngster Zeit hat ihn treffend beschrieben:

Hrdlička war damals, wie in seinem ganzen späteren Leben, von dem innigen Wunsch getrieben, Erfolg zu haben, anerkannt, respektiert, ja sogar geliebt zu werden. Wie andere Geld und Vermögen anhäuften, so vergrößerte Hrdlička seinen Reichtum an Wissen ... Wissen spiegelte in Hrdličkas Augen menschliches Bemühen wider, und sein Erwerb beruhte einzig und allein auf persönlicher Anstrengung, die wiederum den Charakter und somit den Ruf eines Menschen prägte. Wissen verlieh Macht und Autorität. Hrdlička wurde nie von philosophischen Zweifeln geplagt und nahm naiverweise an ..., daß sich die Stellung des Menschen im Universum auf wundersame Weise von selbst offenbaren werde, wenn man eine unbestimmte Menge von Daten gesammelt habe.[6]

Um seine berufliche Position zu verbessern und sein Wissen zu erweitern, erwarb er weitere Abschlüsse in homöopathischer und allopathischer (traditioneller) Medizin. 1894 trat er seine erste Stelle als Assistenzarzt am Middletown State Homeopathic Hospital for the Insane an, einer Nervenklinik im Norden des Bundesstaates New York.

Dort begann er mit der ersten einer ganzen Reihe von großangelegten anthropometrischen Studien, die er bis zum Ende seiner beruflichen Laufbahn fortsetzen sollte. Er war auf der Suche nach Informationen und Daten, die noch nicht ausgewertet und interpretiert worden waren; er wollte sich ein eigenes Urteil bilden. Unermüdlich, wenn auch ohne großen Erfolg, bemühte er sich während seiner Tätigkeit in Middletown um finanzielle Unterstützung für das ehrgeizige Projekt einer anthropometrischen Untersuchung über den eventuellen Zusammenhang zwischen Körpermaßen und psychischer Erkrankung. Wie er dabei vorging, war typisch für ihn: Er forderte enorme Geldsummen und einen beträchtlichen Mitarbeiterstab, um alle erdenklichen Körpermaße einer unglaublich großen Zahl von Patienten und gesunden Menschen ermitteln zu können. Zweifelsohne hielt er die Daten als solche – die nackten Zahlen – für wertvoll und wünschenswert. Zeit seines Lebens sammelte er Meßwerte und hortete sie wie einen Schatz.

Aber natürlich wollte er die Daten, die ihm die Untersuchung liefern sollte, auch benutzen. So wollte er mit ihrer Hilfe sowohl die Hypothese überprüfen, daß Geisteskrankheiten bei bestimmten genetischen Typen vorherrschten, als auch die normale Variationsbreite bei lebenden Menschen dokumentieren. Allein das Verständnis der Vielfalt der Rassenmerkmale würde einen großen Beitrag zur Erforschung der menschlichen Evolution leisten. Obwohl dieses wie auch viele andere seiner Forschungsprojekte weitgehend statistisch ausgerichtet waren, war Hrdlička von diesem Thema nur mäßig begeistert. Er erklärte mehr als einmal, daß »die Statistik der Untergang der physischen Anthropologie sein wird«[7].

Im Januar 1896 beendete Hrdlička seine Arbeit im Krankenhaus und ging für sechs Monate nach Paris an die Ecole d'Anthropologie, wo er mit Léonce-Pierre Manouvrier zusammenarbeitete und die von dessen Mentor Paul Broca entwickelten Meßmethoden erlernte. Dies war ein Wendepunkt in seiner Laufbahn. Hrdlička war von seiner Arbeit und der Stadt Paris mit ihrem Flair begeistert. Nur ein Umstand trübte seine Freude: Seine Verlobte, die Französin Marie Strickler, die einst aus ihrer Heimat geflohen und in Amerika Frankreich für ihn verkörpert hatte, war ihm nicht gefolgt. Ihre einzige Verbindung blieben zahlreiche Briefe, die Hrdlička in seiner winzigen, energischen Schrift abfaßte.

Durch die berufliche Zusammenarbeit entwickelte sich zwischen Hrdlička und Manouvrier eine sehr enge und lebenslange Freundschaft. Hrdlička übernahm die Ansichten seines Kollegen und gelangte wie er zu der Überzeugung, daß der menschliche Charakter formbar sei und Umwelt und Gewohnheiten einen enormen Einfluß auf den menschlichen Körper hätten. Manouvrier bekämpfte insbesondere den zunehmenden »wissenschaftlichen Rassismus«, dessen Vertreter nicht müde wurden, die Vorzüge der Arier zu preisen, und behaupteten, daß Krankheit, Schwachsinn und Kriminalität unter den sogenannten minderwertigen Rassen unausweichlich seien. Manouvrier sah darin einen schändlichen Mißbrauch und ein falsches Verständnis der Anthropologie.

Diese Ideen, die Manouvrier so verhaßt waren, drückte niemand so deutlich aus wie der Franzose Gobineau in seiner klassischen Schrift *L'Aryen, son Rôle social* (Der Arier, seine soziale Rolle), die 1899 erschien. Die Bewegung der Eugenik war Ende des 19. Jahrhunderts entstanden. Joseph Galton, einer ihrer ersten Vertreter, hatte sich in seinen Büchern dafür ausgesprochen, nur noch Ehen zwischen Hochbegabten zuzulassen, damit sich eine überlegene Rasse herausbilden konnte.

In seinem Testament vermachte Galton 1904 dem University College in London einen Betrag zur Einrichtung eines Lehrstuhls für Eugenik, auf den zunächst der brillante Mathematiker Karl Pearson berufen wurde. Pearson war der erste, der die Wahrscheinlichkeitstheorie auf biologische Probleme anwendete und damit das Forschungsgebiet der Biostatistik begründete. Allerdings maß er Umweltfaktoren nur sehr geringen Einfluß auf die menschlichen Charaktereigenschaften bei und sah daher in der hohen Geburtenrate der armen, ungebildeten und zu Kriminalität neigenden Klassen eine Bedrohung für die Zivilisation. Da sie mehr Kinder in die Welt setzten, befürchtete er, daß sie mit ihren Genen die der höherwertigen verdrängen könnten. Seine Ansichten lieferten den wissenschaftlichen Unterbau für jene, die Juden, Slawen oder dunkelhäutige Rassen für alle Übel der Gesellschaft verantwortlich machten und Mißtrauen gegen· diese Gruppen weckten. Die Eugenikbewegung fand in England, Frankreich, den Vereinigten Staaten und Deutschland Verbreitung, und in den kommenden Jahren wurden ihre Ansichten offen in die Tat umgesetzt. In Europa kam es zu Pogromen gegen die angeblich Minderwertigen, die zumeist in Gettos zusammenlebten; in anderen Ländern äußerte sich dieser Rassismus in einer subtileren, aber ebenso niederträchtigen Form. Anfang des 20. Jahrhunderts dienten die Einwanderungsquoten der USA eindeutig dazu, Menschen aus ganz bestimmten Ländern die Einreise zu verwehren. In den dreißiger Jahren gab es in Dänemark, Deutschland, der Schweiz, Norwegen, Schweden und den USA Gesetze zur zwangsweisen Sterilisation von »Degenerierten«, wozu Kriminelle, Epileptiker und geistig Behinderte zählten.

Im Jahr 1896, als Hrdlička Paris verließ, wurden diese Ideen, die in Nazi-Deutschland eine zentrale Rolle spielen sollten, gerade erst entwickelt. Wieder in Amerika, heiratete Hrdlička Marie Strickler und führte seine früheren Untersuchungen an geistig Behinderten fort. 1903 wurde er an das National Museum of Natural History, eine Unterabteilung der Smithsonian Institution in Washington, D. C., berufen und übernahm die erste Stelle, die in den Vereinigten Staaten speziell für physische Anthropologie eingerichtet worden war. Er sollte eine Skelettsammlung unterschiedlicher Menschengruppen anlegen, »eine umfassende biologische Untersuchung der vielen unterschiedlichen Rassengruppen der amerikanischen Nation« durchführen und an dem Institut eine Abteilung für physische Anthropologie aufbauen. Dabei ging es um dieselben Fragen zur Variabilität des Menschen, die auch – allerdings mit negativen Vorzeichen und bereits moralisch wertend – die Vertreter der Eugenikbewegung beschäftigten.

Im Lauf der Jahre beaufsichtigte oder leitete Hrdlička mehrere großangelegte anthropometrische Studien, die alle um die Frage der Vielgestaltigkeit des Menschen kreisten. Diese Untersuchungen ethnischer Gruppen, darunter viele nord- und südamerikanische Indianerstämme, gebürtige Philipinos, Mongolen, alte Ägypter, australische Ureinwohner, südafrikanische Buschmänner und Eskimos, bildeten die Grundlage für das Verständnis der Unterschiede und Gemeinsamkeiten der menschlichen Gestalt und Natur, auf der Hrdlička seine Vorstellungen von der Evolution des Menschen entwickelte. Auch er stellte sich die Frage, die schon viele Anthropologen beschäftigt hatte: Wie groß dürfen innerhalb einer Art die Unterschiede sein, so etwa bei der Größe der Überaugenwülste oder bei der Form der Zähne?

Zudem überprüfte er sämtliche Funde von Frühmenschen in Nord- und Südamerika, wie dies einst Keith mit seiner Ausstellung über Frühmenschen in England getan hatte. Doch im Unterschied zu Keith, der einige britische Fossilien gefunden und andere für die Wissenschaft gerettet hatte, beschränkte sich Hrdlička auf die systematische Überprüfung aller Funde und wies die Behauptungen, es handelte sich um Frühmenschen, eine nach der anderen zurück. Weil es an diesbezüglichen Belegen in beiden Teilen Amerikas fehlte, gelangte Hrdlička allmählich zu der Überzeugung, daß die einfachen unilinearen Vorstellungen Schwalbes und Manouvriers richtig waren. Beide hatten eine direkte Linie vom europäischen *Pithecanthropus* über den Neandertaler zum modernen Menschen gezogen, der, wie Hrdlička vermutete, über die Beringstraße nach Amerika eingewandert war.

Keith, dem Hrdlička 1909 kurz begegnet war, schloß sich 1911 in seinem Buch *Ancient Types of Men* Hrdličkas Schlußfolgerungen an. Wenig später machte er allerdings eine rätselhafte Kehrtwendung und behauptete, daß der mit einem großen Hirn ausgestattete, intelligente moderne Mensch bereits sehr lange existiere. Im Jahr 1912 reiste Hrdlička nach Europa und sprach mit Keith. Doch auch nach diesem Gespräch blieb ihm Keiths neue These unverständlich, zumal er die höchst zweifelhaften Galley Hill- und Ipswich-Skelette sowie das herrliche Neandertaler-Material in Paris, Lüttich und Bonn zuvor selbst untersucht hatte.

In Lüttich erfuhr Hrdlička von Julien Fraipont, daß Dubois

wohl langsam »verrückt« werde und die *Pithecanthropus*-Fossilien möglicherweise sogar zerstört habe. Daraufhin unternahm Hrdlička den beherzten Versuch, bei Dubois vorzusprechen und die Fossilien in Augenschein zu nehmen. An der Universität von Amsterdam erhielt er die Auskunft, daß Dubois zwar zu Hause sei, ihn aber nicht empfangen werde. Wie könne er ihn abweisen, wo er ihn doch nie zuvor gesehen habe, fragte Hrdlička. Er erfuhr, daß Dubois im ersten Stock seines Hauses einen Spiegel am Fenster hatte anbringen lassen, so daß er, ohne selbst gesehen zu werden, ungebetene Besucher beobachten und dem Mädchen gleich Anweisung geben konnte, sie wieder fortzuschicken. Und so kam es dann auch: Hrdlička überreichte seine Karte und erläuterte den Grund seines Kommens, doch das Mädchen versicherte, Dubois sei nicht zu Hause, und schlug ihm die Tür vor der Nase zu. Drei Stunden später versuchte Hrdlička erneut sein Glück. Nun war es Madame Dubois, die ihn mit den Worten abwies, ihr Mann sei zwar zu Hause, wünsche ihn aber nicht zu empfangen. Tief enttäuscht kritzelte Hrdlička folgende Notiz auf die Rückseite seiner Karte:

> Die Anthropologen weltweit verdanken Ihnen sehr viel, aber es ist eine *furchtbare* Schande, daß es nicht möglich ist, zu wissenschaftlichen Zwecken wenigstens einen Blick auf die Funde zu werfen.[8]

Obwohl Hrdlička 1912 die Fossilien des *Pithecanthropus* nicht in Augenschein nehmen durfte – er mußte noch elf Jahre warten, bevor Dubois ihm 1923 als einem der ersten die Funde zeigte –, bildete er sich auf dieser Reise eine dezidierte Meinung über die Evolution des Menschen. Gegenüber den Piltdown-Funden war er äußerst skeptisch und verwendete sehr viel Energie darauf zu beweisen, daß Unterkiefer und Schädel nicht zusammengehörten. Unterstützt wurde er dabei von seinem Kollegen Gerrit Miller Jr. von der Smithsonian Institution, Abteilung Säugetiere, und anderen Forschern vom American Museum of Natural History in New York. Hrdličkas Skepsis entsprang teilweise auch seiner Beurteilung der Neandertaler-Fossilien:

Meine Überzeugung, daß der Neandertaler-Typ lediglich eine Stufe in dem mehr oder weniger langsamen Prozeß der Evolution des Menschen zu seiner jetzigen Form darstellt, wächst von Tag zu Tag ... Ich kann einerseits, trotz mancher Entwicklungssprünge, lediglich eine allmähliche Evolution und Involution feststellen, und andererseits keinen nennenswerten Bruch in der Linie von den frühesten Neandertaler-Funden bis zur Gegenwart. Uns liegen heute nicht nur eine, sondern viele Zwischenformen von Schädeln und Knochen zwischen dem Neandertaler und dem modernen Menschen vor. Nehmen wir etwa das Fossil Spy Nummer 2 ... oder die Röhrenknochen der Skelette von Krapina oder La Ferrassie. Ferner den *Homo aurignacensis*, das Předmost-Material und einige der Schädel aus dem frühen Neolithikum in Brüssel oder Warschau. Sie alle sprechen für die Kontinuität der Rasse.[9]

Vor dem Hintergrund seiner großangelegten Untersuchungen über die Unterschiede der Skelettformen moderner Menschen fiel es Hrdlička nicht schwer, Kontinuitäten zwischen den Fossilien festzustellen. Leider unterbrach der Krieg seine Forschungen und machte es ihm nahezu unmöglich, weitere europäische Fossilien zu untersuchen. Nach dem Kriegseintritt der USA wurde Hrdlička in eine Kommission berufen, die über Mittel und Wege beraten sollte, wie die Wissenschaftler des Landes sich im Krieg nützlich machen konnten. Hrdlička packte die Gelegenheit beim Schopf und schlug ein ehrgeiziges Projekt vor, bei dem umfangreiche Daten über die amerikanischen Männer gesammelt werden sollten. Alle, die mit der Musterung von Freiwilligen und Wehrpflichtigen befaßt waren, sollten sich an einer anthropometrischen Untersuchung beteiligen. Doch leider verfolgten die meisten Kommissionsmitglieder lieber eigene Interessen, als der Wissenschaft einen Dienst zu erweisen. Es kam zu Streitigkeiten in der Frage, welche Messungen im einzelnen durchgeführt und wie sie festgehalten werden sollten, so daß das Projekt am Ende fallengelassen wurde.

Bei Kriegsende 1918 gründete Hrdlička das *American Journal of Physical Anthropology* und wurde dessen (zuweilen launischer) Herausgeber. Inzwischen hatte er sich international einen Namen gemacht, auch wenn er bei weitem nicht den Bekanntheitsgrad von Keith oder Boule erreichte. Auf dem Gebiet der Evolution des Menschen war er zweifellos der führende Kopf in Amerika, obwohl er das oberste Kriterium nicht erfüllte: Er konnte kein eigenes vorzeitliches Fossil vorweisen.

Der Schwerpunkt der Suche nach immer älteren und bedeutenderen menschlichen Fossilien verlagerte sich unterdessen fast unmerklich. Immer mehr Forscher gingen davon aus, daß Asien, und nicht Europa oder Afrika (so Darwins Hypothese), die eigentliche Wiege der Menschheit war. Möglicherweise wurden sie in dieser Vermutung auch durch Boules wiederholte Behauptung bestätigt, die europäischen Neandertaler seien vom *Homo sapiens* verdrängt worden, der sich woanders, wahrscheinlich in Zentralasien, entwickelt habe. Kurz vor dem Krieg waren im Pandschab fossile Menschenaffen gefunden worden, die Boules Vermutung zu bestätigen schienen. Gleich nach Kriegsende ging man an die Überprüfung dieser These, und mehr als ein Wissenschaftler war entschlossen, sein Glück in Asien zu versuchen.

Im Jahr 1919 trat Davidson Black – ein vielversprechender kanadischer Student, der nach seinem Medizinstudium an der Universität von Toronto bei Grafton Elliot Smith studiert hatte – eine Professur für Neurologie und Embryologie am Peking Union Medical College in China an. Er war ein gutaussehender, freundlicher junger Mann mit blondem Haar und athletisch gebautem Körper. Fotos zeigen ihn mit runder, dunkelrandiger Brille und Pfeife. Bei Ausgrabungsarbeiten trug er stets Wickelgamaschen und Reiterhosen. Die Aufregung um den Piltdown-Fund hatte er in Elliot Smiths Labor selbst miterlebt. Bei seiner Arbeit in China hoffte er vor allem, Belege dafür zu finden, daß der Ursprung des Menschen in Asien lag. An der Smithsonian Institution hatte er sich von Hrdlička persönlich in Anthropometrie unterweisen lassen.

Black hielt Vorlesungen über die Anatomie des Menschen und arbeitete begeistert an der anthropometrischen Erforschung prähistorischer und lebender Rassen in China. Die Zusammenarbeit mit seinen chinesischen Kollegen klappte reibungslos. Doch auch ihm blieben Kulturschocks nicht erspart. Als Black beim Polizeichef vorsprach, weil er für seine Studenten Leichen zum Sezieren benötigte, bekam er zur Antwort, das sei kein Problem, da immer wieder Gefangene exekutiert würden. Zu Blacks Verdruß wurden jedoch die ersten Leichen ohne Kopf im Institut angeliefert. Er ließ dem Polizeichef ausrichten, daß er Leichen mit Köpfen brauche. Darauf schickte man ihm die nächsten Häftlinge lebend und in Ketten und teilte ihm mit, er möge nach Belieben mit ihnen verfahren. Schon bald wurden jedoch andere Mittel und Wege gefunden, um an Leichen oder Skelette zu kommen.

Blacks Arbeitgeber von der Rockefeller-Stiftung mißbilligten sein Interesse für Anthropologie. In Unkenntnis dieser Tatsache wandte sich Hrdlička mit der Bitte an die Stiftung, eine für 1919 geplante anthropometrische Untersuchung in China finanziell zu unterstützen. Hrdlička wollte beweisen, daß die amerikanischen Indianer von Asien eingewandert waren. Doch sein Antrag wurde mit der Begründung, seine Untersuchung sei zu wenig medizinisch, rundweg abgelehnt. Dieser negative Bescheid war die erste Episode einer verworrenen Geschichte, die nicht einer gewissen Ironie entbehrt. Nur wenige Monate später schrieben Black und sein Kollege Edmund Vincent Cowdry an Hrdlička. Da sie wiederum die Vorgeschichte nicht kannten, luden sie ihn zu einer Vortragsreihe nach Peking ein. Die Rockefeller-Stiftung, so versprachen sie ihm, werde die Kosten übernehmen und ein stattliches Honorar zahlen. Seine Vorlesungen sollten dazu beitragen, an der Fakultät und unter den Studenten ein größeres Interesse für die Anthropologie zu wecken. Überglücklich nahm Hrdlička das Angebot an. Erst später sollte er feststellen, daß die Rockefeller-Stiftung über die Einladung nicht informiert worden war, denn als der Vorstand von ihr erfuhr, zog er sie kurzerhand wieder zurück.

Diese Brüskierung Hrdličkas läßt sich schwer nachvollziehen, denn immerhin hatte er ein Medizinstudium absolviert und vor seiner Tätigkeit bei der Smithsonian Institution in mehreren Krankenhäusern und medizinischen Einrichtungen gearbeitet. Vielleicht hatten einige Kollegen, mit denen er während des Krieges in Kommissionen wegen Verwaltungsfragen aneinandergeraten war, hinter den Kulissen gegen ihn intrigiert. Hrdlička mangelte es nie an Ideen, wie er Geld ausgeben konnte, und er hatte mehrmals ganz ungeniert den Versuch unternommen, diese Kommissionen für seine Zwecke einzuspannen. Möglicherweise handelte es sich auch um den Racheakt einiger Wissenschaftler, die er sich zu Feinden gemacht hatte, als er ihre Behauptung, die Neue Welt sei von Frühmenschen besiedelt gewesen, widerlegt hatte.

Hrdlička protestierte heftig und wies darauf hin, daß er längst alle nötigen Vorbereitungen für die Reise getroffen habe, daß es höchst peinlich für ihn wäre, wenn er sie wieder absagen müsse, und daß sie ihn 4200 Dollar koste, wenn er sie aus eigener Tasche bezahlen müsse. Sein gefühlsbetonter Appell hatte Erfolg. Die Rockefeller-Stiftung weigerte sich zwar weiterhin, die Reise offiziell zu fördern, doch bewilligte sie der Smithsonian Institution nach einem umständlichen Prozedere einen zusätzlichen Zuschuß von 2500 Dollar, der für die Deckung der Reisekosten verwendet werden konnte. Hrdlička rächte sich, indem er am Peking Union Medical College, am Tsing Hua College und vor dem Christlichen Verein Junger Männer in Peking einige nicht genehmigte Vorträge hielt.

Neben der Weigerung, Hrdlička direkt zu unterstützen, unternahm die Rockefeller-Stiftung noch eine Reihe weiterer Versuche, den jungen Professor Black dazu zu bringen, sein Interesse verstärkt medizinischen Fragen zuzuwenden. 1921 wurde R. M. Pearce mit dem Auftrag nach China geschickt, die Anatomische Fakultät in Peking zu inspizieren und Verbesserungsvorschläge zu machen. Von Amerika aus schrieb er an Black:

Ich weiß, ich habe Sie lächerlich gemacht, Sie bedroht und schikaniert, ja sogar verwünscht, aber Sie haben es gut verkraftet … Ich sehe ein, daß ich die Bedeutung der Anthropologie und verwandter Disziplinen vielleicht heruntergespielt habe, weil ich fürchtete, es gehe dabei, zumindest in China, mehr um Archäologie als um vergleichende Anatomie. Wenn Sie sich neun Monate im Jahr der Anatomie widmen, geht es niemanden etwas an, ob Sie sich im Sommer mit Anthropologie beschäftigen. Aber kümmern Sie sich bitte in den nächsten zwei Jahren ausschließlich um die Anatomie. Vielleicht haben Sie bis dahin mit Ihrem kleinen Sohn ganz andere Interessen entwickelt, die Ihnen wichtiger erscheinen als Expeditionen zu mythologischen Höhlen …[10]

Black schlug den Rat in den Wind, was ihm dauerhaft zur Ehre gereicht. Er erhoffte sich von der Suche nach den Ursprüngen des Menschen in Asien ein positives Resultat und stand mit dieser Erwartung nicht allein. 1921 unternahm das American Museum of Natural History in New York unter der Leitung des verwegenen Roy Chapman Andrews eine Reihe von Expeditionen in die Wüste Gobi, um dort nach fossilen Menschen zu suchen. Der Paläontologe Henry Fairfield Osborn, Direktor des Museums, hatte bereits 1900 erklärt, daß die Wiege der Menschheit seines Erachtens in Asien stehe. Und Andrews wollte nun den Beweis für die These erbringen und sammelte 250000 Dollar Spendengelder für eine fünfjährige Forschungsreise; die meisten Spender waren Privatleute wie J. P. Morgan. Andrews fand denn auch viele außergewöhnliche Fossilien, darunter Eier von Dinosauriern, und schrieb ein faszinierendes Buch. Doch zu seinem Leidwesen entdeckte er keinen Vorfahren des Menschen.[11]

Afrika schien ein weniger erfolgversprechendes Terrain, trotz Darwins Vermutung, daß hier der Ursprung der Menschheit zu suchen sei. 1913 hat der deutsche Paläontologe Hans Reck bei Arbeiten im damaligen Deutsch-Ostafrika in einer großen Schlucht mit dem Namen Oldoway (heute: Olduvai-Schlucht in Tansania) einen höchst interessanten Fund gemacht: ein völlig modern wirkendes Skelett zusammen mit Fossilien ausgestorbener Tiere. Die Debatten, die diese Entdeckung auslöste, erinnerten an die Auseinandersetzungen über die Funde von Ipswich und Galley Hill, allerdings verfügte Reck weder über Keiths Autorität noch Einfluß. Die meisten Fachleute gingen zu Recht davon aus, daß Reck auf eine moderne Begräbnisstätte gestoßen sei, die in viel ältere Schichten eingetieft war. Afrika und die Oldoway-Überreste wurden über Jahre einfach nicht zur Kenntnis genommen. Erst viel später brachte der Cambridge-Absolvent Louis Leakey, der allerdings lange in Keiths Labor gearbeitet und sich dessen Ansichten zu eigen gemacht hatte, das Skelett von Oldoway als Beweis für das frühe Auftauchen des *Homo sapiens* wieder in die Diskussion ein.

Im Jahr 1921 wurde in Afrika ein weiteres Fossil, der sogenannte Rhodesia-Mensch, gefunden. Dieser Fund gab noch größere Rätsel auf und ließ sich nicht so einfach ignorieren. In der nordrhodesischen Stadt Broken Hill (dem heutigen Kabwe in Sambia), wo in einem Kalksteinberg Blei und Zink abgebaut wurden, entdeckte ein Arbeiter namens T. Zwingelaar am 17. Juni in einem Stollen rund achtzehn Meter unter der Erdoberfläche in einer schmalen Felsspalte einen außergewöhnlichen Schädel. Er war sehr groß und vollständig erhalten, mit mächtigen Überaugenwülsten, einer niedrigen, schräg abfallenden Stirn und einer langen, ovalen Schädeldecke. Das Gesicht war lang und massiv, die Zähne nicht von modernen Menschenzähnen zu unterscheiden – viele wiesen sogar Karies oder Löcher auf. Die Tiefe des Fundortes ließ auf ein sehr hohes Alter des Fossils schließen.

Der Schädel ähnelte den Crania von Gibraltar und La Chapelle-aux-Saints. Zusätzlich wurden mehrere postcraniale Knochen gefunden – drei gebrochene Oberschenkelknochen, ein Schienbein, zwei Bruchstücke aus dem Beckenknochen und ein Kreuzbein –, von denen einige demselben Individuum zugerechnet wurden. Das Aussehen dieser Knochen wirft viele Rätsel auf. Einige ähneln denen von Neandertalern, andere sind noch archaischer, wieder andere wirken ausgesprochen modern.

Wenige Monate nach dem Fund reiste der Bergwerksdirektor nach London und übergab die Knochen Arthur Smith Woodward, der sich freute, ohne eigenes Zutun erneut an einen spektakulären Fossilfund gekommen zu sein. Am 8. November 1921 war seine Presseerklärung in der Londoner *Times* zu lesen. Eine Woche später folgte eine kurze Beschreibung in der Fachzeitschrift *Nature*, in der er vorschlug, den Fossilien den Namen *Homo rhodesiensis* zu geben.

Keith, der selbsternannte britische Experte für fossile Menschenfunde, war tief gekränkt. Wie war es Smith Woodward gelungen, erneut einen derartigen Schatz zu bergen? Keith besaß die Unverfrorenheit und veröffentlichte am 19. November, nur zwei Tage nach dem Artikel in *Nature*, in der *Illustrated London News* Fotografien und eine allgemein gehaltene Beschreibung des Fundes. Auch in der Ausgabe seiner Monographie *The Antiquity of Man* von 1925 stichelte er gegen Smith Woodward:

An einem Tag im Spätsommer 1921 machte Mr. W. E. Barren, ein Bergwerksingenieur aus Neuseeland, gerade seine Runde durch die Mine oder den Steinbruch, als er sah, wie ein schwar-

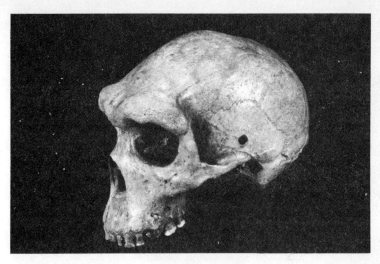

42. *Archaischer Schädel, der 1921 in Broken Hill (dem heutigen Kabwe) in Nordrhodesien (dem heutigen Sambia) gefunden wurde. Er war das erste neandertalerähnliche Fossil, das außerhalb Europas gefunden wurde.*

zer Arbeiter mit dem Pickel auf fossile Knochen einschlug, die durch eine Sprengung aus den hintersten Winkeln der uralten Höhle nach vorne geschleudert worden waren. Mr. Barren konnte gerade noch verhindern, daß der Schädel des Rhodesia-Menschen – das vollständigste und wichtigste Zeugnis, das je auf dem Tisch eines Anthropologen gelegen hat – in Stücke gehauen wurde und im Schmelztiegel landete. Mr. Barren fand in dem freigelegten Haufen fossilisierter Überreste weitere Menschenknochen.

… Anfang Oktober 1921 brachte die in Johannesburg erscheinende *Sunday Times* einen Artikel über den Fund … Sir Arthur Smith Woodward legte eine vorläufige Beschreibung des Fossils vor … Professor Eugène Dubois reiste aus Holland und Professor G. L. Sera aus Italien an, um den Schädel in Augenschein zu nehmen … Als dieses Kapitel entstand (im August 1924), war noch kein adäquater offizieller Bericht über den Rhodesia-Menschen veröffentlicht worden, aber Sir Arthur Smith Woodward erlaubte dem Autor freundlicherweise, sämtliche in Rhodesien gefundenen Knochen gründlich zu studieren. Die

vorliegende Beschreibung basiert auf den damals vorgenomme-
nen Untersuchungen und auf Gipsabdrücken, die britischen
Anatomen [zweifellos meinte Keith damit sich selbst] noch volle
zwei Jahre nach ihrer Fertigstellung vorenthalten worden sind.[12]

Keiths spöttisches Dankeswort an Smith Woodward, der die Untersuchung der Fossilien gestattet hatte, konnte nicht darüber hinwegtäuschen, daß er seinem Rivalen ein Schnippchen hatte schlagen wollen. Auf die oben zitierte Passage folgen zwei Kapitel, in
denen die Fossilien, die doch Smith Woodward zur Begutachtung
überlassen worden waren, bis ins letzte Detail beschrieben, analysiert und diskutiert werden. Dies war ein eklatanter Verstoß
gegen die moderne Wissenschaftsethik, der damals sicherlich als
genauso empörend empfunden wurde wie heute. Doch Keith kam
zu atemberaubenden Schlußfolgerungen:

Sein Platz im [Familien-] Stammbaum [der Evolution des Men-
schen] ... ist entweder ganz unten oder aber in der Nähe des
unteren Endes des Stamms, der sich später in alle lebenden oder
ausgestorbenen Typen des modernen Menschen – *Homo sapiens* – verzweigt. Hierin liegt die außerordentliche Bedeutung
der Entdeckung von Broken Hill. Wir können zum ersten Mal
einen Blick auf unseren Vorfahren werfen ...
Der Rhodesia-Mensch entspricht fast dem gemeinsamen Vorfahren, nach dem wir schon so lange suchen, aber eben nur fast.
Er hat bereits zu viele Merkmale des modernen Typs angenommen, um diesem Zweck zu genügen ...
Es ist leichter, den Ort des Rhodesia-Menschen in der Skala der
menschlichen Evolution zu bestimmen, als seine Position in der
geologischen Zeit einzuschätzen. Vielleicht war er ein später
Überlebender, ein Okapi der Menschheit ...[13]

Diese interessante Metapher bezieht sich auf die Entdeckung eines
eng mit den Giraffen verwandten und wunderschön gestreiften
Tieres in den tropischen Wäldern Zentralafrikas. Mit großer Aufregung war 1900 die Nachricht aufgenommen worden, im Kongo
seien Okapis entdeckt worden. Man fing einige Exemplare ein
und brachte sie in europäische Zoos. Solche Entdeckungen neuer

Tiere – neben den wunderlichen Okapis etwa die wilden Gorillas – wurden zu Bausteinen der vagen Theorie, daß Afrika so etwas wie eine verlorene Welt oder Zufluchtsstätte für primitive Lebewesen sei, die, andernorts längst ausgerottet, dort überleben konnten. Der Schriftsteller und passionierte Altertumsforscher Sir Arthur Conan Doyle, der in seinen Büchern wie kein anderer die Mentalität im England Eduards VII. beschrieben hat, verarbeitete dieses Thema wenige Jahre später in einem Abenteuerbuch mit dem Titel *The Lost World,* das freilich nicht in Afrika, sondern in Südamerika spielt. Der Rhodesia-Mensch war das ideale Beispiel für ein Relikt aus Doyles verlorener Welt, das einen neandertaler-ähnlichen Schädel mit einem modernen Körper verband.

Keith schloß seine Ausführungen mit einem Widerruf:

> Wir haben die Entwicklungsstufe zwischen dem Rhodesia-Menschen und dem modernen Menschen noch nicht gefunden. Aber trotz dieser Wissenslücke lassen es die bislang gesammelten Belege immer unwahrscheinlicher erscheinen, daß der Mensch von Galley Hill und andere Beispiele des modernen Menschen [einschließlich des Skeletts von Ipswich] wirklich so alt sind, wie es der geologische Befund nahelegt.[14]

Seltsamerweise ließ Keith nur noch die Überreste von Piltdown als Fossilien der Gattung *Homo sapiens* gelten, obwohl zu seinen bisherigen Favoriten, Galley Hill und Ipswich, keinerlei neue Erkenntnisse vorlagen. So unerklärlich, wie sein plötzliches Eintreten für diese beiden Funde gewesen war, so unerklärlich war nun dieser Widerruf.

Keith war der Meinung, daß sich das Alter menschlicher Fossilien in Europa anhand der Assoziation ausgestorbener Tiere bestimmen ließe, daß dieses Verfahren jedoch in Afrika nicht anwendbar sei. Im späteren Verlauf der Debatte um den Rhodesia-Menschen kam es zu weiteren amüsanten Schlußfolgerungen. So behauptete etwa Elliot Smith 1922, bei dem Fund handle es sich um den Überlebenden einer sogenannten »Präneandertaler-Rasse«, die den europäischen Neandertalern vorausgegangen sei.[15] Dies hätte bedeutet, daß sich die ungewöhnlichen Schädelmerkmale des Neandertalers zuerst herausgebildet hatten, und zwar zusammen mit einem modernen Körper, der sich in der Folgezeit wieder zurückentwickelt hatte, das heißt weniger modern und stärker neandertaloid geworden war.

Nicht nur die Anatomie des Fossils von Broken Hill warf Fragen auf. Hinzu kam, daß seine Entdeckung sich offensichtlich etwas anders zugetragen hatte als von Smith Woodward berichtet, der die Version des Bergwerksdirektors unkritisch übernommen hatte. Hrdlička war jedenfalls skeptisch. Im Jahr 1925 besuchte er die Minen und befragte die Arbeiter. Zwingelaar bestätigte, daß er den Schädel gefunden und dem Direktor gebracht hatte, bestritt aber, damals in unmittelbarer Nähe des Schädels noch weitere Knochen gefunden zu haben. Erst später, bei der Suche nach einem Unterkiefer, der zu dem Schädel paßte, sei man auf die postcranialen Knochen gestoßen, die jedoch mit dem ersten Fund nicht unmittelbar in Verbindung stünden. Wieder andere Funde seien zu einem späteren Zeitpunkt gemacht, jedoch nicht gemeldet worden. Hrdlička nahm diese Knochen mit und deponierte sie, wobei er vermutlich nicht mit Vorwürfen sparte, bei Smith Woodward im British Museum. Nun, da er sich Klarheit über die Umstände der Entdeckung verschafft hatte, scheute er nicht mehr davor zurück, die Assoziation des Craniums und der übrigen Knochen als reine Erfindung zurückzuweisen. Die moderne Forschung stimmt ihm darin zu.

Davon unbeeindruckt schrieb Smith Woodwards Assistent am British Museum of Natural History, der Vogelexperte William Plane Pycraft, 1928 eine Monographie über den Rhodesia-Menschen und bezeichnete ihn darin als *Cyphanthropus rhodesiensis* (gebeugt gehender Mensch von Rhodesien). Pycrafts naiver Glaube an die Funktion der Retroversion des Tibiakopfes gepaart mit einem völlig falschen Verständnis der Beckenanatomie des Fossils verleiteten ihn zu der Annahme, der Rhodesia-Mensch habe nicht aufrecht gehen können. Damit wiederholte er in leicht abgewandelter Form Boules Schlußfolgerungen zum europäischen Neandertaler.

Der Rhodesia-Mensch blieb jedoch nicht die einzige Überraschung, die Afrika den Anthropologen bereiten sollte. Ein weiterer von Grafton Elliot Smiths fleißigen Studenten, der Australier Raymond A. Dart, ließ sich, wie Davidson Black vor ihm, von der

Begeisterung für die Erforschung der Urmenschen anstecken. Dart war am 4. Februar 1893 als fünftes von neun Kindern der Eheleute Eliza und Samuel Dart geboren worden. Die Familie lebte von der Viehzucht im australischen Busch und ließ ihren Kindern eine strenge religiöse Erziehung angedeihen.[16]

Der aufgeweckte Junge bekam ein Stipendium und zählte zu den besten Studenten an der Universität von Queensland. Er legte einen solchen Lerneifer und Fleiß an den Tag, daß er weitere Stipendien und Preise gewann und schließlich an der Universität von Sydney Medizin studieren konnte. Einen ersten Höhepunkt in seiner noch jungen akademischen Laufbahn erlebte Dart, als 1914 die British Association for the Advancement of Science (Britische Vereinigung zur Förderung der Wissenschaft) nach Australien kam und ihn bat, S. Arthur Smith, einem renommierten Anatomen und Bruder von Grafton Elliot Smith, bei der Vorbereitung seiner Demonstration zu assistieren.

Noch Jahre später erinnerte sich Dart, wie ehrfürchtig und gebannt er den weltbekannten Wissenschaftlern bei ihren Demonstrationen zugehört hatte. Trotz des Krieges schloß er sein Medizinstudium ab und wurde als Angehöriger der australischen Sanitätstruppe nach England verschifft. Bei Kriegsende war er hocherfreut, als er erfuhr, daß Grafton Elliot Smith bereit war, ihn als Assistenten zu nehmen.

Dart verehrte Elliot Smith als sein großes Vorbild und nannte ihn ein »Genie, aber auch einen der angenehmsten Menschen, für den oder mit dem ich je gearbeitet habe«.

Groß und vornehm, mit gesunder Gesichtsfarbe und tadellos frisiertem weißem Haar war Elliot Smith das totale Gegenteil des zerstreuten, harmlosen Genies, das man aus Romanen kennt. Er war bei all seinen herausragenden intellektuellen Fähigkeiten in jeder Hinsicht ein Mann von Welt, ein fesselnder Erzähler und bei seinen Kollegen und Assistenten beliebt, deren tägliche Teerunde er gewöhnlich mit seiner Anwesenheit bereicherte.[17]

Trotz Darts Lobeshymnen gab es offensichtlich Probleme. 1920 schickte Elliot Smith seinen Assistenten für ein Jahr in die Vereinigten Staaten, wo er mit R. J. Terry an der Washington University in St. Louis zusammenarbeitete. Kaum mehr als ein Jahr nach Darts Rückkehr schickte ihn Elliot Smith als Professor für Anatomie an die neugegründete Universität von Witwatersrand in Johannesburg, Südafrika. Das war ein wenig verlockender und attraktiver Posten für einen seiner vielversprechendsten Schüler. Es hatte mehr den Anschein, als sollte ein Störenfried ins Exil ans andere Ende der Welt geschickt werden. Keith beschrieb am Ende seines Lebens Dart als einen »herausragenden Gelehrten«, fügte jedoch hinzu:

> Ich war einer von denen, die ihn für die Stelle [an der Witwatersrand] empfahlen, aber ich tat es, wie ich heute unumwunden zugeben kann, aus einer gewissen Besorgnis heraus. Sein Wissen, seine intellektuellen und kreativen Fähigkeiten waren über jeden Zweifel erhaben. Was mich allerdings beunruhigte, waren seine Unbeständigkeit und seine Neigung, anerkannte Lehrmeinungen zu mißachten und unorthodoxe Anschauungen zu vertreten.[18]

Dies sind die Worte eines Mannes, der im selben Buch zugibt, daß seine Beurteilung der Funde von Galley Hill »der anerkannten Lehrmeinung diametral entgegengesetzt war«, daß er aber auch bereit gewesen sei, »diese Meinung zu verteidigen«.[19] Unorthodoxe Meinungen gefielen Keith offenkundig nur, wenn sie aus seinem Mund kamen.

Darts unbestreitbare Bereitschaft, gegen den Strom zu schwimmen, wurde schon wenige Jahre nach seiner Ankunft in Johannesburg deutlich. Anfangs wurde er völlig von seinen Pflichten an der Universität in Anspruch genommen. Die Arbeitsbedingungen waren katastrophal: Außer seiner Privatbibliothek waren keine Bücher vorhanden; in den Labors gab es keine Wasseranschlüsse, keinen Strom, keine Preßluftflaschen; für die Leichen waren weder Tücher noch Säcke vorhanden. Die fleckigen Wände im Anatomielabor ließen vermuten, daß die Studenten dort Fußball und Tennis gespielt hatten.

Einige Mängel in der materiellen Ausstattung wurden beseitigt, aber die weniger konkreten Probleme waren schwerer zu lösen. Dart wollte eine vergleichende Skelettsammlung anlegen und

43. *Raymond Dart 1925. An dem damals jüngst ent-deckten* Australopithecus africanus *aus Taung weist er auf spezielle Merkmale des Hirnschädels hin. Jahrelang wurde seine Beurteilung, das Fossil sei hominid, mit dem Argument zurückgewiesen, daß es für einen Vorfahren des Menschen zu »äffisch« sei.*

schrieb deshalb einen Wettbewerb unter seinen Studenten aus. Er setzte fünf Pfund für den ungewöhnlichsten und interessantesten Knochenfund aus. Dieser mutige und unkonventionelle Schritt sollte Dart zu seiner berühmtesten Entdeckung verhelfen.

Josephine Salmon, 1924 seine einzige Studentin, hatte im Haus von Freunden über dem Kamin einen hochinteressanten fossilen Schädel gesehen. Sie hielt ihn für das Cranium eines Pavians aus den Kalksteinbrüchen im nahegelegenen Taung. Mit Ausnahme des Rhodesia-Menschen hatte man in Afrika bislang nur sehr wenige fossile Primaten gefunden, weshalb Dart gleichermaßen erfreut wie überrascht war, als sich die Vermutung der Studentin als richtig erwies. Es war nicht schwer, einen Freund zu finden, der dem Verwalter der Steinbrüche von Taung das Versprechen abnahm, sämtliche Knochen oder Fossilien, welche die Arbeiter fanden, an Dart weiterzuleiten.

Die ersten beiden Kisten, die Darts weiteren Lebensweg entscheidend verändern sollten, erreichten ihn, als er sich gerade für die Hochzeitsfeier eines alten Freundes umzog. Die Trauung sollte in seinem Hause stattfinden und er selbst als Trauzeuge fungieren. Trotz der flehentlichen Bitten seiner Frau, mit den Vorbereitungen fortzufahren, stemmte er die Kisten auf, »nicht ahnend«, wie er sich später erinnerte, »daß mir aus dieser Kiste, nach dem unendlich langen Schlaf von fast einer Million Jahren, ein Gesicht entgegenblicken würde«.[20] Der nervöse Bräutigam störte ihn jedoch schon bald bei der Betrachtung des bis dahin außergewöhnlichsten fossilen Menschenfundes: Es handelte sich um den Endocranial-Ausguß (Steinabdruck) eines menschenähnlichen Gehirns, das in einen weiteren Steinbrocken paßte, in den möglicherweise das Gesicht eingebettet gewesen war. Dart schloß die Schätze in seinen Schrank ein und wandte sich widerstrebend seinen gesellschaftlichen Pflichten zu, in Gedanken immer bei seiner neuen Entdeckung.

Weihnachten 1924 hatte Dart schließlich die steinerne Matrix von dem Fossil entfernt. Zum Vorschein kam ein Kindergesicht und ein vollständiger Unterkiefer mit allen Milchzähnen. Der erste bleibende Backenzahn brach bereits durch, was, ging man von der Entwicklung eines modernen Kindes aus, auf ein Alter von ungefähr fünf Jahren schließen ließ. Der Schädel war klein und paßte gerade in Darts Handfläche. Er war von herrlich glänzender senfgelber Farbe und hatte strahlend weiße Zähne. Wie einen Vater erfüllte das Kind von Taung, wie es später genannt wurde, Dart mit Stolz und Freude.

Dart suchte weder Rat noch Hilfe bei den Experten. Er hatte nicht vor, »sein Kind« allein nach London zu schicken. Er erkannte in dem Endocranial-Ausguß viele menschliche Züge und hielt auch das Gehirn für größer als das eines jungen Menschenaffen, was ihn davon überzeugte, das *missing link* gefunden zu haben.

Am 3. Februar 1925, einen Tag vor seinem zweiunddreißigsten Geburtstag, erschien Darts Bekanntgabe des Fundes in der britischen Zeitschrift *Nature*. Er schlug vor, dem Wesen den Namen *Australopithecus africanus* (»der südliche Affe aus Afrika«) zu geben. Gleichwohl verwies er auf die menschenähnlichen Merkmale des Gehirns und der Zähne und erklärte, daß »die durch diese Form repräsentierte Familie unseren vormenschlichen Ahnen am nächsten kommt«.[21] Er wagte es sogar, eine völlig neue zoologische Familie, die sogenannten Homo-simiadae oder Menschen-Affen, vorzuschlagen, da das Fossil, wie er meinte, eine Übergangsform zwischen beiden Familien darstelle.

Er erhielt Glückwünsche von Elliot Smith, Hrdlička und sogar von General J. C. Smuts, dem damaligen Präsidenten der South Africa Association for the Advancement of Science (Südafrikanischen Vereinigung zur Förderung der Wissenschaft). Die Presse schilderte die Entdeckung des *missing link* in den leuchtendsten Farben. Die konservativen unter den britischen Anthropologen knirschten mit den Zähnen, gaben sich aber zunächst noch höflich. Arthur Keith erklärte den Londoner Zeitungen, daß »Professor Dart sich nicht so leicht irreführen läßt. Wenn er den Schädel sorgfältig untersucht hat, sind wir bereit, seine Entscheidung zu akzeptieren«[22] – fürs erste, hätte er hinzufügen können.

Am 14. Februar, dem Erscheinungstag der nächsten Ausgabe von *Nature,* hatten Keith, Elliot Smith, Smith Woodward und der Londoner Anatom W. H. L. Duckworth bereits ihre Entgegnungen schriftlich formuliert. Virchow war zwar tot, aber im Geiste lebte er weiter. Unabhängig voneinander warfen sie Dart vor, er habe einen fundamentalen Fehler begangen und ein nicht ausgewachsenes schimpansenartiges Wesen mit einem Menschen verwechselt. Außerdem kritisierten sie, daß er keine Angaben über das Alter des Fossils und seine geologische Einordnung gemacht habe. Bittersüß und überschwenglich lobte Keith seinen Kollegen Dart für die Entdeckung einer weiteren Menschenaffenart und bediente sich dabei einer Ausdrucksweise, die deutlich an die spöttischen Bemerkungen über Dubois' »Riesengibbon« vor einigen Jahren erinnerte. Andere vermuteten, Dart habe relativ neues Knochenmaterial, das in die Höhle gefallen sei, mit wirklich alten Knochen verwechselt. Nur der Vorwurf, daß die Teile gar nicht zusammengehörten, wurde, anders als bei Dubois, diesmal nicht vorgebracht. Dafür paßten die verschiedenen Teile zu gut zusammen.

Während die Kollegen Darts Fund irrtümlich als falsch interpretierten und als unwichtig ablehnten, wurde er von der Öffentlichkeit in geradezu beunruhigender Weise begrüßt. Die *Illustrated London News* veröffentlichte eine Rekonstruktion, die unter Anleitung von Grafton Elliot Smith erstellt worden war. Der Name Taung tauchte in Schlagern und Witzen, in Limericks und vielsagenden Gedichten wie dem folgenden auf:

Sprachlos, mit halbem Menschengesicht
lauert das Monster im trüben Licht.
Betracht' es nur anders, und schon zeigt sich dir
die Weisheit des Weisen und Schönheit hier.[23]

Deutlicher hätte man nicht ausdrücken können, daß man die frühesten Vorfahren des Menschen für tierisch und primitiv hielt – Eigenschaften, die das Kind von Taung vom *Pithecanthropus* und der wiederum von den Neandertalern geerbt hatte.

44. *Rekonstruktion, die A. Forestier 1926 vom Kopf des Geschöpfs von Taung unter Anleitung von Grafton Elliot Smith anfertigte.*

Zwischen Dart und Dubois lassen sich eine Reihe von Parallelen aufzeigen: Beide waren an einen fern von aller Zivilisation gelegenen Ort gegangen und hatten einen vermeintlichen Vorfahren des Menschen gefunden. Beide litten unter der nahezu einmütigen Ablehnung ihrer Ideen. Die Beschreibung ihrer Funde krankte an mangelndem Vergleichsmaterial und an schlechten oder völlig fehlenden Informationen über den geologischen Kontext. Zudem hatten sie – was sehr aufschlußreich ist – keinen einflußreichen Fürsprecher in den richtigen Kollegenkreisen. Darts einstiger Ratgeber und großes Vorbild Elliot Smith attackierte ihn zwar weniger hart als andere, doch stellte er sich mit seiner Reputation und Fachkenntnis auch nicht schützend vor ihn. Die liebevolle Unterstützung, die Elliot Smith schon bald seinem Schüler Davidson Black zukommen lassen sollte, wurde Dart nicht gewährt.

Dart ging es in Südafrika zwar gut – er wurde Dekan der medizinischen Fakultät und war ein allseits geachteter Mann –, doch galt er im erlauchten Kreis der britischen Wissenschaftler, den er so verehrte, als ein übereifriger Narr, was ihn kränkte und einsam machte. Dart wurde, wie Dubois, verurteilt, noch bevor er seine Argumente detailliert vorgetragen hatte. Rückblickend hielt er es für einen Fehler, daß er nicht sofort nach London gereist war, um vor Ort für seine Ideen zu werben. Aber damals widerstrebte es ihm, sich auf eine so weite und lange Reise zu begeben.

Das Problem war, daß nur einige andersdenkende Wissenschaftler sich die Mühe machten, Darts Material selbst zu begutachten. Zu diesen wenigen zählte Aleš Hrdlička, der 1925 nach einem Besuch in Broken Hill einen Abstecher nach Johannesburg machte und sich das Kind von Taung ansah. Hrdlička war sich nicht klar über die Verwandtschaftsverhältnisse dieses Schädels, da er sich, wie viele andere, von dessen Unreife verwirren ließ. Immerhin tat er Darts Menschen-Affen nicht als bloßen Schimpansen ab, sondern bemerkte: »Es handelt sich ganz einwandfrei um ein *missing link,* um eine der vielen immer noch fehlenden Übergangsformen in der Ahnentafel der Primaten.«[24]

Robert Broom war nahezu der einzige unerschrockene Befürworter Raymond Darts. Zwei Wochen nach der Bekanntgabe des Fundes in *Nature* stürmte er in Darts Labor und fiel, ohne ihn oder einen seiner staunenden Mitarbeiter auch nur eines Blickes zu würdigen, »in Bewunderung für unseren Vorfahren«[25] auf die Knie.

Der kleinwüchsige, 1866 geborene Schotte war Paläontologe für Wirbeltiere und hatte exzentrische Gewohnheiten, die seinem wissenschaftlichen Ruf jedoch nicht zu schaden schienen. In den zwanziger Jahren trug Broom einen silbergrauen Bürstenschnitt und eine runde Metallbrille, hinter der er unentwegt hervorblinzelte. Er kleidete sich korrekt mit dunklem Anzug, Weste und Hemd mit steifem Kragen. Wurde es ihm aber bei der Suche nach

Fossilien zu warm, so entblößte er sich ungeniert. Auch als ausgebildeter Mediziner war er sich nicht zu schade, Versuche an seinen Patienten durchzuführen oder sie, wenn sie verstarben und einer interessanten Rasse angehört hatten, in seinem Garten zu begraben, um später ihre Skelette zu untersuchen. In späteren Jahren galt er als sehr beliebt bei den Damen, und er mühte sich nach Kräften, seine Frau von den Orten fernzuhalten, an denen er forschte. Seine Arbeiten an fossilen Wirbeltieren, vor allem an Eidechsen, Dinosauriern und frühen Säugetieren, wurde hochgeschätzt, und 1920 wurde er Mitglied der Royal Society.

Broom hatte sich sofort Darts Meinung angeschlossen, doch nur wenige folgten seinem Beispiel. 1934 gab er seine Arztpraxis auf und widmete sich fortan nur noch der Paläontologie. Er beschloß, nach weiteren Australopithecinen zu suchen. Schon damals soll er sich als den »größten Paläontologen«[26] aller Zeiten bezeichnet haben und fragte sich deshalb, warum er nicht auch der größte Anthropologe werden sollte. Seit 1936 verfocht er Darts Hypothese, daß es sich bei den Australopithecinen nicht etwa um bloße Menschenaffen, sondern um Vorfahren des Menschen handelte. Mit den Schädeln weiterer, und zwar erwachsener Australopithecinen, die er in den südafrikanischen Höhlen Sterkfontein, Swartkrans und Kromdraai entdeckte, lieferte er schließlich Beweise für diese Hypothese.

Hrdlička hatte auf seiner erfolgreichen Weltreise den Schädel von Taung begutachtet, viele berühmte Wissenschaftler aufgesucht, die meisten Fossilfunde der letzten Jahre inspiziert und viele moderne Schädel unterschiedlichster Rassen gesammelt. Kurz nach seiner Rückkehr 1927 wurde ihm die Huxley-Medaille verliehen, die höchste britische Auszeichnung für einen Anthropologen, die zuvor erst einmal an einen Amerikaner vergeben worden war. Die Ehrung dokumentierte eindrucksvoll, daß die Briten Hrdlička als einen großen Gelehrten anerkannten, der in seinem Fach wertvolle Arbeit geleistet hatte.

Anstatt sich auf seinen Lorbeeren auszuruhen, nutzte Hrdlička die Preisverleihung, um seine wohldurchdachte, aber umstrittene Theorie über das Schicksal der Neandertaler vorzutragen. Hrdlička war als einziger der führenden Paläanthropologen der Ansicht, daß die Neandertaler sich direkt zum modernen Menschen weiterentwickelt hatten. Keith hingegen vertrat die Meinung der Mehrheit, wonach der Neandertaler, vom modernen Menschen aus gesehen, »einen großen Schritt zurück« sei. Er äußerte sich wie folgt:

> Wird der Neandertaler als klar abgegrenzter Typus [oder als Spezies] anerkannt, ergibt sich daraus ein Problem, dessen sonderbarster Aspekt sein plötzliches Verschwinden ist. Mit dem Beginn des Aurignacien wurde er durch denselben Menschentyp ersetzt, der heute Europa bewohnt. Was am Ende des Moustérien geschah, können wir nur erahnen, aber all jenen, die das Schicksal der eingeborenen Rassen in Amerika und Australien mitverfolgen, wird es nicht schwerfallen, sich das Verschwinden des *Homo neanderthalensis* zu erklären. Er wurde von einer kräftigeren Form ausgerottet.[27]

Dem widersprach Hrdlička entschieden: Die Neandertaler seien nicht ausgestorben, sie hätten sich weiterentwickelt – zu Menschen. Die Rede, die er anläßlich der Verleihung der Huxley-Medaille hielt, trug den Titel: »Die Neandertaler-Phase des Menschen«. Mit diesen wenigen Worten umschrieb er seinen esoterischen Standpunkt: Die Neandertaler waren eine Phase, ein Stadium in der Entwicklung der Menschheit gewesen. Sie waren wie wir, sie waren unsere Vorfahren. Im Unterschied zu Breuil war Hrdlička der Meinung, daß die mit anatomisch modernen Menschen assoziierte Aurignacien-Kultur eine Weiterentwicklung der Moustérien-Kultur der Neandertaler war, so wie sich die Werkzeugmacher aus der anderen Gruppe entwickelt hatten.

Hrdlička arbeitete auch klimatische Aspekte in sein Schema ein. Er verzeichnete vom Prä-Chelléen über das Acheuléen zum Moustérien hin einen Rückgang der Wohnstätten im Freien und eine Zunahme von Fels- und Höhlenunterkünften. Dies war für ihn ein Hinweis auf die sich verschlechternden klimatischen Bedingungen. Vom Moustérien zum Aurignacien waren hingegen keine Veränderungen in der Umwelt zu verzeichnen, was auf stabile biologische und kulturelle Verhältnisse hindeutete. Keine dramatischen Katastrophen, keine Kannibalenkämpfe und keine Invasionen anderer Frühmenschen aus dem Osten mußten bemüht

303

werden, um das Verschwinden der Neandertaler zu erklären. Hrdličkas Botschaft lautete vielmehr: Sie weilen noch unter uns.

Die geladenen Wissenschaftler hörten sich seinen Vortrag aufmerksam an, klatschten höflich Beifall und gingen in der festen Überzeugung nach Hause, daß Hrdlička irrte. Ihre Vorurteile ließen sie sich auch durch neue Erkenntnisse nicht erschüttern. Hrdličkas Theorie war lediglich eine Neuauflage der alten Vorkriegshypothese seines Mentors Manouvrier und Gustav Schwalbes.

Die Präsapiens-Theorie, die auch von den Verfechtern des Piltdown-Menschen vertreten wurde, hatte damals die meisten Anhänger. Wem diese Theorie nicht zusagte, der konnte sich Elliot Smith anschließen, der 1924 die Präneandertaler-Theorie formuliert hatte. Er hatte behauptet, daß der moderne Mensch an mehreren Verzweigungspunkten des gemeinsamen Stammbaums entstanden sei, wobei sich primitivere Menschengruppen schon vorher abgezweigt hätten – noch bevor sich die hochspezialisierten Neandertaler in eine Sackgasse entwickelten – und die fortschrittlicheren (sprich die »europäischen«) Rassen erst später dazugekommen seien. Elliot Smith wich von der Mehrheitsmeinung vor allem dadurch ab, daß er die Entwicklung des *Homo sapiens* früher ansetzte als die meisten Anhänger der Präsapiens-Theorie. Er faßte seine Antwort auf Hrdlička in einem *Nature*-Artikel zusammen, in dem es heißt:

In seiner kürzlich gehaltenen Huxley-Rede ... hat Dr. Aleš Hrdlička daran gezweifelt, ob der Neandertaler in eine eigene Spezies gestellt werden solle, eine Frage, die die meisten Anatomen nach der Untersuchung von Schwalbe 1899 und der Bestätigung seiner Ergebnisse durch die Arbeiten von Boule und einer Reihe anderer Anatomen für abgeschlossen hielten ... Die einzige Rechtfertigung für eine erneute Diskussion über den Status des Neandertalers könnten neue Erkenntnisse oder neue Ansichten sein, ob sie nun destruktiver oder konstruktiver Natur sind. Meiner Meinung nach hat Dr. Hrdlička kein einziges schlagendes Argument geliefert, das Anlaß geben könnte, im *Homo neanderthalensis* etwas anderes als eine vom *Homo sapiens* eindeutig abgegrenzte Art zu sehen.[28]

Mit anderen Worten, er wies Hrdličkas Ansatz entschieden zurück, weil die Frage längst geklärt sei und Hrdlička keine neuen Gesichtspunkte vorgetragen habe. Die Enttäuschung über seine Huxley-Rede muß damals in der Tat sehr groß gewesen sein!

Von allen Wissenschaftlern, die über die Evolution des Menschen forschten, stimmte einzig Karl Gorjanovic-Kramberger mit Hrdlička überein. Beide waren der Ansicht, daß Gewohnheiten und Verhaltensweisen für die Ausgestaltung des Skeletts von großer Bedeutung waren. Gorjanovic, seit 1924 im Ruhestand, war in Jugoslawien ein hochgeschätzter Wissenschaftler. Sechs Monate vor Hrdličkas Rede hatten ihn die Kroatische Gesellschaft für Naturgeschichte, die Jugoslawische Akademie der Künste und Wissenschaften und die Universität von Zagreb anläßlich seines siebzigsten Geburtstags mit einem großen Festakt geehrt. Außerhalb Jugoslawiens hatte Gorjanovics Einfluß nachgelassen – vor seinem Tod 1936 sollte er nur noch einen wissenschaftlichen Aufsatz veröffentlichen. Seine Schützenhilfe für Hrdlička brachte die vorherrschende Meinung deshalb nicht ins Wanken. Vermutlich belächelte man das alternde Duo mit seinen überholten Ideen.

Und doch hatte Hrdlička wichtige Fragen aufgeworfen. So stellte er explizit einen Zusammenhang zwischen den ungewöhnlichen Merkmalen des Neandertalers und der eiszeitlichen Kälte her – ein Gedanke, der Mitte des 20. Jahrhunderts wieder aufgegriffen, untersucht und vertieft wurde und eine der wichtigsten Erkenntnisse über die Anpassungsleistungen der Neandertaler erbrachte. Seinem geschulten Blick war auch die Vielgestaltigkeit der Neandertaler-Fossilien nicht entgangen. Aufgrund der Erfahrungen, die er in unzähligen Untersuchungen von Leichen und Skeletten unterschiedlichster Rassen gesammelt hatte, erkannte er, daß einige Neandertaler – etwa das klassische Skelett aus dem Neandertal, die Fossilien von Spy, Le Moustier und La Chapelle-aux-Saints – sehr primitiv, massig und dem modernen Menschen wenig ähnlich waren, während andere – wie etwa die aus Krapina, La Ferrassie und La Quina – moderneren Typen sehr viel mehr ähnelten. Eine höchst variable Population war seiner Meinung nach im Laufe der Zeit – unter den harten eiszeitlichen Bedingungen – stark von der natürlichen Auslese geprägt worden, bis die Anpassungsfähigsten sich zum modernen Menschen weiterentwickelten und die weniger Anpassungfähigen und Primitiven ausstarben. In Hrdličkas Augen waren die Neandertaler weniger eine *Spezies,* sondern repräsentierten eine Phase in der Entwicklung des Menschen. Wäre die Entwicklung anders verlaufen, so argumentierte er, müßten Spuren sehr alter, anatomisch aber moderner Menschen oder ihrer Vorfahren in Asien zu finden sein.

Anfang 1927, also im selben Jahr, in dem Hrdlička seine Huxley-Rede hielt, starb sein Mentor Léonce-Pierre Manouvrier im Alter von sechsundsiebzig Jahren an Herzversagen. Manouvrier war bis zuletzt aktiv gewesen und hatte, insbesondere in Frankreich, großen Einfluß auf die physische Anthropologie genommen, auch wenn Boule und dessen Mitarbeiter am Institut de Paléontologie Humaine in der Paläanthropologie das Sagen hatten. Seine Kollegen von der Société d'Anthropologie der Ecole Pratique des Hautes Etudes, der Ecole d'Anthropologie und dem Collège de France, der Société des Sciences et des Médicins in seinem heimatlichen Département Creuse und selbst von der Akademie der Wissenschaften in Washington zollten dem Toten ihre Anerkennung.[29] Gleichzeitig jedoch konnte es sich Verneau in seiner Eigenschaft als Mitherausgeber der Zeitschrift *L'Anthropologie* nicht verkneifen, nahezu jeden Aspekt von Manouvriers wissenschaftlichem Werk, vor allem aber seine wenigen Beiträge zur Paläanthropologie, in Frage zu stellen. Der Nachfolger Brocas und der Mentor Hrdličkas spielte selbst nach seinem Tod noch eine Schlüsselrolle in den Debatten um die Ahnen der Menschheit.

Manouvriers Tod war ein schwerer Schlag für Hrdlička, weitere sollten folgen. Wenig später meldete Davidson Black fossile Funde aus China. Die Suche nach möglichen Vorfahren hatte 1926 erstmals zum Erfolg geführt: In einer Ablagerung aus dem Pleistozän waren zwei menschenähnliche Unterkieferzähne aufgetaucht. Offensichtlich waren sie bereits 1921 von den beiden schwedischen Forschern Otto Zdansky und J. Gunnar Anderson gefunden worden, die in China geologische Untersuchungen durchführten. Black war, als er den Fundbericht der beiden Forscher gelesen hatte, sofort davon überzeugt, endlich den Frühmenschen gefunden zu haben, nach dem er so lange gesucht hatte. Deshalb zögerte er auch nicht, zwei Aufsätze für die führenden Wissenschaftszeitschriften *Nature* und *Science* zu schreiben, die dann auch im Dezember 1926 erschienen, obwohl er die Fossilien zu diesem Zeitpunkt noch gar nicht selbst gesehen hatte. Seine Argumente waren entsprechend dürftig, was Hrdlička veranlaßte, Anfang 1927 in Briefen an Black seine Skepsis gegenüber dem Fund zu äußern. Doch Black ließ die Post unbeantwortet liegen und begann statt dessen mit systematischen Ausgrabungen in Zhoukoudian (früher Chou Kou Tien). Der Name des Fundorts, aus dem die menschlichen Fossilien tatsächlich stammten, heißt übersetzt »Drachenknochenhügel«. Fossilien, insbesondere fossile Zähne, wurden damals und werden auch heute noch in der traditionellen chinesischen Medizin unter dem Namen »Drachenknochen« als Bestandteile von Arznei verwendet.

Black wurde nachgesagt, er trete mit seinen Funden oft etwas vorschnell an die Öffentlichkeit. Diesem Ruf wurde er Ende 1927 gerecht, als er einen Aufsatz veröffentlichte, in dem er eine neue Spezies Mensch, den sogenannten *Sinanthropus pekinensis* (»den Chinamenschen von Peking«) vorstellte, und zwar auf der Grundlage eines einzigen Backenzahns, den er während der ersten Ausgrabungsphase gefunden hatte. (Viel später stellte sich heraus, daß diese »neue« Spezies identisch war mit dem *Pithecanthropus* – beide sind heute in der Spezies *Homo erectus* zusammengefaßt.) Der Schwede Birger Bohlin, der gerade erst seinen Doktor in Paläontologie gemacht hatte, arbeitete in jenem Sommer in Zhoukoudian und erinnerte sich später:

Ich ging damals hauptsächlich deshalb nach China, weil ich einfach fort wollte, doch dann erhielt ich den Auftrag, menschliche Überreste zu finden. Es war offensichtlich, daß Davidson Black einzig und allein auf fossile Menschen aus war. Alles andere war bloße Beigabe. Er gab mir ein paar Anordnungen, wie ich in [Zhoukoudian] vorgehen sollte: Er meinte, ich solle die gesamte Ablagerung in sechs Wochen abtragen und nach Peking mitnehmen. Schon in den ersten paar Tagen war mir klar, daß das völlig unmöglich war.[30]

Die Ablagerung umfaßte eine Fläche von ungefähr achthundert Quadratmetern und war an allen Stellen mehr als zehn Meter mächtig. Erst am drittletzten Tag der 1927 durchgeführten Ausgrabungen wurde ein einzelner menschlicher Zahn gefunden. Immerhin zahlten sich Blacks Enthusiasmus und seine Kühnheit, eine neue Spezies eingeführt zu haben, im folgenden Jahr 1928 doch noch aus. Man fand weitere Zähne, ein Schädelfragment und einen Teil eines Unterkiefers zusammen mit ausgestorbenen Säugetieren aus dem Pleistozän. Ein voller Erfolg wurden dann die Ausgrabungsarbeiten 1929. Maßgeblich daran beteiligt war ein junger Chinese namens Pei Wenzhong, der erst wenige Jahre zuvor an der Pekinger Universität seinen Abschluß gemacht hatte. Seit 1927 war er Bohlins Assistent.[31] Aufgrund seiner Erfahrungen und seiner Geschicklichkeit im Gelände wurde ihm die alleinige Verantwortung für die Ausgrabungen übertragen, eine Bürde, unter der er anfangs litt. Pei war ein unbeschwerter und fröhlicher Mensch, der sich den Großteil seines Könnens »praktisch« erworben hatte und nur eine geringe formale Ausbildung nachweisen konnte. Seine Aufzeichnungen über die Ausgrabungen lassen jedoch auf umfangreiche Kenntnisse schließen.

Am Spätnachmittag des 2. Dezember 1929 gruben Pei und einige Arbeiter tief im Innern der Höhle an einer Stelle, wo man nicht mehr aufrecht stehen konnte. In der einen Hand hielten sie eine Kerze, mit der anderen gruben sie. Im flackernden Licht machte Pei plötzlich ein großes rundliches Fossil am Boden aus: Er war auf den fast vollständig erhaltenen Hirnschädel eines *Sinanthropus* gestoßen, lediglich das Gesicht fehlte. Er wußte sofort, was er gefunden hatte, und telegraphierte an Davidson Black:

Schädeldecke gefunden – vollständig – sieht menschlich aus.[32]

Black konnte diese kurze Erfolgsmeldung kaum glauben, aber sie stimmte. Es war die erste von vielen wichtigen Entdeckungen, die Pei im Laufe der Jahre noch machen sollte. Triumphierend schrieb Black an Hrdlička:

Er hat starke Überaugenwülste, wie man es aufgrund des Kiefers erwarten durfte. Sie sind offensichtlich ebenso stark entwickelt wie die des *Pithecanthropus*. Die frontale und parietale Entwicklung des *Sinanthropus* ist viel weiter fortgeschritten als beim Java-Typ, hingegen bleibt die frontale Entwicklung offensichtlich hinter der des *Eoanthropus* zurück. Der *Sinanthropus* hat etwa die gleiche Schädellänge wie der *Pithecanthropus,* aber seine Form läßt auf ein beträchtlich höheres Hirnvolumen schließen.[33]

Die Fotografien und Gipsabgüsse des *Sinanthropus* sorgten in London, Paris und Washington, D. C., für große Aufregung. Hrdlička, der glaubte, daß dieser neue Schädel mit seiner Hypothese einer Neandertaler-Phase unvereinbar war, versuchte vergeblich, Black und die Presse davon zu überzeugen, daß es sich in Wirklichkeit um den Schädel eines Neandertalers handelte. Black nahm Hrdličkas Äußerungen anfangs noch mit Humor und Gelassenheit hin, ja, er fand es sogar amüsant, »die Hypothese des guten alten Hrdlička«[34] ins Wanken zu bringen. In dem Maße jedoch, wie Hrdličkas öffentliche Kritik an seinen Ideen immer schärfer wurde, reagierte auch er zunehmend gereizt und unnachsichtig.

Elliot Smith in London hingegen beglückwünschte Black zu seinen neuen Funden und stellte sie mit dem ihm eigenen Eifer der Royal Society vor. Seine Demonstration fiel zufälligerweise mit Darts erstem und einzigem Besuch in London zusammen, bei dem er der Royal Society seine Funde präsentieren und sie bitten wollte, seine Monographie über den Schädel von Taung finanziell zu unterstützen. Er sah und hörte Elliot Smiths beeindruckende Vorstellung und begriff sofort, daß seine Funde daneben völlig verblassen würden – womit er auch recht behielt. Das Kind von Taung wurde als unwesentlich abgetan, ignoriert und kaum besprochen. Der Schädel kam sogar kurzzeitig abhanden – Darts Frau hatte ihn in einem Taxi liegengelassen. Abgesehen davon erinnerte sich Dart später:

Sir Arthur Keith hatte mir bereits erzählt, daß er das Schädelmaterial in seinem in Kürze erscheinenden Buch über neuere anthropologische Entdeckungen bereits ausführlich beschrieben hatte, also nahm ich mein Manuskript wieder mit nach Südafrika, darauf hoffend, daß sich später einmal eine günstigere Gelegenheit bot.[35]

Wie schon beim Rhodesia-Menschen war es Keith auch diesmal gelungen, dem Forscher, dem eigentlich das Recht gebührte, das Fossil vorzustellen, zuvorzukommen. Er hatte, wahrscheinlich sogar mit Genehmigung Darts, einen Gipsabguß des Schädels von Taung erhalten und bedankte sich für diese kollegiale Geste auf seine Weise: Er widmete dem Fund hundert Seiten in seinem neuen Buch, bevor Dart auch nur die Zeit hatte, seine eigene Analyse abzuschließen und zu veröffentlichen. Keith verstand es meisterhaft, sich ins Rampenlicht zu drängen, eine Gabe, die Dart trotz seines immer blumiger werdenden Stils nicht hatte.

Darts Schicksal und das seines Fossils standen in scharfem Kontrast zu dem von Davidson Black und seinem Fund. Während Keith alles sagte, was (zu diesem Zeitpunkt) über das Kind von Taung zu sagen war, führte Elliot Smith den *Sinanthropus* den bewundernden Blicken europäischer Anthropologen vor. Er reiste sogar nach China, um die Originale in Augenschein zu nehmen, übrigens mit finanzieller Unterstützung der Rockefeller-Stiftung, die mittlerweile ihre Meinung über Sinn und Zweck anthropologischer Forschungen grundlegend geändert hatte. Und Davidson Black ging auf Vortragsreise durch Europa.

Keith feierte die Entdeckung anfangs als »die wichtigste von allen« und erklärte, daß »hier endlich ein Vorfahr des modernen Menschentyps – des Neanthropus – aus dem Frühpleistozän [sic] ans Licht gekommen« sei.[36] Als man den Schädel jedoch untersuchte und keine Ähnlichkeiten mit dem Fund von Piltdown feststellte, änderte er seine Meinung.

Die in rund fünfunddreißig Metern Tiefe entdeckten fossilen Menschenschädel, die sich in den Ablagerungen einer Höhle in Chou Kou Tien [Zhoukoudian] befanden und aus einer Zeit stammten, als die Fauna Chinas noch erheblich anders war als heute, weisen merkwürdigerweise recht unterschiedliche Merkmale auf. Die meisten deuten auf eine Verbindung zwischen diesen alten Chinamenschen und dem pithecanthropinen Typus von Java hin; andere wiederum verweisen auf eine Verbindung zum Neandertaler-Typ in Europa; wieder andere erinnern an den modernen Menschen.[37]

Zur Verdeutlichung dieser vorschnellen Beurteilung fügte Keith ein Schaubild bei, auf dem er dem »Peking-Menschen«, wie er und einige andere ihn nannten, einen eigenen Zweig zwischen *Pithecanthropus* und Neandertaler zuwies.

Auch wenn Schaubilder die verblüffenden Ähnlichkeiten in der Schädelform und -größe deutlich machten, widersprachen damals nur wenige Wissenschaftler – darunter Boule – Blacks Behauptung, der *Sinanthropus* unterscheide sich deutlich von Dubois' *Pithecanthropus* und sei eindeutig höher entwickelt. Heute ist man sich einig, daß die beiden in Gattung und Art identisch sind. Wieder einmal scheiterte die Beurteilung eines fossilen Schädels daran, daß die Wissenschaftler geringfügige Unterschiede in Form und Größe überbewerteten. Zudem vergaßen sie, daß bei Schädeln aus verschiedenen geographischen Regionen gewisse Unterschiede im Aussehen zu erwarten sind.

Blacks Triumph veranlaßte sogar den alternden Eugène Dubois zu einer Stellungnahme. Dieser hatte wenige Jahre zuvor seine selbstgewählte Isolation aufgegeben und auf Druck der Königlich-Holländischen Akademie der Wissenschaften sowohl Hrdlička als auch dem deutschen Anthropologen Hans Weinert gestattet, die *Pithecanthropus*-Fossilien zu begutachten. Anfang der zwanziger Jahre hatte er einige Aufsätze über Neandertaler veröffentlicht, in denen er sie im Gegensatz zu Boule nicht als menschenaffen-ähnlich charakterisierte. Dubois betonte sogar, daß ihr Schädel sowohl absolut als auch relativ größer sei als die des *Homo sapiens*, was zu den kräftig gebauten und äußerst muskulösen Körpern paßte. Zudem behauptete er, daß die körperlichen Eigenheiten der Neandertaler ausschließlich auf starke Beanspruchung zurückzuführen seien.

Wirklich deutlich wurde Dubois erst, als Black begann, den *Sinanthropus* mit dem *Pithecanthropus* zu vergleichen.

So veröffentlichte er 1933 einen Aufsatz, in dem er Blacks These, wonach die beiden Formen eng miteinander verwandt seien, rundweg ablehnte. Der *Sinanthropus,* so schrieb er, sei vielmehr vollkommen menschlich und nichts anderes als ein Neandertaler. Das geringe Hirnvolumen des ersten bekannten Schädels – von ihm selbst auf 918 Kubikzentimeter geschätzt – sei »für einen menschlichen Schädel sicherlich sehr klein«[38]; ironischerweise

schloß er daraus, daß es sich um einen abnormalen oder pathologischen Schädel handeln müsse. Würde man einen normalen
männlichen *Sinanthropus* finden, so seine Prognose, läge dessen
Hirnvolumen bei ungefähr 1300 Kubikzentimetern, und damit
wäre erwiesen, daß er den Neandertalern zuzurechnen sei. Diese
Ansicht ließ er später allerdings fallen, da sich die gegenteiligen
Beweise häuften. Aber mit der ihm eigenen Halsstarrigkeit beharrte er auf der Unterscheidung zwischen *Sinanthropus* und *Pithecanthropus,* wobei er letzterem im Laufe der Zeit ironischerweise
zunehmend gibbonartige Züge zuschrieb.

Im Jahr 1937 hatte Dubois fast eine völlige Kehrtwendung vollzogen. Noch Anfang des Jahrhunderts hatte er Virchows Behauptung, der *Pithecanthropus* sei nichts weiter als ein Gibbon, scharf
zurückgewiesen. Und nun schrieb er:

Pithecanthropus war kein Mensch, sondern eine riesenhafte,
dem Gibbon verwandte Spezies, die sich jedoch durch ein weit
größeres Hirnvolumen und die Fähigkeit, aufrecht zu stehen
und zu gehen, auszeichnete. Die Cephalisation [Verhältnis von
Hirngröße zu Körpergröße] war bei ihm doppelt so groß wie
bei Menschenaffen und halb so groß wie beim Menschen.
Dieses überraschend große Volumen des Hirns – das für einen
Menschenaffen viel zu groß, im Vergleich zu einem durch-
schnittlichen Menschenhirn aber klein ist, wenn auch nicht kleiner als das kleinste Menschenhirn – führte zu der allgemein
anerkannten Ansicht, daß wir es bei dem »Affen-Menschen«
von Trinil auf Java wirklich mit einem primitiven Menschen zu
tun hatten. Doch morphologisch erinnert die Calvaria [das
Schädeldach] stark an die eines Menschenaffen, insbesondere
die eines Gibbons.[39]

Fachleute bestreiten zwar, daß Dubois seine Fossilien jemals für
einen Riesengibbon ausgegeben hat, doch hier spricht er eine deutliche Sprache. Dennoch beharrte er im selben Aufsatz weiter auf
dem »grundlegenden Unterschied« zwischen *Pithecanthropus* und
Sinanthropus, insbesondere in bezug auf Größe und Form des
Gehirns. Dieser Größenunterschied war für ihn der entscheidende
Hinweis darauf, daß der Riesengibbon *Pithecanthropus* und nicht

Sinanthropus der wahrscheinlichere Vorfahr des Menschen war, zumal nur eine Verdoppelung der Hirngröße nötig war, damit ein Mensch aus ihm wurde. Was immer Dubois über den *Pithecanthropus* dachte, jedenfalls stand für ihn fest, daß er nicht identisch war mit Blacks chinesischen Fossilien.

Nur wenige Kollegen schenkten den verworrenen Gedankengängen des verbitterten und exzentrischen Holländers ihre Aufmerksamkeit. Als Dubois 1938 einem Herzschlag erlag, schrieb Arthur Keith in seinem Nachruf treffend: »Er war ein Idealist und von seinen Ideen so überzeugt, daß er dazu neigte, eher die Tatsachen seinen Ideen anzupassen als umgekehrt.«[40]

Black setzte seine Arbeit in Zhoukoudian mit großem Enthusiasmus und mit beträchtlicher Unterstützung seitens seiner Förderer fort. 1932 wurde er für seine Forschungen über den *Sinanthropus* zum Mitglied der Royal Society gewählt, obwohl eine eingehende Analyse seiner Funde noch ausstand. Sein Tagesablauf war genau gegliedert: Nachmittags kam er seinen Verpflichtungen an der Universität nach, nachts untersuchte er seine Fossilien. Oft begann er erst gegen Mitternacht, nachdem er den Abend mit Freunden verbracht hatte, und arbeitete bis in die frühen Morgenstunden. Anschließend ging er nach Hause und schlief bis Mittag. 1934 fand man Black nach einem solchen Arbeitstag tot in seinem Labor. Er war im Alter von neunundvierzig Jahren an Herzversagen gestorben.

Pierre Teilhard de Chardin übernahm einen Teil seiner Arbeit. Im Jahr 1926 war er wegen seiner unorthodoxen Interpretation der Erbsünde im Licht der Evolutionstheorie von der Kirche nach China verbannt worden. Ohne Reue zu zeigen, beschäftigte sich Teilhard auch weiterhin voller Leidenschaft mit der Evolution des Menschen, wobei er vom Institut de Paléontologie Humaine unterstützt wurde. Er arbeitete mit Boule und Breuil zusammen und wurde 1928 Berater der Geological Survey in China. Teilhard war an den Ausgrabungen in Zhoukoudian fast von Anfang an beteiligt und bekam nach Blacks Tod die Gesamtleitung übertragen, während Pei Wenzhong die tägliche Arbeit überwachte.

Der deutsche Anatom Franz Weidenreich wurde Davidson Blacks Nachfolger am Union Medical College in Peking. Er hatte die Aufgabe, Spenden zu beschaffen und über die Ausgaben der

Einrichtung zu wachen (er galt als überaus sparsam). Außerdem schrieb er eine Monographie, in der er die Fundstücke beschrieb und analysierte.

Weidenreich war ein distinguierter älterer Herr mit Glatze und runder Brille. Er war wortkarg, verstand es aber dennoch, sich Gehör zu verschaffen. Er hatte bei Gustav Schwalbe in Straßburg Medizin studiert. Nach seinem Abschluß 1899 blieb er noch einige Jahre in der Stadt, bevor er 1919 als Professor für Anatomie an die Universität Heidelberg wechselte. 1928 wurde er Anthropologie-Professor in Frankfurt und veröffentlichte eine maßgebliche paläontologische Studie über die 1927 in den Travertinablagerungen in Ehringsdorf bei Weimar entdeckten, dem Neandertaler sehr ähnlichen Fossilien. Obwohl ein weithin bekannter Anatom und Paläanthropologe, mußte Weidenreich 1935 im Alter von zweiundsechzig Jahren seine Professur niederlegen, weil er Jude war. Er sagte sich daraufhin von seinem Geburtsland und seiner Muttersprache los und veröffentlichte nie wieder auf deutsch. Selbst das Vorwort zu der deutschen Monographie seines Kollegen G. H. R. von Koenigswald über weitere *Pithecanthropus*-Funde in Java verfaßte er auf englisch.

Trotz seines fortgeschrittenen Alters hatte sich Weidenreich seine jugendliche Entdeckerlust bewahrt und suchte begeistert nach neuen Fossilien. Seine Frau berichtete, wie er eines Tages telefonisch über den Fund eines neuen und noch besser erhaltenen Schädels unterrichtet wurde. Er habe es so eilig gehabt, an die Fundstelle zu kommen, daß er sich die Hose mit der Innenseite nach außen angezogen habe. Weidenreich hatte im Laufe der Jahre so viele Fossilien gesammelt, daß er 1937 eine einzigartige Sammlung sein eigen nennen konnte: vierzehn teilweise erhaltene Schädel, elf Unterkiefer, einzelne Zähne und eine kleine Sammlung von Gliedmaßenknochen.

Doch erneut setzte die Politik der weiteren Suche nach dem Ursprung des Menschen ein vorläufiges Ende. Im Jahr 1937 brach der japanisch-chinesische Krieg aus.[41] Die Japaner besetzten den Nordosten Chinas und unterstrichen damit ihre expansionistischen Bestrebungen. In den Bergen um Zhoukoudian kam es zu Gefechten mit chinesischen Widerstandskämpfern. Die Japaner nahmen drei der Männer, die die Fundstätte bewachten, fest und

45. *Abschiedsfoto vor dem Peking Union Medical College im Herbst 1941 kurz vor der Abreise Franz Weidenreichs (vorne Mitte) nach Amerika. Zu der internationalen Gruppe gehörten unter anderem: Claire Taschdjian, Weidenreichs Sekretärin (zu seiner Rechten), die wahrscheinlich letzte Europäerin, die die Fossilien aus Zhoukoudian vor ihrem Verschwinden sah; Jia Lanpo (zweite Reihe, rechts von Weidenreich), Autor von* The Story of Peking Man *und langjähriger Mitarbeiter der Ausgrabungen in Zhoukoudian; Pei Wenzhong (erste Reihe, der zweite rechts von Weidenreich), damals Direktor des Cenozoic Research Laboratory der Geological Survey Chinas.*

exekutierten sie in der Annahme, sie hielten chinesische Kämpfer versteckt.

Weidenreich harrte in seinem Labor aus, wo er detaillierte Zeichnungen, Fotografien und Abgüsse der Fossilien anfertigte. Ende der dreißiger und Anfang der vierziger Jahre berichtete er in mehreren Monographien über seine Arbeit, die allerdings erst nach dem Krieg, als die Aufmerksamkeit sich wieder der Wissenschaft zuwandte, allgemeine Beachtung fanden.

Von den Nazis aus Europa vertrieben, sah er sich nun einer erneuten Bedrohung ausgesetzt. Die chinesische Regierung hatte Peking verlassen, jedoch nicht für den Abtransport der wertvollen Fossilien gesorgt. Die Japaner suchten fieberhaft nach den Fossilien, die sie als wertvolles Nationalgut betrachteten, und die Chinesen wiederum wollten unter allen Umständen vermeiden, daß sie in die Hände der Japaner fielen. Weidenreich, der seine Flucht in die Vereinigten Staaten vorbereitete, weigerte sich jedoch, die Fossilien mitzunehmen. Er befürchtete, daß sie an der Grenze konfisziert werden könnten und er dann große Schwierigkeiten bekommen würde. Über die amerikanische Botschaft wurden Vorkehrungen getroffen, die Fossilien zur Aufbewahrung nach Amerika zu schaffen. Am 5. Dezember 1941 wurden die Fossilien behutsam in zwei gut gepolsterte Kisten verpackt und einem Kontingent amerikanischer Marineinfanteristen übergeben, die zunächst mit dem Zug zur Küste und von dort aus mit dem Dampfer *President Harrison* nach Amerika weiterreisen sollten.

Am 7. Dezember 1941 griffen die Japaner Pearl Harbor an und zogen Amerika in den Krieg hinein. Japanische Soldaten hielten den Zug mit den Fossilien an und nahmen die amerikanischen Marineinfanteristen gefangen. Seitdem ist die wertvolle Fracht spurlos verschwunden, obwohl hohe Belohnungen für ihre Wiederbeschaffung ausgesetzt wurden. Um die chinesischen Fossilien ranken sich seltsame Geschichten. Immer wieder tauchten vergilbte Fotos von rätselhaften Knochen auf, die angeblich in alten Tornistern gefunden worden waren. Anonyme Anrufer meldeten sich bei verschiedenen Experten und trafen mit ihnen Verabredungen, bei denen sie die Fossilien vorführen wollten. Doch bislang ist kein einziges Stück wieder ans Licht gekommen. Erhalten geblieben sind lediglich die überaus peniblen Notizen, Fotografien und Abgüsse Franz Weidenreichs.

In jenen Jahren wurden zwar sehr viele Fossilien entdeckt, aber ihre Bedeutung blieb oft unklar. Es wurde versucht, anatomisch zum Teil völlig neuartiges Material mit den Theorien in Einklang zu bringen, die gegen Ende des Ersten Weltkriegs vorherrschend gewesen waren. Einige der Fossilienfunde, die sich mit gängigen Lehrmeinungen nicht mehr erklären ließen, stammten aus Palästina. In den dreißiger Jahren war dort eine verwirrende Fülle von Knochen zutage gefördert worden, insbesondere bei Ausgrabungen unter Leitung der American School of Prehistoric Research und der British School of Archaeology, die beide ihren Sitz in Jerusalem hatten. Auf amerikanischer Seite leitete George Grant

MacCurdy das Projekt, auf britischer Dorothy Garrod. Eine Frau in leitender Funktion war in der damaligen Zeit höchst selten. Doch Dorothy Garrod brachte alle nötigen Voraussetzungen mit. Als Tochter des berühmten Medizinprofessors Sir Archibald Garrod hatte sie viele Jahre mit Abbé Henri Breuil am Institut de Paléontologie Humaine in Paris geforscht. Im Jahr 1929, als die Ausgrabungen im Mount Carmel begannen, war sie siebenunddreißig Jahre alt und arbeitete als wissenschaftliche Assistentin am Newnham College in Cambridge, einer der wenigen renommierten britischen Hochschulen für Frauen. Nach jahrelanger harter Arbeit im Nahen Osten, bei der sie die prähistorische Besiedlung dieser Region erforschte und die von ihr entdeckten neuen Kulturen beschrieb, analysierte und benannte, wurde ihr 1939 als erster Frau eine Professur in Cambridge übertragen. Dorothy Garrod vertrat die Ansicht, daß Menschen aus dem Fernen Osten und aus Afrika in prähistorischer Zeit über den Nahen Osten nach Europa eingewandert seien.[42]

Ihre nüchterne und sachliche Natur spiegelte sich in ihren wissenschaftlichen Arbeiten wider. Fotos und Erzählungen vermitteln uns das Bild einer kräftigen Frau, bekleidet mit einem Männerjakkett, langem Rock, Hut und festem Schuhwerk. Bisweilen trug sie auch eine Brille. Selbstverständlich sprach sie fließend Arabisch. Wie es heißt, soll sie nur weibliche arabische Arbeitskräfte beschäftigt haben – nicht etwa, weil die Männer sie als Vorgesetzte nicht akzeptiert hätten, sondern weil die Frauen härter zupackten.

Dorothy Garrod und alle anderen Europäer, die an den Ausgrabungen im Mount Carmel mitwirkten, waren in langgestreckten, strohbedeckten Baracken aus Lehmziegeln untergebracht, die sowohl als Hauptquartier der Expedition wie auch als Arbeitsplatz dienten. Die Mitarbeiter lernten viel von der resoluten und systematisch handelnden Frau, und zudem machte die Arbeit Spaß.

Die Grabungen fanden in Höhlen statt, die unter den Namen Mugharet el-Wad (Talhöhle), Mugharet et-Tabun (Backofenhöhle) und Mugharet es-Skhul (Kinderhöhle) bekannt waren und alle in Palästina (dem heutigen Israel) lagen. Alles in allem stellten die Höhlen des Mount Carmel einen nahezu vollständigen Nachweis von der späten Bronzezeit über das Aurignacien und das Moustérien ins späte Acheuléen.

Dorothy Garrod wurde für ihre Mühen überraschend reich belohnt. In der Höhle in Tabun fand sie neben zahlreichen tierischen Überresten große Mengen Steinwerkzeuge und das teilweise erhaltene Skelett eines weiblichen Neandertalers, ferner einige vereinzelte Knochen. Hinzu kamen in der Höhle von Skhul zehn teilweise erhaltene Skelette, darunter das eines etwa zweieinhalbjährigen Kindes. Im Jahr 1932 wurden die Funde aus Skhul unter dem Namen »Moustérien-Friedhof« bekannt; viele Tote waren in Hocker- oder Kauerstellung bestattet worden – mit eng angewinkelten Armen und Beinen, ähnlich wie die Skelette, die bereits in Frankreich gefunden worden waren.

Dorothy Garrod interessierte sich vor allem für die Steinwerkzeuge aus dem Paläolithikum. Aus diesem Grund überließ sie ihre bemerkenswerten Skelettfunde dem jungen amerikanischen Studenten Theodore McCown, der die Arbeiten in Skhul leitete, und Arthur Keith.

Keith hatte mittlerweile seine Tätigkeit beim Royal College of Surgeons aufgegeben und war nur noch nomineller Leiter der Buckston Browne Research Farm, die ihren Sitz auf Darwins ehemaligem Landsitz in Downe, Kent, hatte. Seit Jahren hatte Keith über gesundheitliche Probleme geklagt, bis sich 1932 schließlich herausstellte, daß er Tuberkulose hatte. Mit dem Posten auf der Forschungsfarm in Downe wollte er seine Pension aufbessern und für das Alter vorsorgen.

Keith erholte sich zwar von seiner Krankheit, aber seine Tatkraft war gebrochen. McCown stand weitgehend allein vor einer schwierigen Aufgabe. Die Toten von Skhul waren mit der sie umgebenden Matrix in großen Brocken herausgebrochen, zunächst ans Royal College geschickt und von dort aus nach Downe weitergeleitet worden. Die Knochen von der steinernen Matrix zu befreien erforderte großes technisches Geschick. War diese Aufgabe vollbracht, mußte man die Fossilien vermessen, beschreiben und ihre Bedeutung für die Forschung beurteilen – Arbeiten, bei denen Keiths Fachkenntnis und Erfahrung unentbehrlich waren. Aber er war erschöpft, zuweilen krank und oft nicht imstande, die Strapazen der täglichen, ihn einst so beglückenden Forschungstätigkeit durchzustehen. Aus diesem Grund zog McCown 1934 auf die Farm, um ihn zu unterstützen.

46. *Theodore McCown mit dem Schädel Skhul V eines frühen modernen Menschen aus Palästina (dem heutigen Israel) anläßlich der Präsentation vor der American School of Prehistoric Research im Jahr 1946. Die Fossilien von Skhul, einschließlich des abgebildeten Schädels, gehören zu den ältesten modernen Menschenfunden. In Skhul wurden auch Werkzeuge geborgen, die denjenigen der Neandertaler von Palästina ähnlich sind.*

Im selben Jahr starb Keiths Frau Celia, mit der er sechsunddreißig Jahre verheiratet gewesen war. Nach diesem Verlust fiel es ihm noch schwerer, zur Ruhe zu kommen und sich auf die Arbeit zu konzentrieren. Doch nach einigen Monaten ging er eine »romantische Freundschaft« mit einer Frau ein, die er in seiner Autobiographie nur mit dem Kürzel »M« erwähnt. In den folgenden Jahren unternahmen sie gemeinsam einige längere Reisen, teils um Urlaub zu machen, teils um bedeutende archäologische und paläontologische Fundstätten zu besuchen. Keith beschrieb seine neue Beziehung als eine zärtliche, beglückende und dauerhafte Romanze. Seine Zeit war mit diesen wohlverdienten und angenehmen Zerstreuungen weitgehend ausgefüllt. Daher übernahm McCown, und sicher nicht ungern, immer mehr Verantwortung. Und doch trug seine abschließende Studie, der 1939 erschienene zweite Band von *The Stone Age of Mount Carmel* (Die Steinzeit im Mount Carmel) noch deutlich Keiths Handschrift.

Die Fundstücke aus dem Mount Carmel warfen wegen ihrer verwirrenden Verschiedenartigkeit viele Fragen auf. Schon bei den Ausgrabungsarbeiten in Skhul fiel ihre große Ähnlichkeit mit den Neandertalern auf: große massige Schädel mit dicken Über-augenwülsten, robuste Gliedmaßen, Schienbeine mit der bekannten Retroversion des Tibiakopfes, die Boule zu der Behauptung veranlaßt hatte, die Neandertaler hätten sich schlurfend fortbewegt. Selbst das Kind hatte einen »massigen kleinen Unterkiefer«.[43]

Aber bereits das weibliche Skelett aus der Nachbarhöhle Tabun unterschied sich von den Funden in Skhul, obwohl es in einer Schicht aus dem unteren Moustérien gefunden worden war, die, wie man annahm, genauso alt war wie die Schicht, aus der die Fossilien von Skhul stammten. In einem frühen Bericht beschrieb McCown das Problem folgendermaßen:

> Die wichtigen Unterschiede liegen jedoch in den anatomischen Merkmalen der Knochen selbst ... Es gibt markante Unterschiede zwischen diesem Kiefer [aus Tabun] und denen mehrerer Menschen aus Skhul. Die eklatantesten Unterschiede bestehen aber zwischen dem massigen männlichen Unterkiefer, der in derselben Schicht derselben Höhle gefunden wurde ... Die Gliedmaßen des Skeletts von Tabun sind im Vergleich mit den Knochen aus Skhul relativ kurz und leicht. Die Unterschiede zwischen den massigen langen Gliedmaßen der Skhul-Skelette IV und V und den Gliedmaßen des weiblichen Skeletts aus Tabun sind beeindruckend. Sie sind selbst unter Berücksichtigung geschlechtsbedingter Unterschiede unbestreitbar sehr groß.[44]

Keith, dessen Meinung am Ende des Forschungsberichts abgedruckt war, vertrat eine andere Position. Er räumte ein, daß der junge McCown bei der Freilegung der Skelette Bewundernswertes geleistet hatte. Und auch mit der Art und Weise, wie die Arbeit unter seiner Leitung vorangetrieben worden war, zeigte er sich vollauf zufrieden. Dennoch leugnete er vehement die von McCown festgestellten Unterschiede zwischen den Skeletten aus dem Mount Carmel, wobei er zur Ehrenrettung McCowns immer wieder Komplimente in seine Ausführungen einfließen ließ. Seine Schlußfolgerung lautete:

Vor dem Hintergrund meiner großen Erfahrung mit fossilen Menschenfunden muß ich zugeben, daß die von Mr. McCown freigelegten menschlichen Wesen zu den beeindruckendsten Exemplaren menschlicher Fossilfunde gehören, die mir je zu Gesicht gekommen sind ... Mr. McCown hat die Vermutung geäußert, daß diese fossilen Skelette möglicherweise mehr als nur eine Rasse von palästinensischen Neandertalern repräsentieren. Als Beweis für seine These führt er die Unterschiede in der Kinnbildung und in der Stärke und den Proportionen der Gliedmaßen an. Das mag zwar richtig sein, aber ich habe aufgrund der momentan zur Verfügung stehenden Erkenntnisse den Eindruck, daß wir es mit Individuen einer einzigen Rasse zu tun haben und daß es sich bei dieser Rasse um Vertreter derselben Gattung handelt, zu der auch die europäischen Neandertaler gehören. Die Neandertaler Palästinas kommen meiner Ansicht nach dem modernen Menschentyp noch näher als die Neandertaler Europas.[45]

Das Problem war, daß die älter datierten Fossilien auch weniger neandertaler-ähnlich wirkten. War es möglich, daß in dieser Region ein moderner Menschentyp dem Neandertaler vorausgegangen war und erst später durch Migration oder Evolution von Neandertalern abgelöst wurde? Daß die Entwicklung in Palästina einen anderen Verlauf genommen hatte als in Europa und das genaue Gegenteil von dem eingetreten war, was der gesunde Menschenverstand und die bisherigen Erkenntnisse nahelegten? Schließlich folgte man Keith, und die aus der Höhle von Skhul stammenden Skelette moderner Frühmenschen wurden mit den Neandertalern aus Tabun zu einer einzigen, äußerst variablen Population zusammengefaßt. Für Keith war das im Mount Carmel gefundene Material ganz und gar nicht ungewöhnlich. Die anhand der europäischen Funde entwickelte Theorie mußte deshalb keineswegs umgeschrieben werden, denn bei großzügiger Interpretation ließ sie sich auch auf den nahöstlichen Zweig dieser Familie anwenden.

Keiths Position als Autorität auf dem Gebiet der menschlichen Evolution war jedoch Ende der dreißiger Jahre in der englischsprachigen Welt längst nicht mehr unumstritten. William Sollas und

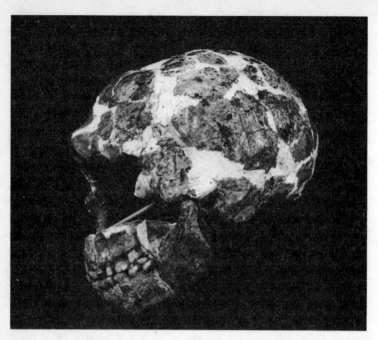

47. *Der Schädel Tabun I eines Neandertalers aus Mugharet-et-Tabun im Mount Karmel in Palästina (dem heutigen Israel). Dieses Fossil erbrachte erstmals den Beweis, daß Neandertaler auch außerhalb Europas vorkamen.*

Grafton Elliot Smith wollten nicht länger hinnehmen, daß neue Erkenntnisse und fossile Funde allein Keith als Verdienst angerechnet wurden. Und jenseits des Atlantiks nahmen sich immer mehr Amerikaner ganz selbstverständlich das Recht, über neue Entdeckungen zu publizieren und populärwissenschaftliche Bücher über die Ursprünge des Menschen zu verfassen, so etwa Aleš Hrdlička von der Smithsonian Institution, Henry Fairfield Osborn und William King Gregory vom American Museum of Natural History, George Grant MacCurdy in Yale und Earnest Hooton in Harvard (der erste amerikanische Professor für physische Anthropologie). Zwar reisten nur wenige von ihnen nach Europa oder Asien, um Fossilien und Fundstätten selbst in Augenschein zu nehmen, doch standen sie in regem Kontakt mit ihren europäischen Kollegen. Deshalb verfügten sie häufig über ebenso viel (oder ebenso wenig) direkte Erfahrung mit dem Material wie Keith oder Boule.

Zu dieser Zeit bemühten sich Keith und Boule angestrengt darum, die unglaubliche Fülle an neuem Material in ihre alten, noch weithin anerkannten Erklärungsmuster zu integrieren. In der Alten Welt häuften sich die Fossilfunde. Allerdings gaben die meisten den Forschern Rätsel auf und gewannen erst später an Bedeutung. So wurde 1924 in Singa, am Westufer des Blauen Nil im damals unter englisch-ägyptischer Verwaltung stehenden Sudan, ein rätselhafter Gehirnschädel geborgen, der ausnahmsweise tatsächlich pathologisch war. Arthur Smith Woodward erklärte, es handle sich um einen Vorfahren der Buschmänner. 1925 förderte der britische Ingenieur und Hobby-Archäologe Francis Turville-Petre in der Höhle von Zuttiyeh am See Genezareth die obere Gesichtshälfte eines neandertaloiden Schädels zutage, den Keith den Galiläa-Mann nannte. Die unermüdliche Dorothy Garrod entdeckte 1926 in der Teufelsturm-Höhle auf Gibraltar den fast vollständig erhaltenen Schädel eines jugendlichen Neandertalers. 1929 fand man im Steinbruch von Saccopastore bei Rom ein ebenfalls nahezu vollständiges Cranium; 1935 tauchte ein weiterer, jedoch nur unvollständig erhaltener Schädel auf. Sergio Sergi, der Vater der modernen Paläanthropologie in Italien, unterzog diese Fundstücke einer eingehenden Untersuchung.

Auf der anderen Hälfte der Weltkugel arbeiteten seit 1931 die beiden Paläontologen W. F. F. Oppenoorth und G. H. R. von Koenigswald, den Erfolgen Dubois' nacheifernd, in Zentraljava. Sie fanden in einer Uferterrasse oberhalb des Solo-Flusses bei Ngandong Schädelteile von zwölf Individuen und zwei Schienbeine. Diese Fossilien schauten merkwürdig aus und waren schlecht datiert, wurden aber dennoch mit dem etwas zweifelhaften Namen »tropische Neandertaler« bedacht.

Zwei weitere Fossilfunde in den Jahren 1933 und 1935/36 machten es noch schwieriger, eine schlüssige Theorie für alle fossilen Funde zu formulieren. Einer dieser Funde stammte aus einer Kiesgrube im deutschen Steinheim an der Murr bei Stuttgart; der zweite aus einer archäologischen Grabungsstätte auf einer Flußterrasse der Themse bei Swanscombe in der englischen Grafschaft Kent. Der Schädel aus Steinheim war klein und rundlich – wie sich später herausstellte, war das wahrscheinlich auf postmortale Verformungen zurückzuführen –, wies jedoch starke Überaugenwülste auf. Der Anthropologe Hans Weinert, der den Schädel von Le Moustier richtig zusammengesetzt hatte, beschrieb den Fund zwar rasch und exakt, doch fiel es den meisten Wissenschaftlern schwer, ihm einen Platz im Stammbaum des Menschen zuzuweisen. Die beiden Schädelfragmente aus Swanscombe stellten die Forscher vor ähnliche Rätsel, woran auch der Fund eines dritten Fragments 1955 nichts änderte. Dieser spätere Fund grenzte an ein Wunder, denn in dieser Fundstätte wurde der Schotter abgebaut, der während der Landung der Alliierten in der Normandie als Ballast genutzt wurde. Das entscheidende Stirnbein, das Aufschluß darüber hätte geben können, ob der Schädel starke Überaugenwülste besessen hatte, fehlte. Zahlreiche Nachbildungen dieser Schädelregion wurden angefertigt, doch keine war wirklich überzeugend.

Die meisten dieser zahlreichen Funde wurden sehr ausführlich beschrieben, einige von Keith, doch kein einziger von Boule. Aber die Wissenschaftler in Paris oder London sahen keinen Anlaß, ihre Vorstellungen von der Evolution des Menschen zu ändern. Fundstücke, die nicht ins Schema paßten, wurden nicht anerkannt, wie etwa Darts Kind von Taung, oder falsch gedeutet, wie einige Funde aus dem Mount Carmel. Wieder anderen wurde ein eigener Zweig im Stammbaum des Menschen zugewiesen (so etwa verfuhr Keith mit den *Sinanthropus*-Fossilien), oder sie wurden bereits existierenden Zweigen zugeordnet (so etwa von Boule, als er korrekterweise behauptete, der *Sinanthropus* sei letztlich nichts anderes als der *Pithecanthropus* in China). Die Neandertaler fanden neben all diesen neuen und viel älteren Fossilien kaum noch Beachtung. Der »Neanderthaler«, wie er damals noch geschrieben wurde, blieb ein schemenhaftes Wesen, das nur wegen seiner verwirrenden Ähnlichkeit mit *Pithecanthropus* und *Sinanthropus* nicht in Vergessenheit geriet. Der Piltdown-Mensch, oder ein anderes, ihm sehr ähnliches Wesen, wurde trotz anhaltenden Unbehagens weiterhin hartnäckig als der wahre Vorfahr des modernen Menschen verteidigt. Viele amerikanische Wissenschaftler zweifelten daran, daß Schädel und Unterkiefer zusammengehörten, und da keine weiteren Fossilien dieser Art gefunden wurden, nahm die Skepsis auch in Europa zu.

Der Krieg rückte näher, die Stimmung wurde gereizter, und der

Optimismus ließ nach. Die Hinweise auf tiefverwurzelte psychologische Unterschiede zwischen den Menschen häuften sich, und vor diesem Hintergrund verlor die Frage nach physischen Unterschieden fast völlig an Bedeutung. Gab es denn keine moralischen Regeln, die allen Menschen gemeinsam waren, keinen von der gesamten Spezies anerkannten Verhaltenskodex?

In diesem Klima der Verunsicherung wurde, nur wenige Monate vor Ausbruch des Zweiten Weltkriegs, in der Guattari-Höhle am Monte Circeo in Italien per Zufall ein weiteres Fossil gefunden.

Die genauen Umstände des Fundes sind nicht bis ins letzte geklärt. Einige Details sind in Vergessenheit geraten, andere wurden im Laufe der Zeit dazu erfunden. Eines aber steht fest: Der Tag der Entdeckung war der 25. Februar 1939. Kurz zuvor hatte der begeisterte Fossiliensammler Alberto Blanc geheiratet, aber seine junge Braut war nicht, wie oft behauptet, die Tochter der Familie Guattari. Die Guattaris waren Grundbesitzer und betrieben in San Felice Circeo, einem Dorf nahe dem Monte Circeo, ein reizendes kleines Hotel. Der Monte Circeo ist ein weithin sichtbarer, isolierter Kalksteinrücken am Tyrrhenischen Meer, rund hundert Kilometer südlich von Rom. Dort soll der legendäre Odysseus der Zauberin Circe begegnet sein, die seine Männer in Schweine verwandelte.

An jenem Februartag gingen Arbeiter der Guattaris ihrem Tagwerk nach – einige behaupten, sie hätten einen Weinberg angelegt, andere, sie hätten einen Hühnerstall gebaut –, als einer von ihnen die Decke einer bislang unbekannten Höhle durchstieß. Jeder im Ort wußte, daß sich der junge Alberto für Fossilien interessierte, und so hoffte der Arbeiter, der die Höhle auf allen vieren erkundete, für ihn ein Hochzeitsgeschenk aus prähistorischer Zeit zu finden.

Die Höhle war groß und dunkel. Der Mann tastete sich mit bloßen Händen vorwärts und suchte nach Gegenständen, die eine ungewöhnliche Form hatten. Er berührte Steine, Erde, dann Knochen. Schließlich stieß er auf einen Schädel, der in stalagmitischen Verkrustungen, sogenanntem Höhlensinter, eingeschlossen war. Welch ein herrliches Geschenk für Alberto! Einigen Berichten zufolge versuchte der Mann, den Schädel an die gleiche Stelle zurückzulegen, an der er ihn gefunden hatte. Anderen zufolge kroch er aus der Höhle und nahm den Schädel mit. Fest steht jedenfalls, daß weder Zeichnungen noch Fotos von der ursprünglichen Position des Schädels angefertigt wurden, was aufgrund der Dunkelheit in der Höhle ohnehin nur schwer möglich gewesen wäre.

Was dann folgte, war gewissermaßen eine Umkehrung der Geschichte von der Zauberin Circe. Unter dem Einfluß Alberto Blancs verwandelte sich der Neandertaler im Bewußtsein der Öffentlichkeit von einem primitiven, tierischen Wesen in einen empfindsamen, mit religiösen Gefühlen ausgestatteten Menschen. Und dies war nur möglich, weil die genaue Position des Schädels vom Monte Circeo nicht dokumentiert worden war, so daß Spekulationen überhandnehmen konnten.

7
Globales Denken für globale Zeiten
1940–1954

Alberto Blanc unterbrach eigens seine Flitterwochen, um die Höhle am Monte Circeo zu untersuchen. Allerdings konnte er zu diesem Zeitpunkt noch nicht ahnen, daß seine Interpretation der dort lagernden Fossilien zur endgültigen Anerkennung des Neandertalers als Menschen führen sollte. Einstweilen konzentrierte er sich auf Näherliegendes. Die Baskenmütze auf dem Kopf und die Kelle in der Hand, zwängte er sich durch einen engen Eingang in eine dunkle, niedrige Höhle, die etwa fünfzehn Meter lang, bis zu zwölf Meter breit und an keiner Stelle höher als einen bis eineinhalb Meter war. Der Boden der Hauptkammer war förmlich übersät mit fossilisierten Tierknochen. Vor Blancs Augen breitete sich eine Fülle interessanten Materials aus.

Nach Auskunft des Entdeckers war der Schädel des Neandertalers in einem anderen Teil der Höhle gefunden worden, dem man bald den eindrucksvollen Namen »Antro dell'Uomo« (»Kammer des Menschen«) gab. Dabei handelte es sich um eine der kleineren Kammern, die von der Hauptkammer abzweigten. In diesen Raum vorgedrungen, machte Blanc am Boden eine kreisförmig angeordnete Ansammlung von Steinen aus. Er fragte den Entdecker, wo genau der Schädel gelegen habe, und der antwortete, in der Mitte des Steinkranzes, und zwar mit der Unterseite nach oben. Es ist jedoch denkbar, daß Blanc bei dieser Frage auf die Steine zeigte – eine klassische Suggestivfrage. Genaueres ist nicht bekannt. Fest steht jedenfalls, daß Blanc dem Mann glaubte. Er selbst hat weder diesen Schädel in seiner ursprünglichen Lage gesehen – und es muß zweifelhaft bleiben, ob der Entdecker selbst es getan hat –, noch war er dabei, als ein paar Tage später ein Unterkiefer gefunden wurde, der ebenfalls von einem Neanderta-

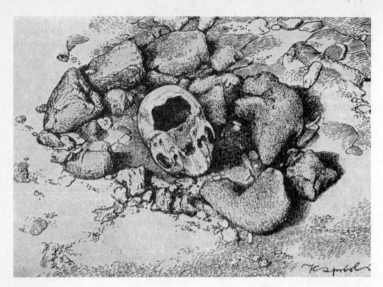

48. *Alberto Blancs Rekonstruktion des Schädels von Guattari inmitten des* *»Steinkreises«. Wo genau das Fossil auf dem Höhlenboden gefunden wurde,* *ist bis heute unbekannt. Unwahrscheinlich ist jedoch, daß der Schädel absicht-* *lich inmitten eines künstlich geschaffenen Steinkreises gelegt worden war.*

ler stammte, möglicherweise sogar vom selben Individuum. Blanc überwachte die Ausgrabungsarbeiten zunächst persönlich, übergab die Leitung aber später dem Paläontologen Luigi Cardini. 1950 wurde in der Nähe eines der Höhleneingänge ein weiterer Unterkiefer entdeckt.

Ausgehend von der Lage des Schädels in der Mitte des Steinkranzes (aus dem schon bald eine »Steinkrone« wurde) und seiner Bruchstelle (»um das Gehirn herauszuholen«) entwickelte Blanc in den folgenden zwei Jahrzehnten eine faszinierende Theorie über das rituelle Verhalten der Neandertaler, die sich in den Köpfen der Leser festsetzte. Für die Evolutionsforschung hatte das weitreichende Folgen.

Der Einfluß der Blancschen Theorie ist insofern verwunderlich, als seine Belege schon damals wenig überzeugend waren. Erst vor wenigen Jahren hat man den Fund von Monte Circeo erneut einer kritischen Prüfung unterzogen. Dabei hat sich gezeigt, daß es kaum stichhaltige Argumente für Blancs Theorie gibt. Es werden sogar die »Fakten« in Zweifel gezogen, und die Steinkrone darf als erfunden gelten. Die Archäologin Mary Stiner, die das Material in den späten achtziger Jahren untersucht hat, kommt zu dem Schluß:

> Die Anordnung der Steine wurde als Exponat im Pigorini Museum in Rom nachgestellt, offensichtlich anhand der vor vielen Jahren von Cardini angefertigten Karte, die zwar anschaulich dokumentiert, wie die Knochen auf dem Höhlenboden verteilt waren, aber nur am Fundort des Schädels Steine ausweist und alle anderen ähnlich aussehenden Steine einfach wegläßt ... Der Höhlenboden war ... förmlich mit Steinen übersät.[1]

Es wird wohl so sein, daß Blanc mit seiner Deutung des Schädels von Guattari lediglich im Trend der Zeit lag und es keiner großen Anstrengung bedurfte, einen Interpretationswandel herbeizuführen.

Plötzlich erschienen die Neandertaler in völlig neuem Licht. Es war weniger eine Wiederauferstehung, die sich hier vollzog, als vielmehr eine Renaissance – die Wiedergeburt der Neandertaler als Menschen.

Seit Beginn des Jahrhunderts war bekannt, daß die Neandertaler ihre Toten bestatteten. Zwar wurde diese Tatsache anfänglich verschiedentlich bestritten – vermutlich weil die Kontrahenten Otto Hausers, der als erster von Bestattungen berichtet hatte, dem Vielgeschmähten keine Entdeckung zubilligen wollten. Doch kurz darauf fanden auch die Brüder Amédée und Jean Bouyssonie in La Chapelle-aux-Saints ein, wie sie es nannten, Begräbnis- und Bestattungsfest und beschrieben es. Und am 8. August 1912 erklärte eine Kommission der renommiertesten Vor- und Frühgeschichtler Europas – unter den Mitgliedern waren Blancs Vater, die Abbés Henri Breuil und die Brüder Bouyssonie sowie Hugo Obermaier, der später am Institut de Paléontologie Humaine forschen sollte – feierlich, daß die von Louis Capitan und Denis Peyrony in La Ferrassie entdeckten Fossilien »zweifelsfrei bewiesen«[2], daß die Neandertaler ihre Toten bestattet hätten.

Im Laufe der Jahre mehrten sich die Beweise. Als die Grabungsarbeiten in La Ferrassie 1934 abgeschlossen wurden, waren sieben Einzelbestattungen gefunden worden: ein Mann, eine Frau, zwei

Kinder und drei Kleinkinder. Bei dem Skelett eines ungefähr vierjährigen Kindes fehlte der Kopf. Der Schädel war unweit des Rumpfes begraben und mit einem großen Stein abgedeckt worden, der eine Reihe künstlicher, schalenförmiger Vertiefungen aufwies. In den meisten Gräbern wurden Steinwerkzeuge gefunden. Außerdem wurden weitere Gruben und Gräben entdeckt, einige davon leer, andere gefüllt mit Tierknochen.

Dennoch hatte sich bislang niemand ernsthaft mit der Frage beschäftigt, welche Rückschlüsse aus der Totenbestattung auf die

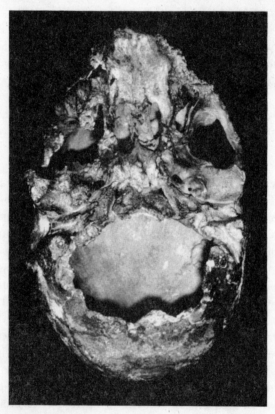

49. *Unterseite des menschlichen Schädels aus der Guattari-Höhle in Monte Circeo. Die Abbildung zeigt die vergrößerte Öffnung an der Schädelbasis. Alberto Blanc und Sergio Sergi interpretierten diese Öffnung als ein Resultat kannibalischer Rituale, tatsächlich war sie aber wohl das Werk kleiner Raubtiere wie etwa Wölfe oder Füchse.*

50. *Sergio Sergi (links) und Alberto Blanc (rechts) im April 1939 mit dem Schädel aus der Guattari-Höhle, der für sie der Beweis für religiöse Glaubensvorstellungen der Neandertaler war. Hinter Sergi auf dem Tisch liegt der zuvor in Rom gefundene Schädel Saccopastore I – in seinen Augen ein gutes Beispiel für einen Vorfahren der Neandertaler.*

Glaubensvorstellungen und das Verhalten der Neandertaler zu ziehen waren. Blanc meinte nun, nicht nur den Beweis für den mechanischen Akt des Bestattens gefunden zu haben, sondern auch für rituelles Verhalten, ja sogar für Spiritualität. Der männliche Neandertaler vom Monte Circeo wies eine nicht verheilte Fraktur an der rechten Schläfe auf – der Beweis für einen in grauer Vorzeit begangenen Mord. Nach Blancs Ansicht war der Tote von Guattari von hinten erschlagen und anschließend einer komplizierten Behandlung unterzogen worden: Der Schädel wurde vom Körper abgetrennt und in die Mitte der Steinkrone gelegt. Dann wurde er geöffnet, das Gehirn entnommen und bei einem rituellen kannibalischen Festmahl vertilgt. Das leere Schädeldach habe möglicherweise als Tasse oder Kelch bei einer späteren rituellen Handlung gedient, bei der Tiere geopfert oder verspeist worden seien (vorwiegend Rotwild, Damwild und Auerochsen, eine Art von Wildochsen), deren Knochen auf dem Höhlenboden verstreut lagen. All dies belegte laut Blanc nicht nur, daß die Neandertaler

331

sich um andere Individuen kümmerten und sogar ihre sterblichen Überreste beseitigten, sondern auch daß sie an ein Leben nach dem Tode glaubten und möglicherweise sogar der Vorstellung anhingen, daß sich die Eigenschaften des Toten durch den Verzehr seines Gehirns übertrugen.

Diese These stützte sich nicht nur auf die vermutliche Positionierung des Fossils, sondern auch auf eine oberflächliche Analyse der Schädelfraktur. Blanc arbeitete mit Sergio Sergi von der Universität Rom zusammen und wies auf Ähnlichkeiten zwischen dem Schaden am Schädel aus der Guattari-Höhle und den an Schädeln der universitätseigenen Sammlungen melanesischer Kopfjäger hin. Aber damit nicht genug: »Es ist interessant«, bemerkte Blanc, »daß der Peking-Mensch, der viele Jahrtausende früher und in einem anderen Erdteil gelebt hat, offensichtlich den Schädel an seiner Basis ganz ähnlich aufgebrochen hat.«[3]

Mit dem Hinweis auf die lange Tradition von Kopfjagd und rituellem Kannibalismus griff Blanc eine Vermutung auf, die schon Franz Weidenreich 1939 im Zusammenhang mit den Fossilien von Zhoukoudian geäußert hatte. Warum, so hatte Weidenreich gefragt, hatte man in der Höhle mehr Schädel als Arm- und Beinknochen des *Sinanthropus* gefunden, während das Zahlenverhältnis bei den Tieren weitgehend übereinstimmte? Warum war bei jedem Schädel das Gesicht herausgebrochen und das Foramen magnum (das Hinterhauptloch, durch das der Rückenmarksstrang vom Gehirn in den Körper geleitet wird) stark vergrößert? Warum waren Steinwerkzeuge, Feuerstellen und unzählige verbrannte Knochen gefunden worden? Für Weidenreich konnte die Antwort nur lauten: Kannibalismus. Und das hatte Folgen: Auf Jahre hinaus galt der Neandertaler als ein bösartiges Wesen. Bereits früher hatte man von kannibalistischen Praktiken gesprochen, so etwa im Zusammenhang mit den Ausgrabungen in Krapina oder in La Naulette. Doch was bisher nur eine Vermutung gewesen war, wurde nun zur Gewißheit: Auch der Peking-Mensch war ein Wilder!

In den Köpfen der Paläanthropologen verfestigte sich im Laufe der Zeit die Vorstellung von einem altsteinzeitlichen Schädelkult, der durch die Fundstätte am Monte Circeo »belegt« wurde. Immer mehr Schädel ohne Rumpf und Crania ohne die dazugehörigen Kiefer wurden entdeckt. Auch bei den Funden aus den frühen dreißiger Jahren in Ngandong auf Java oder in Steinheim an der Murr vermutete man nun Schädelkult. Der wenige Jahre später entdeckte Fundort Teschik-Tasch in Usbekistan steuerte eine weitere Variante bei. Dort soll das Skelett eines Neandertalerkindes in einem mit Wildziegenhörnern geschmückten Grab gefunden worden sein. Unter diese abenteuerlichen und äußerst vagen Vorstellungen ist auch der sogenannte »Kult der Höhlenbären« zu rechnen – den Jean Auel später in ihrem erfolgreichen Roman *Ayla und der Clan des Bären* thematisierte. Die Schädel von Höhlenbären, die man in Höhlen gefunden hatte – was keineswegs überrascht –, wurden zu Objekten frühzeitlicher Rituale stilisiert, anstatt in ihnen einfach die Überreste von Tieren zu sehen, die in ihren Höhlen eines natürlichen Todes gestorben waren. Die Schädelkult-Theorie (ob es sich dabei nun um Menschen, Ziegen oder Bären handelte) wurde so beherrschend, daß alternative Erklärungsmöglichkeiten gar nicht erst in Betracht gezogen, geschweige denn untersucht wurden.

Viele Anthropologen der Kriegs- und Nachkriegszeit gingen wie selbstverständlich davon aus, daß die Neandertaler und andere primitive Menschen den Schädeln der Toten eine besondere Bedeutung zugemessen hatten. Sie schrieben ihnen rituelle Handlungen zu, die allgemein als Sekundärbestattung bezeichnet werden. Möglicherweise fand auch Kannibalismus statt, der als Hinweis auf einen irregeleiteten, aber tief empfundenen Spiritualismus gewertet wurde.

Blanc trat leidenschaftlich für solche Vorstellungen ein und verschaffte ihnen nachhaltig Gehör. Bedenkenlos wurden menschliche Ideale, Werte und religiöse Vorstellungen aus unserer Zeit in die ferne Vergangenheit auf Neandertaler oder noch frühere Ahnen des Menschen projiziert. War der Neandertaler bisher ein primitiver Wilder gewesen, so verwandelte er sich nun in ein nahezu menschliches Wesen.

Wenige Jahre zuvor war im Mount Carmel eine große Zahl von Skeletten gefunden und beschrieben worden – Theodore McCown hatte die Fundstätte als Friedhof bezeichnet. Ereignisse wie dieses trugen dazu bei, daß Blanc den Neandertaler »vermenschlichen« und vom Profanen ins Sakrale erheben konnte.

Der amerikanische Anthropologe Carleton Coon veröffentlichte im Jahr der Guattari-Entdeckung eine verblüffende Zeichnung, die die Menschlichkeit des Neandertalers eindrücklich demonstrierte. Sein 1939 erschienenes Buch *The Races of Europe* war der Versuch, eine traditionelle Typologie aufzustellen und die Menschheit in verschiedene Rassen einzuteilen. Coon verzeichnete auf einer Karte von Europa und den angrenzenden asiatischen Gebieten siebzehn Völkergruppen. Er wollte vor allem zeigen, daß die wahrnehmbaren Unterschiede zwischen lebenden Menschenrassen in hohem Maße von äußerlichen Merkmalen wie Haarfarbe, Art der Kleidung usw. abhängen. Zur Bekräftigung seiner Hypothese fügte Coon eine faszinierende Skizze des »Alten von La Chapelle-aux-Saints« in Filzhut, Mantel, weißem Hemd und einer unauffällig gemusterten Krawatte bei. Sah er nicht aus wie ein Mensch? Selbst mit seiner großen Nase und dem stark vorspringenden Gesicht hätte er wohl kaum Aufsehen erregt, wäre er mit Coon über den Campus in Harvard spaziert. Erst eine Generation zuvor hatte Marcellin Boule den Neandertaler als ein Wesen mit gebeugten Knien und gebücktem Gang dargestellt und damit sein Bild auf Jahre geprägt. Jetzt wurde es durch Coons Bild eines nahezu menschlichen Wesens abgelöst.

Die neue Interpretation der Neandertaler war durch die Beschreibung der noch primitiveren und möglicherweise kannibalischen Wesen *Pithecanthropus* und *Sinanthropus* (die heute beide der Gattung *Homo erectus* zugerechnet werden) begünstigt worden. Eine ähnliche Wirkung hatten die dem Wortsinn nach »äffischen« *Australopithecus*-Fossilien, die zuerst Raymond Dart und später Robert Broom in Südafrika geborgen hatten. Wenn solche Beinahe-Schimpansen unsere Vorfahren waren, wie vertraut und freundlich mußten im Vergleich dazu die Neandertaler gewirkt haben?

Das öffentliche Aufsehen, das Blancs Deutung der Guattari-Funde erregte, hatte einen weiteren interessanten Nebeneffekt. San Felice Circeo entwickelte sich zu einem beliebten Ferienort. Es gab dort sogar ein »Hotel Neanderthal«; möglicherweise war es aus Signor Guattaris bescheidenem Gasthaus hervorgegangen. Zwar waren bereits 1929 und 1935 im italienischen Saccopastore Neandertaler gefunden worden, doch nur der Schädel von Monte

Circeo stand dank Blancs Theorie über religiöse Riten der Frühmenschen im Mittelpunkt des öffentlichen Interesses.

Metaphysische Ansätze stellten jedoch nur eine Seite der Neandertaler-Forschung dar. Ebenso stark waren die Bemühungen um eine exaktere wissenschaftliche Analyse von Fossilien der Frühzeit. Dieser Trend entsprach dem zunehmenden Interesse an der Wissenschaft in den Nachkriegsjahren. Die Zuversicht wuchs, daß die modernen Wissenschaftler Antworten auf bestimmte Fragen geben konnten. So auch auf Fragen nach der menschlichen Natur und der Evolutionsgeschichte. Nicht von ungefähr gelang in dieser Zeit der wichtigste Durchbruch in der Evolutionslehre seit Darwin. Durch die Verknüpfung neuer Erkenntnisse über die Mechanismen der Vererbung mit Vorstellungen, die im Lauf der Zeit über die natürliche Selektion und den genetischen Wandel entwickelt worden waren, wurde das Verständnis der Evolution des Menschen revolutioniert. Die Kombination von Altem und Neuem, von Prozeß und Mechanismus, beeinflußte unter dem Stichwort »Synthetische Theorie« alle Gebiete der Biologie.

Seit Jahrhunderten war bekannt, daß sich Eigenschaften von den Eltern auf die Nachkommen vererben. Daß die Weitergabe vieler Eigenschaften nach vergleichsweise einfachen mathematischen Prinzipien verläuft, wurde deutlich, als man im Jahr 1900 die Mendelschen Gesetze wiederentdeckte. Der österreichische Mönch Gregor Mendel hat vorwiegend mit Erbsen experimentiert und anhand einfacher Merkmale nachgewiesen, daß jeweils ein Gen für jedes Merkmal vom Vater und von der Mutter stammt, wobei die Resultate vorhersagbar sind. Die Synthetische Theorie erklärte die Wirkungsweise der Vererbung – die in den Chromosomen enthaltene Kombination der genetischen Information – und der natürlichen Selektion – eine Änderung in der Häufigkeit von Genen in Populationen –, die in Darwins Theorie gefehlt hatte. Das letzte Mosaik der Synthetischen Theorie bildete 1953 die Entdeckung der DNA-Struktur (des Moleküls, das die genetische Information enthält) durch James Watson und Francis Crick. Plötzlich fügten sich unterschiedliche Erkenntnisse aus verschiedenen Fachgebieten zu einem überzeugenden Ganzen zusammen.

Wieder war ein Mitglied der Familie Huxley, die zahlreiche

bekannte Künstler und Wissenschaftler hervorgebracht hatte, maßgeblich an einer neuen Entwicklung beteiligt.[4] Julian Huxley, der Enkel von Thomas Henry Huxley, war ein begeisterter Ornithologe und Biologe, ein bedeutender Experimentator und ein Schriftsteller, der durch eine klare Sprache bestach. Groß und charmant, mit rascher Auffassungsgabe, war er vielleicht der bekannteste britische Biologe nach dem Krieg. Dies gab ihm die nötige Sicherheit, um in eklektischer Manier die Erkenntnisse unterschiedlicher Fachgebiete miteinander zu verknüpfen.

Von seinem Großvater hatte Huxley das Talent geerbt, komplizierte wissenschaftliche Zusammenhänge einfach und unterhaltsam zu vermitteln. Er berichtete in Rundfunk und Presse über Fragen der Biologie, schrieb zahlreiche leicht verständliche Bücher und erlangte so eine Popularität, die er durch seine Lehrtätigkeit an mehreren renommierten Universitäten in den Vereinigten Staaten und Großbritannien wohl niemals erreicht hätte. Im Jahr 1934 produzierte er den ersten Tierfilm, der zu einem Publikumsrenner wurde (über eine Tölpel-Kolonie auf einer walisischen Insel). Nicht zuletzt dank dieses Erfolges wurde ihm später das begehrte Amt des Präsidenten der London Zoological Society angetragen. In den Kriegsjahren leitete und moderierte Huxley eine der beliebtesten Radiosendungen der damaligen Zeit. Auch auf dem Gebiet der Kriegspropaganda war er tätig. Unter anderem schrieb er ein vielbeachtetes Pamphlet über die Fehler der »wissenschaftlichen« Rassenlehre in Deutschland.

Huxley scheute sich nicht, heikle Themen aufzugreifen, und schrieb eindrucksvoll über seine persönliche Philosophie, die er als »evolutionären Humanismus« bezeichnete. Im Mittelpunkt seiner Überlegungen stand der Mensch, der in seiner Entwicklung – wie auch die Tiere – ein Produkt der Evolution und nicht ein von Gott geschaffenes oder geleitetes Wesen sei. Damit nicht genug: Diese Auffassung, so notierte er:

… bestätigt, daß wir Wissen und Intelligenz vergrößern können, daß wir das Verhalten und die gesellschaftliche Organisation verbessern und Richtungen einschlagen können, die für die individuelle und gesellschaftliche Entwicklung wünschenswerter sind. Das höchste Ziel des sich entwickelnden Menschen sollten nicht Macht ..., Leistung oder materielle Werte an sich sein, sondern ein höheres Maß an freier Entfaltung und intellektueller Entwicklung.[5]

Damit sprach Huxley vielen Intellektuellen und Wissenschaftlern seiner Zeit aus dem Herzen.

Vor diesem Hintergrund schrieb er seine Geschichte der Biologie und veröffentlichte 1942 mit seinem wohl wichtigsten Buch *Evolution: The Modern Synthesis* die meistgelesene Studie über die Synthetische Theorie.

Dem Autor gelang es, zwei unterschiedliche biologische Schulen, die sich seit der Jahrhundertwende immer weiter auseinanderentwickelt hatten, zu einem umfassenden Ganzen zusammenzuführen.[6] Auf der einen Seite standen die traditionellen Naturkundler vom Schlage Darwins, die die Tiere in ihrer natürlichen Umgebung beobachteten. Sie bemühten sich vor allem um eine Taxonomie oder evolutionäre Klassifizierung einer Art im Vergleich zu einer anderen. Die Dokumentation der Anatomie, des Lebensraums und der Verhaltensweisen einer Art war für sie ein Weg zum Verständnis der Evolutionsgeschichte. Der gesamte Organismus und sein Leben standen im Mittelpunkt des Interesses – eine Biologie der letztendlichen Ursachen.

Seit 1900 gewannen auf der anderen Seite Vertreter der Vererbungslehre zunehmend an Gewicht, deren Forschungsgebiet mit der Wiederentdeckung der Mendelschen Gesetze einen Aufschwung erlebte. Ihr Interesse galt dem Prozeß der Evolution: Wie wurde die genetische Information kodiert und weitergegeben? Welche Verbindung bestand zwischen der genetischen Information (Genotyp) und deren Niederschlag im Individuum (Phänotyp), das diese Gene in sich trug? Und vor allem: Was trieb die Evolution an? Natürliche Selektion oder Mutation? Sie manipulierten das Paarungsverhalten oder die Umwelt kurzlebiger Arten, verzeichneten sorgfältig die Resultate, spürten nach Mustern der Vererbung bestimmter Eigenschaften und versuchten körperliche Merkmale wie Augenfarbe (Phänotyp) mit spezifischen, diese Informationen enthaltenden Regionen der DNA (Genotyp) zu koppeln. Manche arbeiteten im mikroskopischen Bereich, schenkten dem Gesamtorganismus keinerlei Beachtung und untersuchten lediglich Form, Größe und Zahl seiner Chromosomen. Andere entfernten sich noch weiter vom Organismus, arbeiteten nur noch theoretisch und mathematisch und versuchten, die Regeln für Frequenzveränderungen verschiedener Gene innerhalb hypothetischer Populationen unter imaginären Bedingungen zu bestimmen. Im Unterschied zur Evolutionstheorie war die Vererbungslehre eine experimentelle Biologie der unmittelbaren Ursachen. Ernst Mayr charakterisierte ihre Vertreter wie folgt:

> Sie befaßten sich ausschließlich mit transformationeller Evolution. Sie konzentrierten sich vorwiegend auf Gene und Merkmale und deren Veränderungen (Transformationen) in der Zeit. Ihre Schriften vermitteln den Eindruck, als ob sie nicht gewußt hätten, daß es Taxa gibt und daß sie (die verschiedenen Populationen, Arten usw.) die wahren Akteure auf der Bühne der Evolution sind.[7]

Die Vertreter der beiden Richtungen stützten sich auf völlig unterschiedliche Daten, benutzten andere Fachsprachen und stellten andere Fragen. So ist es kaum verwunderlich, daß sie sich untereinander kaum austauschten. Wenn wir den späteren Berichten der Beteiligten Glauben schenken dürfen, dann gelangten beide Schulen unabhängig voneinander zu denselben Schlüssen – eine Behauptung, die reichlich unwahrscheinlich klingt, zugleich aber zeigt, daß solche Ideen förmlich in der Luft lagen.[8]

Als einer der wenigen Wissenschaftler hatte Huxley Kontakte zu beiden Lagern. Und er nutzte sie fleißig. Neben ihm ist noch der bekannte amerikanische Paläontologe George Gaylord Simpson zu nennen, ferner Theodosius Dobzhansky, der über Fruchtfliegen forschte, und schließlich Ernst Mayr, Ornithologe und Taxonomie-Experte. Simpson gehörte zu den wenigen Paläontologen, die sich ausdrücklich auf Darwin bezogen und versuchten, das Wirken der natürlichen Selektion anhand des fossilen Materials zu erklären. Seine Kollegen umgingen diese Frage üblicherweise (indem sie eine ausgestorbene Spezies ohne jeden Bezug zu evolutionären Tendenzen bestimmten und beschrieben) oder konzentrierten sich auf die allgemeine Veränderung anatomischer

Merkmale, ohne Mechanismen, Selektion oder Populationen näher zu berücksichtigen. 1944 erschien Simpsons bedeutendes Werk *Zeitmasse und Ablaufformen,* in dem er schrieb:

> Die versuchte Synthese von Paläontologie und Genetik ... könnte recht überraschend und möglicherweise sogar gewagt erscheinen. Es ist noch nicht lange her, daß die Paläontologen der Meinung waren, ein Genetiker wäre jemand, der sich in ein Zimmer einschließt, die Vorhänge zuzieht, zu seinem Zeitvertreib sich mit kleinen Fliegen in Milchflaschen beschäftigt und glaubt, auf diese Weise die Natur zu studieren ... Andererseits sagten die Genetiker, daß die Paläontologie der Biologie keine weiteren Beiträge mehr liefern könne, daß ihre einzige Bedeutung darin bestanden habe, den vollständigen Beweis für die Realität der Evolution zu erbringen und daß dies eine zu ausschließlich deskriptive Angelegenheit sei, um die Bezeichnung »Wissenschaft« zu verdienen. Der Paläontologe, so glaubten sie, gleiche einem Manne, der es unternimmt, die Gesetze, nach denen ein Motor funktioniert, zu erforschen, indem er sich an eine Straßenecke stellt und die vorbeisausenden Autos beobachtet.[9]

Damit war das Problem treffend umschrieben, das Simpson anhand des fossilen Befundes zu lösen versuchte, indem er nachwies, daß durch die natürliche Selektion gesteuerte kleine und unbedeutende Veränderungen zur Adaptation von Populationen führten. Quantitative Veränderungen, sowohl in den Genfrequenzen selbst als auch in den phänotypischen Erscheinungsformen von Genen, unterschieden zunächst eine Population von der anderen und schließlich auch eine Art von der anderen. Simpson bewies also, daß sich die Fossilien sowohl mit der auf Populationen angewandten Vererbungslehre als auch mit dem Darwinschen Postulat vereinbaren ließen, daß die natürliche Selektion die treibende Kraft der Evolution sei. Mit diesem einzigartigen Buch verankerte Simpson den Populationsgedanken und den Mechanismus der Vererbungslehre in der Paläontologie.

Simpsons Vorstellungen fügten sich nahtlos in die Überlegungen Theodosius Dobzhanskys ein. Dobzhansky war Genetiker an der Columbia University und betrieb sowohl Feld- als auch Laborforschungen über die Evolution der Fruchtfliege, dieses überall anzutreffende lästige Kleinstinsekt der Gattung *Drosophila*. Eingehend erforschte er die ererbten Merkmale dieser Fliegen, wobei er in Laborexperimenten evolutionäre Veränderungen verschiedener Merkmale unter spezifischen Bedingungen herbeiführte und die natürliche Verteilung variabler Merkmale im Feld untersuchte. Er versuchte die Verbindung zwischen der natürlichen Entwicklungsgeschichte von Populationen – ihre Adaptation an sich verändernde Umweltbedingungen – und der Entstehung neuer Arten herzustellen. In gewissem Sinn lieferte er mit seinen modernen Experimenten und Beobachtungen die Details zu den Prinzipien, die Simpson auf die Fossilien und größere Zeitspannen anwandte.

Wesentlich für die Synthese war ferner ein neuer Artbegriff. Arten wurden nicht mehr als typologisch definiert – das heißt, sie ließen sich nicht exakt durch ein einziges archetypisches Exemplar darstellen –, sondern als sich ständig vermischende und untereinander fortpflanzende Populationsgruppen. Ernst Mayr wurde zum renommiertesten Fürsprecher dieses »biologischen Artbegriffs«. Überzeugend führte er aus, daß die geographische Isolation das häufigste und wirksamste Mittel zur reproduktiven Isolation darstellt und damit den ersten Schritt zur Speziation.

Zu den Vertretern der Vererbungslehre zählten so bedeutende Forscher wie Ronald Fisher, Sewall Wright und J. B. S. Haldane. Sie beschäftigten sich mit mathematischen Modellen der Vererbung. Als theoretisch arbeitende Biologen betrieben sie keine Feldforschung.

Im Unterschied zu den meisten ihrer Kollegen interessierten sie sich für die faszinierenden Probleme der Evolutionsbiologie. Experimentell und mathematisch arbeitende Genetiker wiesen nach, daß die unnatürliche (vom Menschen herbeigeführte) Selektion in ihrer Wirkung selbst auf kleinste Unterschiede zu weitreichenden Veränderungen der Populationen führte. Simpson war bei seinen Untersuchungen der Fossilien zu demselben Schluß gelangt. Darwin hatte den Mechanismus zwar nicht verstanden, doch seine Beobachtungen etwa von Tauben, die er in seinem Werk *Über die Entstehung der Arten* zur Erklärung der natürlichen Selektion heranzog, kamen diesem Verständnis bereits sehr nahe. Gekoppelt mit dem biologischen Artbegriff schuf die Synthetische Theorie die Voraussetzung für eine entscheidende Weiterentwicklung des Darwinschen Evolutionsgedankens.

Aus heutiger Sicht erscheinen diese Vorstellungen banal. Die Verschmelzung der Vererbungslehre mit Darwinschem Denken zum Neo-Darwinismus ist heute ein vertrautes Paradigma. Daß diese Sicht der Dinge keineswegs selbstverständlich ist, zeigt die angesprochene Spaltung der Biologie in zwei Lager. Daß es dann doch zu einer Synthese gekommen war, wurde laut Ernst Mayr erst auf einem Symposium deutlich, das vom 2. bis 4. Januar 1947 an der Princeton University stattfand. Eine beachtliche Zahl von britischen und amerikanischen Paläontologen, Morphologen, Ökologen, Verhaltensforschern, Systematikern und Genetikern unterschiedlichster Richtungen nahmen daran teil. Und erstaunlicherweise, so berichtete Mayr später:

> ... war es nahezu unmöglich, eine Debatte in Gang zu bringen, so groß war die Übereinstimmung unter den Teilnehmern. Um die Zuverlässigkeit meines Gedächtnisses zu überprüfen, verschickte ich einen Fragebogen an die überlebenden Teilnehmer... Einhellig bestätigten sie, daß weitgehende Übereinstimmung über den graduellen Charakter der Evolution, über die natürliche Selektion als grundlegenden Mechanismus der Evolution und als einzig richtungsweisende Kraft geherrscht hatte... Diese Synthese war jedoch kein Produkt der Princeton-Konferenz – vielmehr dokumentierte sie nur eindrücklich, daß es während der letzten zehn Jahre zu einer solchen Synthese gekommen war... Die Evolutionsbiologie zerfiel damit nicht länger in zwei nicht miteinander kommunizierende Lager.[10]

Die Synthetische Theorie führte zu einem grundlegenden Wandel in der Paläanthropologie. Nach anfänglichem Zögern änderte sich das bisherige Gefüge der Lehrmeinungen entscheidend. Die zeitliche Verzögerung erklärt sich aus dem spezifischen Charakter der damaligen physischen Anthropologie. Die meisten physischen Anthropologen in Europa und Amerika waren in vergleichender Anatomie ausgebildet worden und untersuchten statische Körperformen. Sie waren nie gezwungen gewesen, sich mit lebenden Populationen zu befassen, die dem evolutionären Wandel unterliegen. Schon ihr Untersuchungsgegenstand verführte sie dazu, Populationen unter typologischem Aspekt zu betrachten und in ihnen eher die Durchschnitts- oder Idealform zu sehen (»den« Schimpansen oder »den« Hottentotten), als die Unterschiede zwischen einzelnen Individuen anzuerkennen.

Paul Broca und später Paul Topinard, Léonce-Pierre Manouvrier, Gustav Schwalbe, Aleš Hrdlička und Earnest Hooton hatten die physische Anthropologie in der ersten Hälfte des 20. Jahrhunderts zu einer biologischen Wissenschaft gemacht, die in hohem Maße auf quantitative Analysen ausgerichtet war. Sie war damals die einzige Disziplin, in der ein Standardnachschlagewerk für Maße benutzt wurde. Dieses Kompendium enthielt detaillierte Definitionen für Messungen und eine Tabelle mit Durchschnittsmaßen für unterschiedliche Gruppen menschlicher Populationen rund um den Erdball. Das *Lehrbuch der Anthropologie* des deutsch-schweizerischen Anthropologen Rudolf Martin erschien 1914 und wurde dreimal überarbeitet. Auch Hrdlička in Amerika legte ein solches Handbuch vor. Es ist eine seiner letzten Veröffentlichungen. Es erschien 1939 unter dem Titel *Practical Anthropometry* und basierte weitgehend auf den Ergebnissen seiner Arbeiten mit Manouvrier.

Zwar sammelten viele physische Anthropologen umfangreiches Datenmaterial über die körperliche Variabilität bei modernen Menschen, doch nur wenige bedienten sich statistischer Methoden bei der Bewertung der von ihnen festgestellten Unterschiede. Hrdlička und andere äußerten sich sogar herablassend über statistische Arbeitsmethoden. Nur einige wenige Evolutionsforscher versprachen sich von der Anwendung dieser ausgefallenen Methoden, die vielfach zur Züchtung von Nutzpflanzen entwickelt worden waren, positive Ergebnisse. Keiner von ihnen scheint die Beweiskraft einer auf Statistik und Wahrscheinlichkeitsrechnung basierenden Aussage richtig eingeschätzt zu haben.

Das Mißtrauen gegenüber der Statistik erklärte sich auch aus der immer noch bestehenden Abneigung gegenüber jenen Genetikern und Psychologen, die die Statistik dazu mißbraucht hatten, rassistische und eugenische Maßnahmen zu rechtfertigen oder durchzusetzen. Die komplexe Statistik machte Anfang des 20. Jahrhunderts ihre wichtigsten Fortschritte, als unterschiedliche Menschengruppen nach ihren geistigen und körperlichen Merkmalen klassifiziert wurden. Jene Anthropologen, die die Statistik nicht rundweg ablehnten, waren mit deren Methoden zu wenig vertraut, um sie sachgemäß anzuwenden. Alles in allem verließen sich die physischen Anthropologen damals auf einfache Durchschnittswerte (Mittel), wobei sie gelegentlich den höchsten und niedrigsten Wert einer Messung (den Meßbereich) mitberücksichtigen, um das gesamte beobachtete Spektrum darzustellen. Diese Durchschnittswerte wurden jedoch rasch mit den überkommenen Vorstellungen von Typen oder Idealformen verwechselt.

Die Ersetzung von Idealtypen durch Durchschnittswerte wird nirgends so deutlich wie bei jenem denkwürdigen Unterfangen, das Dr. Dudley Sargent, einer von Earnest Hootons Bostoner Bekannten, an der Harvard University duchführte. Sargent nahm an einer großen Zahl amerikanischer Jugendlicher beiderlei Geschlechts und unabhängig davon an Studenten vom Harvard- und Radcliffe-College Messungen vor. Anhand der Durchschnittswerte dieser Messungen formte ein Bildhauer weibliche und männliche Plastiken des »idealtypischen« Amerikaners und des »idealtypischen« Harvard- oder Radcliffe-Studenten. Die nackten Figuren waren aus Gips modelliert und der Wirkung halber mit Bronze überzogen. Als Zeugnisse der »Meßmanie« einer typologisch denkenden Generation von Wissenschaftlern standen sie bis vor kurzem im Peabody Museum in Harvard.

Die Vererbungslehre war den physischen Anthropologen anfänglich wenig willkommen, doch nach und nach sollte sie ihr Denken verändern. Dieser allgemeine Sinneswandel wird anschaulich, wenn man die Arbeit Hootons mit der seines Schülers William Howells vergleicht. Joseph Birdsell, der 1941 bei Hooton promovierte, beschreibt ihn im Rückblick als einen Wissenschaftler, der »mit dem aufstrebenden Forschungsgebiet der Vererbungslehre, auf dem er nur unzureichende Kenntnisse hatte, wenig anzufangen wußte.«[11] Das Symposium von Princeton fand erst nach Birdsells Studienzeit in Harvard statt, und die neue Synthetische Theorie war noch nicht entwickelt. Als Howells zehn Jahre später Hootons Nachfolger wurde, gehörten die Bücher und Aufsätze über die Synthetische Theorie bereits zur Pflichtlektüre eines jeden Studenten.

Älteren Anthropologen fiel es häufig schwer, sich dem neuen Denken zu öffnen. Andere erlebten den Wandel nicht mehr, wie etwa Hrdlička und Boule. Auf einem Symposium über menschliche Evolution, das 1950 in Cold Spring Harbor stattfand, sollte die Synthetische Theorie gewissermaßen offiziell in die physische Anthropologie eingeführt werden. Ernst Mayr erinnert sich noch gut daran, daß Hooton eine Diskussionsrunde mit der Bemerkung eröffnete: »Ich hasse das Wort ›Population‹.«[12] Doch die Zeiten hatten sich geändert, der Populationsgedanke – das Bewußtsein der Variabilität innerhalb der Arten, besonders derjenigen, die eine weite geographische Verbreitung hatten – fand in Amerika und England rasch Eingang in die Anthropologie. Dadurch verlagerte sich auch der Schwerpunkt der internationalen Forschung.

Vor dem Zweiten Weltkrieg hatten europäische Forscher die meisten Fossilien entdeckt und auch die meisten Theorien entwickelt. Die Amerikaner waren an der Entwicklung nicht aktiv beteiligt, denn sie hatten viele Fossilien nie zu Gesicht bekommen, und über eigene verfügten sie nicht. Nur wenige amerikanische Anthropologen wurden von den Europäern anerkannt. Nun aber machten auch sie immer häufiger durch neue Ideen und Interpretationen von sich reden. Zwar wurden die meisten Fossilien auch weiterhin von Europäern entdeckt – entweder in Europa oder in den Kolonien –, doch neben ihren amerikanischen Kollegen wirkten sie plötzlich altmodisch und unbeweglich. In Amerika ging man mit neuen Methoden an die Fragen der menschlichen Evolution heran. Dies führte zu Ergebnissen, die nur wenige vorausgesehen hatten.

Zum einen erschien das seit langem ungelöste Problem der Variabilität in ganz neuem Licht. Schon vor Jahren hatte es erste Ansätze für eine Populationsbiologie gegeben – man denke nur an die umfangreichen anthropometrischen Studien, die Hrdlička so gerne durchführte –, aber erst jetzt schienen sich die rasch heranreifenden Ideen in konkreten Ergebnissen niederzuschlagen. Die Variabilität menschlicher Formen wurde nicht mehr nur in ihrer räumlichen, sondern auch in ihrer zeitlichen Dimension begriffen.

Parallel dazu begann sich ein Konsens über Fragen der menschlichen Evolution herauszubilden, der weitgehend prominenten Vertretern der Synthetischen Theorie zu verdanken ist, die aufgrund ihrer Verdienste bei dieser intellektuellen Revolution zu Autoritäten auf dem Gebiet der Evolution geworden waren. Ab 1944 etwa beschäftigten sich Dobzhansky, Mayr und Simpson rund zehn Jahre lang unabhängig voneinander und unter völlig neuen Gesichtspunkten mit der Klassifikation menschlicher Fossilien. Zwar hatte sich bis dahin nur einer von ihnen der Evolution der Säugetiere zugewandt, aber der Mangel an praktischer Erfahrung mit Fossilien war noch nie ein Grund gewesen, *nicht* über die Evolution des Menschen zu schreiben. Die Paläanthropologie war seit jeher ein beliebtes Betätigungsfeld für Hobbyforscher und Außenseiter, die teilweise viel zum Verständnis beitrugen, teilweise aber auch über Jahre hin wirklich produktive Arbeit erschwerten oder ganz unmöglich machten.

Theodosius Dobzhansky, der das genetische Verhalten der Fruchtfliege erforscht hatte, erklärte die Namensvielfalt für fossile Menschen mit einer Überbewertung der geographischen Variabilität. Ernst Mayr, der eine Taxonomie der Vögel entwickelt hatte, und der Paläontologe G. G. Simpson kamen zu demselben Schluß. Aus biologischer Sicht, so die drei übereinstimmend, seien zu viele Taxa (Namen) für Hominiden (Menschen und deren fossile Verwandte) vergeben worden. Offenbar habe man jedem Fundstück nicht nur einen neuen Artnamen, sondern auch einen neuen Gattungsnamen gegeben. In seinem Übereifer, die Taxonomie auszudünnen, regte Mayr mit Unterstützung Simpsons sogar an, sämtliche Hominiden der Gattung *Homo* zuzuordnen. Schließlich einigte man sich auf einen gemäßigten Vorschlag, der formell jedoch erst 1960 von dem Anthropologen F. Clark Howell von der University of Chicago vorgebracht wurde. Howell sprach für viele, als er vorschlug, die Zahl der Gattungen auf ganze zwei zu reduzieren: *Australopithecus,* das von Dart gefundene, sehr primitive und menschenaffenartige Geschöpf, und *Homo.* Man erkannte, daß der *Pithecanthropus* und der *Sinanthropus* derselben Art angehören, rechnete sie der Gattung *Homo* zu und belegte sie mit dem trivialen Beinamen *erectus,* weil dieser als erster vorgeschlagen worden war. Eine derartige Neudefinition von Namen ist technisch unter dem vielsagenden Begriff »Tilgung von Taxa« bekannt.[13] Tatsächlich wurden die alten Namen ohne größeren Protest aufgegeben. Durch eine einfache taxonomische Umgruppierung war das Verwandtschaftsverhältnis fossiler Menschen plötzlich wesentlich klarer geworden.

Auch Neandertaler stellten auf der Genus-Ebene kein Problem dar, weil sie bereits der Gattung *Homo* zugeordnet worden waren. Allerdings hatten ihnen damals fast alle Forscher einen eigenen Artnamen zugewiesen – *Homo neanderthalensis*. Nach demselben Muster hießen die afrikanischen Fossilien von Broken Hill *Homo rhodesiensis* und die Fossilien von Ngandong, die Oppenoorth und von Koenigswald in Indonesien gefunden hatten, *Homo soloensis*. Die meisten Paläontologen erkannten, daß diese Fossilien geographische Varianten ein und desselben Menschentyps waren und daher problemlos zu einer einzigen Art zusammengefaßt werden konnten. Dobzhansky und Mayr gingen noch einen beträchtlichen Schritt weiter, indem sie all diesen Formen den Gattungsnamen *Homo sapiens* zuwiesen. Damit vertraten sie die Ansicht, daß der Neandertaler und der moderne Mensch Wesen ein und derselben Art waren. Selbst gegen diese gewaltsame Komprimierung der Taxa des Menschen regte sich kaum Protest. In den fünfziger und sechziger Jahren neigten die Anthropologen eindeutig dazu, die Unterschiede zwischen den Menschen als gering zu erachten und um so mehr die Einheit der Menschheit zu betonen. Diese Haltung schlug sich auch in der Taxonomie nieder.

Diese Änderung des Artnamens für Neandertaler ist insofern erstaunlich, als sie ohne jede neuerliche Untersuchung der Fossilien erfolgte. Hatte man früher über derartige Fragen gestritten, so herrschte diesmal ein breiter, auch von Gefühlen getragener Konsens. Die wichtige taxonomische Korrektur wurde teils aus politischen und sozialen, teils aus theoretischen und biologischen Gründen vorgenommen. Mayr, Dobzhansky und Simpson hatten weder neue Daten über die Fossilien gesammelt noch die alten Erkenntnisse im Licht der neuen Erkenntnisse über Variation und Geographie kritisch überprüft.

Im Grunde genommen war es unangebracht, die Synthetische Theorie direkt auf das fossile Material anzuwenden. Den Kern des Problems bildete der biologische Artbegriff, der auf dem Kriterium der reproduktiven Isolierung einer Population von anderen Populationen mit ähnlich aussehenden Organismen basiert. Die entscheidende Frage lautet: Kommt es zwischen frei lebenden Populationen zur Fortpflanzung, und gehen aus einer solchen Verbindung lebens- und fortpflanzungsfähige Nachkommen hervor? Läßt sich die Frage mit Ja beantworten, sind beide beteiligten Populationen conspezifisch: eine Art. Wenn nicht, sind sie reproduktiv voneinander isoliert: zwei Arten.

Leider ist diese Definition unpraktisch, da sie sich auf lebende Arten in der freien Natur nur schwer und auf den fossilen Befund gar nicht anwenden läßt. Wer mag heute bestimmen, welche fossilen Menschen sich untereinander fortgepflanzt haben? Wie umfangreich muß der fossile Befund sein, bevor eine solche Frage beantwortet werden kann?

Paläontologen waren und sind daher gezwungen, sich am Grad der Ähnlichkeit im Gesamterscheinungsbild zweier Fossilien oder zweier Gruppen von Fossilien zu orientieren, da der Beweis für die Isolation nicht zu erbringen ist. Anhand der gefundenen Körperteile untersuchen sie, ob die beiden Vergleichsstücke sich in gleichem Maße voneinander unterscheiden wie zwei lebende Arten. Diese Analyse erweist sich meist als eine Übung in Statistik, bei der selbst winzige anatomische Details eine Rolle spielen und nur enttäuschend unvollständiges Material zur Verfügung steht.

Neandertaler bilden in dieser Hinsicht eine Ausnahme, da eine große Zahl weitgehend vollständiger Skelette erhalten ist. Dennoch war seit Schwalbe und Boule keine umfassende statistische Vergleichsstudie zwischen dem Neandertaler und dem modernen *Homo sapiens* mehr erstellt worden. Nacheinander waren beide Forscher zu dem Ergebnis gekommen, der Neandertaler unterscheide sich so sehr vom Jetztmenschen, daß er als eigene Spezies klassifiziert werden könne. Der Vorschlag, die Neandertaler der Gattung *Homo sapiens* zuzuordnen, den Vertreter der Synthetischen Theorie einbrachten, mag vor dem Hintergrund der modernen Evolutionstheorie als gerechtfertigt erscheinen, doch ebenso wie die ursprüngliche Bezeichnung *Homo neanderthalensis* von 1864 stützte er sich kaum auf die Besonderheiten der Fossilien.

Durch die neue Klassifikation der Hominiden war das »Neandertaler-Problem«, zumindest vorläufig, gelöst. Blieb nur noch der *Eoanthropus,* der sich in kein Muster einfügen wollte. Der Piltdown-Mensch sollte noch mehrere Jahre ein Problem bleiben.

Inzwischen war unter dem Einfluß Julian Huxleys und der Synthetischen Theorie eine weitere These formuliert worden: Alle auf der Erde lebenden Menschen gehören einer einzigen Art an. Diese Anschauung fand ihren wohl deutlichsten Ausdruck in einer offiziellen Erklärung der UNESCO, der Sonderorganisation der Vereinten Nationen für Erziehung, Wissenschaft und Kultur, die Huxley als erster Generaldirektor von 1946 bis 1948 leitete und die er nachhaltig prägte. Diese 1950 veröffentlichte ausführliche Erläuterung des Rassenbegriffs aus Sicht der modernen Wissenschaft verfolgte ausdrücklich das Ziel, »rassistische Doktrinen in der modernen Politik zu diskreditieren«, und weckte Erinnerungen an Huxleys Propagandaschrift im Zweiten Weltkrieg. Die Erklärung der UNESCO – die wissenschaftlich und liberal sein sollte und auf Ausgleich und Einigung bedacht war – entpuppte sich jedoch als Bumerang und löste eine Welle selbstgerechter Proteste seitens der Anthropologen aus, die die Menschen weiter auseinandertrieb. Ein Kommentator beschrieb die Situation folgendermaßen:

> Die übrigen Anthropologen fielen aber mit solcher Heftigkeit über dieses Dokument her, daß die englische Zeitschrift *Man* (Mensch) auf Monate hinaus mit Briefen aus Großbritannien, Frankreich und den Vereinigten Staaten angefüllt war. Sie häuften sich zu einer ganzen Sammlung von Kritiken, Verbesserungen und Erweiterungen an. Daher rief die Unesco schleunigst für 1951 einen weiteren Ausschuß zusammen, der diese Erklärung noch einmal überarbeiten sollte. Diesmal wurde der Entwurf zunächst zahlreich in Umlauf gebracht, so daß der übrige Teil der Berufskollegen seine Kommentare wie seine Mißbilligung früh genug bekanntgeben konnte. Durch Zusammenfassung der Ergebnisse war die Unesco nun in der Lage, die Erklärung wie die wesentlichen Einwände dagegen – eine Art anthropologischer Mindestbeschreibung für Rasse – in einem relativ kleinen Band zu veröffentlichen.[14]

Kritikern zum Trotz war nun die Tatsache in den Mittelpunkt gerückt, daß der Mensch als Art wie viele den Biologen bekannte Arten *polytypisch,* das heißt »vielgestaltig« ist, wobei äußere Unterschiede lediglich als lokale Varianten begriffen werden, so wie eine bestimmte Gesichts- oder Nasenform für den Menschenschlag einer bestimmten Region charakteristisch sein kann. Es war eine neue, moderne und verblüffend egalitäre Erklärung, neben der einige der älteren Untersuchungen – etwa Vergleiche zwischen den Skeletten aus dem Mount Carmel mit einem »Buschmann« und einem »Sikh« – typologisch und mehr als etwas lächerlich erschienen. Aussehen und Größe anatomischer Merkmale variierten sowohl innerhalb einer einzelnen Population als auch zwischen verschiedenen Populationen. Ein oder zwei einzelne Individuen genügten als Bezugsrahmen ganz offensichtlich nicht.

Bald schon führte die weltumspannende Sicht der Anthropologie zu drei dauerhaften Veränderungen, die so schnell und fast gleichzeitig eintraten, daß sie sich nur schwer nacherzählen lassen. Eingeleitet wurden sie 1946 von dem in Harvard lehrenden Anthropologen Earnest Hooton.

Hooton war trotz seiner Ausbildung als Altphilologe Anhänger einer Forschungsrichtung, die Ähnlichkeiten mit der Hrdličkas oder Manouvriers hatte. Er entwickelte sich zu einem Experten auf dem Gebiet der Somatologie, die Form und Gestalt des menschlichen Körpers auf ihre Variabilität hin untersucht. Daß er sich gerade für diesen Zweig der Anthropologie entschied, ist angesichts seiner eigenen anatomischen Besonderheiten interessant. Er hatte einen extrem kurzen Hals, ein massiges Kinn, überlange Arme, große Hände, tiefliegende Augen und eine wuchtig gewölbte Stirn mit dunklen Augenbrauen. Einer seiner ehemaligen Schüler erinnert sich an die scherzhafte Bemerkung seines Professors: »Hätte ich einen Hals, wäre ich ein recht großer Mann.«[15] Allgemein spöttelte man, Hooton sei das reinkarnierte *missing link*. Doch davon abgesehen war er ein begnadeter Redner, der sich während eines Forschungsaufenthalts als Rhodes-Stipendiat in Oxford einen britischen Akzent zugelegt und sich angewöhnt hatte, kritische Bemerkungen übertrieben höflich vorzubringen. Er war aus dem Universitätsbetrieb in Harvard nicht mehr wegzudenken und hatte großen Einfluß auf die gesamte amerikanische Anthropologie.

Während die Anhänger der Synthetischen Theorie den Unterschieden zwischen den Neandertalern, den Fossilien von Ngandong und Broken Hill und dem modernen Menschen jegliche Bedeutung absprachen, hatte Hooton – ein Fachmann auf dem

Gebiet der Variabilität unterschiedlicher Rassen und gewiß kein engstirniger Dogmatiker – sämtliche Neandertaler-Funde einer erneuten Prüfung unterzogen. Er kam zu dem Schluß, daß sich *innerhalb* der Gruppe der Neandertaler reale, bedeutsame und regionale Unterschiede feststellen ließen und die entstandene Verwirrung um die Fossilien weitgehend auf die mangelnde Berücksichtigung der geographischen Unterschiede zurückzuführen sei. Er unterteilte die Neandertaler in zwei Varianten: Da ist zunächst der mit markanten Zügen ausgestattete, massiv gebaute, hyperrobuste Typ, der vorwiegend aus Westeuropa stammt und etwa durch den Fund von La Chapelle-aux-Saints repräsentiert wird. Ihn bezeichnete er als »klassischen Neandertaler«. Daneben stellte er den moderner wirkenden, weniger extremen Typ, vertreten beispielsweise durch die Funde von Krapina (Mitteleuropa) oder aus dem Mount Carmel (Naher Osten). Waren sie Vertreter rassischer Varianten?

Franz Weidenreich beschäftigte sich mit ähnlichen Fragen und stellte die These auf, daß die heute als Rassenunterschiede begriffenen regionalen Varianten menschlicher Gestaltungsformen in der Tat schon sehr alt sind und sich auf geographisch isolierte Populationen des *Homo erectus* zurückführen lassen. Traditionell waren diese Populationen in China unter dem Namen *Sinanthropus pekinensis,* in Java als *Pithecanthropus erectus,* und einige sehr ähnliche Schädel, die G. H. R. von Koenigswald kurz vor Kriegsausbruch und während der Kämpfe in Indonesien gefunden hatte, unter dem Namen *Pithecanthropus modjokertensis* bekannt. In Wirklichkeit handelte es sich jedoch bei allen um ein und dieselbe Art.

Im Gegensatz zu den Fossilien Weidenreichs standen die Funde von Koenigswalds nach Kriegsende für Untersuchungen zur Verfügung. Von Koenigswald war es nämlich gelungen, einige der im Tresor der Geological Survey gelagerten Originale durch täuschend echte Gipsabgüsse zu ersetzen. Dadurch rettete er die indonesischen Fossilien bei der Belagerung Javas vor dem Zugriff der Japaner. Die Originale vertraute er schwedischen Freunden an, die alle größeren Stücke vergruben und die kleineren in Milchflaschen versteckten, bis von Koenigswald aus dem Kriegsgefangenenlager in Java entlassen wurde. Nur einer der indonesischen

Schädel wurde »als Kriegsbeute geraubt« und dem japanischen Kaiser als Geburtstagsgeschenk überreicht. Doch der Soldat Walter Fairservis, der später Archäologe wurde und in Ägypten und Südasien arbeitete, war an der Erstürmung des Kaiserpalastes durch die Amerikaner beteiligt, entdeckte das Fossil im Kuriositätenkabinett und erkannte erstaunlicherweise sofort, was er vor sich hatte. Der Schädel wurde pflichtgemäß und zur völligen Überraschung von Koenigswalds im September 1946 wieder an ihn zurückgegeben. Zu diesem Zeitpunkt arbeitete er zusammen mit Weidenreich am American Museum of Natural History in New York.

Weidenreich gelangte bei der Untersuchung der Originale und der Gipsabgüsse zu der Ansicht, daß es sich bei den Fossilien, die bislang als verschiedene Arten definiert worden waren, in Wirklichkeit um Vertreter von Populationen ein und derselben Art handelt. Er schrieb:

Ich glaube, daß alle bislang als Hominide identifizierten Primatenformen – ganz gleich, ob vergangene oder heutige – im Vergleich mit anderen Primatenformen morphologisch eine Einheit darstellen und daß sie als *eine Spezies* angesehen werden können ... *Betrachtet man sämtliche hominiden Typen und deren Varianten unabhängig von Zeit und Raum, so fällt es nicht schwer, sie in eine durchgängige evolutionäre Linie zu stellen, angefangen von primitivsten Formen bis hin zu jenen, die am weitesten entwickelt sind. Dabei sind weder Lücken noch Abweichungen erkennbar.*[16]

Die Zuordnung aller Hominiden zur Spezies *Homo sapiens* (die auch Mayr, Dobzhansky und Simpson vorgeschlagen hatten) stellte Weidenreich bei der Diskussion der einzelnen Typen vor beträchtliche Schwierigkeiten. Deshalb prägte er die etwas schwerfälligen Begriffe Archanthropinae für die *Pithecanthropus-Sinanthropus*-Gruppe, Paläanthropinae für die Neandertaler und Neanthropinae für die rezenten Menschen. Mit dieser Einteilung hoffte Weidenreich den regionalen Unterschieden Rechnung zu tragen, gleichzeitig aber die Ähnlichkeiten zwischen sämtlichen Formen zu betonen, indem er sie alle als *Homo sapiens* bezeichnete. Damit freilich entwertete er seine eigene Argumentation. Denn mit der Endung *-inae* seiner Wortschöpfungen signalisierte er, daß es sich jeweils um Unterfamilien oder um Gruppierungen mehrerer Gattungen handelte, und verstieß gegen seine zuvor aufgestellte These, daß alle Hominiden derselben Gattung angehörten.

Weidenreich versuchte, sich mit einem Zitat G. G. Simpsons zu behelfen: »Vielleicht wäre es für die zoologischen Taxonomen besser, der Familie der Hominidae eine Sonderstellung einzuräumen und deren Nomenklatur und Klassifikation auszuklammern.«[17] Diese überraschende Bemerkung belegt noch nach hundert Jahren eindrücklich, wie sehr Darwin mit seiner unausgesprochenen Annahme, der Mensch handle nach denselben »Regeln« wie andere Tiere, die Gefühle seiner viktorianischen Zeitgenossen verletzt haben mußte.

Trotz dieser Probleme mit der Nomenklatur war Weidenreich der erste, der – zumindest teilweise erfolgreich – den Versuch unternahm, die Erkenntnisse über den Ursprung des Menschen in eine globale Synthese einzuarbeiten. Nach Weidenreich hatte sich eine einzige frühe Spezies Mensch über die Alte Welt in die unterschiedlichsten geographischen Regionen ausgebreitet, etwa nach Australien oder Asien, wo sie weitgehend seßhaft wurde. So konnten sich lokale Besonderheiten und körperliche Eigenheiten entwickeln, obwohl Weidenreich davon ausging, daß benachbarte Gruppen sich kreuzten.

Weidenreichs Modell fußte auf zwei zentralen Annahmen: Zum einen glaubte er, daß die Evolution der Gattung *Homo* (unabhängig davon, ob sie aus einer oder mehreren Spezies bestand) in der gesamten Alten Welt stattgefunden hatte. Sie war kein europäisches Phänomen, nicht einmal ein überwiegend europäisches. Zum anderen ging er davon aus, daß es sich bei den europäischen Neandertalern lediglich um regionale Vertreter einer bestimmten evolutionären Entwicklungsstufe handelte, die für die spätere Entwicklung ebenso wichtig waren wie ihre (vermutlich) zur selben Zeit lebenden und anatomisch ähnlichen Verwandten in anderen Teilen der Erde. Über das endgültige Schicksal der europäischen Neandertaler war sich Weidenreich nicht schlüssig.

Seine Theorie stellte er in einem geometrischen Schaubild der menschlichen Evolution dar, einem schachbrettartigen Diagramm

Stammbaum der Hominiden

| | Phase | Horizontale Differenzierungen | | | |
		1. Australide	2. Mongolide	3. Negride	4. Europide
Neanthropinen	X Hos	Australide	Mongolide	Khoisanide	Europide
Neanthropinen	IX Hof	Wadjak-Gruppe (Java)	Zhoukoudian (obere Höhle)	Boscop-Gruppe (Südafrika)	Cromagnon-Gruppe (Westeuropa)
Paläanthropinen	VIII Poe				Skhul-Gruppe (Palästina)
Paläanthropinen	VII Pan				Tabun-Gruppe (Palästina)
Paläanthropinen	VI Par			Palaeanthropus rhodesiensis	
Archanthropinen	V Pis	Pithecanthropus soloensis			
Archanthropinen	IV Pie	Pithecanthropus erectus	Sinanthropus pekinensis		
Archanthropinen	III Pir	Pithecanthropus robustus			
Archanthropinen	II Meg	Meganthropus			
Archanthropinen	I Gig		Gigantopithecus		

51. *Franz Weidenreichs »Stammbaum der Hominiden« aus dem Jahr 1947. Die vertikalen Linien stellen genetische Kontinuitäten innerhalb bestimmter Regionen der Alten Welt dar, die horizontalen Linien repräsentieren bestimmte Stadien der Evolution des Menschen, und die Diagonalen verweisen auf biologische Verbindungen (Genfluß) zwischen benachbarten Populationen.*

mit Diagonalen durch sämtliche Ecken der Quadrate. Die vertikalen Linien stellten regionale Stammbäume dar und waren nach dem jeweiligen Teil der Alten Welt benannt. Die horizontalen Linien gaben Stufen, Grade oder Phasen der evolutionären Entwicklung des Menschen wieder. Die diagonalen Linien zeigten, wo es zu Kontakten und genetischem Austausch, das heißt zur Kreuzung zwischen benachbarten Populationen gekommen war, was heute als »Genfluß« bezeichnet wird. Das Schaubild war exakt, aber recht verwirrend. Weidenreichs Entwicklungsstadien waren ohne viel Rücksicht auf das genaue Alter der Funde angeordnet, wenngleich hinzugefügt werden muß, daß man damals noch wenig darüber wußte.

Nach Weidenreichs Schema entwickelte sich jeder der durch vertikale Linien dargestellten geographischen Stammbäume über das Neandertaler-Stadium zum *Homo sapiens*, jedoch mit unterschiedlicher Geschwindigkeit:

> Homo sapiens [worunter er in diesem Zusammenhang den anatomisch modernen Menschen verstand] ist morphologisch zweifellos ein »später Akteur auf der Bühne des Menschen«. Aber diese wirklich späte Phase der menschlichen Evolution kann in einigen Regionen der Erde früher stattgefunden haben als in anderen, und so entsteht der Eindruck, als sei sie primitiveren Formen in anderen Regionen vorausgegangen.[18]

Mit diesem Zugeständnis an regional unterschiedliche Entwicklungstempi konnte Weidenreich alle Widersprüche seines Themas elegant umgehen.

Da Weidenreich in jeder Gruppe dauerhafte spezifische Merkmale erkannte, konnte er anatomische Kontinuitäten ausmachen, so etwa zwischen dem *Pithecanthropus* in Java und den heutigen Ureinwohnern Australiens oder zwischen frühen Fossilien in China und heute lebenden Mongolenvölkern. Ähnliche Gemeinsamkeiten stellte er auch zwischen den Fossilien aus Broken Hill und heute lebenden Südafrikanern oder zwischen den Überresten aus dem Mount Carmel und modernen Europäern fest. Die europäischen Neandertaler fehlen in Weidenreichs Schaubild völlig, vielleicht weil er die Frage ihrer Zuordnung nicht entscheiden konnte.

Weidenreichs Modell der multiregionalen Evolution wurde von einigen Kollegen kritisiert, die sich an die Thesen seines ehemaligen Professors Gustav Schwalbe aus der Zeit der Jahrhundertwende und an Aleš Hrdličkas Theorie einer Neandertaler-Phase aus jüngerer Zeit erinnert fühlten. Unilineare Modelle der menschlichen Evolution waren nicht mehr gefragt, sie galten als zu simplifizierend. Nur wenige machten sich die Mühe, die Unterschiede zwischen Weidenreichs Modell der multiregionalen Evolution und Schwalbes oder Hrdličkas eurozentristischen Vorstellungen herauszuarbeiten.

Das zentrale Problem lag darin, daß Weidenreich die Entwicklung der Rassenunterschiede sehr früh ansetzte und seiner Datierung große Bedeutung zumaß. Nach den beiden Weltkriegen waren die physischen Anthropologen darauf bedacht, die Unterschiede zwischen den Rassen als belanglose Zufälle der Evolution darzustellen, als unbedeutende Variationen, die sich rasch und vor nicht allzu langer Zeit herausgebildet hatten. Es paßte so gar nicht zur allgemeinen Stimmung, diese Unterschiede bis zum *Homo erectus* zurückzuverfolgen.

Carleton Coon, einer seiner wenigen Bewunderer, erzählte später, wie Weidenreichs Ideen allgemein belächelt oder schlicht ignoriert wurden:

Eine rühmliche Ausnahme [von der Regel, daß viele Anthropologen die Geographie außer acht ließen] war Franz Weidenreich. Während meines Aufenthalts in Cambridge, Massachusetts, schrieb ich *The Races of Europe,* und er untersuchte gerade in New York Überreste des *Sinanthropus* [sic]. Damals kam er zu dem Schluß, daß der *Sinanthropus* sich von anderen fossilen Menschenfunden sowohl in evolutionärer als auch in rassischer Hinsicht unterschied. Aus evolutionärer Sicht war der *Sinanthropus* primitiver als alle bekannten lebenden Populationen. Nach seinen Rassenmerkmalen war er jedoch den mongolischen Völkern zuzurechnen.

Wie andere Kometen der Wissenschaft, die ihrer Zeit weit voraus sind, leuchteten Weidenreichs Ideen für einen kurzen Augenblick am Wissenschaftshimmel auf und verschwanden in den Wolken der Ungläubigkeit der Forscherkollegen, die zum größten Teil, wie auch heute noch viele, der Ansicht waren, daß sich die heute lebenden Menschenrassen von einem gemeinsamen Vorfahren erst abgespalten hatten, als sie entwicklungsgeschichtlich die Stufe *Homo sapiens* erreicht hatten. Da der *Homo sapiens* jedoch erst vor dreißigtausend Jahren in Gestalt des Cromagnon-Menschen in Erscheinung getreten war, konnten die heute lebenden Rassen keineswegs älter sein. Der *Sinanthropus* war also kein *Homo sapiens.* Deshalb konnte er auch keiner modernen Rasse wie etwa der mongolischen angehören. Quod erat demonstrandum.[19]

Weidenreich war wenig glücklich über den geringen Zuspruch. In einem 1949 posthum veröffentlichten Aufsatz klagte er:

> Urteilt man nach den Reaktionen und Kommentaren, die meine Studie über den *Sinanthropus* in einigen Kreisen hervorgerufen hat, muß man zu dem Schluß kommen ... daß zu viele Leute sich nicht einmal die Mühe gemacht haben, die anatomischen Besonderheiten zu überprüfen, über die in der Veröffentlichung berichtet wurde und auf denen bestimmte Schlußfolgerungen beruhen. Offensichtlich überfliegen sehr viele lediglich die Zusammenfassungen. Stimmen diese nicht mit ihren vorgefaßten Meinungen oder mit den durch Tradition geheiligten Axiomen überein, verweigern sie ihnen die Anerkennung. Diese Einstellung ist sehr charakteristisch für die Paläanthropologie und hat sich seit dem ersten fossilen Menschenfund nicht verändert. Es dauerte fünfzig Jahre, bis der Neandertaler als ein spezieller Typ Mensch anerkannt und nicht mehr als pathologische Variante des Jetztmenschen abgetan wurde. Weitere vierzig Jahre vergingen, bevor Dubois' *Pithecanthropus erectus,* in dem man ursprünglich einen Riesenaffen sah, als Hominide von normaler Größe anerkannt wurde.[20]

Selbstverständlich hatte Weidenreich damit einen wunden Punkt getroffen, beschrieb er doch sehr treffend das in der Paläanthropologie weit verbreitete und dem Fortschritt abträgliche Geflecht aus Skeptizismus und Selbstgefälligkeit. Wie Hrdlička schien auch Weidenreich aus der Mode gekommen zu sein. Er war ein europäischer Wissenschaftler der Vorkriegsära. Als er sein großes Modell der multiregionalen Evolution entwickelte, war er bereits über siebzig, ein alter Mann, dessen Ideen entsprechend altmodisch wirkten. Etwa zur gleichen Zeit sagte Weidenreich im American Museum of Natural History zu Mayr: »Ich finde die Arbeit, die ihr jungen Leute hier macht [er meinte die Synthetische Theorie] sehr interessant, aber ich bin zu alt, um mich noch zu ändern.«[21] Er starb 1948 im Alter von fünfundsiebzig Jahren, ohne viele Anhänger für seine großartige Idee gewonnen zu haben.

Während sich Weidenreich mit seiner neuen Sicht der Neandertaler als Vertreter einer weltweiten Evolutionsstufe nicht durchzusetzen vermochte und bald in Vergessenheit geriet, konnte immerhin eine scheinbar unbedeutende Veränderung registriert werden: aus *Neanderthaler* wurde *Neandertaler*. Diese veränderte Schreibweise war in gewisser Weise symbolisch für die zunehmend globale Sicht in Biologie und Politik: Ein deutsches Wort sollte so geschrieben werden, wie es die Deutschen schrieben. Henri Vallois, der schärfste Kritiker Weidenreichs und Direktor des Musée de l'Homme und des Institut de Paléontologie Humaine, hatte bereits 1952 vorgeschlagen, die Schreibweise anzugleichen. Aber erst ein ehemaliger Schüler Hootons, der in Harvard lehrende Anthropologe William Howells, lieferte überzeugende Argumente für den englischsprachigen Bereich. Howells kritisierte, daß *Neanderthaler* in englischen und amerikanischen Texten nach wie vor mit einem *h* geschrieben wurde, obwohl die Deutschen den Buchstaben bereits um die Jahrhundertwende aus vielen Worten gestrichen hatten, in denen es auf ein *t* folgte (so auch aus *thal*).

Obwohl es nach den Regeln der Nomenklatur in *Homo neanderthalensis* erhalten bleiben muß, benutzen Deutsche und Franzosen in allen anderen Fällen die Schreibweise »Neandertal«. Nur die englischsprachigen Autoren verwenden weiterhin das »h«, leider, wie man sagen muß, denn im Unterschied zum Französischen oder Deutschen gibt es im Englischen einen echten »th«-Laut, was Erstsemester im Fach Anthropologie dazu verleitet, »Neanderthal« falsch auszusprechen.[22]

Genug der Worte, eine derart tiefsitzende Anglomanie war geradezu peinlich. Die geänderte Schreibweise wurde weitgehend übernommen – einzig die Engländer bleiben weiterhin ihrem »Neanderthal« treu.

Howells hatte in Harvard bei Hooton studiert, wie übrigens auch Carleton Coon und viele führende physische Anthropologen der Nachkriegszeit in Amerika. Hootons Einfluß erklärt sich unter anderem dadurch, daß in der Zeit zwischen den beiden Weltkriegen und unmittelbar nach 1945 nur wenige Diplomstudenten in physischer Anthropologie angenommen wurden. Aber Hooton

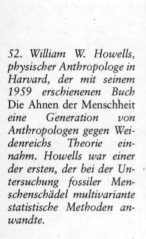

52. William W. Howells, physischer Anthropologe in Harvard, der mit seinem 1959 erschienenen Buch Die Ahnen der Menschheit *eine Generation von Anthropologen gegen Weidenreichs Theorie einnahm. Howells war einer der ersten, der bei der Untersuchung fossiler Menschenschädel multivariante statistische Methoden anwandte.*

war auch eine beeindruckende Persönlichkeit – ein Mensch, der offen seine Meinung äußerte und immer für ein Bonmot gut war. Das schönste Beispiel dafür ist der Band *Apes, Men and Morons* (Affen, Menschen und Idioten), der laut eigener Aussage »zum überwiegenden Teil aus Vorträgen besteht, die ich widerwillig und nur auf Wunsch von Personen oder Organisationen hielt, deren Bitte ich nicht abzuschlagen wagte.«[23]

Hootons Zusammenfassung der Anthropologie erschien kurz vor dem Zweiten Weltkrieg und erhellt seinen Charakter ebenso wie seine Zeit.

Um überleben zu können, muß ein Tier in ein günstiges oder zumindest nicht feindliches Umfeld hineingeboren werden. Ebenso muß ein menschliches Fossil, um konserviert und anerkannt zu werden, mit Intelligenz entdeckt, durch wissenschaftliche Kenntnisse bezeugt und mit Erfahrung in evolutionären Fragen interpretiert werden. Diese strengen Vorbedingungen haben zweifelsfrei zu vielen Totgeburten in der Paläanthropologie geführt und sind zum Teil für die hohe Kindersterblichkeit von Entdeckungen geologisch alter Menschenfunde verantwortlich.[24]

Und damit nicht genug. Hooton äußerte sich scharfsinnig, wenn auch respektlos über den Einfluß nationaler Eigenheiten auf die wissenschaftliche Forschung. Die deutsche Anthropologie, schrieb er spöttisch, leide unter der »langen und ehrbaren Tradition einer ermüdend ausführlichen und detaillierten, um nicht zu sagen langweiligen Behandlung des Themas morphologischer und metrischer Variation« und unter »einer Tendenz, den Menschen in geologisch vergleichsweise späten Zeiten entweder von einem riesigen Menschenaffen abzuleiten, der eng mit lebenden Gorillas, Schimpansen oder dem Orang-Utan verwandt ist, oder aber von einem relativ nahen gemeinsamen Vorfahren der drei«. Noch weniger Verständnis hatte er für den Hang der Deutschen, Knochen, die zusammen an einer Fundstelle gefunden worden waren, beharrlich getrennt zu analysieren, was von einer bedauerlichen »Vorliebe für partitive und mikrotomische Untersuchungen winziger Details zeugt unter Vernachlässigung des Gesamtproblems«. Das Mikrotom ist ein Gerät zur Herstellung mikroskopisch feinster Schnitte und eines der wichtigsten Instrumente der Pathologie. Die Erwähnung dieses Instruments ist wohl auch eine Anspielung auf Virchow.

Im Gegensatz dazu sind die Engländer unter Führung von Arthur Keith gerade zu besessen von der Suche »nach einer Art Heiligem Gral der Paläanthropologie, den fossilen Überresten eines *Homo sapiens in situ* in einer Schicht, die eindeutig dem frühen Pleistozän oder Pliozän entstammt.« Dennoch lobt Hooton die Engländer für ihre

weitgehend faire Haltung ... hinsichtlich der Entdeckung und Anerkennung neuer Funde, die im Gegensatz steht zu den morbiden Verdächtigungen, Affenmerkmale zu besitzen, die die Deutschen beschäftigten, und der zynischen Distanz der Franzosen. Abenteuergeist in der anthropologischen Forschung und die Risikobereitschaft haben, wie mir scheint, dazu geführt, daß britischen Forschern viele herausragende Beiträge zum besseren Verständnis der menschlichen Evolution gelungen sind ... Gelegentlich haben sie jedoch auch große Rückschläge erlitten.

Auch die Franzosen entgingen Hootons Spott nicht. Er charakterisierte sie als

beschränkt und farblos ... zu sehr der Vorstellung einer großartigen nationalen Vergangenheit in der anthropologischen Forschung verhaftet. Trotz aller gegenteiligen Befunde halten sie starrköpfig am Mythos einer Cromagnon-Rasse fest, die von homogener körperlicher Gestalt und riesiger Statur ist und neben einem übergroßen Gehirn eine den Franzosen vorbehaltene künstlerische Gabe besitzt. Dieser läßt sich ungefähr vergleichen mit der deutschen Doktrin des Nordizismus [dem Mythos von der arischen Rasse].[25]

Kein Wunder, daß Hootons respektlose Haltung und sein satirischer Vortragsstil die Studenten scharenweise anzogen. Er hatte einen dauerhaften Einfluß auf alle seine Studenten. Unter ihnen waren, wie bereits erwähnt, Carleton Coon (Promotion 1928), ein Experte auf dem Gebiet der Rassenforschung, der später zur Zielscheibe skandalöser Vorwürfe wurde, ferner William W. Howells (Promotion 1934), Pionier in Sachen Schädelvermessung, der sich zu einem der gescheitesten und humorvollsten Beobachter der Debatten in der Paläanthropologie entwickelte, und schließlich Sherwood D. Washburn (Promotion 1940), Gegenspieler Coons und Visionär einer modernen, in der Biologie wurzelnden physischen Anthropologie.

Alle drei haben in unterschiedlichem Ausmaß die Anthropologie des 20. Jahrhunderts modernisiert. Sie waren die ersten, die in der Evolution des Menschen einen Prozeß sahen, bei dem sich Populationen von Organismen in dem Maße veränderten, wie sich aufgrund natürlicher Selektion die Genfrequenzen innerhalb der Gruppe veränderten.

Coon war 1904 als Sohn einer alteingesessenen Familie aus Neu-England geboren worden. Er studierte in Harvard und spezialisierte sich auf Variabilität der Rassen, Kultur des Nahen

Ostens und Archäologie. Daneben erlernte er zahlreiche Sprachen. Er führte Ausgrabungen durch und nahm an Expeditionen teil, die somatometrischen Untersuchungen (der Körperproportionen) bei unterschiedlichen Völkern in aller Welt dienten. Kunst, Kultur und Lebensformen fremder Völker fanden sein besonderes Interesse.

Coon war einer der ersten Schüler Hootons und übernahm in späteren Jahren viele von dessen Eigenheiten. Er war trotz seiner puritanischen Erziehung ein lebenslustiger Mensch und wußte wunderbare Geschichten aus seinem außergewöhnlichen Leben zu erzählen, wobei er Dialoge in den unterschiedlichsten Sprachen einflocht und mit den entsprechenden Gesten und Grimassen untermalte. Der Weitgereiste hatte mit Menschen unterschiedlichster

53. Carleton S. Coon mit Tropenhelm zusammen mit seiner Frau bei Ausgrabungsarbeiten in Marokko. Coon stand in den frühen sechziger Jahren dieses Jahrhunderts wegen seiner Arbeiten über den Ursprung des Menschen im Kreuzfeuer der Kritik. Er vertrat die Ansicht, daß die verschiedenen Rassen bereits in der Zeit des Homo erectus *entstanden seien und sich danach weitgehend unabhängig voneinander zum modernen* Homo sapiens *entwickelt hätten.*

361

ethnischer Herkunft gearbeitet. Im Zweiten Weltkrieg war er für den amerikanischen Geheimdienst OSS tätig gewesen. Aus seinen Schilderungen mußte man den Eindruck gewinnen, daß er unzählige Male nur dank seiner Charakterstärke oder, wenn das nicht reichte, dank seiner Verstellungskunst dem Tod entronnen war.

Hooton selbst hat seinen Schüler in dem 1930 erschienenen Artikel *An Untamed Anthropologist among the Wilder Whites* (Ein ungezähmter Anthropologe unter den noch wilderen Weißen) am treffendsten charakterisiert:

Ich beobachtete, wie Coon [in Harvard] immer nervöser wurde und sich ganz offenkundig nach der Gesellschaft der Unzivilisierten und Ungewaschenen sehnte. Mir war klar, daß er nicht mehr lange durchhalten würde, wenn er nicht bald mit Wilden zusammenkam. Daher suchten wir uns das unzivilisierteste Fleckchen Erde in ganz Europa aus, in dem ein überaus roher und nahezu unbekannter Menschenschlag von Revolverhelden lebte. Geplant war eine anthropometrische Untersuchung in Albanien ... Coon ist ein Mann, der sich tatkräftig um die Analyse wie auch um die Beschaffung seines Materials kümmert. Er geht mit einer Art göttlichem Eifer ans Werk, grübelt über neue Analysemethoden nach, verbessert die alten, rauft sich die Haare, sobald Schwierigkeiten auftreten, geht aus ihnen jedoch stets als Sieger hervor, wenn auch als zerzauster. Er hat etwas von Lawrence von Arabien und viel von Sir Richard Burton, ist vielleicht ein bißchen unstet, besitzt aber mehr als nur ein Fünkchen Genie.[26]

Coon war groß, schlank und schlaksig, trug einen Oberlippenbart und hatte dunkles, in späteren Jahren weißes Haar. Er verfügte über ein gesundes aristokratisches Selbstbewußtsein – ein Anthropologe sprach einmal humoristisch vom »vornehmen angelsächsischen Überlegenheitsgefühl«[27] –, das in einigen Familien erblich zu sein scheint und immer wieder Sprößlinge wie Coon hervorbringt: unverwüstlich, frech und jederzeit zu Streichen aufgelegt. So ließ sich Coon einmal, um nur ein Beispiel zu nennen, im Speiseraum des Harvard Faculty Clubs lauthals und mit übertriebenem Ostküstenakzent über die sexuellen Praktiken exotischer Stämme aus.

Coon war einer der letzten großen ganzheitlich orientierten Anthropologen. Er beschränkte sich nie auf ein einziges Forschungsgebiet und wechselte ungeniert zwischen der Arbeit mit »Knochen (physischer Anthropologie), Steinen (prähistorischer Archäologie) und schmutzigen Geschichten (Ethnologie und Ethnographie)«[28]. Er las alles und hatte nahezu alle bedeutenden anthropologischen Fundstätten besichtigt. Zwischen 1934 und 1948 erklomm er die akademische Leiter: Er wurde Lehrbeauftragter, dann außerordentlicher und schließlich ordentlicher Professor an seiner geliebten Alma mater Harvard. Dennoch kehrte er Cambridge den Rücken, als ihm der Direktorenposten am Anthropologischen Museum der University of Pennsylvania angeboten wurde. Anscheinend hatte sich Coon über den unüberlegten Vorschlag seines Fachbereichsleiters geärgert, ihn an eine andere Universität zu vermitteln, die einen Spezialisten für den Nahen Osten suchte. Nach seiner Pensionierung zog Coon nach Gloucester, Massachusetts. Seine umfangreiche und ständig wachsende Sammlung von wissenschaftlichen Büchern und Artikeln brachte er in einem kleinen Anbau von der Größe einer Kleinstadtbibliothek unter.

Coon kannte zeit seines Lebens, auf Reisen und bei Gesprächen, nur ein Ziel: das bessere Verständnis menschlicher Rassen. Als produktiver Autor widmete er diesem Thema drei großartige Bücher: *The Races of Europe* (1939), *The Origin of Races* (1962) und *The Living Races of Man* (1965). Automatisch registrierte er die Gesichtszüge und körperlichen Merkmale jedes Menschen, den er traf, und wies ihm einen Platz in einem komplexen und feinen Raster mit Kästchen für Rassenzugehörigkeit und Vorfahren zu, das er in seinem Kopf mit sich herumtrug. Mit der Bemerkung »Mein portugiesischer Gärtner ...«, leitete er eine lustige Geschichte über einen Mann ein, der in Verhalten, Kultur und Sprache durch und durch Amerikaner und nur der Abstammung nach Portugiese war. Coon hatte die exzentrische Angewohnheit, sich in Alltagsgesprächen über die Rassenzugehörigkeit von Menschen zu äußern, was ihm den Ruf einbrachte, er hege Vorurteile gegenüber bestimmten Rassen oder Völkern. An diesem Punkt sollte er in den sechziger Jahren scheitern.

William W. Howells war weniger exzentrisch als Hooton oder Coon und einige Jahre jünger als letzterer. Auch er kam aus einer vornehmen Familie in Neu-England. Sein Großvater war der Schriftsteller William Dean Howells, sein Vater der bekannte Architekt John Mead Howells. Obwohl in New York geboren, wurde der Harvard-Zögling ein echter Bostoner und heiratete dort in eine alteingesessene Familie ein. Sein trockener Humor machte sich in einer ausgeprägten Vorliebe für ironische Understatements in seinen Publikationen bemerkbar. Er trat in die literarischen Fußstapfen seines Großvaters und seines Lehrers und schrieb ein Buch über die Ursprünge des Menschen, das 1944 unter dem Titel *Mankind So Far* erschien und zum Bestseller wurde. Anstatt dieses Buch zu überarbeiten, zog er es vor, 1959 »ein neues Buch von einem überarbeiteten Autor«[29] mit dem Titel *Die Ahnen der Menschheit* herauszugeben. Auch dieses Werk wurde ein großer Erfolg. In leicht lesbarem, anekdotischem Stil werden die Geschichten der Entdecker und die Geschichten der Fossilien selbst erzählt. Spätere Generationen haben sie bald ausgeschmückt, und heute bilden sie den Grundstock für den reichen und wohlgehüteten Legenden- und Mythenschatz der Anthropologenzunft.

Howells verdankte seine Karriere aber nicht nur seinen schriftstellerischen Fähigkeiten, sondern auch der Tatsache, daß er der physischen Anthropologie eine neue Perspektive eröffnete. Als einer der ersten benutzte er die komplizierte statistische Methode der sogenannten Faktorenanalyse, um die Unterschiede und Übereinstimmungen zwischen den Schädeln fossiler und moderner Menschen zu vermessen und zu bewerten. Howells versah damit die »vermessende Schule« der physischen Anthropologie mit dem modernen statistischen Instrumentarium, das sie erst zum richtigen Verständnis ihrer Messungen befähigte.

Howells und Coon lehrten beide in Harvard. Coon an der Seite ihres gemeinsamen Mentors Hooton, Howells als dessen Nachfolger. Als dritter im Bunde stieß der etwas jüngere Sherwood Washburn dazu. Coon gehörte bereits dem Lehrkörper in Harvard an, als er unabsichtlich den Grundstein für eine Abneigung legte, die seiner späteren Auseinandersetzung mit Washburn eine besondere Schärfe verleihen sollte.

Sherwood Washburn war 1911 als Sohn einer alteingesessenen Familie in Neu-England geboren worden. Seine Familie konnte auf eine lange Tradition von Kirchenmännern und Predigern zurückblicken. Der Vater war Theologieprofessor. Vielleicht erklärt Washburns Erziehung den moralisierenden Ton, mit dem er seine Kollegen, auch ältere, gern kritisierte. Zweifellos hatte er dezidierte Vorstellungen, wie anthropologische Studien durchzuführen waren und wie nicht. Er war dunkelhaarig, klein von Statur, mit einem Kopf, der für seinen Körper viel zu groß schien, und besaß ein hitziges, mitunter aufbrausendes Temperament. Er sah sich als Vertreter der neuen Richtung in der wissenschaftlichen Anthropologie. Schon als Student war er von sich und der Richtigkeit seiner Ideen überzeugt.

Es überrascht nicht, daß Washburn auch Hooton und dessen Versuch kritisierte, die Variabilität des Menschen mit altmodischen typologischen Methoden zu untersuchen. Seine tiefe Abneigung gegen Hooton resultierte zum Teil aus dessen Lehrmethode: Die Studenten mußten viele Stunden in sogenannten »Knochenlabors« verbringen und lernen, selbst kleinste Knochensplitter zu identifizieren; von welchem Knochen stammten sie und von welcher Seite? Wegen der verlangten Genauigkeit und der erbarmungslosen Tests waren diese Übungen bei allen Studenten berüchtigt. Washburn empfand sie offensichtlich als sinnlose Schinderei, als stumpfsinniges Auswendiglernen ohne Unterbrechung durch Konzeptionen, Bedeutung, Analyse. Außerdem sah er die Gefahr, daß die von Hooton favorisierten typologischen Studien für rassistische Zwecke mißbraucht wurden. »Sherry reagierte immer sehr empfindlich, ja fast fanatisch auf alles, was mit Rassismus zu tun hatte«, erinnert sich Lita Osmundsen, eine Freundin Washburns und langjährige Direktorin der Wenner-Gren-Stiftung für Anthropologische Forschung. »Hootons Arbeit hatte einen rassistischen Beigeschmack, und das beunruhigte ihn zutiefst und führte zu einer Art Haßliebe gegenüber der gesamten Anthropologischen Fakultät in Harvard.«[30]

In Abgrenzung zu der alten typologischen Auffassung von der physischen Anthropologie verstand sich Washburn als visionärer Prophet der »Neuen Physischen Anthropologie«, wie er sie selbst in einem wichtigen Aufsatz aus dem Jahr 1951 nannte. Die Anatomie spielte in seinem Konzept nach wie vor eine zentrale Rolle, aber sie war jetzt in funktionale Systeme eingebunden und nicht mehr nur »die dokumentierende und beschreibende« Anatomie der Somatologie. Washburns Ziel war es, ein anatomisches System und Verfahren zu entwickeln, das Aufschluß über das Wesen der Menschen und die Geschichte seiner Evolution geben konnte. Es war das ehrgeizige Programm eines ehrgeizigen Mannes.

Nach seiner Promotion in Harvard ging Washburn an das Columbia College of Physicians and Surgeons. Dort wurde er von dem hervorragenden Experimentator Sam Detweiler stark beeinflußt. Nach acht Jahren wechselte er auf einen besseren Posten an der University of Chicago. Als selbsternannter moderner physischer Anthropologe trug er mehr als andere dazu bei, die Ideen der Begründer der Synthetischen Theorie in Amerika – Dobzhansky, Simpson und Mayr – mit seinem Forschungsgebiet in Verbindung zu bringen. Seinen Studenten blieb es vorbehalten, das neue Populationsdenken auf die aufgefundenen Fossilien und die Evolution des Menschen anzuwenden.

Einer der ersten, der die Bedeutung des neuen Denkens für die Evolution des Menschen erkannte, war ein intelligenter junger Student von der University of Chicago namens F. Clark Howell. Howell war einer der einflußreichsten Schüler Washburns und zählte bereits zu der neuen Generation von Hochschulabsolventen, die sich in ihrer Studienzeit mit den Theorien der modernen Biologie vertraut gemacht hatten.

Der 1925 geborene Howell beschreibt sich selbst als einen Jungen vom Lande, dessen Familie unter der Depression und der Dürre im Mittleren Westen schwer gelitten habe.[31] Bis zur fünften Klasse, also etwa bis zu seinem zwölften Lebensjahr, besuchte er eine einklassige Schule in der Nähe von Topeka in Kansas. Als die Familie ihre Farm aufgeben mußte, zog sie zunächst nach Topeka, wo der junge Howell schnell feststellte, daß er mit seinen schulischen Leistungen weit hinter den »Stadtkindern« zurückblieb. Dieses Manko hatte er jedoch schon nach wenigen Jahren wettgemacht. Auf der Highschool erwachte sein Interesse an der Evolution des Menschen. Er trat in Korrespondenz mit Franz Weidenreich am American Museum of Natural History.

»Weidenreich war sehr freundlich zu mir«, erinnert er sich. »Er beantwortete alle meine Briefe und wies mich auf das Neandertaler-Problem hin, auf das auch er in seiner wissenschaftlichen Laufbahn gestoßen war und das er für ein sehr interessantes Betäti-

54. *F. Clark Howell (links) und François Bordes (rechts) 1956 in Frankreich. Howell und Bordes lieferten in den fünfziger Jahren wichtige neue Denkanstöße für die Untersuchung und Interpretation der Neandertaler und der Periode des Mittleren Paläolithikums.*

gungsfeld für einen intelligenten jungen Mann hielt. Vermutlich habe ich mich noch Jahre später, als ich zu studieren anfing, daran erinnert.« Nach dem Highschool-Abschluß 1943 arbeitete Howell vorübergehend in einer Fabrik. Anschließend wollte er studieren. Aber der Zweite Weltkrieg machte ihm einen Strich durch die Rechnung. Er wurde Soldat und kam auf einen Marinestützpunkt im Pazifik. Dort endlich fand er Zeit genug, um zu lesen und mit anderen Anthropologen zu korrespondieren, deren Arbeit ihn interessierte. Aus dem Jungen vom Lande wurde ein nachdenklicher, wortkarger Mann, der genau wußte, was er wollte.

Nach dem Krieg, 1946, verbrachte er eine Woche am American Museum of Natural History. Dort begegnete er Weidenreich, von Koenigswald und anderen Berühmtheiten. Wieder im Mittleren Westen, arbeitete er an der University of Chicago unter dem Anatomen Wilton Marion Krogman. Krogman wechselte jedoch schon bald an die University of Pennsylvania. Einen Tag vor dem Abschied trat Howell in Krogmans Büro. Krogman unterhielt sich gerade angeregt mit einem kleinen, energischen jungen Mann mit dunklem Haar, Brille und einem ungewöhnlich großen Kopf. »Er war so jung und so klein, daß ich ihn für einen Studenten hielt«, erinnerte sich Howell, »aber es war Sherry Washburn. Ich machte ein paar ›kluge‹ Bemerkungen, und erst hinterher klärte mich

Krogman darüber auf, daß ich soeben mit Washburn, seinem Nachfolger, gesprochen hatte. Selbstverständlich hatte ich es mir mit ihm verscherzt.«

Washburn war jung, hitzig, lebhaft, hyperkritisch und obendrein mit einem unerschütterlichen Selbstvertrauen ausgestattet. Aber er war auch ein sehr anregender Lehrer, der vor Energie und Ideen regelrecht überschäumte. Sein Studienplan für Anthropologen war unerbittlich. So erinnert sich Howell, daß er Studenten, die seinem Programm nicht bereitwillig folgten, sofort seine Gunst entzog. Howell selbst interessierte sich mehr für das Zusammenspiel der menschlichen Evolution mit Archäologie und Ökologie und weniger für die reine Anatomie. Howell war schon älter und belesener als viele seiner Kommilitonen. Deshalb fügte er sich auch nicht mehr so leicht und widersprach Washburn, wenn, wie Howell sich ausdrückt, »seine Theorien seinem Wissen vorauseilten«. Sie diskutierten häufig miteinander. Das tat Washburn übrigens mit vielen seiner weniger gefügigen Studenten.

Washburn war zwar damit einverstanden, daß Howell seine Magisterarbeit über das Neandertaler-Problem schrieb, riet ihm aber von weiteren Forschungen über dieses Thema ab. Howell wollte seine Arbeit unbedingt veröffentlichen. Er erinnert sich, daß unter anderem Theodore McCown, Arthur Keiths ehemaliger Mitarbeiter, sein vorläufiges Manuskript einer strengen Kritik unterzog. Die Arbeit wurde 1951 veröffentlicht. Sie war seine erste Fachpublikation, und es folgte eine ganze Reihe bahnbrechender Veröffentlichungen über die Neandertaler, die sich gegenseitig ergänzten und aufeinander aufbauten.

Die Magisterarbeit war eine Kampfansage an den Status quo der Forschung. Howell wandte die Evolutionssynthese in ganz neuer Form auf die Neandertaler-Funde an. Allein schon die Sprache in seiner Einleitung zu einem Aufsatz aus dem Jahr 1952 machte klar, daß er ein Anthropologe der Nachkriegszeit und ein Vertreter der Synthetischen Theorie war. Howell begann mit einer klassischen Darlegung seiner Prinzipien:

Isolation ist einer der wichtigsten Faktoren, die zu evolutionärem Wandel führen. In der Natur sind eine Vielzahl von Isolationsmechanismen am Werke ... geographische und physiologische ... Auf die eine oder andere Weise verhindert Isolation, daß Formen einer Gruppe sich mit denen einer anderen paaren, und führt dadurch zum Entstehen einer diskontinuierlichen Variation ...

Anschließend wandte er diese Prinzipien auf die Evolution des Menschen an. Er fuhr fort:

Eine der wichtigsten Barrieren für den Genfluß zwischen potentiell kreuzungsfähigen Gruppen im Pleistozän war das Klima ... Bislang hat noch niemand das fossile Material nach eindeutigen Hinweisen auf den Einfluß klimatischer Faktoren auf die Ausbreitung und Entwicklung der Hominiden im Pleistozän untersucht. Es gibt dafür vielleicht zwei Gründe: den Mangel an Fossilien und die zu starke Betonung der morphologischen Befunde bei gleichzeitiger Vernachlässigung der Geographie und der Klimatologie ...
Ich habe an anderer Stelle bereits erwähnt, daß es sich bei der Gruppe der »klassischen Neandertaler« sehr wahrscheinlich um isolierte Nachkommen eines früheren und weiter verbreiteten »Neandertaler«-Typs gehandelt hat.[32]

Ein Vierteljahrhundert zuvor hatte Hrdlička vorsichtig einen möglichen Zusammenhang zwischen der Evolution der Neandertaler und der europäischen Eiszeit angedeutet. Und nun gab Howell mit der oben zitierten Passage der Diskussion eine völlig neue Richtung. Er versuchte nicht, das Problem zu umgehen. Vielmehr ging es ihm darum, eine Erklärung für die Neandertaler als evolutionäre Gruppe von Menschen zu finden.

Dabei machte Howell, möglicherweise unabsichtlich, alle Vorstellungen über die Evolution des Menschen zu bloßer Makulatur, die sich einzig und allein an Morphologie oder Gestalt der Fossilien orientierten – nach dem Muster »A wurde zu B, und B verwandelte sich wiederum in C«, wobei Klima, Geographie, Populationen oder natürliche Selektion völlig außer acht gelassen wurden. Diese einfachen Schemata hatten fast ein Jahrhundert lang die Neandertaler-Forschung bestimmt. Selbst Weidenreichs Vorschlag wirkte neben Howells veraltet, statisch und zweidimen-

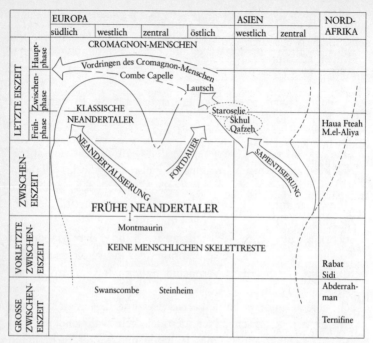

54. *F. Clark Howells Stammbaum der Neandertaler aus dem Jahr 1957. Verschiedene »frühe« Neandertaler entwickelten sich entweder zu »klassischen« Neandertalern oder aber zum frühen modernen Menschen weiter, der schließlich die Neandertaler in Europa ablöste.*

sional. Vom ersten Abschnitt an atmete Howells Aufsatz den Geist einer neuen Ära. Zwar wiederholte er viele Argumente Weidenreichs, aber er bediente sich eines neuen Vokabulars, das der Evolutionsbiologie und nicht mehr der Anatomie toter Dinge entliehen war.

Howells Synthese, die er in den darauffolgenden sechs Jahren in mehreren wichtigen Aufsätzen weiterentwickelte, war sehr überzeugend. Er entwarf ein einfaches, aber aufschlußreiches Modell, das eine gewisse Logik in den noch undurchsichtigen Übergang von den Neandertalern zu den frühen modernen Menschen brachte. Er sichtete und ordnete das vorliegende Material, wobei ein ganz entscheidenden Schritt darin bestand, daß er die Neandertaler sowohl nach geographischen Gesichtspunkten als auch nach anatomischen Besonderheiten in Gruppen einteilte. Diese

370

umfassende und durchdachte Zusammenstellung war kennzeichnend für Howells Arbeitsstil.

Howell erkannte, daß es sich bei dem Skelett, das alle für den typischen Neandertaler hielten – das Wesen mit den kräftigen Überaugenwülsten, dem langen Kopf, der untersetzten Statur und den massigen Gliedmaßen –, ausschließlich um ein westeuropäisches Phänomen aus der Frühphase der letzten Eiszeit (Würmperiode) handelte. Die Fossilien etwa von La Chapelle-aux-Saints, La Ferrassie, Le Moustier, Spy, Gibraltar, dem Monte Circeo und aus der Feldhofer Grotte traten allesamt mit den an die Kälte angepaßten, subarktischen Tieren der Eiszeit auf. Hooton hatte sie als klassische Neandertaler bezeichnet.

Die früher datierten Neandertaler – aus der wärmeren Zwischeneiszeit (Riß-Würm-Periode), die der letzten Eiszeit vorausging – waren geographisch weiter verbreitet und anatomisch weniger spezialisiert. Zu dieser Kategorie rechnete Howell beispielsweise die Krapina-Überreste, die weitgehend unbeachteten Schädel aus dem italienischen Saccopastore, die Tabun-Fossilien aus dem Mount Carmel und das umstrittene Kinderskelett von Teschik-Tasch, das mit Wildziegenhörnern umringt gewesen sein soll. Keines dieser Fossilien wies die extreme Ausprägung der »typischen« Neandertaler-Anatomie auf. Ihre Gehirne waren kleiner, ihre Schädel weniger lang und niedrig, ihre Gesichter zierlicher, ihre Gliedmaßen weniger robust und gerader. Weitere Unterschiede ließen sich aufzeigen. Howell erkannte, daß diese Gruppe mehr Ähnlichkeit mit dem modernen Menschen hatte, aber er bezeichnete die Fossilien als »aufkommende klassische Neandertaler«.[33]

Für sich betrachtet wies der europäische Befund auf eine zunehmende »Neandertalisierung« hin. Howell zeichnete das überzeugende und ergreifende Bild einer kleinen Population, die durch eine gewaltige und für den Menschen unbewohnbare Eiswüste von ähnlichen Neandertalern, die weiter im Osten lebten, isoliert war.

Es muß darauf hingewiesen werden, wie extrem schwierig es ist, in tiefverschneiten Gebieten ohne entsprechende Bekleidung und Ausrüstung zu überleben. In den langen Wintermonaten fehlt es in solchen Gebieten an Wild und Pflanzen ...

In einer solchen Periode extremer Isolation (Zeiträume von wenigstens einigen *Jahrtausenden*), angesichts der dauerhaften klimatischen Barrieren, die eine fortlaufende Ausbreitung und Wanderungsbewegungen verhindern, sind besondere evolutionäre Entwicklungen unausweichlich ...[34]

Howell vermutete, daß es sich bei dem Mechanismus, der zur Ausbildung der einzigartigen Morphologie der klassischen Neandertaler geführt hatte, um Adaptation (unter dem Druck der natürlichen Auslese) an die harten eiszeitlichen Umweltbedingungen gehandelt haben könnte. Denkbar war jedoch auch, daß ein anderer evolutionärer Mechanismus, die Gendrift, am Werke gewesen war. Howell war sich unschlüssig. Er konnte oder wollte sich nicht für eine Lösung entscheiden.

Mit Gendrift ist das damals entwickelte mathematische Konzept gemeint, wonach einzelne Individuen in kleinen Populationen sich durch Zufall deutlich stärker (oder schwächer) fortpflanzen als andere. Wenn diese Zufälle über mehrere Generationen hinweg die Nachkommenschaft einer Familie begünstigen, deren Mitglieder besonders robust sind, einen ungewöhnlich langen Kopf besitzen oder einen besonders massigen Körperbau, dann nehmen die Gene dieser Familie so überhand, daß sie die ursprünglichen und »normalen« verdrängen. In solchen Populationen kommt es nicht etwa deshalb zu einer dramatischen Veränderung in der Genfrequenz, weil die begünstigten Gene auf die eine oder andere Art Vorteile aufweisen, sondern durch eine zufällige *Drift*. Dennoch kann die Gendrift auf lange Sicht gesehen genauso wirkungsvoll sein wie stark ausgeprägte selektive Kräfte. Unklar bleibt, welcher Mechanismus zur Neandertalisierung in Europa geführt hat, aber Howell stellte mit dem Ende der frühen Eiszeit ein abruptes Ende dieser Entwicklung fest. Die nachfolgende, relativ warme Periode brachte nur Menschen vom Typ Cromagnon oder Aurignacien hervor.

Im Gegensatz dazu steht der Befund aus einer Region, die Howell »Westasien« nannte – eine eigenwillige Bezeichnung, die bis heute im Zusammenhang mit dem Neandertaler-Problem immer wieder auftaucht. Howell weiß nicht mehr zu sagen, was ihn zu dieser Bezeichnung inspiriert hat – vermutlich hatte er sie in einem

Geographiebuch gelesen –, jedenfalls deutet sie die Kontinuität zwischen dem Nahen Osten und der unendlichen Weite Asiens an. Der Begriff schließt expressis verbis sowohl die an den Nahen Osten angrenzenden Gebiete der Sowjetunion ein, von Usbekistan (nördlich des Himalaya) im Osten bis zum Schwarzen Meer im Westen, als auch die bekanntere Levante im Libanon und in Palästina.

Howell fiel auf, daß die frühen Neandertaler in Westasien wie in Westeuropa weniger spezialisiert, weniger extrem und daher moderner aussahen. Statt jedoch im Laufe der Zeit eine Neandertalisierung durchzumachen, durchliefen die Neandertaler Westasiens eine Entwicklung hin zum *Homo sapiens*. Die moderner wirkenden Neandertaler von Tabun und Teschik-Tasch entwickelten sich nicht zu Wesen wie etwa dem von La Chapelle-aux-Saints weiter, sondern gingen in menschlicher wirkende Populationen über, deren Überreste in Skhul gefunden wurden.

In einer ausführlichen Diskussion dieser Hypothese berief sich Howell später auf ein halbes Dutzend Skelette, die zwischen 1933 und 1935 in einer Höhle in Jebel Qafzeh unweit des heutigen Nazareth gefunden worden waren. Der Archäologe und französische Konsul in Jerusalem René Neuville hatte die Fossilien ausgegraben, jedoch erst 1951 beschrieben. In der Zwischenzeit hatten die Skelette, wie so oft in der Geschichte der Neandertaler, unbeachtet im Institut de Paléontologie Humaine in Paris gelagert. Howell fiel die große Ähnlichkeit zu den Skeletten von Skhul auf. Für ihn stellten sie ein hervorragendes Bindeglied zwischen den früher datierten unspezialisierten Neandertalern von Tabun und den frühen anatomisch modernen Menschen dar. Diesem Umstand versuchte er dadurch Rechnung zu tragen, daß er der Population von Qafzeh/Skhul den Namen »Proto-Cromagnon-Mensch«[35] gab.

Mit Howells synthetischer Sichtweise ließ sich das plötzliche Auftauchen moderner Menschen vom Typ Cromagnon in Westeuropa hervorragend erklären. Der Wärmeeinbruch in der Mitte der Würm-Eiszeit beseitigte die mächtige geographische Barriere, die Westeuropa einst vom Osten abgeschnitten hatte. Weiterentwickelte und moderner aussehende Menschen konnten aus dem Osten (aus Westasien nach Europa) in das Gebiet der klassischen Neandertaler einwandern. Howell warf zwar die Frage auf, ob es zu einer dramatischen Konfrontation zwischen den beiden Menschentypen gekommen war, wich einer Antwort jedoch aus.

Die Frage, ob die »klassischen Neandertaler« bereits ausgestorben waren, als diese neuen Menschen einwanderten, oder ob sie von ihnen ausgerottet wurden oder sich mit den Eindringlingen vermischten, kann im Moment nicht beantwortet werden.[36]

Es war Howells Verdienst, daß er eine ganz neue Sichtweise der menschlichen Evolution entwickelte. Außerdem wurde durch sie das Neandertaler-Problem zumindest vorübergehend gelöst.

Howell setzte auch für die Arbeitsweise der Paläanthropologie neue Maßstäbe. Mitte der fünfziger Jahre, nach Veröffentlichung seiner ersten Aufsätze über die Neandertaler, brach er zu einer großen paläanthropologischen Forschungsreise auf. Er besuchte Museen und Universitäten in Europa, im Nahen Osten und in Nordamerika, wo er bedeutende Fossilien eigenhändig studieren konnte. Er begutachtete die Skelette von Jebel Qafzeh und anderes in Europa aufbewahrtes Material. Seit Hrdlička war er der erste physische Anthropologe, der eine solche Reise unternahm. Die meisten europäischen und amerikanischen Forscher hatten sich damit zufriedengegeben, anhand von Gipsabgüssen – die häufig schlecht waren –, Fotos oder Beschreibungen von dritter Hand ein Urteil über die Fossilien zu fällen. Nun aber, da Forschungsreisen für jeden ehrgeizigen Wissenschaftler zu einem unbedingten Muß wurden, beschleunigte sich der wissenschaftliche Fortschritt auch in der Evolutionsforschung. Es bürgerte sich immer mehr ein, Fossilien als Vertreter prähistorischer Populationen zu verstehen und sie nicht länger als isolierte Exemplare ohne geologisches und archäologisches Umfeld zu betrachten.

Daß der eigenen Begutachtung der fossilen Originale nun weit mehr Bedeutung zugemessen wurde, führte zu einer weiteren folgenschweren Veränderung: 1953 wurde der Piltdown-Mensch als Fälschung entlarvt. Damit fand ein vierzigjähriges spannendes Rätselraten ein überraschendes Ende. Selbstverständlich ist kein Forschungsgebiet vor Betrug und Fälschung sicher; die Wissenschaft beruht zu einem guten Teil auf der stillschweigenden Voraussetzung, daß das, was ein Kollege als Tatsache darstellt, auch tatsächlich wahr ist. Doch der Piltdown-Betrug fügte der Paläanthropologie, vor allem der Rezeption des *Australopithecus* und der Popularität der Präsapiens-Theorie, großen Schaden zu.

Nachdem im Laufe der Jahre keine weiteren *Eoanthropus*-Fossilien gefunden worden waren, war die Skepsis gegenüber dem Piltdown-Menschen gewachsen: War er wirklich der einzige wahre und direkte Vorfahr auf dem zum modernen Menschen führenden Hauptast des Stammbaums? Viele Forscher hatten ihn bereits auf dünnere Zweige des Stammbaums verwiesen. Als der englische Zahnarzt Alvan Marston 1935 in Kent den Swanscombe-Schädel fand, hielt man ihn zwar für primitiver als den Piltdown-Menschen, schrieb ihm aber das gleiche Alter zu. Der »Schädel« bestand in Wirklichkeit nur aus ein paar Fragmenten, die zusammengesetzt den hinteren Teil eines Craniums ergaben. Zusammen mit dem Schädel hatte man Feuerstein-Artefakte aus dem Acheuléen gefunden.

Als geologische Untersuchungen jedoch ergaben, daß der Piltdown-Mensch viel früher einzuordnen war als die Swanscombe-Funde, wurde Marston mißtrauisch: Irgend etwas stimmte nicht mit den Piltdown-Überresten. Er untersuchte sie und gab 1936 folgendes bekannt:

OPERATIONSANKÜNDIGUNG

Eoanthropus dawsoni wird sich bei der nächsten Sitzung der Odontological Society der Royal Society of Medicine am Montag, dem 23. November, morgens um acht Uhr einer größeren Zahnoperation unterziehen müssen.

Bei der Operation wird der rechte untere Eckzahn gezogen und der gesamte Unterkiefer entfernt werden müssen. Der Zustand des Zahns und des Unterkiefers, die schon geraume Zeit ein ernsthaftes Problem darstellen, konnte endlich eindeutig diagnostiziert werden.

Es wird vorgeschlagen, die entfernten Teile nach der Operation dem British Museum (Naturgeschichte) zukommen zu lassen und der Abteilung für fossile Anthropoiden zu übergeben. *Eoanthropus* ist bereits so stark »narkotisiert«, daß auf ein Anästhetikum verzichtet werden kann. Möglicherweise wird jedoch Hilfe nötig sein, um das Opfer festzuhalten. Es ist davon auszugehen, daß *Eoanthropus* sich rasch erholen wird. Die Prognosen sind gut. Er wird sich nach der Operation menschlicher fühlen. Ohne den Unterkiefer, der ihn davon abgehalten hat, wie ein Mensch zu essen und zu sprechen, wird er sich besser in die Gemeinschaft einfügen können.

Operierender Zahnarzt: Dr. A. T. Marston.

Assistenten: Sie.[37]

Marstons Operation war kein Erfolg beschieden. Piltdown blieb weitgehend unangreifbar. 1938 weihte Arthur Keith sogar eine Gedenkstätte in Piltdown ein. Der Monolith, der stark an einen Grabstein erinnerte, trug folgende Inschrift:

Herr Charles Dawson, F. S. A., fand zwischen 1912 und 1913 im alten Flußgeröll den fossilen Schädel von Piltdown. Die Herren Charles Dawson und Sir Arthur Smith Woodward beschrieben den Fund in der Vierteljahresschrift der Geological Society.

Die wissenschaftliche Akzeptanz des Piltdown-Fundes war damit im wahrsten Sinne des Wortes in Stein gemeißelt.

Marstons Kampagne gegen Piltdown war zwar durch den Krieg unterbrochen worden, wurde aber bereits 1947 um so engagierter wieder aufgenommen. Marston war auf der Seite der sogenannten Dualisten, die der Meinung waren, der Piltdown-Mensch sei eine künstliche Kombination von Menschenaffe und Mensch. In Vorlesungen und Veröffentlichungen sprach er sich für eine grundlegende Neubewertung des Piltdown-Fundes aus. Das intellektuelle Klima der Nachkriegszeit erwies sich als günstig. Zum einen gab es inzwischen für alle Theorien mehr fossile Belege, nur eben nicht für die über den Piltdown-Menschen; die Entdeckung eines weiteren ungewöhnlich modern wirkenden Fossils – einer Kalotte (Schädeldach) – in einer Höhle nahe Fontéchevade in Mittelfrankreich schien den Verdacht zu bestätigen, den das Swanscombe-Material erregt hatte. Zum anderen waren die meisten Entdecker oder Fürsprecher von Piltdown mittlerweile verstorben: Charles Dawson, Grafton Elliot Smith, Arthur Smith Woodward, William Sollas und Marcellin Boule. Arthur Keith, der sich im Ruhestand befand, war der letzte der alten Garde, die eifersüchtig darüber gewacht hatte, daß an der alten, aus der Zeit vor dem Ersten Weltkrieg stammenden Deutung der Evolution des Menschen festgehalten wurde.

Die jüngeren Wissenschaftler machten aus ihrem Mißtrauen gegenüber dem Fund von Piltdown keinen Hehl. Rückblickend erinnerte sich Washburn an die Diskussion über Piltdown in seiner Studienzeit:

> Ich erinnere mich noch daran, wie ich 1944 einen Aufsatz über die Evolution des Menschen schrieb und Piltdown dabei einfach nicht berücksichtigte. Die menschliche Evolution ließ sich nur ohne Piltdown völlig plausibel erklären.[38]

Hooton, ein eiserner Verfechter des Piltdown-Fundes und obendrein ein eigensinniger Mensch, wurde daraufhin wütend und beschimpfte Washburn. Es sei unverantwortlich und unprofessionell, so wetterte er, Belege, die einem nicht zusagten, einfach »wegzulassen«.

Kenneth Oakley, Chemiker und Paläontologe am British Museum, trat nun in den Vordergrund. Er war ein ruhiger und freundlicher Herr, großgewachsen, mit schütterem Haar, Adlernase und auffallenden, weil leicht spitz zulaufenden Ohren. Im Jahr 1911 geboren, war Oakley noch ein Baby, als die Piltdown-Fossilien gefunden wurden, und ein Kleinkind, als sich hitzige Debatten um ihre Rekonstruktion entwickelten. Er hatte keine vorgefaßte Meinung und gehörte zu der neuen Generation von Wissenschaftlern, die für neue Methoden aufgeschlossen waren und zugleich Wert darauf legten, daß Untersuchungen streng wissenschaftlich und korrekt durchgeführt wurden. Oakley schlug einen neuen Weg ein, um das Piltdown-Problem zu lösen.

Bereits im 19. Jahrhundert war entdeckt worden, daß der Fluorgehalt von Fossilien im Laufe der Zeit zunahm. Oakley nun erkannte, daß sich daraus eine neue Datierungsmethode entwickeln ließ, die genauer war als die ungefähre Altersschätzung aufgrund von Faunenstufen oder geschätzten Sedimentierungsraten. Obwohl sich Fluor nicht gleichmäßig und konstant in Fossilien einlagerte, war es dennoch mit seiner Hilfe möglich, das relative Alter von Fossilien einer bestimmten Ablagerung zu bestimmen.

Der Fluor-Test markierte den Anfang einer neuen Ära in der Paläanthropologie, in der die radiometrische Datierung entwickelt und mit großem Erfolg angewendet wurde. Oakley testete die Fluor-Methode 1948 und verglich die Überreste von Galley Hill mit den Funden von Swanscombe. Die Ergebnisse waren eindeutig: Galley Hill war eine moderne Grabstätte, die in viel ältere Sedimente eingetieft worden war. Bei der Untersuchung des Piltdown-Materials stellte Oakley fest, daß die fossilen Tiere viel älter waren als der *Eoanthropus*, was den Fund noch zweifelhafter machte. Wie waren Tiere aus einer viel älteren Schicht mit den rätselhaften Überresten von Piltdown zusammengekommen? Wegen der Ungenauigkeit seiner anfänglichen Untersuchungstechniken vermochte Oakley die Diskrepanz zwischen dem mit dem Fluor-Test ermittelten Alter des Craniums und dem des Unterkiefers zunächst nicht richtig zu beurteilen. Er versuchte es mit anderen Methoden, jedoch wieder ohne Erfolg. Die Stimmung wurde immer gereizter.

Mehr Glück war ihm beschieden, als er die neue Technik auf afrikanische Fossilien anwandte. Mit finanzieller Unterstützung der New Yorker Wenner-Gren-Stiftung für Anthropologische Forschung lud er im Januar 1953 zu einer internationalen Konferenz über »Frühmenschen in Afrika« nach London ein. Diese Tagung sollte wie die Princeton-Konferenz 1947 und weitere Symposien in den darauffolgenden zwei Jahrzehnten neue Maßstäbe für die Erforschung der Evolution des Menschen setzen. Vielen Wissenschaftlern bot sich dabei erstmals die Gelegenheit, die Originalfunde von Piltdown in Augenschein zu nehmen. Unter den Teilnehmern war der junge Anthropologe Joseph Weiner, der an der Universität von Witwatersrand bei Raymond Dart studiert hatte, einem der größten Revolutionäre des Fachs. Dart hatte zwar darunter gelitten, daß seine Interpretation des Kindes von Taung kaum unterstützt worden war und ihm zudem den Spott führender englischer Kollegen eingebracht hatte, doch hatte er stets überzeugt an seiner Sache festgehalten.

Durch die verspätete Anerkennung des *Australopithecus* als Hominide wurde Dart Ende der vierziger Jahre teilweise recht gegeben. Diese glückliche Wendung hatte er hauptsächlich dem mutigen Eintreten Wilfrid E. Le Gros Clark zu verdanken, dem großen britischen Anatomen der fünfziger Jahre, der so mancher neuen Idee den Weg bereitete. Großmütig widerrief Keith seine Ablehnung des *Australopithecus:* »Ich bin nunmehr überzeugt ... daß Professor Dart recht hatte und ich mich geirrt habe.«[39] Doch konnte er sich die Bemerkung nicht verkneifen, daß der Name *Australopithecus* wohl zu umständlich sei, und schlug statt dessen »Dartianer« vor.

Nachdem Le Gros Clark die Fossilien selbst untersucht hatte, leistete er Dart mit der ganzen Kraft seiner Autorität Beistand und ließ sich auch durch den heftigen Widerspruch seines ehemaligen Kollegen Solly Zuckerman nicht beirren. Le Gros Clark verabscheute Polemik und übertrieben hitzige Dispute, aber dennoch ließ er Dart nicht im Stich. Tatsächlich konnte er erreichen, daß Darts Interpretation des Fossils von Taung schließlich akzeptiert wurde.

Vielleicht war es kein Zufall, daß Le Gros Clark als Dekan der Anatomischen Fakultät in Oxford ausgerechnet Darts Schüler Weiner eingestellt hatte. Durch die Anerkennung der Gruppe der Australopithecinen als Hominiden gelangte die südafrikanische Paläanthropologie zu neuem Ansehen. Weiner war wie geschaffen, den Schwindel von Piltdown aufzudecken und Dart zu dem Ruhm zu verhelfen, der ihm schon lange gebührte.

Mit Erstaunen nahm Weiner auf der Wenner-Gren-Konferenz zur Kenntnis, daß der Fundort der zweiten Fossilien-Gruppe von Piltdown unbekannt war. Wie war das möglich? Der Schädel schien eine große Gehirnkapazität besessen zu haben und wirkte modern. Zähne und Unterkiefer dagegen deuteten auf einen Menschenaffen hin und waren mit keinem anderen Fossil vergleichbar. Der Fund gab anatomische Rätsel auf, und seine Geschichte war in Weiners Augen unglaubwürdig.

Der Fund ließ Weiner keine Ruhe.[40] Angesichts der übrigen Fossilien von Piltdown war es unmöglich, daß alle von einem einzigen Tier stammten. Oder war es eine Schimäre aus fossilem Menschen und fossilem Affen? Nur zwei Dinge sprachen dafür, daß Kiefer und Schädel zusammengehörten: die flache (und daher für einen Menschenaffen untypische) Abnutzung der unteren Backenzähne und das offensichtliche Alter des Unterkiefers, der einen höheren Fluorgehalt als moderne Knochen aufwies. Oakley hatte einen Fluorgehalt von 0,3 Prozent ermittelt, bei einem Fehlerquotienten von plus/minus 0,2 Prozent. Das hieß, daß der wirkliche Fluorgehalt möglicherweise nur bei 0,1 Prozent – eine für einen modernen Knochen durchaus plausible Zahl – oder maximal bei 0,5 Prozent lag.

Wenn der Unterkiefer tatsächlich modern war, so blieb zu fragen, wie er in eine fossile Ablagerung gelangt und wie die flache Abnutzung der Zähne zustandegekommen war. Und es gab noch eine weitere Ungereimtheit: Wie waren die Überreste eines modernen Menschenaffen gleich *zweimal* zusammen mit menschlichen Fossilien in eine Ablagerungsschicht gelangt, wobei in einem Fall nicht einmal der exakte Fundort bekannt war? Aus der Unsicherheit wurde Unbehagen, aus dem Unbehagen Mißtrauen, und aus dem Mißtrauen die Überzeugung: Piltdown war ein Schwindel! Weiner war sich seiner Sache sicher, wußte aber, daß er einen Skandal auslösen würde.

Die weiteren Schritte wollten wohlüberlegt sein. Weiner war jung, ihm fehlten die richtigen Beziehungen, als Schüler Darts haftete ihm nach wie vor ein Makel an. Bei Le Gros Clark holte er sich Rat. Der geachtete und einflußreiche Anatomieprofessor in Oxford besaß die nötige Überlegenheit, sich selbst ein Urteil über die Fossilien zu bilden. Falls ihn Weiners Argumente überzeugen sollten, konnte er entscheiden, wie man weiter vorging und dabei möglichst wenig Aufsehen erregte.

Gemeinsam untersuchten Clark und Weiner den Gipsabdruck von Piltdown, der in der anatomischen Fakultät in Oxford aufbewahrt wurde, und stellten fest, daß die Zähne nicht nur flach »abgenutzt« waren, sondern daß die »Abschliffebene« eine anatomisch nicht zu erklärende Stufe zwischen dem ersten und zweiten Backenzahn aufwies. Weil die oberen Zähne, die den Abschliff verursachten, sich waagerecht über den ersten und zweiten Backenzahn bewegt haben mußten, war es mechanisch völlig unmöglich, eine solche Stufe auszubilden. Unter dem Mikroskop erschien die Abnutzung auf den Originalzähnen unnatürlich grob, als ob sie von einer Metallfeile oder einer Raspel herbeigeführt worden sei. Die Abschliffflächen sahen deutlich anders aus als bei Menschenaffenzähnen.

Interessanterweise griff der Zahnarzt Marston zu demselben Mittel wie der Betrüger und feilte den Zahn eines Orang-Utan ab. Durch einen Vergleich mit den Backenzähnen aus Piltdown hoffte er nachweisen zu können, daß der Unterkiefer tatsächlich von einem Menschenaffen und nicht von einem Menschen stammte. Marston zog jedoch niemals in Erwägung, daß es sich um einen Schwindel handeln könnte.

Le Gros Clark und Weiner waren mittlerweile davon überzeugt, daß die Abnutzung der Zähne nicht auf natürliche Weise zustandegekommen war. Ein neuerlicher Fluor-Test sollte nun Klarheit bringen. Weiner fürchtete, es könnte peinlich werden, Oakley um eine neue Untersuchung zu bitten. Oakley war ein bedächtig und präzise arbeitender Wissenschaftler von Rang. Leicht könnte er den Eindruck gewinnen, man unterstelle ihm, beim ersten Mal unsaubere Arbeit geleistet zu haben. Le Gros Clark übernahm die heikle Aufgabe. Aus ähnlichen sozialen Verhältnissen stammend wie Oakley, konnte er sichergehen, daß ihn sein Kollege verstehen würde, auch wenn er nur leise Andeutungen machte. Wie immer einfühlsam, taktvoll und höflich traf Le Gros Clark den richtigen Ton. Oakley war sofort bereit, seinen Wünschen nachzukommen. Er führte außer einem verbesserten Fluor-Test, den er inzwischen entwickelt hatte, noch verschiedene andere physikalische und chemische Tests durch. Das Resultat ließ an Deutlichkeit nichts zu wünschen übrig.

Am 21. November 1953 veröffentlichte das Trio seine Ergebnisse in einem fünfseitigen Aufsatz:

> Aus den uns vorliegenden Belegen geht eindeutig hervor, daß die berühmten Paläontologen und Archäologen, die an den Ausgrabungen in Piltdown teilgenommen haben, einem wohldurchdachten und aufs sorgfältigste geplanten Schwindel zum Opfer gefallen sind. Zur Ehrenrettung derer, die geglaubt haben, die Piltdown-Fragmente stammten von einem einzigen Individuum, oder Unterkiefer und Eckzahn nach Prüfung der Originalfunde einem fossilen Menschenaffen zuordneten oder aber der Meinung waren, daß das Problem sich anhand des zur Verfügung stehenden Materials nicht lösen lasse, muß gesagt werden, daß Unterkiefer und Eckzahn äußerst sachkundig verfälscht worden sind. Zudem ist der Schwindel so skrupellos durchgeführt worden, daß er in der Geschichte der paläontologischen Entdeckungen beispiellos ist.[41]

381

Auch die Eolithen (die fraglichen Steinwerkzeuge) und die fossilen Tiere waren in betrügerischer Absicht an die Fundstelle gebracht worden.

Die Londoner *Times* berichtete als erste über die Aufdeckung des Schwindels, die gesamte Weltpresse griff das Thema auf. Oakley und Weiner stellten ihre Ergebnisse am 25. November 1953 auf einer Sitzung der Geological Society vor. Unter den Zuhörern war auch der ungläubige und offen skeptische Alvin Marston. Heftig widersprach er jeder Andeutung, Rechtsanwalt Charles Dawson, begeisterter Hobby-Archäologe und Entdecker der meisten Piltdown-Fossilien, könne der Urheber des Betrugs sein. Am selben Tag wurde im Parlament der Antrag eingebracht, dem British Museum »das Mißtrauen auszusprechen«, da sich seine Wissenschaftler derartig in die Irre hatten führen lassen. Nach einer recht kurzweiligen Debatte mit Bonmots über Skelette im Schrank usw. wurde der Antrag schließlich unter Gelächter zurückgezogen.

Weiner, Oakley und Le Gros Clark versuchten, dem Urheber des Betrugs diskret auf die Schliche zu kommen. Sie führten Gespräche mit Keith, Teilhard und anderen Überlebenden. Ihnen war klar, daß Dawson an der Sache beteiligt gewesen sein mußte, und Oakley vermutete, daß Teilhard mehr wußte, als er zugab. Le Gros Clark sagte später:

Diese Geschichte hat viele Aspekte, je nachdem, unter welchem Blickwinkel man sie betrachtet. Sie hat einen tragischen Aspekt, schaut man auf die menschliche Schwäche und die Absichten hinter dem wohldurchdachten Täuschungsmanöver; tragisch ist sie auch, denkt man an die unglückseligen Kontroversen und persönlichen Fehden, die diese »Entdeckungen« heraufbeschworen haben. Große Wut überkommt einen, zählt man die Stunden, Wochen und Monate, die an das Studium dieser gefälschten Fossilien verschwendet wurden. Sie hat auch (geben wir es ruhig zu) einen unübersehbar komischen Aspekt, denn der Gedanke, daß sich gelehrte Männer durch einen gerissenen Betrüger haben »an der Nase herumführen lassen«, hat etwas Komisches. Da ist aber auch ein trauriger Aspekt, wenn man daran zurückdenkt, daß der verstorbene Sir Arthur Smith Woodward sich nach seiner Pensionierung in der Nähe von

Piltdown niederließ, um dort weitere Grabungen durchzuführen, was er auch einige Jahre tat, bis seine nachlassende Gesundheit ihm weitere Arbeit untersagte. Selbstverständlich förderte er nichts zutage, denn Tatsache ist (und daraus mag jeder seine eigenen Schlüsse ziehen, auch wenn sie nicht unbedingt zutreffen müssen), daß nach Charles Dawsons Krankheit und Tod 1916, das heißt, nachdem Dawson selbst nicht mehr an den Ausgrabungen in Piltdown beteiligt war, keine Fossilien in den Kiesablagerungen mehr gefunden wurden – da letztere offensichtlich gar nicht fossilhaltig sind. Aber Piltdown hat auch eine positive Seite. Die Aufdeckung des Betrugs hat zur Entwicklung und Vervollkommnung einer ganzen Reihe von Techniken geführt, die in Zukunft bei der Datierung echter Fossilien von größtem Nutzen sein werden. Ein ähnlicher Betrug wird künftig unmöglich sein.[42]

Es gab unzählige Versuche, den Urheber des Betrugs ausfindig zu machen. Weiner nannte in seinem 1955 veröffentlichten Buch *The Piltdown Forgery* (Die Piltdown-Fälschung) ausdrücklich Dawson. Dem »Entdecker von Piltdown« fehlte es sicherlich nicht an Gelegenheit, und als Motiv käme in Frage, daß er die Anerkennung der wissenschaftlichen Gemeinde suchte und sich unter den anderen Eolithjägern profilieren wollte. Zugleich war aber schon immer daran gezweifelt worden, daß er über die Mittel und das nötige technische Wissen für diesen Schwindel verfügte. Dawsons Position als Außenseiter machte es den etablierten Anthropologen leicht, ihm die Schuld zuzuweisen. Wenn Dawson selbst nicht der Anstifter war: Was hätte ihn dazu bringen können, genau an der Stelle nach den Fossilien zu suchen, an der ein anderer sie vergraben hatte? Andererseits sagt man ihm nach, er sei leicht beeinflußbar und reichlich naiv gewesen. Vielleicht kam ihm nur die Rolle des Sündenbocks oder des willigen, aber unwissenden Komplizen in diesem Wissenschaftsskandal zu.

In den Jahren seit der Aufdeckung des Schwindels wurde nahezu jeder beschuldigt, der über die Evolution des Menschen forschte und sich 1912 möglicherweise in Sussex aufgehalten hatte. Der Anthropologe Frank Spencer, der die Angelegenheit erst kürzlich untersucht hat, schreibt, daß »nur wenige dieser Beschuldigungen einer eingehenden Prüfung standgehalten haben. In einigen Fällen ist es kaum mehr als ausgeschmückter Klatsch.«[43]

Auf der Liste der Beschuldigten stehen berühmte Forscher wie der Geologe William Sollas, der ein erbitterter Gegner Smith Woodwards war; Martin Alistair Campbell Hinton, ehrenamtlicher Mitarbeiter des British Museum (Abteilung Naturgeschichte), der den gestrengen Smith Woodward angeblich in Verlegenheit bringen wollte; der Neuroanatom Grafton Elliot Smith, der durch den Schädel von Piltdown seine Theorie bestätigt sah, daß die frühe Entwicklung des Gehirns für die Evolution des Menschen von großer Bedeutung gewesen sei; Arthur Keith, der mehr zu wissen schien, als er sollte, und für dessen Präsapiens-Theorie von der Entwicklungsgeschichte des Menschen Fossilien wie die aus Piltdown von entscheidender Bedeutung waren; und Pierre Teilhard de Chardin, der das Pech gehabt hatte, den entscheidenden Eckzahn gefunden zu haben, in Gesprächen über Piltdown verdächtig zurückhaltend blieb und als französischer Jesuit in den Augen der Briten angeblich darauf erpicht war, britischen Wissenschaftlern fachliche Inkompetenz nachzuweisen. Ja, sogar Sir Arthur Conan Doyle, der Schöpfer von Sherlock Holmes, wurde genannt, da er sich angeblich an E. Ray Lankester, dem Direktor des British Museum (Abteilung Naturgeschichte), rächen wollte. Dieser hatte sich abschätzig über den Spiritualismus geäußert, dem Doyle begeistert anhing. Im Scherz wurde sogar die Vermutung geäußert, daß Smith Woodward, Keith, Elliot Smith, Sollas und andere an einer Verschwörung des britischen Geheimdienstes beteiligt gewesen seien, bei der Dawson als Mann fürs Grobe fungiert habe. Ziel sei es gewesen, am Vorabend des Ersten Weltkriegs Propaganda für Großbritannien zu betreiben, weil Deutschland und Frankreich bereits über ihre Frühmenschen verfügten und Belgien seine eigenen »Spys« hatte.

Die Piltdown-Affäre hat gelehrt, wie gefährlich es ist, wenn Theorien Macht über Fakten erlangen. Selbst kompetente und kritische Paläontologen und Anatomen fielen auf die Fälschung herein, weil sie ihre Theorien untermauern half. Um des Resultates willen wurden Tatsachen wie die Knochenform oder -größe, das Alter oder sogar die Assoziation mit Werkzeugen oder fossilen Tieren falsch interpretiert und umgedeutet.

Nachdem die Wahrheit einmal ans Licht gebracht worden war, atmeten die meisten Wissenschaftler erleichtert auf. Das lästige Problem, den Fund von Piltdown im Stammbaum des Menschen adäquat einordnen zu müssen, hatte sich erledigt. Im Peabody Museum in Harvard öffnete einer der Direktoren den Schaukasten mit der Ahnentafel des Menschen und entfernte einfach die Aufschrift *Eoanthropus dawsoni.* Es mag symbolische Bedeutung haben, daß die Buchstaben auf dem ausgebleichten Stoff noch Jahrzehnte später zu lesen waren. Piltdown war tot, aber nicht vergessen. Die Affäre wirkte nach.

Zugleich kündigte sich der nächste große Wandel an. Nun, da das wissenschaftliche Interesse sich wieder den Neandertalern zugewandt hatte, sollten sie schon bald neu interpretiert werden.

8
Rasse und Unvernunft
1955–1970

Den Anstoß für eine neue Beurteilung des Neandertalers gab der französische Paläontologe Camille Arambourg. Der kleine, gepflegte, schnurrbärtige Herr war für sein Alter von zweiundsechzig Jahren ausgesprochen vital. Körperliche Ertüchtigung zählte zu seinem Tagesplan. Um so lästiger empfand er einen Schmerz im Genick, der ihn seit einem Unfall plagte. Noch konnte er nicht wissen, welche Bedeutung dieses Leiden für seine wissenschaftliche Arbeit haben sollte.

Vieles wäre ganz anders gekommen, hätte Arambourg dem Wunsch seiner Eltern folgend das Weingut der Familie in Algerien übernommen. 1885 geboren, hatte er zunächst pflichtgemäß Landwirtschaft studiert. Zum Glück für die Erforschung der menschlichen Evolution war seine Karriere als Agronom von kurzer Dauer. Als sein Vater ihn beauftragte, ein wirksameres Bewässerungssystem zu entwickeln, begann er Geologie zu studieren. Ein unerwarteter, aber folgenreicher Nebeneffekt war, daß er dabei mit Fossilien in Berührung kam. Diese Dokumente vergangenen Lebens faszinierten ihn, und er entwickelte bald »eine wahre Leidenschaft für die Paläontologie«[1], wie ein Kollege es ausdrückte. Weinbau und Trauben waren schnell vergessen. Als tapferer Soldat im Ersten Weltkrieg mußte er vorübergehend auf seine neue Leidenschaft verzichten. Als er 1920 ins Zivilleben zurückkehrte, übernahm er eine Professur für Geologie am Institut Agricole d'Alger. Im Jahr 1936, auf dem Höhepunkt seiner Karriere, erhielt er die Professur am Muséum National d'Histoire Naturelle, die vor ihm Marcellin Boule bekleidet hatte. Ein sehr einflußreicher Posten.

Arambourg forschte vorwiegend über die Evolution afrikanischer Fisch-, Reptilien- und Säugetierarten. Er sammelte selbst

Fossilien und unternahm in den dreißiger Jahren erfolgreiche Exkursionen in abgelegene Gebiete Äthiopiens und Ostafrikas. Von Beginn an nahm seine berufliche Laufbahn einen glänzenden Verlauf, und bis zu seinem Tod im Jahr 1970 erhielt er unzählige Ehrungen und Preise. Seine Kollegen schätzten ihn als freundlichen, bescheidenen Menschen und als tatkräftigen, unermüdlichen Feldforscher.

Im Winter 1947/1948 hatte er auf der Jagd nach Fossilien einen Unfall, der nicht einer gewissen Komik entbehrte. Er suchte damals in einem noch unerforschten Teil der Sahara nach möglichen Fundstätten und ließ sich zu diesem Zweck mit einem kleinen Flugzeug von Ort zu Ort bringen. An jedem Landeplatz sollte er von einem Postauto abgeholt werden, aber die Logistik solcher Unternehmen ist nicht immer die beste. Eines Tages mußte er mit seinem Piloten lange auf das Auto warten, und die beiden flüchteten sich vor der erbarmungslos niederbrennenden Wüstensonne an den einzig schattigen Platz: unter eine der beiden Tragflächen. In der extremen Hitze platzte ein Reifen, die Maschine kippte zur Seite, und der Flügel schlug Arambourg auf den Kopf. Seither litt er unter chronischen Schmerzen im Genick.

Wieder in Paris, ließ er sich röntgen und begutachtete die Aufnahme mit seinen hervorragenden anatomischen Kenntnissen selbst. Was er sah, kam ihm zu seiner Überraschung erschreckend bekannt vor. Seine Wirbel hatten im unteren Halsbereich lange Dornfortsätze, die horizontal nach hinten ragten, als normal galten kurze, nach unten geneigte Dornfortsätze. Er hatte schon Wirbel gesehen, die dieselbe auffallende Form aufwiesen – aber sie hatten dem Neandertaler von La Chapelle-aux-Saints gehört.

Boule, Arambourgs berühmter Vorgänger am Nationalmuseum, hatte die Halswirbel von La Chapelle als affenartig bezeichnet und sie als Ursache für die starre Wirbelsäule, die menschenunähnliche Haltung und den vorgestreckten Kopf des Neandertalers interpretiert. Diese Deutung war offensichtlich grundfalsch gewesen. In einem Artikel verglich Arambourg Boules berühmte Zeichnung der Wirbel von La Chapelle mit denen eines Schimpansen und mit seinen eigenen, die er diskret als die »eines modernen Franzosen« ausgab.

Arambourg war nicht der erste Wissenschaftler, der feststellte, daß die Wirbel des Wesens von La Chapelle-aux-Saints gar nicht besonders affenartig waren. Schon 1938 hatte der deutsche Biologe Otto Kleinschmidt in einem kaum beachteten Artikel diesen Aspekt von Boules Rekonstruktion angegriffen. Er folgte dabei dem Anatomen Daniel J. Cunningham, der bereits 1886 vergeblich darauf hingewiesen hatte, wie verschieden die Halswirbel bei den unterschiedlichen Menschenrassen gebaut sind. Daher ist der Meinungsumschwung, der nach Arambourgs Artikel eintrat, nicht der Neuheit seiner Beobachtung zuzuschreiben, sondern einer Veränderung des geistigen Klimas: Da man die geistige Natur des Neandertalers inzwischen anders beurteilte, konnte man sich leichter mit dem Gedanken anfreunden, daß er auch anatomisch menschlicher war als ursprünglich angenommen. Auch Boules Tod im Jahr 1942 wirkte in diese Richtung. Jetzt endlich brauchten die Vertreter der neuen Schule keine direkte Konfrontation mehr mit dem herausragendsten Vertreter der These zu fürchten, der Neandertaler sei ein Tier gewesen.

Wissenschaftler aus unterschiedlichen Teilen der Welt veröffentlichten kurz nach dem Erscheinen von Arambourgs Artikel Arbeiten zum selben Thema. Es war der klassische Fall eingetreten, daß mehrere Forscher unabhängig voneinander zum gleichen Schluß kamen. So brachte Etienne Patte, ein Paläontologe von der Universität Poitiers, wenig später sein eindrucksvolles Buch *Les Néandertaliens* heraus. Es trägt das Erscheinungsdatum 1955, kam jedoch erst 1956 auf den Markt. In diesem umfangreichen und sorgfältig zusammengestellten Handbuch werden die Maße verschiedener Teile des Neandertaler-Skeletts mit denen moderner Menschen aus der ganzen Welt verglichen. Wie Arambourg und zahlreiche andere Forscher zeigte auch Patte, daß Boules menschenaffenartige Rekonstruktion des Fundes von La Chapelle-aux-Saints gravierende Fehler aufwies. Alle Meßwerte fielen innerhalb oder nur etwas außerhalb des Bereichs der Meßwerte moderner Menschen. Im Unterschied zu Arambourg kam Patte jedoch aus der Provinz, und seine Kritik fand bei den maßgeblichen Leuten der zentralisierten französischen Wissenschaft kaum Beachtung, auch wenn er sich durch zahlreiche Studien in den Bereichen Paläontologie der Wirbeltiere und Archäologie hervorgetan hatte.

Die entscheidende Arbeit für den englischsprachigen Raum legten William Straus Jr. und A. J. E. Cave vor. Straus war Anthropologe und Anatom an der Johns Hopkins University, und Cave arbeitete als Anatom am St. Bartholomew's Hospital Medical College in London. Beide interessierten sich für menschliche Fossilien und nahmen während des Sechsten Internationalen Anatomie-Kongresses in Paris die Gelegenheit wahr, das Musée de l'Homme zu besuchen und einige der dort aufbewahrten Originale in Augenschein zu nehmen. In ihrem 1957 erschienenen Artikel schrieben sie:

> Am 26. Juli 1955 besuchten wir das Musée de l'Homme in Paris. Bei diesem Besuch ging es uns zunächst hauptsächlich um die umstrittenen Schädel von Fontéchevade ... Wir wandten unsere Aufmerksamkeit jedoch schon bald dem Skelett von La Chapelle-aux-Saints und anderen Neandertaler-Fossilien zu, die sich ebenfalls in dem Museum befanden ... Arambourgs Untersuchung von 1955 war uns damals noch völlig unbekannt; wir lasen sie erst einige Monate später. Da wir bis dahin nur die veröffentlichten Beschreibungen und Zeichnungen der Überreste von La Chapelle-aux-Saints und die Abgüsse des Schädels kannten, waren wir über den fragmentarischen Charakter des Skeletts und über das Ausmaß der deshalb erforderlichen Restauration überrascht. Auch waren wir nicht darauf vorbereitet, wie stark die Wirbelsäule durch eine Osteoarthritis deformans [deformierende Knochen- und Gelenkentzündung] geschädigt war.[2]

Die erfahrenen Anatomen erkannten sofort, daß sie das Skelett eines Mannes vor sich hatten, der aufgrund seiner Arthritis nicht mehr aufrecht hatte gehen und stehen können, und nicht, weil seine Haltung und sein Gang für seine Spezies charakteristisch gewesen wären. Damit ihre Leser wirklich verstanden, wie stark Boule von dem Bild beeinflußt gewesen war, das man im frühen 20. Jahrhundert von den geistigen Fähigkeiten des Neandertalers gehabt hatte, ließen sie ihn ausführlich zu Wort kommen:

> Es ist wahrscheinlich, daß der Neandertaler nur rudimentäre geistige Fähigkeiten besaß, die sicherlich denen der Menschenaffen überlegen, aber zweifellos denen aller heutigen Menschen-

389

rassen unterlegen waren. Er besaß zweifellos auch nur eine sehr rudimentäre Sprache ... Es muß bemerkt werden, daß die physischen Merkmale des Neandertalers gut mit dem übereinstimmen, was die Archäologie über seine körperlichen und geistigen Fähigkeiten sowie seine Gewohnheiten auszusagen vermag. Es existiert kaum eine einfachere Industrie als die des Moustérien ... das wahrscheinliche Fehlen jeder ästhetischen oder ethischen Betätigung [paßt] gut zu dem brutalen Äußeren des kräftigen und schwerfälligen Körpers des Neandertalers, zu seinem Schädel mit dem mächtigen Kiefer, die den Vorrang der vegetativen oder tierischen Funktionen gegenüber den Hirnfunktionen noch unterstreichen.[3]

Danach zitierten sie Boules Bemerkungen über den Cromagnon-Menschen:

Welch ein Kontrast zu den Menschen der nächsten geologischen und archäologischen Periode, den Menschen vom Typ Cromagnon! Sie hatten einen schöneren Körper, einen feiner ausgebildeten Kopf mit steiler und flächiger Stirn, und sie hinterließen uns in ihren Höhlen unzählige Beweise ihres handwerklichen Könnens, ihres künstlerischen und religiösen Tuns und ihrer geistigen Fähigkeiten. Sie waren die ersten, die den ehrenvollen Namen *Homo sapiens* wirklich verdienten.[4]

Neben der sachlichen Medizinersprache und dem trockenen Stil von Straus und Cave wirkte Boules überladener Stil geradezu lächerlich. Und er wurde von den Autoren ruhig, aber gnadenlos kritisiert:

Es ist nicht notwendig, im einzelnen zu bestimmen, inwieweit Boules Urteile auf Tatsachen, auf Phantasie und gar auf Emotionen beruhen ... Es gibt keinen stichhaltigen Grund für die Annahme, daß die Haltung des Neandertalers der Vierten Eiszeit sich wesentlich von der des heutigen Menschen unterschieden hätte. Allerdings bestreiten wir nicht, daß Gliedmaßen und Schädel des Neandertalers durchaus spezifische Merkmale aufweisen – Merkmale, die ihn kollektiv von allen Gruppen des modernen Menschen unterscheiden ... Es ist gut möglich, daß Haltung und Gang des arthritischen »Alten von La Chapelle-aux-Saints«, der, was die Körperhaltung angeht, als der Prototyp des Neandertalers in die Geschichte eingegangen ist, tatsächlich von einer Art pathologischen Kyphose [Rückgratverkrümmung] geprägt waren; aber dieses Phänomen tritt auch bei modernen Menschen auf, die unter Osteoarthritis der Wirbelsäule leiden.[5]

Besonders großen Eindruck auf den Leser machte jedoch eine Randbemerkung, die das neue Bild des Neandertalers auf lange Sicht prägen sollte: »Dennoch ist es zweifelhaft«, schrieben die Autoren, die über einen untrüglichen Instinkt für einprägsame Bilder verfügten, »ob der Neandertaler, wenn man ihn wiedererstehen lassen und in eine moderne New Yorker U-Bahn setzen könnte, mehr Aufmerksamkeit erregen würde als einige der anderen Fahrgäste – vorausgesetzt, er wäre gebadet, rasiert und modern gekleidet.« Diese Bemerkung wurde in vielen populärwissenschaftlichen Texten aufgegriffen und mit Coons Zeichnung eines Neandertalers mit Hut, Mantel und Krawatte aus dem Jahr 1939 angemessen illustriert.

Zur Ehrenrettung Boules machten Straus und Cave einige Zugeständnisse und schrieben, man müsse seine Arbeit »im richtigen historischen Kontext sehen«, und räumten ein, es sei »unwahrscheinlich, daß wir in unserer Zeit von ähnlichen [vorurteilsträchtigen] Einflüssen frei sind.«[6] Trotzdem versetzten sie Boules Glaubwürdigkeit in dieser Sache den entscheidenden Schlag, zumindest für die folgende Generation englischsprachiger Anthropologen.

Ferner erweckten sie den Eindruck – entweder versehentlich oder sogar in dem Bestreben, Boule zu entlasten –, als habe er die Haltung des Neandertalers deshalb falsch gedeutet, weil er die Arthritiserkrankung des von ihm untersuchten Exemplars nicht erkannt hatte. Damit trugen sie zur Entstehung eines neuen Mythos bei: Weil Boule die Neandertaler generell für primitiv und tierisch erachtet habe, habe er das pathologische Exemplar für ein normales gehalten. Doch bei sorgfältiger Lektüre von Boules Werk wird deutlich, daß er sich sehr wohl darüber im klaren war, daß

56. Henri Vallois, Schüler von Marcellin Boule und Direktor des Institut de Paléonthologie Humaine. Er war einer der letzten leidenschaftlichen Vertreter der Präsapiens-Hypothese, derzufolge der modern wirkende Mensch sehr alt ist, viel älter als der Neandertaler.

die Wirbel des »Alten von La Chapelle-aux-Saints« arthritisch und abnormal waren und daß er deshalb bei seiner Rekonstruktion »Korrekturen« vorgenommen hatte. Boules Vorurteile waren aber so stark, daß er auch auf der Grundlage der normalen Knochen des Skeletts (und der Exemplare aus dem Neandertal, aus La Ferrassie und aus Spy, die er ebenfalls heranzog) allgemein von gekrümmter Haltung und schlurfendem Gang sprach. Bei dem Versuch, einen Mythos zu zerstören, schufen Straus und Cave einen neuen: den eines Paläontologen, der nicht in der Lage war, Arthritis zu diagnostizieren.

Boules Gedankengebäude geriet unter der gesammelten Beweislast vieler Gelehrter zunehmend ins Wanken, aber es brach noch nicht zusammen. Nur Franz Weidenreich sah in den Neandertalern enge Verwandte des modernen Menschen. Zu den wenigen Anhängern seiner unpopulären Theorie zählte Arthur Keith, der sich 1948 für Weidenreich aussprach und seine langgehegte Überzeugung aufgab, der Mensch sei schon vor sehr langer Zeit mit einem großen Gehirn ausgestattet gewesen.

Weidenreichs schärfster Kritiker war Henri Vallois, Boules

Schüler und Nachfolger am Institut de Paléontologie Humaine in Paris. Nach Boules Tod im Jahr 1942 hatten seine drei Schützlinge Vallois, Pierre Teilhard de Chardin und Jean Piveteau die Führung in der französischen Paläontologie übernommen. Zu diesem Zeitpunkt beschäftigte sich Teilhard schon mehr mit Metaphysik und Philosophie als mit Evolutionsforschung. Piveteau war der Experte für die Paläontologie der Wirbeltiere an der Sorbonne und interessierte sich mehr für die Anatomie fossiler Frösche als für die fossiler Franzosen. Nur Vallois wachte eifersüchtig über das Werk seines Meisters und gab dessen Lehrbuch *Fossile Menschen* über viele Jahre mit nur geringfügigen Änderungen neu heraus. Vallois war nicht nur Boules Nachfolger am Institut de Paléontologie Humaine geworden, sondern hatte es im Zweiten Weltkrieg auch zum Direktor des Musée de l'Homme gebracht. Dessen erster Direktor war Paul Rivet gewesen, für den das Museum in den dreißiger Jahren eigens errichtet worden war. Rivet war Ethnologe und überzeugter Sozialist. Als die Deutschen Frankreich besetzten, ging er lieber ins Exil nach Amerika, als unter den verhaßten Invasoren zu arbeiten, doch Vallois war bereit, den Posten zu übernehmen.

Diese Doppelfunktion brachte Vallois zwar keinen allgemeinen Respekt ein, jedoch beträchtliche Macht. Seine 1958 erschienene Monographie über die Fossilien von Fontéchevade, die wegen ihrer klaren und eingängigen Darstellungsweise rasch zu einem Klassiker wurde, schloß er mit einer Kritik an den drei maßgeblichen Theorien über die Stellung des Neandertalers in der menschlichen Evolution:

Ohne einen detaillierten historischen Überblick zu geben, wie er in zahlreichen paläanthropologischen Untersuchungen zu finden ist, können die von vielen Autoren vertretenen Vorstellungen ... unter drei Überschriften subsummiert werden:

I. Der *H. sapiens* stammt direkt vom Neandertaler ab;
II. Der *H. sapiens* stammt von den Präneandertalern ab;
III. Der *H. sapiens* geht auf den speziellen Stammbaum des Präsapiens zurück, der von dem der Neandertaler und Präneandertaler unabhängig ist.

In die erste Gruppe, die er als die Neandertaler-Hypothese zusammenfaßte, rechnete Vallois zahlreiche Ansichten, die Ende des 19. Jahrhunderts vertreten worden waren, sowie die Modelle, die Aleš Hrdlička und Franz Weidenreich Anfang des 20. Jahrhunderts entwickelt hatten. Am klarsten hatte Hrdlička die Neandertaler-Hypothese in seiner Huxley-Gedenkrede von 1927 formuliert. Vallois stellte sie neben Weidenreichs Modell der multiregionalen Evolution, weil beide im wesentlichen von einer »Neandertaler-Phase« in der gesamten Alten Welt ausgingen. Dabei ließ er außer acht, daß Weidenreich die klassischen Neandertaler Europas auf einen Seitenast verbannt hatte und die modernen Europäer von späten archaischen Menschen im Nahen Osten ableitete.

Für Vallois wies »die Theorie eines Neandertaler-Ursprungs ... große Mängel auf«.[7] Er war der Ansicht, Boule habe in seiner Monographie endgültig bewiesen, daß der Neandertaler dank seiner hohen Spezialisierung nicht auf der Entwicklungslinie zwischen dem *Pithecanthropus* und dem *Homo sapiens* liegen konnte. Vallois entwickelte verschiedene anatomische Indikatoren wie etwa den Humeroradial-Index, der sich auf das Verhältnis der Länge von Unter- und Oberarm bezieht. Er hegte die Erwartung, daß die Werte des Humeroradial-Index für Menschenaffe, Neandertaler, frühen *Homo sapiens* und modernen Menschen kontinuierlich abnehmen müßten, falls diese derselben Entwicklungslinie angehörten. Doch der Neandertaler entsprach dieser Erwartung nicht. Seine Arme waren entweder wie die des modernen Menschen proportioniert oder sogar noch »menschlicher« – das heißt, er hatte kürzere Unterarme als der Jetztmensch.

Als weiteren Einwand gegen die Neandertaler-Hypothese brachte Vallois vor, daß er keinen allmählichen Übergang, keine morphologische Kontinuität zwischen dem europäischen Neandertaler und dem nachfolgenden modernen Cromagnon-Menschen hatte feststellen können. In seinen Augen waren die klassischen Neandertaler, die während der Würm-Eiszeit in Europa gelebt hatten, einander bemerkenswert ähnlich. Das Skelett von Combe Capelle und die angeblich negriden Skelette von Grimaldi, die als älteste mit dem Aurignacien in Verbindung gebracht wurden, unterschieden sich dagegen deutlich von denen der Neandertaler und waren offensichtlich menschlich. Der Altersunterschied betrug nur »einige tausend« Jahre – ein viel zu kurzer Zeitraum für eine so dramatische Veränderung der Morphologie. »Die Annahme«, so folgerte Vallois, »daß der Mensch des Jungpaläolithikums vom klassischen Neandertaler desselben Kontinents abstammt, ist nicht haltbar.«[8]

Auch die zweite oder Präneandertaler-Theorie, die am klarsten von Blancs Mitarbeiter Sergio Sergi formuliert wurde, barg gewisse Probleme. Ihre zentrale These lautete, daß eine weniger spezialisierte Form von Hominiden – die Präneandertaler – zwei verschiedene Linien hervorgebracht hatte. Während eine Linie zum modernen Menschen führte, hatten sich die Mitglieder der anderen immer mehr spezialisiert, um schließlich in der evolutionären Sackgasse des Neandertalers zu enden.

Sergi hatte seine Theorien 1944, 1948 und 1953 veröffentlicht. Sie basierten auf seinen Forschungen über das Material von Saccopastore und dessen Ähnlichkeit mit den Fragmenten von Fontéchevade, Steinheim, Swanscombe und Ehringsdorf. Laut Sergi belegten diese wenigen Fossilien, daß in Europa ein weniger spezialisierter Menschentyp existiert hatte, bevor die Neandertaler ihre extreme Morphologie entwickelt hatten. Ausgehend von einer großen Gruppe von Fossilien, vertreten durch die Funde von Swanscombe und Steinheim, zog er eine Linie, die über Krapina, Ehringsdorf und Saccopastore zum Neandertaler führte, und eine andere, die über den Menschen von Fontéchevade, der beinahe ein Zeitgenosse des Menschen von Swanscombe und Steinheim gewesen war, zum modernen Menschen führte. Sergi vertrat die Ansicht, daß seine Präneandertaler-Gruppe dem modernen Menschen ähnlicher war als die Neandertaler. Zum Beweis verwies er immer wieder auf das Fehlen ausgeprägter Überaugenwülste, die dem Neandertaler sein tierisches, wildes und unzivilisiertes Aussehen verliehen. Als Seitenzweig, der sich aus den anatomisch moderneren Präneandertalern entwickelt habe, sei der Neandertaler zum Aussterben verurteilt gewesen.

F. Clark Howell hatte in seinen einflußreichen Arbeiten aus den frühen fünfziger Jahren eine ähnliche Ansicht vertreten, wobei er eine etwas andere Terminologie verwendete. Howell ordnete seinen »progressiven Neandertalern« dieselben Fossilien zu wie Sergi seinen Präneandertalern und war mit ihm der Meinung, daß sowohl der klassische Neandertaler als auch der moderne Mensch von dieser Gruppe abstammten.

In Vallois' Ohren klang die Präneandertaler-Theorie »höchst verführerisch«, war aber »durch einen fundamentalen Widerspruch gekennzeichnet«. Darunter verstand er die Künstlichkeit der Gruppe, die fehlende Kohärenz der Gestalt oder Morphologie der verschiedenen Fossilien, die man unter der Bezeichnung Präneandertaler zusammengefaßt hatte. So könne man den »Menschen von Fontéchevade mit seinem voluminösen Schädel und dem fehlenden Torus [Überaugenwulst] unmöglich derselben Gruppe zuordnen wie den Menschen von Steinheim, der einen noch ausgeprägteren Torus aufweist als der eigentliche Neandertaler, obwohl der Hirnschädel wesentlich kleiner war«.[9]

Für Vallois und viele seiner Kollegen stellten die Fossilien von Fontéchevade das eigentliche Streitobjekt dar. Für die Forscher war es ausgesprochen hinderlich, daß nur Fragmente vorlagen, deren ursprüngliche Positionierung zudem unklar war. Eine detaillierte Beschreibung der Entdeckung wurde erst nach zehn Jahren veröffentlicht, was Skeptiker zu der Frage veranlaßt haben mag, ob die Ausgrabung vor Ort ordentlich dokumentiert worden war. Doch Vallois selbst quälten solche Zweifel nicht. Er erklärte 1949, zwei Jahre nach der Entdeckung von Fontéchevade, in schulmeisterlichem Ton:

Im Gegensatz zu früheren Funden menschlicher Überreste haben wir es hier mit einem Exemplar zu tun, das gut datiert ist und dessen stratigraphischer [die Altersfolge der Schichtgesteine betreffender] Kontext keinen Zweifel erlaubt: *Dies ist das erste Mal, daß man in Europa unter solchen Bedingungen einen Menschen gefunden hat, der mit Sicherheit kein Neandertaler ist, auch wenn er früher gelebt hat als dieser.*[10]

Noch verblüffender als die generelle Vertrauensseligkeit, mit der Vallois dem Fund begegnete, ist der autoritative Ton, mit dem er über die fehlenden Tori schreibt. Was er als Tatsache ausgibt, stützt sich weitgehend auf eine Rekonstruktion. Das besser erhaltene Exemplar, das als Fontéchevade II-Cranium bezeichnet wird, ist das oberhalb der Augenhöhlen abgebrochene Fragment einer Kalotte. Deshalb läßt sich nicht sagen, ob es Überaugenwülste hatte oder nicht. Fontéchevade I ist der kleine Teil einer Stirnpartie und weist tatsächlich keine Überaugenwülste auf. Die Knochen dieses Schädeldachs sind jedoch so viel dünner als die von Fontéchevade II, daß allgemein angenommen wird, daß es entweder von einem noch nicht ausgewachsenen Individuum stammt, dessen Überaugenwülste noch nicht voll entwickelt waren, oder daß es sich um ein intrusives Exemplar aus einer jüngeren Schicht handelt.

Vallois war nicht damit zufrieden, seine weitreichenden Schlüsse aus den nur unvollständig erhaltenen Fossilien von Fontéchevade zu ziehen, er versuchte seine Argumentation noch mit den Schädelfragmenten zu untermauern, die man in den dreißiger Jahren in Swanscombe gefunden hatte. Dieser Fund bestand nur aus dem okzipitalen und den parietalen Schädelknochen (Hinterhaupts- und Scheitelbein); das entscheidende Stirnbein hingegen, auf dem sich die Überaugenwülste hätten befinden müssen, fehlte vollständig. Die Form der Stirn des Swanscombe-Fossils war also mindestens ebenso unsicher wie die der Überreste von Fontéchevade, aber zwei schwache Beweise erschienen Vallois sicherer als einer.

Unabhängig davon gab Vallois der dritten oder Präsapiens-Theorie eindeutig den Vorzug. Wie Boule und Keith vor ihm, gefiel auch ihm die Idee eines sehr alten sapienten Vorfahren des modernen Menschen, der lange vor den ausgestorbenen Präneandertalern und ihren ebenfalls ausgestorbenen Nachfahren, den tierischen Neandertalern, gelebt hatte und sich stark von ihnen unterschied.

Die Präsapiens-Theorie basierte ursprünglich auf der Existenz diverser angeblich alter Fossilien mit der Morphologie des modernen Menschen. Sie gewann dadurch an Gewicht, daß Boule die Neandertaler aus unserem Familienstammbaum tilgte, und wurde mit den falschen Fossilien von Piltdown »belegt«. In der Version von Keith und Boule besagte die Theorie, daß der moderne Mensch mit seinem großen Gehirn und seiner modernen Schädelform sich so sehr von allen anderen Wesen unterschied, daß er zwangsläufig eine lange (und ehrenvolle) Evolutionsgeschichte

397

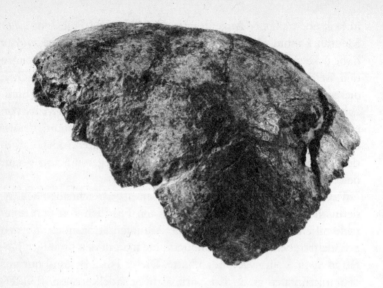

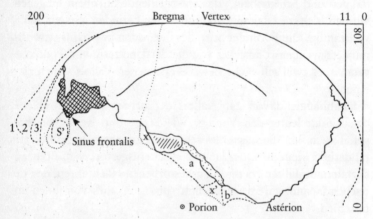

57. *Das unvollständige Schädeldach von Fontéchevade II (oben) und Vallois'*
Rekonstruktion der fehlenden Stirnregion (unten). Vallois plädierte für Re-
konstruktion Nr. 3, aber das Fossil ist nur teilweise erhalten, und eine Rekon-
struktion mit einem großen Überaugenwulst (Nr. 1) würde eigentlich besser
zu dem Schädeldach passen. Vallois nahm die von ihm bevorzugte Rekon-
struktion mit glatter Stirn als Beweis dafür in Anspruch, daß der anatomisch
moderne Mensch sehr alt ist.

aufweisen mußte. Ein so außergewöhnliches Wesen wie der Mensch konnte sich nur über einen großen Zeitraum entwickelt haben. Deshalb wehrten sich Boule und Keith hartnäckig gegen den Gedanken, daß der Mensch sich erst vor relativ kurzer Zeit aus einem Wesen entwickelt haben könnte, das weniger menschlich war als wir selbst. Sie glaubten, daß die Präsapiens-Menschen schon im Pliozän existiert hatten, einer geologischen Epoche, die dem Pleistozän vorausgeht, was alle bekannten fossilen Hominiden zu abartigen Seitenlinien des Familienstammbaums degradiert hätte. Boule, Keith und Vallois haben nie bestritten, daß eine Evolution des Menschen stattgefunden hat, aber sie waren alles andere als unglücklich darüber, daß der bekannte Bestand an menschlichen Fossilien nur eine Reihe von »Leichen umfaßt, die auf der Strecke geblieben sind, als die Menschheit sich differenzierte«.[11]

Natürlich war es für die Anhänger der Präsapiens-Theorie ein schwerer Schlag, daß der Piltdown-Mensch als Fälschung entlarvt wurde. Andere Zeugnisse mit Präsapiens-Status, wie etwa die Fossilien von Moulin Quignon, Galley Hill oder Ipswich, waren bereits auf weniger spektakuläre Weise diskreditiert worden. Vallois räumte taktvoll ein: »Die Entdeckung von Piltdown hat inzwischen jede Bedeutung verloren, aber dieser Verlust wird mehr als wettgemacht durch die Tatsache, daß Fontéchevade endlich den entscheidenden Beweis erbracht hat, der jeden Zweifel beseitigen sollte.«[12] Seine Schriften lassen vermuten, daß er nach Aufdeckung des Piltdown-Schwindels wohl jedes modern wirkende Fossil, ganz gleich wie fragmentarisch oder zweifelhaft, als Beleg für die Präsapiens-Theorie angeführt hätte, um deren Zusammenbruch zu verhindern. Die Funde von Swanscombe und Fontéchevade erschienen ausreichend modern – was die wenigen erhaltenen Teile betraf –, und sie waren alt genug, um als Beweise herhalten zu können.

Wie aber waren Vallois' Präsapiens-Menschen nach Europa gekommen? Wie viele Wissenschaftler seiner Zeit wies auch Vallois auf den angenehm lückenhaften Fossilbestand des geheimnisvollen Ostens hin und konstruierte eine dramatische und plausible Entdeckungs- und Eroberungsgeschichte:

Irgendwo im Osten, und zwar zweifellos in Westasien und vor der Würm-Eiszeit, müssen Präsapiens-Menschen existiert haben, aus denen allmählich der *Homo sapiens* hervorging. Wie wir gesehen haben, entwickelten sich die Präneandertaler in Europa auf ähnliche Weise zum klassischen Neandertaler. Unter diesen Umständen darf man annehmen ... daß der Swanscombe- und der Fontéchevade-Mensch asiatischer Herkunft [also Menschen mit modernem Erscheinungsbild] waren, die in den Zwischeneiszeiten nach Europa kamen, sich dort aber nicht behaupten konnten ... [Die Neandertaler] blieben während der Würm-Eiszeit die einzigen Herren. Als die Nachfahren des Präsapiens jedoch in der zweiten Periode dieser Eiszeit abermals auftauchten, nahmen sie unverzüglich und endgültig Rache an ihren einstigen Bezwingern aus dem Moustérien.[13]

Vallois gab in seinem Buch von 1958 eine klare und scheinbar objektive Zusammenfassung der drei Hypothesen mit ihren jeweiligen Belegen, doch im Grunde waren seine Worte bereits der Abgesang auf die Präsapiens-Theorie. Die Nachkriegsgeneration begegnete ihren Vätern mit tiefer Skepsis. Vallois war damals neunundsechzig Jahre alt, und nach seinem Ableben blieb Louis Leakey der einzige Gelehrte, der noch für das Präsapiens-Modell eintrat. Der kenianische Anthropologe britischen Ursprungs hatte als Student eng mit Arthur Keith (einem Vertreter der Präsapiens-Theorie) zusammengearbeitet.

Noch vor Vallois' 1958 erschienener Monographie hatten Sergi und Howell bereits darauf hingewiesen, daß die Funde von Fontéchevade und Swanscombe der Form nach im wesentlichen archaisch oder dem Präneandertaler ähnlich seien. Zahlreiche Forscher untersuchten daraufhin die rätselhaften Fossilien und kamen zu dem Ergebnis, daß sie durchaus von Vorfahren des Neandertalers stammten und zur selben Ahnenreihe gehörten wie die Fossilien von Steinheim, Saccopastore und Ehringsdorf. Vallois' letzte Anstrengung, eine schon überlebte Theorie über die Vorfahren des Menschen zu retten, war zum Scheitern verurteilt. Die Gunst der Stunde gehörte der Präneandertaler-Theorie, die dem klassischen Neandertaler eine Seitenlinie ohne Nachkommen zuwies. Es war wieder akzeptabel geworden, anatomisch archaische Menschen zu unseren Vorfahren zu zählen.

Während Italiener und Amerikaner bereits die Präneandertaler-Theorie unterstützten und die Franzosen noch an der Präsapiens-Theorie festhielten, herrschte in Deutschland Verwirrung. Die physische Anthropologie war in Verruf geraten, weil sie sich zu einem Instrument rassistischer Politik hatte pervertieren lassen. Es sollten mehrere Jahrzehnte vergehen, bis die deutsche Paläanthropologie wieder zu einer bedeutenden Wissenschaft wurde.

Dagegen begann Belgien – wie schon einmal im 19. Jahrhundert –, in der physischen Anthropologie wieder eine wichtige Rolle zu spielen. Das einzige bedeutende belgische Werk über Neandertaler, das in der Zwischenzeit erschienen war, hatte Charles Fraipont geschrieben, der Sohn von Julien Fraipont, dem Entdecker der Fossilien von Spy. In seiner Monographie von 1936 behandelte er den Kinderschädel von Engis, den Schmerling zwar schon 1829 gefunden hatte, der aber erst später als Neandertaler-Schädel erkannt worden war. Charles Fraipont war allerdings nach dem Zweiten Weltkrieg wegen seiner deutschfreundlichen Haltung diskreditiert. Deshalb konnte François Twiesselmann die Führungsrolle übernehmen.

Twiesselmann hatte als Doktor der Medizin die Entwicklung des Hühnerembryos erforscht, wurde jedoch Mitte der dreißiger Jahre gebeten, sich für den Posten des physischen Anthropologen an dem neugeschaffenen Institut royal des Sciences naturelles de Belgique (Königlich-belgisches Institut für Naturwissenschaften) zu bewerben. Heute gibt er zu, daß er das Wort *Anthropologie* im Lexikon nachschlagen mußte, um zu wissen, was von ihm erwartet wurde. Trotzdem bewarb er sich. Es ging ihm nicht besser als seinen Kollegen: Während der Weltwirtschaftskrise konnte er es sich nicht leisten, eine feste Anstellung abzulehnen.[14]

Auch wenn Twiesselmann sich in den ersten Jahren für unzureichend qualifiziert hielt, so war er doch gut vorbereitet, als im Rahmen der Synthetischen Theorie Bevölkerungsstudien in der physischen Anthropologie an Bedeutung gewannen. Als Arzt hatte er im Bereich Epidemiologie eng mit Statistikern zusammengearbeitet und schätzte ihre Arbeit, da sie zum besseren Verständnis von Problemen beitrug. Als einer der ersten wandte er 1961 bei der anthropometrischen Studie eines menschlichen Fossils ein statistisches Verfahren an: Er untersuchte das Femur (Oberschenkelknochen) eines Neandertalers, der bereits 1895 in der kleinen Höhle von Fond-de-Forêt gefunden worden war, aber lange Zeit unbeachtet im Musée de la Cinquantenaire in Brüssel gelegen hatte. Der Knochen selbst war wenig eindrucksvoll, aber die Untersuchung war bahnbrechend. Twiesselmann gehörte einer neuen Generation von Wissenschaftlern an, die ihrem Fach den Weg in die Zukunft wiesen.

Dem alternden Carleton Coon dagegen stand ein ähnlich unglückliches Schicksal bevor wie Vallois. Höchstwahrscheinlich sah er in seinem 1962 erschienenen Buch *The Origin of Races* (Der Ursprung der Rassen) die Krönung seines rassenkundlichen Lebenswerks – und die Rassenkunde war wie eh und je eng mit der Neandertaler-Forschung verknüpft. In Anlehnung an Weidenreich hatte er die Multiregionale Evolutionstheorie leicht abgewandelt.

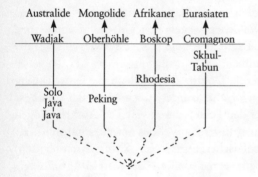

58. William Howells' Kandelaber-Diagramm ist eine Vereinfachung von Weidenreichs Modell der Entwicklung des Menschen. Howells ließ die Verbindungslinien zwischen den einzelnen Regionen entfallen, was einige Forscher gar nicht bemerkten, als das Diagramm 1959 in Die Ahnen der Menschheit *erschien.*

Als Weidenreich die Hypothese aufgestellt hatte, daß es mehrere menschliche Entwicklungslinien gebe, die parallel zueinander verliefen, betonte er gleichzeitig, daß zwischen diesen Linien ein genetischer Austausch stattgefunden habe. Tatsächlich ist das klassische Diagramm, mit dem Weidenreich seine Hypothese illustrierte, so von horizontalen und diagonalen Verbindungslinien durchzogen, daß der naive Leser die vertikale Kontinuität jener Linien leicht übersieht, die die Entwicklung der einzelnen regionalen Populationen im Lauf der Zeit darstellen.

402

Die allgemeine Bewertung der Ideen Weidenreichs hatte sich jedoch verändert. 1959 hatte der Anthropologe William Howells sein populäres Handbuch *Die Ahnen der Menschheit* veröffentlicht. Darin stellte er mehrere Diagramme, die die Anschauungen verschiedenener Autoren wiedergeben sollten, nebeneinander dar. Weidenreichs verwirrende Darstellung wurde vereinfacht und in der Form eines Kandelabers abgebildet. Anders als dieser strich Howells alle Hinweise auf Vermischung und Genaustausch. In einer Bildunterschrift gab Howells zu, Weidenreichs Diagramm verändert zu haben: »Oben links die polyphyletische oder Kandelaberschule nach Weidenreich, abgewandelt (und übertrieben dargestellt).«[15]

Dennoch blieb die Veränderung vielen Lesern dieses maßgeblichen Werks verborgen, und sie hielten seine Darstellung für korrekt. Dies führte zu der Schlußfolgerung, daß es sehr unwahrscheinlich war, daß die Entwicklungslinien, die die verschiedenen Menschenrassen repräsentierten, sich schon lange vor dem *Homo erectus* genetisch und geographisch voneinander getrennt und sich dennoch lange Zeit parallel entwickelt hatten. In der Folge wurde Weidenreichs Theorie von vielen verworfen, ohne daß sie sein Buch gelesen hatten. Dabei hatte Weidenreich das Problem in seinem Buch bereits »gelöst«: Er ging davon aus, daß zwischen den Entwicklungslinien rege Vermischungsprozesse stattgefunden hatten.

Coon vertrat in diesem Punkt eine abweichende Meinung. Er hatte das relevante Material aus Ethnologie, Linguistik und Paläontologie meisterhaft zusammengefaßt und war wie Weidenreich zu dem Schluß gekommen, daß sich die menschlichen Rassen schon vor langer Zeit voneinander getrennt hatten. Coon wußte, daß Weidenreichs Ansichten unpopulär waren, doch er war kein Mann, der sich der vorherrschenden Stimmung anpaßte. »Auf mich«, schrieb Coon in der Einführung zu *The Origin of Races,* »wirkten die Ansichten der Weidenreich-Gegner allzu glatt und dogmatisch.« Und er fuhr fort:

Ich grübelte jahrelang über das Problem nach und faßte schließlich den Entschluß, jede auch noch so kleine Information über jeden einzelnen fossilen menschlichen Knochen und Zahn auf der ganzen Welt zu sammeln. Als ich alle mir zugänglichen Informationen zusammengetragen hatte, konzentrierte ich mich auf die räumliche Dimension und versuchte herauszufinden, wie viele rassische Linien einschließlich der mongoliden auf jenen Augenblick zurückgeführt werden konnten, als die erste menschliche Art auf der Erde erschien. Am Ende gelang es mir, fünf Rassen zu identifizieren, die alle so alt waren wie die Menschheit selbst.

Als mir klar wurde, wie stark meine Entdeckung von der herrschenden Lehrmeinung abwich, wußte ich, daß die Fakten, die ich ausgegraben hatte, theoretisch untermauert werden mußten. Ich mußte untersuchen, ob es möglich ist, daß Rassen älter sind als Arten. Bei meiner Lektüre zu diesem Problem und in Gesprächen mit [Ernst] Mayr, G. G. Simpson und anderen Biologen fand ich heraus, daß das, was ich für einen revolutionären Gedanken gehalten hatte, in der Natur so häufig vorkommt, daß es von anderen Wissenschaftlern kaum erwähnt wird: der Vorgang nämlich, daß eine Art, die in verschiedene geographische Rassen aufgespalten ist, sich zu einer Tochter-Spezies entwickeln kann, wobei die ursprünglichen geographischen Rassen erhalten bleiben.[16]

Coon glaubte zu Recht, daß er die moderne Populationsbiologie auf den Gesamtbestand an menschlichen Fossilien angewandt hatte; seine große Synthese sollte die moderne Behandlung eines Problems ermöglichen, das schon im 19. Jahrhundert aufgetaucht war. Er beschrieb die Evolution einer polytypischen Art, das heißt einer Art, die in eine Reihe geographisch getrennter, unterschiedlicher aussehender Populationen aufgespalten ist. Jede geographische Variante einer solchen Spezies kann als eine in der Entwicklung befindliche oder potentielle Spezies betrachtet werden. Wenn nämlich die geographischen Barrieren stark genug sind, kann kein Individuum sie überschreiten, und der Genfluß zwischen benachbarten Populationen versiegt. Im Lauf von Generationen werden die benachbarten Populationen somit genetisch immer unterschiedlicher, und es besteht bei diesen Arten eine größere Wahrscheinlichkeit, daß sie eine oder mehrere Folgespezies entwickeln. Nach Coons Ansicht war der Stammbaum der Menschheit ein perfektes Beispiel für eine Spezies, die in geographische Gruppen – Unterarten oder Rassen – getrennt ist, die sich mit der Zeit entwickelt haben.

Tatsächlich vertrat Coon damit das Kandelaber-Modell, Weidenreichs Modell der Multiregionalen Evolution, die bereits in Verruf geraten war – allerdings mit dem Unterschied, daß er auf genetische Verbindungen zwischen den verschiedenen geographischen Populationen verzichtete.

Meine These lautet im wesentlichen, daß die Menschheit zu Beginn unserer Geschichte, vor über einer halben Million Jahren, aus einer einzigen Spezies bestand: dem *Homo erectus,* der vielleicht damals schon in fünf geographische Rassen oder Unterarten aufgespalten war. In der Folge entwickelte sich der *Homo erectus* zum *Homo sapiens,* und zwar nicht nur einmal, sondern fünfmal, da jede Unterart auf ihrem eigenen Territorium eine kritische Schwelle von einem eher tierhaften zu einem sapienten Zustand überschritt.[17]

Höchst konfliktträchtig war die Bemerkung, daß die einzelnen Unterarten die Schwelle vom *Homo erectus* zum *Homo sapiens* nicht nur unabhängig voneinander, sondern auch zu verschiedenen Zeiten überschritten hätten. Coon berücksichtigte dabei eine Reihe von Merkmalen, die an Fossilien entdeckt worden waren, doch ausschlaggebend war die Größe des Gehirns (die Schwelle war bei einem Gehirnvolumen von 1250-1300 ccm überschritten). Als Coon den Fossilbestand der einzelnen Regionen auswertete, wobei er, wie er meinte, den Stammbäumen der einzelnen Rassen folgte, schloß er aus seinen Daten, daß Europide und Mongolide die kritische Schwelle zuerst überschritten hatten. Negride (die »Neger und Pygmäen Afrikas«), Khoisanide (»Buschmänner, Hottentotten und andere überlebende Stämme«)[18] und Australoide aber waren erst später in ihre Fußstapfen getreten.

Aus diesem Befund ließ sich der problematische Schluß ziehen, daß einige dunkelhäutige Menschenrassen evolutionär rückständig seien. Coon war sich der Brisanz dieser These bewußt, weshalb er sie am Ende seines Buches in einer langen Passage zu entschärfen versuchte:

Sobald sich eine Rasse als dominierende Bevölkerungsgruppe in einer Region etabliert hat, besteht die Tendenz, daß sie auch dort bleibt und den genetischen Einflüssen widersteht, die von späteren Einwanderern mitgebracht werden ...

Wenn zwei Rassen miteinander in Kontakt kommen und eine Vermischung stattfindet, neigt eine Rasse dazu, die andere zu dominieren. Der lokale Vorteil, den die genetisch überlegene Gruppe (überlegen zur gegebenen Zeit und am gegebenen Ort) besitzt, kann primär kulturell oder primär physiologisch sein. Er kann auch auf einer Kombination beider Faktoren beruhen. So ist beispielsweise die Dominanz der Europäer über die Eingeborenenvölker von Nordamerika, Australien und Neuseeland primär kultureller Natur. Die Dominanz der Neger im tropischen Flachland der Neuen Welt und die der Indianer in den Anden ist dagegen primär physiologischer Natur.

Eine dritte Art von Dominanz resultiert aus dem Widerstand, den eine Population dem massenhaften Eindringen von Fremden in ihre soziale und genetische Struktur entgegensetzt. Man mag darin Fremdenfeindlichkeit, eine Folge von Vorurteilen oder was auch immer sehen, jedenfalls heißen die Menschen massiert auftretende Einwanderer in der Regel keineswegs willkommen, besonders, wenn sie Frauen und Kinder mitbringen und sich zum Bleiben einrichten. Automatisch entstehen soziale Mechanismen, die die Neuankömmlinge so weit wie möglich isolieren und genetisch separat halten ...

Der oben geschilderte Sachverhalt ist der Verhaltensaspekt rassischer Beziehungen. Der genetische Aspekt funktioniert auf ähnliche Weise. Die Gene befinden sich als Teile des Zellkerns in einem inneren Gleichgewicht als Gruppe, genau wie die Mitglieder sozialer Institutionen. Die Gene einer Population befinden sich im Gleichgewicht, wenn die Population ein gesundes Leben als geschlossene Gemeinschaft führt. Rassische Vermischung kann sowohl das genetische als auch das soziale Gleichgewicht einer Gruppe stören.

Ich äußere diese Gedanken nicht aus irgendwelchen politischen oder sozialen Motiven, sondern will lediglich zeigen, daß die Menschen nicht schwarz, weiß, gelb oder braun wären, wenn es die oben beschriebenen Mechanismen nicht gäbe. Wir alle wären heute von einer hellen Khakifarbe, denn der Genfluß zwischen den ... Regionen im Lauf der letzten halben Million Jahre hätte ausgereicht, um uns alle zu homogenisieren, wenn die Evolution tatsächlich so funktionieren würde. Es war jedoch für die einzelnen geographischen Rassen zumeist von Vorteil, sich die adaptiven Elemente in ihrem genetischen *status quo* zu erhalten ...

Europide und Mongolide haben in ihren Heimatländern und in den von ihnen kolonisierten Gebieten, etwa in Nordamerika, nicht zufällig ihre heutige Bevölkerungsdichte und kulturelle Dominanz erreicht. Sie haben dies alles erreicht, weil ihre Vorfahren die zoologisch günstigsten Regionen der Erde bewohnten ... Das dortige Klima stellte eine Herausforderung dar; diese Regionen verfügten über zahlreiche Brutplätze und lagen im Zentrum großer kontinentaler Landmassen. Unter diesen Bedingungen war allgemeine Anpassung wichtiger als spezielle. Jede andere Subspezies, die sich in diesen Regionen entwickelt hätte, wäre wahrscheinlich ähnlich erfolgreich gewesen.[19]

Genaugenommen liefen Coons Überlegungen auf eine Art ökologischen Determinismus hinaus. Er schrieb die offensichtliche Überlegenheit der Mongoliden und Europiden glücklichen geographischen Umständen zu. Aber bei seinem Versuch, dem Vorwurf des Rassismus zu entgehen, hatte er einen neuen und noch konfliktträchtigeren Gedanken in Worte gefaßt. Wenn die Rassen sich einer Homogenisierung widersetzten und dieses Verhalten sich auch noch evolutionär erklären ließ, dann waren rassische Vorurteile in gewisser Weise korrekt, »natürlich« oder aus evolutionärer Sicht sogar von Vorteil.

Coons Worte können unterschiedlich interpretiert werden, und diejenigen, die ihn kannten, sind sich nicht einig darüber, ob er wirklich ein Rassist war. Daß er Menschen, die er beschrieb, gerne mit rassischen oder ethnischen Etiketten belegte, konnte ihm leicht den Vorwurf des Rassismus einbringen. Eine großzügigere Interpretation könnte diese Gewohnheit ganz sachlich damit erklären, daß er sein Leben lang Informationen über die physischen Merkmale rassischer Formen gesammelt hatte.

Was er wirklich über die Menschen dachte, die er klassifizierte, wird man wohl nie erfahren. Er fühlte sich bei vielen nicht-europäischen Völkern wohl, mit denen er auf seinen Forschungsexpeditionen zusammenlebte, und hatte großen Respekt vor denen, die tapfer, ehrlich und intelligent waren. Fand er, daß sie ihm gleich waren? *Gleich* kann in diesem Kontext so verschieden interpretiert werden, daß die Frage keinen rechten Sinn macht. Glaubte er, daß sich diese Menschen nicht von ihm unterschieden? Offensichtlich nicht; er erkannte die Unterschiede an, untersuchte und dokumentierte sie. Letzten Endes ist es irrelevant, was Coon in seinem Innersten fühlte. Die Interpretation seiner Gedanken durch andere sollte bald schon viel wichtiger werden als alles, was Coon tatsächlich tat, dachte oder sagte.

Abgesehen von seinen umstrittenen Beiträgen zu Rassenfragen entwickelte Coon einen fruchtbaren neuen Ansatz zum Verständnis der Neandertaler. Da er sich gründlich mit den Auswirkungen der Geographie auf Säugetiere beschäftigt hatte, erkannte er, daß das Problem der Anpassung in vielen Modellen der menschlichen Evolution sträflich vernachlässigt worden war. Tiere werden bekannterweise stark von ihrer Umwelt beeinflußt: Wüstentiere etwa entwickeln Mechanismen, die es ihnen ermöglichen, Wasser zu speichern und Hitze zu vermeiden; Waldtiere entwickeln hochbewegliche Greifhände und -füße zum Klettern. Coon stellte die gewagte These auf, daß die gleichen Prinzipien auch die erkennbaren Unterschiede zwischen den Menschen erklärten. »Wenn wir«, schrieb er, »den Menschen mit anderen Tieren vergleichen, werden wir vor allem erkennen, wie die Anpassung an die äußere, nicht-menschliche Umwelt die heute lebenden Menschenrassen geformt hat.«[20]

Coon versuchte, nicht nur die Unterschiede zwischen den noch lebenden Rassen zu erklären – eine gewaltige Aufgabe, die allein einen weniger selbstbewußten Gelehrten entmutigt hätte –, sondern forschte auch in der Fossilgeschichte nach Spuren der Anpassung. Um zu erklären, wie diese Anpassungen sich manifestierten, griff Coon auf die Bergmannsche und die Allensche Regel zurück. Laut Bergmann hat der Rumpf der Tiere, die in einem kalten Klima leben, mehr Masse als der Rumpf ähnlicher Tiere aus warmen Klimagebieten, und laut Allen sind ihre Extremitäten kürzer. Coon stellte fest, daß diese Regeln exakt auf den modernen

Menschen zutreffen. Die unter arktischen Klimabedingungen lebenden Eskimos haben in aller Regel kürzere Hälse, Arme und Beine und sind gedrungener gebaut als etwa die Massai oder andere äquatoriale Völker, deren Anpassung an die Hitze sich in einem verlängerten, schlanken Körperbau und überdurchschnittlich langen Gliedmaßen zeigt. Dies waren interessante Beobachtungen, allerdings regten sie nicht unbedingt zu weiteren Forschungen an.

Atemberaubend Neues leistete Coon dagegen, als er dieselben Regeln auf die zur Verfügung stehenden menschlichen Fossilien anwandte. Er war der erste, der ernsthaft versuchte, bei der Untersuchung des Fossilbestands die Theorie von Anpassung und Selektion anzuwenden. Die Anatomie der Neandertaler zeigte ihm deutliche Zeichen von Anpassung an ein kaltes, eiszeitliches Klima. Die untersetzte Statur und die kurzen Gliedmaßen glichen dem Körperbau der Eskimos.

Aber wie immer zog der Kopf des Neandertalers die größte Aufmerksamkeit auf sich. Coon hielt die Nase für »das wichtigste Strukturmerkmal des Neandertaler-Gesichts«. Er bezog sich dabei auf drei herausragende Merkmale, die dieses Gesicht geprägt hatten: die große Nasenöffnung im Cranium, der vorspringende Nasenrücken, auf den das Nasenbein schließen läßt, und die insgesamt vorgeschobene mittlere Gesichtsregion – eine Struktur, die Erik Trinkaus später folgendermaßen beschrieb: Das Gesicht sehe aus, als ob man ein modernes menschliches Gesicht aus Gummi an der Nase gepackt und nach vorn gezogen habe.

Coons Interpretation der Neandertaler-Nase ging unter dem Namen Heizlüfter-Theorie in die Geschichte ein.

Die westlichen und besonders die französischen Neandertaler müssen aus irgendeinem Grund große Nasen gebraucht haben. Die Nase hat unter anderem den Zweck, die eingeatmete Luft auf dem Weg in die Lunge zu erwärmen und zu befeuchten ... Es ist [jedoch] nicht primär die Lunge ... [sondern] eher das Gehirn, das durch die eingeatmete Luft unterkühlt zu werden droht ... In Kopf und Hals normaler Menschen liegen die Nasenhöhlen ziemlich dicht an den Arterien, die das Blut ins Gehirn transportieren. Für ein flachköpfiges Individuum mit kurzem Hals könnte diese Nähe der Nasengänge zu den Blutgefäßen eine Gefahr darstellen, denn die Temperatur des Gehirns muß konstant gehalten werden.

Coon vertrat die Ansicht, daß der besondere Bau des Gesichts beim westlichen Neandertaler dazu diente, das Gehirn »auch ohne angemessene Kopfbedeckung oder Halsschutz vor extremer Kälte zu schützen«. Und er fügte hinzu:

> Als das Klima kälter wurde, haben die Neandertaler möglicherweise immer dringender einen großen, vorstehenden nasalen »Heizlüfter« gebraucht, zumal es keine archäologischen Hinweise auf eine kulturelle Entwicklung gibt, welche die Auswirkungen des strengen Klimas hätte abschwächen können.[21]

Die große vorstehende Nase hatte also die Aufgabe, die kalte Luft zu erwärmen und zu verhindern, daß sie den Gehirnstamm kühlte. Der hypothetische Mechanismus beruhte auf der Tatsache, daß die Nasenschleimhäute reich an Kapillaren sind und die einströmende Luft erwärmen können. Coons Hypothese war ein wichtiger Schritt auf dem Weg, die Morphologie der Neandertaler zu erklären und sie in einen modernen evolutionsgeschichtlichen Rahmen zu stellen, auch wenn spätere Wissenschaftler über die Nasen der Neandertaler viel Neues zu sagen wußten.

Coon muß tief befriedigt gewesen sein, als er sein großes Werk vollendet hatte, in dem er die neuesten Erkenntnisse der Evolutionstheorie mit allem in Übereinstimmung gebracht hatte, was über die Variabilität des modernen Menschen bekannt war, *und* mit dem gesamten Fossilbestand der Primaten im allgemeinen und der Hominiden im besonderen. Er hatte – und das gilt auch heute noch – einen außerordentlichen Forschungsbeitrag geleistet.

Dennoch gab es deutliche Anzeichen dafür, daß er mit seinem Werk in Schwierigkeiten geraten würde. Coon selbst hatte sie bewußt ignoriert.[22] 1961, also ein Jahr vor der Veröffentlichung von *The Origin of Races,* war er zum Präsidenten der American Association of Physical Anthropologists gewählt worden, ein sichtbares Zeichen für die Wertschätzung und den Respekt, die er unter seinen Fachkollegen genoß. Auf dem ersten Jahrestreffen unter seiner Leitung im Mai 1962 führte der Versuch einiger jüngerer Mitglieder, die akademische Gesellschaft zu politisieren, zu einem offenen Streit. Sie forderten eine Sondersitzung, in der sie eine Reihe von wichtigen Resolutionen vorlegen (und verabschieden) wollten.

Gemeinsam mit seinem Vizepräsidenten T. Dale Stewart von der Smithsonian Institution gelang es Coon, eine Abstimmung über die Frage zu verhindern, ob alle Rassen über die gleiche Intelligenz verfügten. Sie wandten ein, daß es lächerlich sei, ohne Sachkenntnis darüber abstimmen zu wollen; nur das Gehirn*volumen* sei gut dokumentiert, aber es habe wenig mit der Intelligenz zu tun, zumindest innerhalb einer Art.

Nicht verhindern konnten sie dagegen eine Resolution, die Putnams Buch *Race and Reason: A Yankee View* offiziell verurteilte. Obwohl es von der Amerikanischen Anwaltskammer und vom Vorsitzenden des Militärausschusses im Senat unterstützt wurde, galt es in weiten Kreisen als rassistisch (was es auch ist). Sein Autor war angesehen und einflußreich. Putnam, der Sohn eines New Yorker Bundesrichters, war ehemaliger Vorstandsvorsitzender der Delta Airlines und hatte eine Biographie über Theodore Roosevelt geschrieben. Zusätzlich kompliziert wurde die Angelegenheit dadurch, daß er ein entfernter Verwandter Coons war und in einem weitverbreiteten Pamphlet behauptet hatte, Coons Daten stützten seine Ansichten.

Als die Resolution schließlich zur Abstimmung gelangte, sagte Coon, jeder, der das Buch gelesen habe, solle die Hand heben – er selbst hatte es gelesen. Nur einer hob die Hand. Gefragt, was er von dem Werk halte, antwortete er: »Nicht viel.« Coon war empört darüber, daß seine Freunde und Kollegen bereit waren, eine Schrift zu verurteilen, die sie nicht einmal gelesen hatten. Wo blieb da die Verantwortung des Wissenschaftlers? Mit der Autorität seines Amtes rügte er die Mitglieder für ihr schändliches Verhalten. Dann bot er seinen Rücktritt an: »Ich teilte meinen Kollegen mit, daß ich nicht länger gewillt bin, einem so feigen Haufen zu präsidieren.«[23] Daraufhin verließ er den Raum und blieb der Abstimmung fern. Am nächsten Tag trat er von seinem Posten als Kurator an der University of Pennsylvania zurück, nahm das ihm zustehende Ferienjahr und ging danach in den

Vorruhestand. Es dauerte einige Zeit, bis er erfuhr, daß man seinem Rücktrittsgesuch als Präsident der American Association nicht stattgegeben, die Resolution aber angenommen hatte – was bedeutete, daß seine Unterschrift unter dem Papier stand. Das brachte Coon erst recht in Rage.

Schon bald ging das Gerücht um, Coon habe Daten aus seinem noch unveröffentlichten Werk The Origin of Races an Putnam weitergegeben, damit dieser rassistische Ansichten vertreten könne, die Coon selbst in der Öffentlichkeit nicht zu vertreten wagte. Manche hielten »Carleton Putnam« sogar für ein Pseudonym Carleton Coons, womit sie sich auf die Ähnlichkeit der Namen bezogen.[24] Da Coon zeitlebens nie ein Blatt vor den Mund genommen hat, entbehrte diese Beschuldigung jeglicher Grundlage. Einem anderen Gerücht zufolge war Coon angeblich von der University of Pennsylvania suspendiert worden, weil er über Rassenfragen gesprochen und geschrieben hätte.

Als Coons Buch The Origin of Races dann am 25. Oktober 1962 erschien, wurde es im Klappentext von renommierten Vertretern der Synthetischen Theorie wie Julian Huxley, G. G. Simpson und Ernst Mayr sowie von prominenten Anthropologen wie William Howells aus Harvard überschwenglich gelobt. Auch William Straus Jr., der die Arthritis am Skelett von La Chapelle-aux-Saints erkannt hatte, Lawrence Angel von der Smithsonian Institution und W. M. Krogman von der University of Pennsylvania sprachen sich anerkennend aus. Doch nicht alle Anhänger der Synthetischen Theorie waren begeistert. Theodosius Dobzhansky, der an der Universität von Columbia über Fruchtfliegen forschte, schickte eine derart rufschädigende Rezension an den Saturday Review, in der er Coon Rassismus und ein falsches Verständnis der Evolutionsbiologie vorwarf, daß das Blatt die Veröffentlichung ablehnte. Der Text erschien später im Scientific American und in Current Anthropology. Morton Fried, ein Anthropologe und Kollege Dobzhanskys an der Columbia-Universität, versuchte erfolglos, eine Anzeigenkampagne gegen das Buch zu organisieren, und der Anthropologe M. F. Ashley Montagu griff Coon in einer Talkshow im Fernsehen hart an.

Die folgende Auseinandersetzung in der Fachpresse und auf Konferenzen mündete bald in einen erbitterten Streit über das

Gehirnvolumen verschiedener Rassen, wobei wiederholt das Gehirn von Turgenjew (ungewöhnlich groß) mit dem von Anatole France (ungewöhnlich klein) verglichen wurde. Am 16. November 1962, knapp einen Monat nach dem Erscheinen von Coons Buch, tat sich Sherwood Washburn mit seinem früheren Kollegen und engen Freund Dobzhansky zusammen und startete einen vernichtenden Angriff auf Coon. Washburn, ein Mann mittleren Alters, war die führende Kapazität in seinem Fach. Als Präsident der American Anthropological Association war er vom Vorstand gedrängt worden, deutlich zu machen, daß verantwortungsbewußte Anthropologen Putnams rassistische Ansichten nicht tolerieren dürften. Doch Washburn attackierte nicht Putnam, sondern Coon, seinen ehemaligen Professor in Harvard und Rassenexperten, und bot seine ganzen intellektuellen und rhetorischen Fähigkeiten auf, um ihn zu demütigen. Nun, da Hooton tot war, verkörperte Coon alles, was in der physischen Anthropologie altmodisch war und abgeschafft werden mußte.

Washburn begann seine Polemik eher vorsichtig mit den Worten:

> Der Vorstand hat mich gebeten, eine Rede zum Thema Rasse zu halten, und ich habe mich nur widerwillig und zögernd dazu bereit erklärt. Ich bin kein Experte auf diesem Gebiet. Ich habe nie über Rassen geforscht, aber ich habe einige Jahre Rassenkunde gelehrt.
> Die Diskussion über die Menschenrassen wird sehr emotional geführt und zeichnet sich durch große Verwirrung aus. Ich bilde mir nicht ein, daß mein Beitrag zu einer Klärung beitragen könnte; möglicherweise schürt er noch mehr Emotionen. Die jüngsten Erkenntnisse über die Rassenfrage untermauern die alten Theorien von Anthropologen und anderen Wissenschaftlern, wonach es keine wissenschaftliche Grundlage für irgendeine Form der Rassendiskriminierung gibt.[25]

Im folgenden stellte Washburn Dobzhanskys jüngstes Buch vor, äußerte sich sehr lobend und verglich es mit Coons Werk *The Origin of Races*. Obwohl er Coon – zumindest in der gedruckten Version seiner Rede – im weiteren nur selten beim Namen nannte, war klar, wer gemeint war. Von den Zuhörern zweifelte jedenfalls keiner daran, daß er Coon im Visier hatte. Washburn unterzog ihn einer gewissenhaften Kritik, stellte seine Position gelegentlich falsch dar und sparte vor allem nicht mit Beleidigungen. Putnam erwähnte er mit keinem Wort, weder seinen Namen noch sein Werk.

Washburn stellte seine moderne Sicht der Evolution dem typologischen, rassenkundlichen Denken gegenüber, das er in Coons Werk vertreten fand: »Wenn Sie *Current Anthropology* gelesen haben [in dieser Zeitschrift war, wie erwähnt, Dobzhanskys kritische Rezension von Coons Buch erschienen], dann wissen sie, daß diese Art von Anthropologie seltsamerweise noch immer lebendig ist, ja daß sie in einigen Ländern sogar in voller Blüte steht; einzelne Relikte findet man auch bei uns noch in der Lehre.« Washburn parodierte Coons Versuche, die bestehenden Rassen bis zu ihrem Ursprung zurückzuverfolgen, und leistete sich die Grausamkeit, dieses heikle Thema, dem Coon sein Lebenswerk gewidmet hatte, für irrelevant zu erklären: »Die Rasse ist biologisch nicht sehr wichtig.«[26]

Auch machte er Coons Theorie über die Nasen der Neandertaler lächerlich, die zwar, wie wir heute wissen, nicht ganz korrekt ist, aber einen ersten plausiblen und nützlichen Versuch darstellte, die Anatomie des Neandertalers als eine umweltbedingte Anpassungsleistung zu erklären. Washburn warf Coon fachliche Inkompetenz vor:

Ich möchte kurz auf den Gedanken eingehen, daß die Mongoliden eine Rasse seien, die an das Leben in der Kälte, also an ein arktisches Klima angepaßt ist.
Erstens ... leben zahlreiche Mongoliden in feuchtheißen tropischen Gebieten ... In Wirklichkeit gibt es keine Korrelation, zumindest keine, die sorgfältig herausgearbeitet wurde, die die Annahme stützen könnte, daß irgendeine dieser rassischen Gruppen der Kälte angepaßt wäre ... Was die Nasenform angeht, so wird man feststellen, daß die Nasen in Europa um so schmaler werden, je weiter man nach Norden kommt. In Europa korrelieren also schmale Nasen mit einem kalten Klima. In Ostasien dagegen sind es breite Nasen, die mit dem kalten Kli-

ma korrelieren. Weder im einen noch im anderen Fall gibt es auch nur den geringsten Beweis, daß die unterschiedliche Form der Nasen irgend etwas mit der Erwärmung der eingeatmeten Luft zu tun haben könnte ...

Ich will damit sagen, daß die Leute, die davon reden, daß das Gesicht von Mongoliden und Neandertalern dem Klima angepaßt sei, die Struktur des menschlichen Gesichts nicht kennen. Wir haben es hier mit anatomischen Analphabeten zu tun, die über die Struktur des menschlichen Gesichts schreiben.[27]

Daß dieser Angriff von einem Mann kam, der aller Wahrscheinlichkeit nach einen Teil seines hier ausgebreiteten anatomischen Wissens von Coon selbst gelernt hatte, machte seine Worte unerträglich.

Washburn stellte seine Attacken bald ein. Anders dagegen Dobzhansky, der 1968 zu seinem letzten Schlag ausholte und im *Journal of Heredity* unter dem Titel »Bogus Science« (Scheinwissenschaft) einen bissigen Artikel veröffentlichte. Coons Antwort vermittelt eine interessante Sicht der ganzen Affäre:

Sie haben eine Rezension von Theodosius Dobzhansky über Carleton Putnams [zweites] Buch *Race and Reality* [Rasse und Realität] veröffentlicht. Der Autor verwandte jedoch ein Fünftel des Raums dazu, sich zum xten Mal über mein Buch zu ereifern ... und mich anschließend ebenfalls zum xten Mal dafür zu kasteien, daß ich es unterlassen habe, mich dagegen zu wehren, daß Mr. Putnam eine kurze Passage aus meinem Buch zitiert hat ... »Jeder Wissenschaftler«, schreibt Dobzhansky, »hat die Pflicht, den Mißbrauch und die Prostituierung seiner Forschungsergebnisse zu verhindern.« Ich teile diese Ansicht nicht. Ein Wissenschaftler hat die Pflicht, seine Arbeit gewissenhaft und bestmöglich zu erledigen, und das habe ich getan und werde es auch weiterhin tun. Außerdem soll er nur solche Schriften öffentlich zurückweisen, in denen er aus irgendwelchen Gründen falsch zitiert wird, wie es Dobzhansky aus Gründen, die er selbst am besten kennt, wiederholt mit meinen Werken getan hat.

Wenn die Evolution von Fruchtfliegen ein wichtiges soziales

und politisches Thema wäre, könnte sich Dobzhansky eines Tages in der gleichen Lage wiederfinden, in die er und seine Anhänger mich zu bringen versucht haben.[28]

Nach diesem letzten Schlagabtausch kühlte sich der Streit ab. Coon und Dobzhansky, die beide am Ende ihrer Laufbahn standen, zogen sich weitgehend von der Bühne zurück und überließen sie Washburn, dessen »neue physische Anthropologie« schon bald die Szene beherrschte.

Niemals war in der Anthropologie ein solch erbitterter und schändlicher Streit über den Zusammenhang von Politik und Wissenschaft ausgetragen worden wie in diesem Fall. Zugegebenermaßen verfolgten Washburn, Dobzhansky und ihre Anhänger die hehre Absicht, die damals aufblühende liberale Bürgerrechtsbewegung zu unterstützen und jeden zu bekämpfen, der in ihren Augen Rassismus und Unterdrückung tolerierte oder gar förderte. Die sechziger Jahre hatten begonnen, die Ära der Blumenkinder, der Friedensmärsche und der Forderung nach einer neuen, gerechteren Rollenverteilung in der Gesellschaft.

Doch hinter der freundlichen, wohlmeinenden Fassade wurde ungehemmt moralisiert, gnadenlos verurteilt und eine Haltung gezeigt, die nicht weniger verbohrt war als die Anschauungen des reaktionären Establishments, gegen das die Liberalen jener Zeit Sturm liefen. Dobzhanskys und Washburns Kritik an Coons Buch *The Origin of Races* sollte eigentlich dem Kampf gegen Vorurteile und Klischees dienen. Doch gleichzeitig schwang in ihr ein Unterton politischer Rechthaberei mit, und damit entsprach sie ganz dem Zeitgeist. Die Anthropologie, einst eine geheimnisvolle Wissenschaft, die exotische Stämme, Tonscherben, Steinwerkzeuge und verstaubte Knochen erforschte, wurde plötzlich zu einer Lehre von der Menschheit, von der erwartet wurde, daß sie den Weg zu einer besseren und natürlicheren Lebensweise wies. Gelehrte wie Laien leiteten mit atemberaubender Sorglosigkeit aus dem Sozialverhalten des Pavians oder aus dem Alltag der Buschmänner in der Wüste Kalahari ab, wie eine moderne Industriegesellschaft organisiert werden sollte.

Im Jahr 1966 veranstalteten Irven DeVore und Richard Lee, zwei Schüler Washburns, eine Konferenz zu dem Thema »Der

Mensch als Jäger«, auf der sich ein neues Paradigma der anthropologischen Forschung herauskristallisierte, das in den folgenden Jahren bestimmend sein sollte. Die eindrucksvolle Teilnehmerliste und das einflußreiche Buch *Man the Hunter* (Der Mensch als Jäger), das zwei Jahre später erschien, standen für einen neuen Konsens über Zweck und Prinzipien der physischen Anthropologie. Eingeladen waren Paläanthropologen, mit Primaten befaßte Verhaltensforscher, Ethnologen und Ethnographen, die mit noch lebenden Jägern und Sammlern gearbeitet hatten. Ziel der Konferenz war der Austausch von Informationen über die Evolution des menschlichen Verhaltens. Daß die Jagd als Lebensweise die Gesellschaft, die Psychologie und die Anatomie des Menschen geprägt hatte, wurde allgemein als gesicherte Tatsache angenommen. Nun galt es, aus dem Verhalten der lebenden Primaten und »primitiven« Völker auf das Verhalten der Vorfahren des Menschen zu schließen. Die Jagd als Aufgabe der Männer wurde regelrecht verherrlicht und verklärt, obwohl die verfügbaren Daten darauf hindeuteten, daß es die Arbeit der Frauen war – das Sammeln von Wurzeln, Früchten und Beeren –, die das Überleben sicherte. Dennoch schien die Jagd die evolutionstheoretische Erklärung für fast alle Eigenschaften des Menschen zu bieten: den aufrechten Gang, die Herstellung von Werkzeugen und die Kultur, die Sprache, die Kernfamilie, die Arbeitsteilung nach Alter und Geschlecht und die Kontrolle der Gesellschaft durch männliche Gruppen. William Laughlin, ein Schüler Hootons, der über Eskimos geforscht hatte, ging sogar soweit, die Jagd als den »auslösenden Faktor« für die Entwicklung des menschlichen Nervensystems zu bezeichnen.

Der edle Wilde, den Rousseau im 18. Jahrhundert beschrieben hatte, wurde also wieder zum Leben erweckt, und zwar mit evolutionstheoretischem und politischem Impetus. Die Buschmänner der Kalahari galten als das Paradebeispiel eines Volkes von Jägern und Sammlern, und sie wurden durch einen neuen Klassiker mit dem bezeichnenden Titel *The Harmless People* (Das harmlose Volk) als eine friedliche, zufriedene und sorglose Gruppe bekannt und beliebt. In den von sozialen Unruhen erschütterten sechziger Jahren war die Versuchung groß, aus solchen Untersuchungen moralische Richtlinien für das moderne Leben abzuleiten. Manche Anthropologen waren begierig darauf, ausgehend von ihrer Interpretation des Fossilbestands den Mitmenschen mitzuteilen, wie sie leben sollten, während andere ihnen nicht minder eifrig zu vermitteln suchten, wie man den Fossilbestand zu interpretieren hatte, damit er mit dem übereinstimmte, was sie selbst für die richtige Lebensweise hielten.

Diese Entwicklung führte zu einer Verzerrung der eigentlichen Ziele und Erkenntnisse der Anthropologie, die rückblickend bedenklich erscheint. Eine weitere unerwartete Nebenwirkung sollte sogar noch größeren Schaden anrichten: Die öffentlichen Angriffe auf Coon führten bei einer ganzen Generation von Anthropologen zu der Befürchtung, auch sie könnten, wenn sie rassische Unterschiede zu diskutieren oder auch nur darzustellen wagten, einen ähnlichen Sturm der Entrüstung auslösen. Washburn und Dobzhansky waren die Torwächter; sie hatten die Rassenkunde zum verbotenen Terrain erklärt, zu einem Tabu in der vollen anthropologischen Bedeutung des Wortes. Rassenunterschiede waren nicht nur ein Thema, über das nicht mehr geforscht werden durfte, *sie waren schlichtweg inexistent geworden.*

Das Problem, wie man mit modernen Rassen umgehen sollte, hatte von Anfang an wie ein Alpdruck auf der Neandertaler-Forschung gelegen, und jetzt wurde es mit einem Mal noch bedrohlicher. Durch die öffentliche Demütigung Coons wurde es gleichzeitig aufgebauscht und verdrängt, und selbst Coons Erkenntnisse über die Anpassungsleistungen der Neandertaler wurden jahrelang nicht mehr diskutiert. Das einzige Ereignis, das in einer an Gerüchten reichen Zunft wie der Anthropologie die Aufmerksamkeit von dem Streit zwischen Coon und Washburn ablenken konnte, war eine neue Kontroverse.

Es war schließlich der begabte junge C. Loring Brace IV., der in die Bresche sprang und die Kritik auf sich zog. Brace war ein Bilderstürmer, und die eigenwilligen Ansichten, die er später vertrat, lassen sich bis zu einem gewissen Grad aus seinem familiären Hintergrund und seinem persönlichen Werdegang erklären.[29] Beide Eltern stammten aus alten neuenglischen Familien, und laut Familienchronik siedelten sie vor allen anderen in Neu-England. Dazu Brace: »Unter ihnen waren eine Menge Schullehrer und Geistliche, in jeder Generation ... Sie fühlten sich stark dem libe-

59. *C. Loring Brace IV zu Beginn der sechziger Jahre, als er eine Kampagne einleitete, mit der er dem Neandertaler einen Platz in der Ahnenreihe des modernen Menschen verschaffen wollte.*

ralen Protestantismus des 19. Jahrhunderts verbunden.« Im Jahr 1930, als Brace geboren wurde, legte man in der Familie immer noch größten Wert auf Ideale wie Bildung, Eloquenz und Belesenheit, vor allem jedoch auf Menschlichkeit. Das Interesse an der Evolution war schon seit Generationen lebendig: Brace' Urgroßvater, Charles Loring Brace, war mit Darwin befreundet gewesen. Er hatte im Briefwechsel mit ihm gestanden und dazu beigetragen, den Darwinismus in Amerika bekannt zu machen.

Brace selbst führt sein Interesse an der Evolution des Menschen auf zwei Bücher zurück. Als kleiner Junge hatte er mit Vergnügen das Biologiebuch studiert, das seine Mutter im College benutzt hatte. Wenn er die faszinierenden anatomischen Illustrationen auf durchsichtigen Folien eine nach der anderen aufblätterte, drang er in immer tiefere Schichten des menschlichen Körpers vor. Das andere Buch war Chapman Andrews' *Meet Your Ancestors* (Lerne deine Vorfahren kennen), das 1945 erschien, als Brace fünfzehn Jahre alt war. Andrews war der Typ des kühnen Entdeckers mit Reithosen und Cowboyhut. Er hatte 1927 eine Expedition nach Zentralasien geleitet und in der Wüste Gobi nach frühmenschlichen Fossilien gesucht, eine spannende Geschichte, die er in *On the Trail of Ancient Man* (Auf den Spuren des Urmenschen) erzählt hatte. Sein späteres Werk, das den jungen und aufgeweckten Brace so faszinierte, war ein romantisches und zugleich spannen-

419

des Epos, das die Ahnenreihe und Entwicklung des Menschen schilderte und das voll war mit aufregenden Geschichten über die Entdeckung von Fossilien an exotischen Schauplätzen. Es weckte in Brace den Wunsch, Anthropologe zu werden, obwohl sein Vater – Englischprofessor an der Universität Boston – vorsichtig Zweifel äußerte, ob er davon würde leben können.

Brace brach mit der Familientradition, in Yale zu studieren, und schrieb sich am Williams College ein. Schon zu Beginn seiner akademischen Laufbahn vertrat er stets andere Ansichten als seine Lehrer und Kommilitonen. In seinen Augen hatte das College die Aufgabe, »den Studenten, die im Grunde ziemlich materialistisch und habgierig sind, einen Anstrich von Kultur zu geben«, mit anderen Worten, den »verwöhnten Industriellensöhnchen« behutsam zu etwas Bildung zu verhelfen. Als Nachfahre einer Familie, die schon in der Kolonialzeit gegen Sklaverei, Ausbeutung und Ungerechtigkeit zu Felde gezogen war, konnte sich Brace an diesem College nicht recht wohl fühlen.

Da Anthropologie am Williams College nicht als Hauptfach angeboten wurde, stellte Brace seinen eigenen Studienplan auf. Er studierte Geologie – hauptsächlich Paläontologie der Wirbeltiere – und belegte Kurse in Biologie, mit denen er den größten Teil des vormedizinischen Curriculums abdeckte. Als er überlegte, an welcher Universität er das Hauptstudium absolvieren sollte, erinnerte er sich an Earnest Hooton aus Harvard, der am Williams College eine Gastvorlesung gehalten hatte: Sein Vortragsstil, seine wohlklingende Stimme und seine auffallende äußere Erscheinung hatten Brace fasziniert. Hooton leitete den bekanntesten der raren Studiengänge in physischer Anthropologie, und so zog es Brace 1952 nach Harvard.

Während seines Hauptstudiums erlebte Brace einen Generationswechsel in der Anthropologie. Die ersten beiden Jahre studierte er noch unter Hooton. Im Jahr 1954, kurz nach dessen Tod, wurde er zum Militär eingezogen, und es gelang ihm, seinen Dienst als Anthropometriker oder physischer Anthropologe alten Stils abzuleisten. Er hatte die Aufgabe, ein System von Messungen zu entwickeln – und auch anzuwenden –, mit dem gewährleistet werden konnte, daß die Soldaten Gasmasken bekamen, die ihnen auch wirklich paßten. Brace kombinierte Hootons Leidenschaft für akribisch genaue Messungen mit neuen statistischen Methoden, die in der Anthropologie gerade erste Anwendung fanden, und ermittelte, von wie vielen Berufssoldaten – und von welchen – die Maße genommen werden mußten, damit die Masken zuverlässig paßten.

Als er nach Harvard zurückkehrte, war eine wichtige Veränderung eingetreten. William Howells hatte Hootons Nachfolge als Leiter des Fachbereichs Physische Anthropologie angetreten. Gerüchten zufolge hatte auch Coon auf die Nachfolge spekuliert. In seiner Autobiographie heißt es dazu nur: »Einer von seinen [Hootons] letzten Wünschen war, daß Sherwood L. Washburn, der ihn mit der Verbissenheit eines Ödipus kritisiert hatte, nicht sein Nachfolger werden möge. William W. Howells erhielt den Posten und bekleidete ihn mit großer Kompetenz bis zu seiner Emeritierung 1974.«[30]

Howells war bekannt dafür, daß er die neue Faktorenanalyse benutzte, um Schädel nach rassischen Gruppen und Arten zu klassifizieren. Auch Brace hatte dieses Verfahren bei seinem Gasmaskenprojekt verwendet, so daß beide gleich ein gemeinsames Interesse hatten. Da Howells seinen neuen Schüler noch nicht kannte, bat er ihn, die Kurse eines Jahres zu wiederholen. Dieses Jahr hatte einen entscheidenden – wenn nicht den entscheidenden – Einfluß auf Brace' Karriere. Der Siegeszug der Synthetischen Theorie hatte sich zu Beginn seines Harvard-Studiums gerade erst abgezeichnet. Nun verlangte Howells von seinen Studenten, die gesamte Literatur zu diesem Thema zu lesen und zu diskutieren. Brace machte das evolutionäre Paradigma schnell zu seinem eigenen.

Der Anstoß zu seiner originellen Doktorarbeit kam von Howells. In den letzten zehn bis fünfzehn Jahren hatte das Jackson Laboratory in Bar Harbor, Maine, unter wissenschaftlicher Beratung Hootons Messungen und Beobachtungen an Hunden in Zuchtanstalten vorgenommen, um die Beziehung zwischen körperlicher Gestalt und Verhalten zu erforschen. Da man dort mit ausgereiften wissenschaftlichen Methoden arbeitete, verfügte man über ein umfangreiches Datenmaterial und akribisch genaue Aufzeichnungen, doch niemand wußte sie auszuwerten. Dies war eine Gelegenheit, eine völlig neuartige Untersuchung durchzuführen und die anatomische Variabilität anhand einer großen Datenmenge zu analysieren. Brace wurde also nach Maine geschickt, kopierte die Daten und übertrug sie auf Lochkarten. Sein Projekt war eine der ersten Bewährungsproben für das neue Computersystem, das in Harvard gerade eingerichtet wurde. Um die Hardware und Software zu testen, benötigten die Computerexperten eine riesige Datenmenge. Für den ersten Schritt der Untersuchung, bei dem Brace auf dem Papier einfache Korrelationskoeffizienten berechnete, aus denen hervorging, ob bestimmte anatomische Merkmale in ihrer Größe variierten, hatte er ein Jahr gebraucht – an dem riesigen Computer, der einen ganzen Raum im Keller des Litauer Gebäudes füllte, dauerte die gleiche Arbeit zwanzig Minuten.

Brace unterbrach seine Hunde-Studie, weil er zwei Stipendien für eine Europareise bekam, wie sie wenige Jahre zuvor F. Clark Howell unternommen hatte. Auch Brace wollte die dortigen Fossilien studieren, insbesondere die der Neandertaler, denen sein Hauptinteresse galt. In den Jahren 1959 und 1960 hielt er sich vor allem in Niko Tinbergens Verhaltensforschungslabor in Oxford auf, aber der Höhepunkt seines Aufenthalts in Europa war eine Reise nach Zagreb, wo er Gorjanovics Sammlung inspizierte – als erster Besucher seit Gorjanovics Tod, wie er glaubte.

Nach seiner Rückkehr übernahm er, obwohl seine Doktorarbeit noch nicht abgeschlossen war, eine Dozentenstelle an der University of Wisconsin in Milwaukee und danach eine Stelle an der University of California in Santa Barbara. Er verschob die Fertigstellung seiner Doktorarbeit auf den Herbst 1961, also just auf das Jahr, in dem Carleton Coons Schwierigkeiten begannen.

In der Zwischenzeit hatte Brace über die Neandertaler-Knochen, die er in Europa gesehen hatte, nachgedacht und war zu verblüffenden Ergebnissen gekommen. In Milwaukee hatte er die Zeit gefunden, einen Aufsatz mit dem Titel »Refocusing on the Neanderthal Problem« (Eine Neubewertung des Neandertalerproblems) zu schreiben, und ihn an die Zeitschrift *American Anthropologist* geschickt; 1962 wurde er veröffentlicht. Vallois' vermeintlich objektive Darstellung der drei Theorien über die Stellung des Neandertalers in der Evolution des Menschen lag erst ein paar Jahre zurück. Er hatte zwar nur wenige Anthropologen von der Präsapiens-Theorie überzeugen können, aber viele waren seiner Argumentation gefolgt, daß der Neandertaler viel zu spezialisiert gewesen sei und dem anatomisch modernen Menschen zeitlich viel zu nahe gestanden habe, als daß er dessen Vorfahr hätte sein können.

Brace attackierte diese Ideen voll Eifer und innerer Überzeugung: Vallois' Interpretation sei grundfalsch und basiere auf zwei Irrtümern. Erstens sei die Annahme falsch, daß die kleinen, frühen Populationen von Menschen zur Inzucht geneigt und deshalb nur geringe anatomische Variabilität innerhalb jeder Gruppe aufgewiesen hätten.

Zweitens war nur ein einziges halbwegs vollständiges Exemplar eines im späten Mittelpaläolithikum lebenden Menschen gut bekannt ...
Da die zahlreichen Autoren von relativ einheitlichen Populationen ausgingen, gaben sie sich mit dem Bild zufrieden, das ein einziges relativ vollständiges Skelett vermitteln konnte, und folgerten weiter, daß die Merkmale der menschlichen Populationen des Mittelpaläolithikums hinreichend bekannt seien und zu einem einzigen leicht erkennbaren »Typus« gehörten ... Offensichtlich sträubten sich viele Autoren gegen die Vorstellung, daß aus dieser Population spätere Formen des Menschen hervorgegangen seien.[31]

Brace zeigte anhand des Materials aus Westeuropa, Mitteleuropa (hauptsächlich Krapina) und Westasien (der Fossilien vom Mount Carmel), daß bestimmte anatomische Merkmale der Neandertaler sich in der *Größe* beträchtlich voneinander unterschieden. Allerdings unternahm er nicht den Versuch, auch die schwierige Frage der Unterschiede in der *Form* zu behandeln.

Seiner Ansicht nach waren die Neandertaler variabel und keineswegs einheitlich spezialisiert gewesen; tatsächlich »gehörte die Übereinstimmung mit einem klar definierten Typus nicht zu den Merkmalen des frühen Menschen«.[32] Wer dies behauptete, sei entweder mit dem Material nicht vertraut oder könne den modernen Evolutionsgedanken nicht mit dem Fossilbestand in Einklang bringen.

Auch der zweite Teil von Vallois' Argumentation beruhte laut Brace auf einer krassen Fehlinterpretation des vorliegenden Materials:

Wenn die Beziehungen, die die Völker des späten Mittelpaläolithikums untereinander hatten, sich aus den veröffentlichten morphologischen Erkenntnissen ebensowenig ablesen lassen wie das, was sie mit den vorangegangenen und den nachfolgenden Völkern verband, sollte man vielleicht die Archäologie stärker zu Rate ziehen. Archäologisches Material ist weniger vergänglich als die Überreste von Skeletten. Es ist in viel größerem Umfang und größerer Vielfalt erhalten und bekannt. Bis vor kurzem hielten viele physische Anthropologen an der alten Ansicht fest, daß in Europa eine plötzliche Einwanderung [anatomisch moderner] Völker des Jungpaläolithikums stattgefunden habe, obwohl die vorliegenden Skelette diese Annahme nicht stützen. Und sie beriefen sich hauptsächlich auf archäologische Beweise. Andererseits stimmten die Archäologen der Theorie von der plötzlichen Einwanderung nur deshalb zu, weil sie glaubten, sie werde durch die angeblich klaren morphologischen Unterschiede untermauert, die die physischen Anthropologen festgestellt hätten.
Diese Situation, in der ein Fach dem anderen den Schwarzen Peter zuschob, wurde bemerkenswerterweise von dem französischen Archäologen François Bordes durchbrochen. Dieser stellte fest, daß der Übergang vom typischen Zustand des Moustérien zu dem des Jungpaläolithikums sich relativ langsam vollzog und durch eine allmähliche Veränderung der Zahl und Vielfalt der Klingenwerkzeuge gekennzeichnet ist ...
Die Hartnäckigkeit, mit der man sich gegen die Erkenntnis sperrt, daß die Werkzeugkultur des Jungpaläolithikums in irgendeiner Form auf der des Moustérien basiert, wird von Bordes mit der Behauptung verglichen, Hamlet sei nicht von William Shakespeare, sondern von einem Zeitgenossen gleichen Namens geschrieben worden ... Es hat den Anschein ... daß wir in Populationen nach den Vorfahren des modernen Menschen gesucht haben, die nicht Neandertaler genannt werden sollten, obwohl sie wie Neandertaler aussehen.[33]

Auch in seinem nächsten Aufsatz griff Brace die Ansichten etablierter Wissenschaftler an. Er reichte ihn just an dem Tag ein, als Washburn in seiner Rede als Präsident der American Anthropological Association Coon angriff. Der Artikel erschien 1964 in der Zeitschrift *Current Anthropology* und trug den Titel »The Fate of the ›Classic‹ Neandertals: A Consideration of Hominid Catastrophism« (Das Schicksal der ›klassischen‹ Neandertaler: Die Rolle der Katastrophentheorie in der Geschichte der Hominiden).

Es gehörte zu den Gepflogenheiten des Blattes, einen Aufsatz vor seinem Erscheinen an fünfzig Wissenschaftler zu schicken und sie um eine Stellungnahme zu bitten – ein Verfahren, das als CA-Starbehandlung bezeichnet wird. Brace hatte einen langen, weitschweifigen Artikel verfaßt, in dem er so gut wie alles, was bisher in seinem Fach geleistet worden war, kritisierte. Dabei breitete er eine Fülle origineller Ideen aus. Der Artikel war die dreiste Herausforderung eines jungen Wissenschaftlers, der erst am Anfang seiner Karriere stand. Die Reaktionen reichten von »mildem Tadel bis zu empörter Ablehnung«,[34] wobei letztere deutlich überwog. Die Briefe mit ihren kaum verhüllten Beleidigungen sind als Lektüre hochinteressant, da sie die Mißverständnisse und gegenseitigen Fehlinterpretationen offenlegen.

Brace leitete den Artikel mit einer absolut richtigen Aussage ein – sie war zugleich auch eine der wichtigsten, auch wenn sie keineswegs auf allgemeine Zustimmung oder gar Bewunderung stieß. Sie lautete: »Die Interpretation des Fossilbestands an Hominiden wurde zwangsläufig durch das Meinungsklima beeinflußt, das in jener Zeit herrschte, als die wichtigsten Beweisstücke entdeckt wurden.«[35] Daß der Neandertaler als Vorfahr des modernen Menschen weitgehend abgelehnt wurde, führte er auf Boules Werk zurück, das, wie er sagte, von der negativen Einstellung seines Autors gegenüber dem Darwinschen Evolutionsgedanken zeuge. Boule habe einer an Cuvier orientierten Katastrophentheorie den Vorzug gegeben und es für undenkbar gehalten, daß sich der »tierische« Neandertaler in den »›vornehmen‹, ›gutaussehenden‹, ›feingliedrigen‹, voll und ganz modernen Menschen von überlegener Gestalt und Kultur hatte verwandeln können«.[36] Die niedrigeren Formen mußten also ausgestorben und durch höhere ersetzt worden sein, wie bei aufeinanderfolgenden Schöpfungen, die durch Katastrophen voneinander getrennt sind.

Doch seit Boules erster Veröffentlichung über La Chapelle-aux-Saints im Jahr 1908 hat sich laut Brace

> die Beweislage völlig verändert, während die Argumentation im wesentlichen die gleiche geblieben ist ... Das Ziel [vieler Untersuchungen] bestand darin zu beweisen, daß diese nicht-modernen Hominiden nicht die Vorfahren des modernen Menschen gewesen sein konnten.
>
> Trotz dieser klaren anti-evolutionären Voreingenommenheit ... geht kein modernes Werk so weit zu bestreiten, daß eine Evolution des Menschen stattgefunden hat (obwohl Boule und Vallois 1957 fast alle bekannten fossilen Beweise dafür ablehnten). Offenbar haben wir es eher mit einem Fall von »aus den Augen, aus dem Sinn« zu tun, denn die entscheidenden Ereignisse in der morphologischen Entwicklung des *Homo sapiens* werden generell zeitlich so weit zurückverlegt, daß »der Fossilbestand im Dunkel verschwindet« ... und die Wahrscheinlichkeit gering ist, daß jemand durch den Anblick eines menschlichen Vorfahren irritiert wird, der noch nicht besonders menschlich aussieht.[37]

Viele von Brace' verbalen Attacken trafen ins Schwarze – beispielsweise erkannte er deutlich, daß zwischen dem neuen Beweismaterial und der Theorie ein Widerspruch klaffte. Vor allem Vallois war nicht willens, wie spätere Ausgaben von *Fossile Menschen* beweisen, Boules Interpretationen wesentlich zu korrigieren, obwohl sich der Fossilbestand entscheidend verändert hatte. Brace erkannte auch die Ähnlichkeit zwischen Boules Präsapiens-Theorie, die Vallois in Frankreich weiterhin stützte, und Keith' Überzeugungen, »die ohne Keith fortgesetzt werden«[38]. Diese Theorie wurde in Kenia von Louis Leakey und in Amerika zunächst von Hooton und später von T. Dale Stewart von der Smithsonian Institution vertreten.

Den Präsapiens-Theorien, die Brace als anti-evolutionär bezeichnete, stellte er die Theorien von Weidenreich und Hrdlička gegenüber. Und er bemerkte – wie unabhängig von ihm auch Coon –, daß sie nie ernsthaft diskutiert worden waren. Zumindest

Hrdlička hatte eine präzise Definition des Neandertalers geliefert, und zwar laut Brace »die einzige, die in Verbindung mit klaren evolutionsgeschichtlichen Prinzipien vorgelegt worden ist«.[39] »Die einzig praktikable Definition des Neandertaler-Menschen und seiner Zeit«, hatte Hrdlička geschrieben, »scheint vorläufig zu lauten: *der Mensch und die Periode der Moustérien-Kultur.*«[40]

Die anatomischen Unterschiede zwischen Neandertalern und modernen Menschen lagen für Brace vor allem in den Größenunterschieden von Gesicht und Zähnen. Die Unterschiede beim übrigen Skelett spielte er herunter, die Differenzen in der *Form* des Gesichts vernachlässigte er. So kam er zu dem Schluß, daß die Verkleinerung des Gesichts und der Zähne sich sehr wohl evolutionär vollzogen haben könnte. Der entscheidende Punkt war seiner Ansicht nach, daß die körperliche Evolution im wesentlichen durch die kulturelle Evolution ersetzt worden war. Die Kultur war zum grundlegenden, nicht genetisch bedingten Faktor der Spezialisierung unserer Ahnenreihe geworden und hatte den Selektionsdruck verringert, der auf unsere Anatomie wirkte. So wurden jetzt bei bestimmten Arbeiten, die zuvor mit den Zähnen, besonders mit den Vorderzähnen, verrichtet worden waren, Werkzeuge eingesetzt, was zu einer beträchtlichen Verkleinerung der Gesichtspartie führte. Auf der Basis solcher Überlegungen kam Brace zu folgender Neufassung von Hrdličkas Definition: »*Der Neandertaler ist der Mensch der Moustérien-Kultur, und er lebte, bevor sich das Gesicht der Menschen des mittleren Pleistozäns in Form und Größe verkleinerte.*«[41]

Brace schloß seinen Artikel mit einer kühnen Antwort auf die Frage, die im Titel enthalten ist:

Ich bin der Ansicht, daß es die Bestimmung des Neandertalers war, den modernen Menschen hervorzubringen, und daß er, wie Menschen der älteren Generation in dieser veränderlichen Welt häufig, von seinem eigenen Nachkommen, dem *Homo sapiens,* karikiert, zurückgewiesen und verleugnet wurde.[42]

Es läßt sich nicht bestreiten, daß Brace mit Worten umzugehen verstand und seine umstürzlerischen Ideen Nachwirkungen hatten. Sein Vorwurf des anti-evolutionären Denkens und seine un-

427

verhohlene, bisweilen scharfzüngige Kritik brachten jedoch viele Kollegen gegen ihn auf. Ihr Unmut richtete sich weniger gegen seine Ideen als vielmehr gegen seine Sprache und seine unfeine Art, Kollegen böse Absichten zu unterstellen und der Unterschlagung von Beweismaterial zu bezichtigen. Hinzu kam, daß es ihm nicht gelang, konstruktive Alternativen zu entwickeln. Seine Vorstellungen über die Zusammenhänge zwischen Evolution, Kultur und Gesichtsanatomie waren zwar durchaus ernst zu nehmen, aber noch zu vage formuliert und schwer zu überprüfen. Selbst sein Lehrer Howells äußerte sich kritisch, obzwar auch er zu der Ansicht neigte, daß die Neandertaler unsere Vorfahren sind. Er sagte:

> Eine Untersuchung wie die von Brace ist nützlich, wenn man gegensätzliche Hypothesen daraufhin überprüfen will, ob sie den Anforderungen einer soliden Evolutionstheorie genügen und mit neuen Fakten übereinstimmen. Ich wünschte, er hätte sich daran gehalten. Man kann sich jedoch des Eindrucks nicht erwehren, daß es ihm mehr darum geht, den *Homo altgardensis* zu analysieren, als den *Homo neanderthalensis* zu untersuchen.[43]

Howells war es nicht entgangen, daß es Brace mit seiner Schmähschrift mehr um die Wissenschaftspolitik ging als um die Lösung von Sachproblemen.

Umgekehrt nahmen auch die Kritiker kein Blatt vor den Mund: Sie bezeichneten die Brace'schen Vorstellungen als teilweise »polemisch und tendenziös« oder sogar als »reinen Blödsinn«.[44] Seine Sprache charakterisierten sie als »aggressiven Slang ... der in einer ›internationalen Zeitschrift über die Wissenschaft vom Menschen‹ vollkommen fehl am Platz ist«.[45] Seinen Vorwurf, die Franzosen seien gegen die Evolutionstheorie eingestellt, hielten sie für »weit hergeholt«.[46]

Die Reaktionen der Franzosen auf den letztgenannten Punkt, die erst 1966 in einem späteren Heft abgedruckt wurden, waren aufschlußreich. François Bordes' Kommentar sei hier vollständig wiedergegeben.

Ich war schockiert über Brace' Behauptung, die französischen Anthropologen seien alle Anti-Evolutionisten gewesen. Zunächst möchte ich darauf hinweisen, daß Lamarck bereits eine Evolutionstheorie entwickelt hatte, als Darwin noch in der Wiege lag. Daß der von ihm vorgeschlagene Mechanismus falsch war, steht auf einem anderen Blatt. Schließlich gelingt es der Nachwelt immer nachzuweisen, daß die Wissenschaftler früherer Generationen im einen oder anderen Punkt unrecht hatten.

Aus Brace' Reaktion ist klar ersichtlich, daß er Evolutionismus mit Neodarwinismus gleichsetzt. Dies ist meiner Ansicht nach eine höchst totalitäre Haltung. Man kann durchaus Evolutionist sein – also daran glauben, daß sich alle bestehenden Lebensformen aus anderen Formen entwickelt haben –, ohne die neodarwinistische Position in allen Punkten zu übernehmen. Der Neodarwinismus war ein ausgesprochen wichtiger Schritt; sollte er sich als hundertprozentig korrekt erweisen, wäre dies der erste derartige Fall in der Geschichte der Wissenschaft.[47]

Bordes verwahrte sich gegen Brace' unbegründeten Vorwurf, unter französischen Anthropologen habe der Glaube an eine Katastrophentheorie in der Tradition Cuviers überlebt. Er stand aber auch den Glaubenssätzen neodarwinistischer Evolutionstheorie skeptisch gegenüber, die Brace für die einzig richtige hielt. Ihre Auseinandersetzung führt beispielhaft vor, wie zwei Wissenschaftler aneinander vorbeireden, weil sie in verschiedenen Traditionen ausgebildet worden sind und sich in ihren Grundannahmen radikal voneinander unterscheiden – ein Problem, das durch Brace' aggressiven Ton noch erheblich verschärft wurde.

Auch Vallois verteidigte seine Ansichten vehement gegen Brace, widersprach ihm in vielen Punkten und stand unbeirrt zu seiner Präsapiens-Theorie. Und er konnte sich die Bemerkung nicht verkneifen, daß es wohl besser sei, wenn Arbeiten, für die große Mengen komplexen Materials gesammelt, geprüft und zur Synthese gebracht werden müßten, von Forschern vorgenommen würden, »die viel gelesen und gesehen haben und daher besser geeignet sind, über die Probleme dieser Wissenschaft zu reflektieren«, als von Leuten, »die erst am Anfang ihrer wissenschaftlichen

Karriere stehen«.[48] Dies war ein deutlicher Rüffel von Howells' *Homo altgardensis* an die Adresse des *Homo junggardensis*.

Der Aufruhr, den Brace auslöste, ließ die Kontroverse um Coon in den Hintergrund treten und lenkte die Aufmerksamkeit wieder auf das Problem der Neandertaler. Brace hatte sein Ziel, »eine selbstzufriedene Disziplin aufzurütteln«,[49] bereits erreicht. Doch noch heute – fast dreißig Jahre danach – ist er erstaunt über die, wie er meint, geringe Wirkung, die seine beiden Artikel langfristig hatten.

> Ich hatte einen gehörigen Wirbel erwartet, aber ich hätte nie gedacht, daß alles gleich wieder verpuffen würde, als wäre nichts geschehen. Als ich aufzeigte, daß die physische Anthropologie mit einem nicht-darwinschen Paradigma arbeitet, erwartete ich, daß man diese Tatsache – wenn auch nicht dankbar – zur Kenntnis nehmen und sich wenigstens bemühen würde, den orthodoxen Standpunkt der Evolutionsbiologie bei der Analyse anthropologischer Daten zu berücksichtigen. Doch das ist bis heute nicht geschehen.[50]

Für einige Kollegen waren nicht die Neandertaler das »Problem«, sondern Brace – eine für ihn wenig schmeichelhafte Einschätzung. Dennoch blieb er seinem Widerspruchsgeist und seinem provokativen Wesen treu. Kurz nach dem Erscheinen von »The Fate of the Neanderthals« ließ er sich einen Vollbart wachsen und trug einen Pferdeschwanz, durch dessen Band er ein Hühnerbein steckte. Für einen Professor war dies zwar ein exzentrisches, aber Mitte der sechziger Jahre kein unmögliches Erscheinungsbild – zumal man im Fach Anthropologie ausgefallene Kleidung und auffälliges Verhalten traditionell tolerierte und sogar zu einer gewissen Verstiegenheit ermutigte. Hippie-Frisuren sind unter Akademikern längst aus der Mode gekommen, doch Brace trägt immer noch voller Stolz Vollbart und Pferdeschwanz – beide längst schneeweiß. Seine Schriften, in denen er herrschende Lehrmeinungen kritisiert, sind nach wie vor provokativ. Unverändert setzt er sich mit den Thesen auseinander, die ihn schon in den sechziger Jahren beschäftigt haben. Daß er ein Einzelkämpfer geblieben ist, beweisen die »Danksagungen« in seinen Büchern, in denen er darauf hinweist, daß er die Schrift fertiggestellt habe, obwohl ihm diese oder jene Stiftung ihre finanzielle Unterstützung versagt habe.

Brace mag enttäuscht sein, daß manche seiner Ideen ungehört verhallt sind, andere dagegen haben eine beträchtliche Wirkung gezeigt. Er war der erste, der klar formulierte, daß die wichtigen Veränderungen im menschlichen Verhalten, die sich im Mittelpleistozän ereigneten, hauptsächlich für die anatomischen Veränderungen der Neandertaler verantwortlich sind, als diese durch natürliche Selektion (und durch Gendrift) dem modernen Menschen immer ähnlicher wurden. Er war es auch, der die Kultur erstmals als einen wichtigen Bestandteil des menschlichen Anpassungsmechanismus betrachtet – eine Einsicht, die sich im modernen anthropologischen Denken weitgehend durchgesetzt hat. In seinen umfangreichen Folgeuntersuchungen zum Gebiß und der Morphologie des Gesichts verschiedener prähistorischer und noch lebender Populationen hat Brace auf die evolutionären Trends und Veränderungen, die er feststellen konnte, und auf die notwendige und bedeutungsvolle Wechselwirkung zwischen Anatomie und Kultur hingewiesen.

»Wir leben in einer kulturbestimmten Umwelt«, heißt es bei ihm: »Der Gedanke, daß die Kultur unsere ökologische Nische ist, trifft auch heute noch zu. In welchem Ausmaß die natürliche Auslese auf die menschliche Anatomie einwirken kann, ist vom kulturellen Entwicklungsstand abhängig.«[51] Dieses Argument hat seit den sechziger Jahren nichts von seiner Überzeugungskraft eingebüßt.

Die Brace'sche Polemik trug möglicherweise dazu bei, daß die Daten, die über Kultur und Verhalten der Neandertaler vorlagen, allmählich zu einem wichtigen Faktor im anthropologischen Denken wurden. Seit sich in der Anthropologie ein neues Bild von der Anatomie des Neandertalers durchgesetzt hatte, war der Boden für ein neues Verständnis dieses weniger greifbaren Aspektes bereitet.

Ein erster Schritt in diese Richtung war schon viele Jahre zuvor gemacht worden. Im Jahr 1953 hatte der junge Archäologe Ralph Solecki[52] mit Unterstützung seiner Frau, der Anthropologin Rose Solecki, in der Höhle Shanidar im irakischen Teil Kurdistans mit Ausgrabungen begonnen. Ein Unternehmen, das ihm den großen Durchbruch bringen sollte.

Solecki hatte an der Universität von Columbia studiert und seinen Abschluß erst viel später erworben, als heute üblich ist. Doch die praktische archäologische Erfahrung, die er bereits mitbrachte, als er 1956 sein Hauptstudium begann, war verglichen mit heutigen Maßstäben ebenfalls ungewöhnlich. Einen Teil dieser Erfahrung hatte er im Nahen Osten gesammelt. In den Jahren 1950 und 1951 war er Lagerleiter und Archäologe einer Expedition, die in einem Dorf in Kurdistan forschte, das aus der Zeit um 800 v. Chr. stammte. Solecki selbst interessierte sich mehr für älteres Material, weshalb er nach Beendigung der zweiten Ausgrabungsperiode im Land blieb und zu Pferd nach Höhlen suchte, die in ferner Vergangenheit bewohnt gewesen waren. Begleitet wurde er von zwei bis drei Polizisten, einem Vertreter des Nationalmuseums und einem lokalen Regierungsbeamten. Das Glück muß mit ihnen geritten sein, denn sie stießen auf etwa vierzig Höhlen. (Die Paläanthropologen wurden in dieser Zeit von einer regelrechten Entdeckerwut getrieben. Carleton Coon, damals noch Professor an der University of Pennsylvania, leitete Ausgrabungsarbeiten in Höhlen unmittelbar hinter der Grenze zum Iran, und Dorothy Garrod barg in Höhlen der nahegelegenen Levante vielversprechendes Material.) Mit jugendlichem Optimismus wandte sich Solecki an den Leiter des Denkmalschutzamts für Altertümer und bat um die Erlaubnis, nach prähistorischem Material graben zu dürfen.

Shanidar war eine prächtige Höhle, und von ihrem Eingang aus hatte man einen herrlichen Blick auf den Großen Zab-Fluß. Zeitweise wurde sie noch immer von Kurden bewohnt. Die Höhle bot genug Platz für sieben Familien (etwa fünfundvierzig Personen), hundert Ziegen, vierzig Hühner, zehn Pferde und zehn Kühe. Unter einem hohen Dach maß der Raum etwa fünfzig Meter in der Breite und fünfundvierzig Meter in der Tiefe, weshalb die Hirten an den Wänden eine Reihe kleiner Hütten und im hinteren Teil ein großes Viehgehege hatten errichten können. In der Mitte blieb ein großer Platz für ein Lagerfeuer frei, um das sich alle Familien versammelten. Die Höhle eignete sich vorzüglich als Behausung, und Solecki konnte davon ausgehen, daß sie im Verlauf der letzten hunderttausend Jahre immer wieder bewohnt gewesen war und daß jede Generation ihren aussagekräftigen Hausmüll hinterlassen hatte.

Dies alles schilderte er dem Regierungsbeamten in leuchtenden

Farben und machte deutlich, daß eine solche Höhle keinesfalls sich selbst überlassen bleiben dürfe. Schließlich wurde sein Vorhaben bewilligt, wobei auch die Erfolge eine Rolle gespielt haben dürften, die bei Ausgrabungen in benachbarten Ländern erzielt worden waren. Das Denkmalschutzamt stellte sogar ein Drittel seines Jahresetats zur Verfügung, so daß Solecki Arbeiter anheuern und ein Auto, Ausrüstung und Verpflegung kaufen konnte. Zunächst ließ er einen Testgraben ausheben, der gleich zahlreiche Feuerstellen, Scherben und Feuersteine freigab. Mit Rücksicht auf die Kurden, die als streitbares Volk bekannt waren, ließ er den Graben im Gemeinschaftsbereich in der Mitte der Höhle ausheben und vermied es, die Hütten zu beschädigen. Die Kurden blieben während der vier Ausgrabungsperioden zwischen 1953 und 1960 ständig gegenwärtig – lebende Beispiele für die Höhlenbewohner in dieser Region. Durch ihre Lebensgewohnheiten beeinflußten sie Soleckis Bild von der Vergangenheit und halfen ihm bei der Interpretation der archäologischen Funde.

In einer Tiefe von etwa fünfeinhalb Metern stieß das Ausgrabungsteam auf Werkzeuge aus dem Moustérien, ein untrügliches Zeichen dafür, daß Neandertaler die Höhle bewohnt hatten. Mit Hilfe von Radiokarbon-Analysen datierte man den obersten Teil dieser Schicht später auf fünfundvierzigtausend Jahre. Der unterste Teil wurde auf ein Alter von etwa hunderttausend Jahren geschätzt. Die Höhle von Shanidar sollte sich als eine der reichsten bislang bekannten Lagerstätten von Neandertaler-Fossilien erweisen. Am 22. Juni 1953, in der ersten Ausgrabungsperiode, wurde das Skelett eines Kindes geborgen. Es lag auf der rechten Seite, und seine Arme und Beine waren eng an den Körper angezogen. Das Skelett war offensichtlich vollständig, aber auf wenige Zentimeter Höhe zusammengedrückt. Solecki ließ die Überreste – die jahrelang als das »Kind von Shanidar« bezeichnet wurden – von dem türkischen Anthropologen und Coon-Schüler Musafir Şenyürek untersuchen, während er selbst sich auf die im Überfluß vorhandenen Steinwerkzeuge konzentrierte. Daß das Kind menschliche Züge trug, war offensichtlich, doch die Knochen waren so zerquetscht und zersplittert und das Kind so jung gestorben (mit etwa neun Monaten), daß die neandertalertypischen Merkmale schwach, falls überhaupt ausgeprägt waren.

Obwohl die erste Grabungsperiode ein Erfolg gewesen war, kehrte Solecki erst 1956, nachdem er eines der ersten Auslandsstipendien der Fulbright-Stiftung erhalten hatte, in den Irak zurück. In diesem Jahr konzentrierte man die Arbeit primär auf die jüngeren Schichten – zunächst mit mäßigem Erfolg. Im April und Mai 1957, als sich die zweite Periode bereits dem Ende näherte, entdeckte das Team dann drei Skelette von erwachsenen Neandertalern (die als Shanidar 1, 2 und 3 bezeichnet werden). Shanidar 3 wurde zuerst ausgegraben, da das Skelett aber stark fragmentiert war, erkannte man zunächst nicht, daß es sich um menschliche Knochen handelte. Erst als am 27. April 1957 Shanidar 1, das außerordentlich gut erhaltene Skelett eines männlichen Neandertalers, zu Tage gefördert wurde, wußte Solecki, daß er Neandertaler-Bestattungen gefunden hatte.

In der letzten Woche dieser Grabungsperiode entdeckte Philip

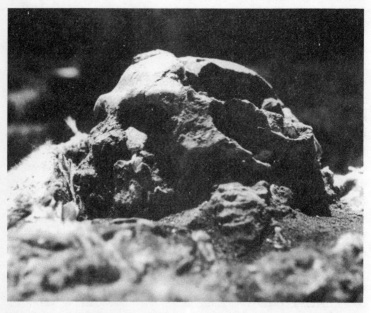

60. *Der Neandertaler-Schädel Shanidar 1, wie er bei den Ausgrabungen zutage trat. Er gehörte zum ersten von neun Skeletten erwachsener Neandertaler, die in Shanidar gefunden wurden. Sie alle trugen dazu bei, daß man ein neues, freundlicheres Bild von diesen prähistorischen Menschen gewann.*

61. *Ralph S. Solecki (links) und T. Dale Stewart (Mitte) im Jahr 1960 bei Ausgrabungen in der Shanidar-Höhle, wo zahlreiche Skelette von Neandertalern gefunden wurden.*

Smith, ein Mitglied von Soleckis Team, durch Zufall Shanidar 2. Smith »räumte den Fundort auf«, wie Archäologen es am Ende einer Grabung zu tun pflegen: Er glättete die Wände und nahm einige Bodenproben. Als er eine schmale Schicht der Grabenwand abtrug, kratzte seine Kelle über das Nasenbein eines Schädels. Eilig gruben die Archäologen das Cranium aus, da es in dieser Lage ungeschützt war, und ließen den Rest des Skeletts vorerst in der Erde. Stolz kehrten sie mit ihren Funden und der Aussicht, bald weitere Funde zu machen, in die USA zurück.

Da Şenyürek bei einem tragischen Flugzeugunglück ums Leben gekommen war, suchte Solecki nun fachlichen Rat bei T. Dale Stewart, seinem Kollegen von der Smithsonian Institution. Stewart war Experte für die Skelette nordamerikanischer Indianer und hatte gerade ein Forschungsprojekt über das älteste bekannte menschliche Fossil Nordamerikas, den Midland-Schädel aus Westtexas, abgeschlossen. Weil Aleš Hrdlička bis zu seinem Tod 1954 an der Smithsonian Institution für Fossilien aus der Alten Welt zuständig gewesen war, hatte sich Stewart bis dahin nicht mit ihnen befaßt. Gerne übernahm er die neue Aufgabe, die Skelette von Shanidar zu rekonstruieren und zu analysieren. Shanidar 3 identifizierte er als einen Neandertaler. Voller Begeisterung reiste er 1957 und erneut 1958 nach Bagdad, um Shanidar 1 nachzubilden, und veröffentlichte schon bald einen vorläufigen Bericht über das Skelett: Der Schädel stammte nicht von einem progressiven Neandertaler, wie man nach F. Clark Howells kurz zuvor erschienener Zusammenfassung der Forschungsergebnisse hätte annehmen müssen. Er glich keineswegs den Fossilien von Tabun in der Levante, sondern war den klassischen Neandertalern Europas sehr ähnlich. Für die Paläanthropologen hieß das: weiterforschen und weitergraben.

Die nächste Grabungsperiode in Shanidar fand erst 1960 statt – Solecki hatte inzwischen fleißig an seiner Doktorarbeit über die Steinwerkzeuge aus dem frühen Jungpaläolithikum geschrieben, die man in Shanidar gefunden hatte. Diesmal nahm auch Stewart an der Expedition teil. Er verbrachte den größten Teil seiner Zeit im Irakischen Museum in Bagdad, wo er sich weiter um eine Analyse der zerquetschten Überreste von Shanidar 2 bemühte, die bereits mit einem Konservierungsmittel behandelt worden waren, als sie sich noch teilweise in ihrer Hülle aus Erde und Stein befanden. Er war zugegen, als im August Shanidar 5 entdeckt wurde, das isolierte Skelett eines erwachsenen männlichen Neandertalers. Noch im selben Monat wurden die übereinanderliegenden Funde Nummer 4, 6, 8 und 9 gemacht. Als die Grabungsperiode zu Ende ging, hatte Soleckis Team neun Steinschläge in der Höhle dokumentiert, die den Tod von vier der gefundenen Neandertaler verursacht hatten, während die anderen fünf wahrscheinlich begraben worden waren.

Dies war eine reiche Ausbeute, die durchaus mit den Funden von Mount Carmel konkurrieren konnte. Solecki ist überzeugt davon, daß die Höhle noch weitere Neandertaler birgt, womit er sicherlich recht hat, denn nur ein kleiner Teil des Höhlenbodens ist ausgegraben worden. Aufgrund politischer Umstände war es jedoch unmöglich weiterzuarbeiten; Solecki wurde 1978 von einer Militäreskorte aus dem Gebiet gebracht, als er versuchte, die Ausgrabungen wiederaufzunehmen. Seither haben der Konflikt zwischen den Kurden und der irakischen Regierung, der

62. Das »Blumengrab« in der Shanidar-Höhle zum Zeitpunkt seiner Entdeckung. Das deutlich sichtbare Skelett ist der alte Mann Shanidar 4, dessen Körper anscheinend mit Blumen bedeckt war. Die Armknochen von Shanidar 6, einer jungen Frau, sind im Vordergrund zu erkennen. Unter Shanidar 4 und 6 wurden Fragmente eines jungen Erwachsenen (Shanidar 8) und eines Kindes (Shanidar 9) gefunden. Aus der großen Menge von Blumenpollen, die sich in diesem Grab befanden, schloß man, daß die Neandertaler »Blumenkinder« waren, die religiöse Überzeugungen und Gefühle hegten.

Krieg zwischen Iran und Irak und der Golfkrieg jede weitere Arbeit unmöglich gemacht. Ungewiß ist auch, ob die in Bagdad aufbewahrten Skelette der Neandertaler das Bombardement der Alliierten 1991 unversehrt überstanden haben oder ob sie das Schicksal der Fossilien von Zhoukoudian teilen, die im Zweiten Weltkrieg zerstört wurden. Möglicherweise ist nur noch das Fossil Shanidar 3 erhalten, das seit seiner Identifizierung in den USA verblieb.

Die Überreste von Shanidar trugen wesentlich zu einem neuen

437

Bild des Neandertalers bei. Solecki veröffentlichte zunächst mehrere wissenschaftliche Aufsätze, von denen einige aus politischen Gründen in der irakischen Zeitschrift *Sumer* erschienen. Ihnen folgte ein populärwissenschaftliches Buch, in dem er seine Funde einer breiteren Öffentlichkeit vorstellte. Darin rückten er oder seine Herausgeber ein kleines Detail in den Vordergrund, das das Leben der Neandertaler und ihre Zeit auf erstaunliche Weise zu beleuchten schien. Andere hätten es bei den Ausgrabungen wahrscheinlich gar nicht entdeckt, doch Solecki hatte von Anfang an fast zwanghaft Bodenproben entnommen, um aus ihrer Analyse Hinweise auf die Umwelt der Neandertaler gewinnen zu können. Dies war keineswegs üblich, denn die Archäologie jener Zeit war fast ausschließlich auf die Frage fixiert, wie häufig verschiedene Arten von Steinwerkzeugen vorkamen und mit welchen Techniken sie hergestellt worden waren. Solecki aber wollte ein umfassenderes und fundierteres Verständnis der von ihm ausgegrabenen Vergangenheit gewinnen. 1968 veröffentlichte die französische Palynologin (Pollenexpertin) Arlette Leroi-Gourhan einen wissenschaftlichen Artikel über die Untersuchung einer Bodenprobe, die aus der unmittelbaren Umgebung des Grabes von Shanidar 4 entnommen worden war. Sie hatte große Mengen von Pollen wilder Blumen gefunden, die ihrer Meinung nach unmöglich durch den Wind oder die Füße von Menschen oder Tieren in die Höhle hatten getragen werden können.

Solecki maß dieser Entdeckung sensationelle Bedeutung zu: Möglicherweise hatten die Neandertaler der Shanidar-Höhle dem Verstorbenen Blumen ins Grab gelegt. 1971 gab Solecki seinem populärwissenschaftlichen Buch deshalb den Titel *Shanidar. The First Flower People* (Shanidar. Die ersten Blumenmenschen). Der Titel war wirkungsvoll. Er überzeugte den Leser noch vor der Lektüre, daß die Neandertaler in ihrem Verhalten ausgesprochen menschlich waren. »Dieser Mann«, schrieb Solecki in einem späteren Aufsatz, »starb vor ungefähr 60 000 Jahren … und doch bringt uns die Entdeckung, daß er mit Blumen bestattet wurde, die Neandertaler geistig näher, als wir je gedacht hätten … Daß die Neandertaler mit Blumen in Verbindung gebracht werden, fügt unserem Wissen um ihre Menschlichkeit eine neue Dimension hinzu. Es deutet darauf hin, daß sie eine ›Seele‹ hatten.«[53]

Neben der Blumenbestattung fand sich bei der weiteren Analyse der Fossilien noch ein weiteres überzeugendes Indiz für das Menschsein des Neandertalers. Shanidar 1 war eines der besterhaltenen Fossilien. Der männliche Neandertaler war bei seinem Tod zwischen dreißig und fünfundvierzig Jahre alt, ein hohes Alter für einen prähistorischen Menschen, denn nur wenige Neandertaler erreichten das vierzigste Lebensjahr, und kaum einer wurde älter als fünfzig.

Selbst unter Berücksichtigung der harten Existenzbedingungen, unter denen die Neandertaler lebten, hatte Shanidar 1 ein leidvolles Leben gehabt.[54] Eine genaue Untersuchung der Knochen belegte eine Fülle schwerer, aber verheilter Knochenbrüche. Der Mann hatte einen Schlag auf die linke Kopfseite erhalten, der die Augenhöhle gebrochen und das linke Auge so verschoben hatte, daß er auf dieser Seite wahrscheinlich erblindete. Außerdem hatte ein Schlag gegen die rechte Körperseite seinen Arm so schwer verletzt, daß er ihn nicht mehr gebrauchen konnte; die Knochen des rechten Schulterblatts, des Schlüsselbeins und des Oberarms sind viel kleiner und dünner als die der anderen Seite. Der rechte Unterarm und die rechte Hand fehlen, und zwar vermutlich nicht deshalb, weil sie als Fossilien nicht erhalten geblieben sind, sondern weil sie entweder verkümmerten und abfielen oder amputiert wurden. Der rechte Fuß und Unterschenkel hatten, möglicherweise zum selben Zeitpunkt, ebenfalls Schaden genommen. Nachgewiesen werden konnten ein verheilter Bruch an einem Knochen des Fußgewölbes und eine fortgeschrittene degenerative Krankheit an verschiedenen Knochen des Knöchels und der großen Zehe. Der Fuß konnte wegen dieser Krankheit nur wenig und unter großen Schmerzen bewegt werden. Das rechte Knie und diverse Teile des linken Fußes zeigten ebenfalls Spuren krankhafter Veränderungen; sie waren entweder eine Folge der ersten Verletzung oder Funktionsstörungen, die aufgrund des hinkenden Ganges entstanden waren.

Nach Soleckis Ansicht hätte ein derart behinderter Mensch ohne Pflege und Versorgung niemals überleben können. Gleichgültig, ob der rechte Arm absichtlich oder bei einem Unfall abgetrennt worden oder aber verkümmert war, ein einarmiger, halbblinder Krüppel hätte sich niemals als Jäger oder Sammler mit Nahrung versorgen können. Daß er trotz seiner gravierenden Verletzungen noch jahrelang gelebt hatte, mußte als Zeugnis für Mitgefühl und Humanität der Neandertaler gelten. Solecki äußerte in späteren Artikeln auch die Vermutung, daß einige der Wildblumen von Shanidar 4 medizinischen Wert hatten und vielleicht zu Heilzwecken gedient hatten. Jahre später griff Jean Auel in ihrem Buch *Ayla und der Clan des Bären* diesen Aspekt auf und ließ Shanidar 1 als einen Neandertaler-Schamanen oder Magier wiedererstehen.

Daß Solecki die Neandertaler als humane und des Mitleids fähige Wesen betrachtete, wurde in seiner Zunft bemerkenswert widerstandslos akzeptiert. Der Zeitpunkt für seine Veröffentlichung war günstig. Das Bild des »äffischen« Neandertalers Boulescher Prägung hatte bereits einer neuen und menschlicheren Anatomie des Neandertalers weichen müssen. Im Gefolge von Brace verlagerte nun Solecki das Zentrum der Forschung von der Anatomie des Präsapiens auf sein Verhalten. Auch nach dieser neuen Sicht stammte der moderne Mensch von anatomisch primitiven Vorfahren ab. Aber nun konnte man sich damit trösten, daß sie *in ihrem Verhalten* bereits genauso menschlich waren, wie wir es heute zu sein glauben. Im Neandertaler steckte bereits ein Blumenkind, so einfach war das damals. Zweifel wurden erst später laut.

9
Harte Zeiten
1971–1983

Der Neandertaler wurde nun als Wesen angesehen, das in seinem Verhalten dem modernen Menschen ähnlich war. Doch dies trug zur Lösung des Neandertaler-Problems wenig bei. Theoretisch war er nach Soleckis Entdeckungen als enger Verwandter oder Vorfahr des Menschen vorstellbar, aber in der Praxis waren nur wenige Wissenschaftler bereit, dies auch wirklich zu akzeptieren.

Gleichwohl hatte Brace einiges dazu beigetragen, jene Haltung zu erschüttern, der zufolge »die Neandertaler unmöglich unsere Vorfahren gewesen sein können«. Widerhall fand er vor allem bei jungen Wissenschaftlern, die sich noch nicht auf die herrschende Meinung der Etablierten festgelegt hatten, und bei einigen anderen, die wie er selbst das Bedürfnis verspürten, das Establishment herauszufordern. Junge Menschen haben den Vorteil – und den Nachteil –, daß sie noch nicht die Erfahrung gemacht haben, wie schwer es ist, in der Wissenschaft wirkliche Fortschritte zu erzielen, und wie leicht man sich irren kann. Brace' Arbeiten hatten das Interesse an den Neandertalern wiederbelebt und gezeigt, daß es auch nach Howells brillantem Forschungsbericht aus den späten fünfziger Jahren noch Probleme zu lösen gab.

In den sechziger und siebziger Jahren standen die Australopithecinen und andere frühe Hominiden, deren Fossilien und Steinwerkzeuge in Afrika ausgegraben wurden, in der Anthropologie im Mittelpunkt des Interesses; besonders erfolgreich war die Expedition der Familie Leakey in Ostafrika. Aber die beiden jungen Professoren David Brose und Milford Wolpoff wandten sich wieder dem Neandertaler zu, weil sie glaubten, sie könnten hier noch einen wichtigen Forschungsbeitrag leisten. Während Brose diesem

Thema in den folgenden Jahren wieder den Rücken kehrte, begann für Wolpoff eine beeindruckende Karriere.

Milford Wolpoffs Biographie liest sich wie eine klassische amerikanische Erfolgsgeschichte.[1] Er wurde als erster der beiden Söhne von Ruth und Benjamin Wolpoff im Oktober 1942 in Chicago geboren. Sein Vater hatte immer Luftfahrtingenieur werden wollen, doch hatte das Geld für das College gefehlt. Nach dem Krieg arbeitete er als Taxifahrer und in der Chemischen Reinigung seiner Familie. Die Eltern Wolpoff waren bemüht, ihren Kindern eine solide Ausbildung angedeihen zu lassen, doch fehlten auch ihnen die finanziellen Mittel.

Der kleine Milford war bereits früh naturwissenschaftlich interessiert. Zehn Jahre war er alt und besuchte die fünfte Klasse, als er Roy Chapman Andrews' Buch *Meet Your Ancestors* entdeckte, das schon Brace begeistert hatte. Auch ihn fesselten die anschaulichen Geschichten über Höhlenmenschen und die menschliche Evolution, und so schrieb er darüber einen Aufsatz für den Naturkundeunterricht. Doch erinnert er sich: »Ich glaubte nicht, daß man mit Fossilien seinen Lebensunterhalt verdienen könnte.«

Ein Stipendium von der University of Illinois, Urbana, das die Studiengebühren in voller Höhe abdeckte, ermöglichte Wolpoff den Collegebesuch. Seinen Lebensunterhalt finanzierte er mit einem Kredit und Ferienjobs. Das anspruchsvolle Physikstudium, dem er sich mit Eifer widmete, ließ ihm für Nebenfächer nur wenig Zeit. Dennoch zog es ihn im zweiten Studienjahr in das Hauptseminar des Harvard-Absolventen und bekannten Archäologen Donald Lathrap über die fossilen Zeugnisse der menschlichen Evolution. Er erfüllte nur einen Teil der geforderten Voraussetzungen, konnte Lathrap aber die Zustimmung zur Teilnahme abringen. Die Literaturliste verriet bereits die Zielrichtung der Veranstaltung. Behandelt wurden Ernst Mayrs Studie über die Synthetische Theorie *Artbegriff und Evolution* und Le Gros Clarks umfassender Forschungsbericht *The Fossil Evidence for Human Evolution*. Wolpoffs erster wissenschaftlicher Kontakt mit der Paläanthropologie war also ein Seminar, das die Evolution des Menschen in den Kontext der Synthetischen Theorie stellte.

Wolpoff gefiel die Veranstaltung, und er schnitt gut ab. Trotzdem wählte er die Anthropologie erst ein Jahr später zu seinem

63. Die Fotografie entstand bei der Feier anläßlich der Veröffentlichung einer neuen Monographie über die Fossilien von Krapina durch das Hrvatski Priodoslovni Muzej (Kroatisches Museum für Naturgeschichte). Von links nach rechts: Jakov Radovčić vom Hrvatski Priodoslovni Muzej; Milford Wolpoff von der University of Michigan; Drazen Polmykalo, ebenfalls vom Hrvatski Priodoslovni Muzej; ein Stellvertreter für Erik Trinkaus von der University of New Mexico und Fred H. Smith von der Northern Illinois University. Radovčić, Smith und Wolpoff sind leidenschaftliche Vertreter der These, daß sich die Neandertaler in Mitteleuropa zu modernen Menschen entwickelten.

Hauptfach. Außerordentlich geschmeichelt fühlte er sich, als er Lathrap, der auf Reisen war, in drei Vorlesungen vertreten durfte. Wolpoff rechnete sich aus, daß er bestenfalls ein mittelmäßiger Physiker, aber ein guter Anthropologe werden könnte. Also entschied er sich für das Fach, in dem er die besseren Chancen für sich sah.

Bald darauf belegte er ein wissenschaftstheoretisches Seminar, das sein Denken nachhaltig beeinflussen sollte. Dort machte er zum ersten Mal mit der von Karl Popper entwickelten deduktionslogischen Theorie der Erfahrung Bekanntschaft. Stark vereinfacht besagt sie, daß wissenschaftliche Fortschritte schrittweise erzielt werden: Zunächst wird eine Hypothese formuliert, dann werden

Voraussagen getroffen, die logisch aus dieser Hypothese abgeleitet werden. Als nächster Schritt werden Daten gesammelt, die geeignet sind, diese Voraussagen zu widerlegen oder zu bestätigen. Anhand dieser Daten wird die Hypothese überprüft und entweder falsifiziert oder als noch nicht falsifizierbar erkannt. In letzterem Fall werden entweder weitere überprüfbare Voraussagen abgeleitet, oder die Hypothese wird im Licht neuer Erkenntnisse modifiziert, und der Prozeß beginnt von vorn.

Die beiden wichtigsten Sätze der wissenschaftstheoretischen Methodenlehre Poppers lauten: Hypothesen müssen überprüft werden, und Hypothesen lassen sich nie endgültig beweisen. Die Wissenschaft ist also ein kontinuierlicher Prozeß, in dessen Verlauf sich der Bereich möglicher Wahrheiten durch die rastlose Dialektik zwischen Theorie und Erfahrung ständig verkleinert. Einer Datensammlung geht stets eine Fragestellung voraus; Daten »sprechen also nie für sich selbst«, noch enthüllt sich die Wahrheit durch einen intuitiven Erkenntnissprung. Wolpoff machte sich diese wissenschaftliche Sichtweise und die entsprechenden Verfahren zu eigen. Selbst Kritiker seiner späteren Ansichten hielten ihm zugute, daß seine Arbeiten eine ungewöhnlich reiche Quelle überprüfbarer Hypothesen waren.

Als graduierter Student nahm Wolpoff eine Assistentenstelle an, um an der Universität von Illinois bleiben und bei Eugene Giles studieren zu können, der zusammen mit Howells in Harvard studiert hatte. Im Jahr darauf erhielt er ein großzügiges Stipendium der National Institutes of Mental Health, mit dem er den Rest seiner Ausbildung finanzieren konnte.

Giles übernahm die geistige Führung des ehemaligen Physikstudenten, der eine Menge vom Computerprogrammieren verstand, und schlug ihm vor, an der agrarwissenschaftlichen Fakultät der Universität Populationsgenetik zu studieren. Außerdem empfahl er ihm das Studium der menschlichen Anatomie, eines Faches, das die Universität von Illinois, Urbana, nicht anbot, da sich ihre medizinische Fakultät in Chicago befand. Illinois ist jedoch Mitglied eines Konsortiums von Universitäten des Mittleren Westens, und deshalb konnte Wolpoff an der Universität von Wisconsin, Madison, Anatomie studieren. Beeinflußt wurde seine Wahl auch dadurch, daß dort der südafrikanische Anthropologe John Robinson

444

lehrte, der sich intensiv mit den faszinierenden frühmenschlichen Fossilien befaßte, die damals in Süd- und Ostafrika entdeckt wurden. Wolpoff studierte im Herbst 1966 bei Robinson und nahm im Winter das Studium der Anatomie auf.

Bei Robinson war Wolpoff zum ersten Mal gezwungen, Fossilien auf ihre anatomischen Details hin zu untersuchen, anstatt sich auf die Aussagen anderer zu verlassen. Bis zu diesem Zeitpunkt war seine Ausbildung rein theoretisch gewesen. Robinson nun gab ihm ein Fossil in die Hand und forderte ihn auf zu beschreiben, was er sah. Wolpoff schildert Robinson als einen überzeugten Empiriker, von dem er viel gelernt habe:

> Robinson war oberflächliches Gerede verhaßt. Theorien über die Wechselwirkung zwischen der Kultur und der Evolution des Körpers interessierten ihn nicht ... Er wollte wissen, aufgrund welcher Eigenschaften bestimmte Exemplare gleich oder unterschiedlich waren ... Er lehrte mich, die Dinge als *Dinge* zu betrachten, nicht als Ausdruck einer Theorie, die festlegte, wie sie hätten sein sollen ... Es war das erste Mal, daß ich mir die Objekte wirklich *ansah*.

Auf Robinsons Rat hin bewarb sich Wolpoff um ein Stipendium für seine Doktorarbeit über die Zahnentwicklung bei den süd- und ostafrikanischen Fossilien. Sein Antrag wurde abgelehnt, und so war er gezwungen, seine Studien im wesentlichen auf Literatur zu stützen. Er verglich die Variabilität der Zahngröße dieser Fossilien mit der beim modernen Menschen. Letztere dokumentierte er selbst durch zahlreiche Stichproben aus verschiedenen Populationen und bezog zusätzliche Daten aus der Literatur. Die Arbeit bot einen gründlichen Überblick über die Forschung und war zugleich eine gute Übung im Schreiben von Computerprogrammen, mit denen große Datenmengen analysiert werden konnten. Erschwert wurde die Arbeit dadurch, daß von den Wissenschaftlern unterschiedliche Meßsysteme verwendet worden waren. Wolpoff war bitter enttäuscht, daß er nicht mit den Originalfossilien arbeiten konnte, die ursprünglich sein Interesse an dem Thema geweckt hatten.

Bevor er 1969 seine Doktorarbeit vollendete, nahm er eine Stelle an der Case Western Reserve University an, wo gerade ein anthropologischer Fachbereich eingerichtet worden war. Er und David Brose waren neu an der Universität. Um sich den Start zu erleichtern, beschlossen sie, gemeinsam ein Seminar über die Entwicklung des Menschen im Pleistozän abzuhalten. Brose behandelte das Thema aus der Sicht der Archäologie, Wolpoff aus der Sicht der physischen Anthropologie. Sie waren keineswegs darauf gefaßt, daß sie im Verlauf dieser Veranstaltung zu einem neuen Verständnis des Neandertalers gelangen würden. Aber genau dies geschah: Der Austausch mit den Studenten und das Wechselspiel zwischen den unterschiedlichen Perspektiven führten sie zu neuen Einsichten.

Im Jahr 1971 veröffentlichten sie ihre Ergebnisse in der Zeitschrift *American Anthropologist*. Ihr Aufsatz trug den wenig verheißungsvollen Titel »Early Upper Paleolithic Man and Late Middle Paleolithic Tools« (Der Mensch des frühen Jungpaläolithikums und die Werkzeuge des späten Mittelpaläolithikums). Heute ist er ein Klassiker. Schon im Titel wurde angedeutet, daß der biologische Übergang vom Neandertaler zum anatomisch modernen Menschen zeitlich nicht parallel zu dem archäologischen Übergang von der Werkzeugkultur des Mittelpaläolithikums zu der des Jungpaläolithikums verlaufen war. Mit anderen Worten: Selbst wenn die Werkzeuge bekannt waren, blieb offen, welche Menschen sie hergestellt hatten.

Es ist nicht einfach, den Unterschied zwischen Mittel- und Jungpaläolithikum genau festzulegen. Schon 1865 hatte John Lubbock den Begriff »Paläolithikum« in der Bedeutung Altsteinzeit geprägt. Er bezeichnet eine Periode der menschlichen Geschichte, in der Werkzeuge aus Steinabschlägen hergestellt wurden. Kurz darauf wurde das Paläolithikum in die Perioden Alt- und Jungpaläolithikum unterteilt, weil man bei den damals bekannten Steinwerkzeugen einen fundamentalen Unterschied in Typus und Qualität festgestellt hatte. Die Werkzeugkultur des Altpaläolithikums galt als primitiver und einfacher; ihre Artefakte wurden hergestellt, indem man einen Stein (den Kern) mit einem anderen Stein (dem Schlagstein) so bearbeitete, daß die gewünschte Form entstand. Gegen Ende des Altpaläolithikums und zu Beginn der Periode, die später als Mittelpaläolithikum bekannt wurde, entwickelte sich die Technik weiter; die Kerne wurden nun viel sorgfältiger vorbereitet, und das Schlagwerkzeug bestand häufiger aus »weichen« Materialien wie Holz, Knochen und Geweihen. Die Artefakte selbst blieben jedoch einfach. Sie wurden meist in der Hand gehalten und nicht auf einen Griff aufgesetzt.

Die Werkzeuge des Jungpaläolithikums wurden mittels präziserer Abschlagtechniken hergestellt. Lange Klingen wurden von den Kernen abgeschlagen oder »abgesprengt«, wobei man eher mit Druck arbeitete als mit harten Schlägen. Anschließend wurden die Klingen weiterbearbeitet und für bestimmte Spezialwerkzeuge wie Speerspitzen oder Gravierwerkzeuge verwendet. Die Speere wurden mittels einer Speerschleuder (Atlatl) abgeschossen, was dem Speer eine größere Wucht und Reichweite verlieh. Stein war bei der Werkzeugherstellung nicht mehr das wichtigste Rohmaterial. In Lagerstätten aus dem Jungpaläolithikum finden sich auch viele Werkzeuge, die aus Knochen oder Geweihen hergestellt wurden. Außerdem entstanden in dieser Periode bereits faszinierende Kunstwerke – Gemälde, Skulpturen und Schnitzereien –, und Tote wurden feierlich mit Perlenschmuck und anderen Grabbeigaben bestattet.

Innerhalb dieser groben Periodisierung versuchten die Archäologen eine Folge lokaler Werkzeugkulturen, d. h. aufeinanderfolgender einzelner Formengruppen von Werkzeugen zu bestimmen. Sie wurden in der Regel nach dem Ort benannt, an dem sie zuerst erkannt worden waren, so etwa die Werkzeugkultur des Moustérien und des Solutréen nach den französischen Orten Le Moustier und Le Solutré. Verwirrenderweise wurde der Begriff Mittelpaläolithikum in Westeuropa damals häufig als Synonym für Moustérien gebraucht.

Man ging stillschweigend davon aus, daß die Werkzeuge weltweit mehr oder weniger einheitlich entwickelt worden waren. Zu Beginn der fünfziger Jahre nahm jedoch der französische Geologe und Archäologe François Bordes die Aufgabe in Angriff, eine wissenschaftlich fundierte und präzise Periodisierung zu entwickeln.

Bordes stammte aus der höhlenreichen Landschaft Périgord in Südwestfrankreich und war während des Zweiten Weltkriegs Mitglied der Résistance gewesen. Er war ein barscher, gebieterischer Mensch, der großen Wert auf Ordnung und Genauigkeit legte.

Bordes sah nur einen Weg, Ordnung in das Chaos zu bringen, nämlich die Klassifikation von Steinwerkzeugen zu standardisieren und zu systematisieren. Er typisierte die Form der Werkzeuge, die Techniken, mit denen sie hergestellt worden waren, und den prozentualen Anteil der einzelnen Werkzeugarten, die er in den verschiedenen Formengruppen fand. Außerdem begann er als einer der ersten Wissenschaftler, selbst Steine zu behauen, und lernte so experimentell, welche Methoden die prähistorischen Menschen angewandt hatten. Er war daher besser als die meisten seiner Kollegen in der Lage, in seinem Klassifikationssystem nicht nur die Form, sondern auch das Herstellungsverfahren zu berücksichtigen.

Schon früher waren diverse Klassifikationssysteme entwickelt worden, aber es bestand wenig Einigkeit darüber, welches davon benutzt werden sollte. Alle Systeme hatten den Nachteil, daß sie auf einer Methode beruhten, die aus der Paläontologie stammte. Nach dieser Methode wird das Alter einer Ablagerung anhand eines sogenannten »fossile directeur« (eines Leitfossils) bestimmt. Allerdings konnte diese Methode Verwirrung stiften, wenn sie auf eine Gruppe von Steinwerkzeugen angewandt wurde. Ein bestimmtes Werkzeug in einer Ansammlung von Hunderten anderer Werkzeuge konnte den Ausschlag dafür geben, daß diese Ansammlung mit einer anderen gleichgestellt wurde, in der dieses Werkzeug ebenfalls auftrat. Im Extremfall wurde sogar auf einen Großteil der Daten, die beide Ansammlungen lieferten, verzichtet, damit man eine übersichtliche Sequenz von Gruppen erhielt.

Nachdem Bordes eine Liste von dreiundsechzig Kategorien von Werkzeugformen erstellt hatte, begann er Daten über die Summenhäufigkeit zu sammeln, mit der die verschiedenen Typen in den einzelnen stratigraphischen Schichten einer Fundstätte auftraten. Diese Häufigkeiten wurden zu einem Maßstab und bildeten einen einfachen Rahmen zu erwartender Werte, in den jeder Archäologe die Informationen einordnen konnte, die er aus einer neuen Lagerstätte oder Schicht gewann. Bordes' Ansatz war zwar extrem typologisch und mechanistisch, brachte jedoch eine Präzision und Einheitlichkeit in ein Forschungsgebiet, das durch die eigenwilligen Kategorien der Forscher immer unübersichtlicher geworden war. Genauso wichtig war es, daß Bordes jedes Objekt als Teil einer Formengruppe betrachtete und nicht als selbständige Einheit.

Ab 1953 stellte Bordes seinen neuen Ansatz in einer Serie von Artikeln dar, die er 1961 in seiner großen *Typologie du Paléolithique Ancien et Moyen* (Typologie des Alt- und Mittelpaläolithikums) zusammenfaßte. Das Werk wurde schnell zur Bibel aller Archäologen, die sich mit dem Paläolithikum beschäftigten, denn es beschrieb die Standardtypen eines jeden Werkzeugs aus dem Alt- und dem Mittelpaläolithikum, das bis zum damaligen Zeitpunkt in Europa, im Nahen Osten oder in Nordafrika gefunden worden war. Im gleichen Zeitraum veröffentlichten Bordes' hochbegabte Frau Denise de Sonneville-Bordes und ihr Kollege Jean Perrot eine Artikelserie, in der sie Standardtypen für das Jungpaläolithikum vorstellten. Obwohl sich beide stärker auf die Methode des Leitfossils verließen, waren ihre Listen so komplementär, daß sie jeder Archäologe des Paläolithikums dazu verwenden konnte, seine Fundstätte exakt in das System einzuordnen. Der Ansatz war zwar extrem eurozentrisch, doch das entsprach dem Selbstverständnis der meisten Wissenschaftler.

Bordes' System beruhte weitgehend auf der Annahme, daß die Werkzeugkulturen des Paläolithikums durch die unterschiedlichen Stile der ethnischen Gruppen geprägt waren. Auf das Jungpaläolithikum bezogen war dies ein vernünftiger Schluß. Werkzeugtypen, die von der Funktion her äquivalent, im Stil jedoch unterschiedlich waren, sind während dieser Periode räumlich und zeitlich in einer Weise verteilt, die zu belegen scheint, daß verschiedene kulturelle Gruppen die Werkzeuge für die gleichen Aufgaben, aber auf leicht unterschiedliche Weise angefertigt hatten. Für das Mittelpaläolithikum war dieser Schluß jedoch problematischer. Bordes ließ sich davon nicht abschrecken und unterteilte das Mittelpaläolithikum in eine Reihe von »Fazies« – ein Begriff aus der Geologie, der sich auf die stratigraphischen Ablagerungen bezieht, die sich unter bestimmten Bedingungen bilden. Bordes nahm stillschweigend an, daß jede seiner archäologischen Fazies von einer bestimmten ethnischen Linie hergestellt worden war, die sich ausbreitete und weiterentwickelte.

Im 19. Jahrhundert hatte dieses Konzept der Ethnizität dem Versuch gedient, anhand der Funde von Steinwerkzeugen eines bestimmten Typs den Ursprung und die Wanderungsbewegungen einzelner Rassen zu ermitteln. Es wurde von Bordes 1960 aktualisiert und erwies sich als äußerst langlebig. Erst in jüngster Zeit wurde es zugunsten anspruchsvollerer Modelle aufgegeben, die das unterschiedliche Verhalten der Menschen des Paläolithikums darauf zurückführten, daß sie verschiedene ökologische Zonen nutzten.

Der Langlebigkeit von Bordes' Modell tat auch die sofort einsetzende heftige Kritik keinen Abbruch. Seine Kritiker vertraten die Ansicht, daß die Unterschiede zwischen den einzelnen Fazies auf unterschiedliche Aufgaben zurückzuführen seien. Für sie waren die Werkzeuge in Bordes' Fazies nicht Objekte, die von verschiedenen ethnischen Gruppen hergestellt worden waren, sondern so etwas wie unterschiedliche Werkzeugkästen, wobei jeder Kasten einen Satz Werkzeuge enthielt, mit dem man bestimmte Aufgaben ausführen konnte. Später wurde vermutet, daß die Folge von Fazies den technischen Fortschritt im Verlauf des Mittelpaläolithikums repräsentierte, also eine Serie von Richtungswechseln auf dem Weg zum Jungpaläolithikum. Wenn es jedoch tatsächlich eine Serie solcher zielgerichteter Schritte gab, dann wurden sie eher durch kontinuierliche ökologische Veränderungen verursacht als durch stringenten technischen Fortschritt.

Die Bedeutung der unterschiedlichen Werkzeugformen und der Zusammensetzung der Formengruppen ist bis heute sehr umstritten, aber dank Bordes können die verschiedenen Parteien immer exakt bestimmen, worüber sie diskutieren.

In diesem Zusammenhang ist die Erkenntnis von Brose und Wolpoff wichtig, daß die Abfolge der Werkzeugkulturen nicht notwendigerweise mit den evolutionären Veränderungen ihrer Hersteller übereinstimmt. Alle Aspekte von Wolpoffs Ausbildung werden dabei deutlich: sein theoretisches Interesse an einer Integration von Archäologie (materieller Kultur) und physischer Anthropologie (anatomischer Evolution); seine an Popper orientierte Vorliebe, Hypothesen zu prüfen; seine populationsgenetischen und evolutionstheoretischen Grundlagen und die Detailbesessenheit, die er bei Robinson gelernt hatte.

Brose und Wolpoff stellten zu Beginn ihrer Analyse zwei gegensätzliche Hypothesen vor: »Das Erscheinen des anatomisch modernen *Homo sapiens* in Europa, im Nahen Osten und in Afrika ist entweder auf eine *in situ* [am Ort stattfindende] Evolution der Neandertaler oder auf eine Migration [die Ausbreitung einer neuen Population] zurückzuführen. Die Anhänger der zweiten Hypothese meinen, daß der Neandertaler plötzlich durch den anatomisch modernen *Homo sapiens* abgelöst worden ist.«[2] Im folgenden gingen Brose und Wolpoff daran, die Migrationshypothese anhand der verfügbaren archäologischen und anatomischen Daten zu überprüfen, wobei sie auf Brace' Wort vom Schwarzen-Peter-Spiel zurückgriffen. Sie gingen stillschweigend davon aus, daß die beiden Hypothesen sich gegenseitig ausschlossen. In diesem Fall mußte eine Widerlegung der Migrationshypothese die Alternative von der Entwicklung der Neandertaler zu modernen Menschen automatisch bestätigen. Obwohl sie die überprüfbaren Voraussagen der Migrationshypothese nicht ausdrücklich auflisteten, war ihr Verfahren eindeutig an Popper orientiert: »Gegenstand dieser Untersuchung ist eine Hypothese über den Ursprung des anatomisch modernen *Homo sapiens* und ihre Überprüfung anhand der vorhandenen archäologischen und paläontologischen Daten.«[3]

Die Autoren faßten zunächst die vorliegenden Erkenntnisse über die Datierung der Fossilien des Neandertalers und des modernen Menschen zusammen und kamen zu dem Schluß, daß der *Homo sapiens* nie ein Zeitgenosse des Neandertalers gewesen war und erst recht nicht schon vor dessen Zeit gelebt hatte, »wie es der Fall sein müßte, wenn ersterer sich irgendwo selbständig entwickelt und dann die Neandertaler auf der ganzen Welt ›plötzlich‹ abgelöst‹ hätte«.[4] In bezug auf die verfügbaren archäologischen Daten schrieben sie:

Wo immer eine kontinuierliche archäologische Entwicklung deutlich erkennbar ist, die diese Periode überspannt, scheint keine Überlappung oder offensichtlich schnelle Ablösung vorzuliegen, sondern vielmehr ein allmählicher Übergang von den Werkzeugkulturen des späten Mittelpaläolithikums [Moustérien] zu denen des frühen Jungpaläolithikums [Aurignacien] ... Die meisten Werkzeugtypen, die für das Jungpaläolithikum als charakteristisch gelten, sind (wenn auch in geringerer Häufigkeit) auch in den Fundzusammenhängen des späten Mittelpaläolithikums vorhanden.[5]

Diese Behauptung wurde durch eine Tabelle von Werkzeugtypen aus dem Jungpaläolithikum untermauert, die mit einer Liste von Fundorten des Moustérien (der Zeit der Neandertaler) verglichen wurde, an denen man ebenfalls solche Werkzeuge gefunden hatte. Brose und Wolpoff zogen daraus den Schluß, daß die traditionelle Unterscheidung zwischen den Werkzeugkulturen des Mittelpaläolithikums und des Jungpaläolithikums auf »willkürlich angesetzten Schnitten in der relativen Häufigkeit bestimmter Steinwerkzeuge« beruhe, »die in beiden Perioden vorhanden sind, oder daß sie mit dem angeblichen Vorhandensein oder Fehlen bearbeiteter Knochenwerkzeuge« begründet werde.[6] Diese Kritik war berechtigt, aber sie hielt vermutlich nicht einen einzigen Archäologen davon ab, Bordes praktisches System auch weiterhin zu verwenden.

Zuletzt wandten sich die Autoren der Anatomie zu. Wolpoff hatte aus der Literatur lange Tabellen von Schädelmaßen zusammengestellt und mit dem Computer einfache statistische Maße für deren Variabilität berechnet. Wie Brace zogen auch Brose und Wolpoff den Schluß, daß die Neandertaler, was die Größe ihrer körperlichen Merkmale betraf, genauso variabel waren wie die modernen Menschen. Sie werteten dies als Zeichen für morphologische Kontinuität, das heißt als Beweis für eine Evolution innerhalb einer Abstammungslinie.

Die Unterscheidung zwischen klassischen und nicht-klassischen Neandertalern war für sie, zumindest in evolutionsgeschichtlicher Hinsicht, bedeutungslos geworden. Die extremen körperlichen Merkmale des klassischen Neandertalers waren, wie von Coon erkannt, Kälteanpassungen, die einfach dem weniger spezialisierten (nicht-klassischen) Neandertaler übergestülpt worden waren. Alle Neandertaler, die moderner aussahen, waren ihrer Ansicht nach Individuen, die nicht gezwungen gewesen waren, sich im eiszeitlichen Klima zu behaupten. Auf diese Weise wurde die Anatomie des klassischen Neandertalers für relativ unbedeutend erklärt und die Betonung darauf gelegt, wie stark sich die Anatomie des Neandertalers mit der des modernen Menschen überlappt (auch wenn sie nicht mit ihr identisch ist).

Eine der besonders interessanten Thesen des Artikels war auf Wolpoffs alte Leidenschaft für den Zusammenhang zwischen Kultur und Biologie zurückzuführen. Sie bezog sich direkt auf den Brace'schen Gedanken, wonach Gesicht und Gebiß des Neandertalers mit der Zeit kleiner wurden, als Werkzeuge entstanden und die zupackende, schraubstockartige Funktion einer »dritten Hand« übernehmen konnten, die früher Zähne und Kiefer erfüllt hatten.

»Wir sind der Ansicht«, schrieben Brose und Wolpoff, »daß Veränderungen der hominiden Morphologie den festgestellten Veränderungen der Werkzeugkulturen vorausgingen ... Deshalb müßte der früheste anatomisch moderne *Homo sapiens* zusammen mit Material aus dem Mittelpaläolithikum [Moustérien] gefunden werden.«[7] Wenn neue Werkzeuge zu einer Gesichtsverkleinerung beim Neandertaler geführt und den Übergang zum *Homo sapiens* ausgelöst hatten, dann mußte es diese Werkzeuge schon im Mittelpaläolithikum gegeben haben. Es war also der Übergang vom Alt- zum Mittelpaläolithikum, den es zu untersuchen galt, nicht der vom Mittel- zum Jungpaläolithikum. Daß die Werkzeuge des Mittelpaläolithikums für speziellere Aufgaben entwickelt worden waren als die des Altpaläolithikums, war der zentrale Gedanke bei diesem »Modell der Anpassung« zur Gesichtsverkleinerung des Neandertalers.

Die Vorstellungen von Brose und Wolpoff entsprachen dem evolutionstheoretischen Erkenntnisstand ihrer Zeit. Inzwischen war weithin anerkannt, daß kleine Wandlungen im Verhalten (auch innerhalb einer Population) mit der Zeit merkliche anatomische Veränderungen verursachen können, indem sie der natürlichen Selektion eine andere Richtung oder Intensität geben. Im Laufe von Generationen können solche Variationen die Genfrequenz verändern und sich dadurch in einer Veränderung der anatomischen Merkmale niederschlagen.

Die Vorstellungen von Solecki, Brose und Wolpoff spiegelten eine für die Zeit typische Haltung wider: Man war überzeugt, daß die Neandertaler sich im Grunde nicht wesentlich von uns unterschieden hatten. Sie galten als Wesen, die sich wie moderne Menschen verhielten, aber in archaischen Körpern gefangen waren und gewissermaßen darauf warteten, daß die biologische Evolution nachzog. Damit wurde impliziert, daß bei der Evolution vom Neandertaler zum modernen Menschen nur Veränderungen der körperlichen Erscheinung, nicht jedoch des *Verhaltens* stattgefunden haben konnten.

Wolpoff und Alan Mann, der bei Washburn an der University of California in Berkeley studiert und erst kürzlich seinen Doktor gemacht hatte, brachten diese Sichtweise in den frühen siebziger Jahren in ihren Artikeln deutlich zum Ausdruck. Beide Beiträge handelten von den Australopithecinen, die ganz am Anfang des menschlichen Stammbaums stehen, und stimmten darin überein, daß Kultur – komplexe, sozial erlernte Verhaltensmuster und der Gebrauch von Werkzeugen, der bereits überlebensnotwendig geworden war – bei der Entwicklung des Menschen von Anfang an eine fundamentale Rolle gespielt habe. Die Kultur *war* die ökologische Nische des Menschen. Wenn schon die primitiven Australopithecinen mit ihren kleinen Gehirnen menschlich genug gewesen waren, um Kultur zu haben, dann mußten die späteren Neandertaler mit ihren größeren Gehirnen in ihren wesentlichen Verhaltensmustern völlig menschlich gewesen sein. Im Extremfall machte diese verhaltenswissenschaftliche Präsapiens-Theorie aus der Menschheitsgeschichte eine russische Komödie, in der zwar alle Figuren sterben, dies aber glücklich. Dem Neandertaler war demnach trotz seines traurigen Schicksals ewiges Glück beschieden, da er der Ehre teilhaftig geworden war, wahrer Mensch zu sein.

Brose und Wolpoff waren zuversichtlich, daß sie durch die gelungene Falsifikation einer Hypothese das Fach revolutionieren würden, doch sie wurden enttäuscht. Ihr Artikel fand zwar ein beachtliches Echo, aber er veranlaßte niemanden, seine Meinung zu ändern. Brace allerdings war entzückt, daß Wolpoff die Fackel weitertrug; er erreichte bei der University of Michigan, daß Wolpoff bei der Case Western Reserve abgeworben und an seinem Fachbereich beschäftigt wurde.

William Howells reagierte 1974 mit einer langen Rezension, in der er vorsichtig Kritik übte. Er wies darauf hin, daß die Hypothese von Brose und Wolpoff zu global sei und so viele Funde aus so vielen Regionen und Zeitabschnitten zusammen in einen Topf warf, daß sie praktisch nicht überprüfbar (also unhaltbar) sei. »Kommen wir also auf die entscheidenden Mängel der Hypothese zurück: Sie ist so breit angelegt und beruht auf so vielen nicht überprüften Tatsachenbehauptungen, daß [Brose und Wolpoff] die Unterschiede selbst verwischen, die sie eigentlich untersuchen sollten. Dies führt zu einer zweifelhaften Methode der morphologischen Analyse, zu einer Fehleinschätzung der Unterschiede zwischen den Populationen und zu einer Fehleinschätzung ihrer Bedeutung.«[8] Zudem vertrat Howells die Ansicht, daß Brose und Wolpoff den Aspekt der Plötzlichkeit in der Hypothese von der plötzlichen Ablösung (der Neandertaler) überbetonten und ihre Argumentation somit zwingender erscheinen ließen, als sie es tatsächlich war.

Eine gewisse Neigung zu Übertreibungen erklärt sich aus Wolpoffs tiefer Frustration darüber, daß man seinen wissenschaftlichen Tatendrang gedrosselt und ihm ein Stipendium verweigert hatte, um das relevante Material selbst zu untersuchen. Er hegte den Verdacht, daß man ihn damals aus Angst, er könnte zu unerwünschten Resultaten kommen, absichtlich von den Museen im Ausland ferngehalten hatte. Dies war kein rein akademisches Problem. Wolpoff verachtete inkompetente Kollegen und nahm auf Konferenzen bisweilen eine Haltung ein, die auf andere Teilnehmer einschüchternd wirkte. Unterstützt wurde dieser Eindruck durch seine imposante Erscheinung: Er war hochgewachsen und kräftig und hatte dunkles, lockiges Haar. Er spielte gern den *advocatus diaboli* und verschaffte sich mit lauter Stimme Gehör. Er stand in dem Ruf, ungeduldig, prahlerisch und streitsüchtig zu sein, Eigenschaften, die den Stil des Artikels prägten, den er zusammen mit Brose schrieb.

1971 wurde ein zweites faszinierendes Problem aufgeworfen, das mit dem Verhalten der Neandertaler zu tun hatte. Die neue und recht unbedeutende Zeitschrift *Linguistic Inquiry* veröffentlichte unter dem bescheidenen Titel »On the Speech of the Neanderthal Man« (Über die Sprache des Neandertalers) einen Artikel von Phillip Liebermann und Edmund Crelin – beides keine Anthropologen.

Liebermann war Sprachwissenschaftler an der Brown University und hatte sich auf Prognosen über die Sprachfähigkeit bei Kindern mit Defekten im Stimmtrakt spezialisiert. Er versuchte anhand dreidimensionaler Computermodelle die Bandbreite der Laute vorauszusagen, die ein Kind aufgrund der Beschaffenheit seines Stimmtrakts hervorbringen konnte. Crelin, ein populärer Professor für menschliche Anatomie an der medizinischen Fakultät in Yale, war Experte für die Anatomie Neugeborener. Ihr gemeinsamer Artikel in *Linguistic Inquiry* war der Aufmerksamkeit vieler Anthropologen entgangen. Erst als im Jahr darauf im *American Anthropologist* ein zweiter Aufsatz zum gleichen Thema erschien, war das Echo groß – wenn auch überwiegend negativ.

Crelin hatte den Stimmtrakt des »Alten von La Chapelle-aux-Saints« anhand eines Schädelabgusses nachgebildet, bei dem Boule die fehlenden Zähne und die herausgebrochenen Teile der Schädelbasis frei rekonstruiert hatte. Anhand dieser wenigstens teilweise erhaltenen anatomischen Bezugspunkte stellte Crelin fest, daß der Larynx (Kehlkopf) des »Alten« sehr hoch in der Kehle gelegen hatte, höher als beim modernen Menschen und sogar noch höher als bei Schimpansen und menschlichen Neugeborenen. Liebermann hatte die Daten über die Beschaffenheit dieses Stimmtrakts in seinen Computer eingegeben und war zu dem Ergebnis gekommen, daß der Resonanzraum, der sich beim modernen Menschen hinten im Mund befindet, bei dem »Alten von La Chapelle-aux-Saints« so gut wie nicht vorhanden war. Crelin und Liebermann zogen daraus den Schluß, daß der Neandertaler im Gegensatz zum modernen Menschen nicht in der Lage gewesen war, die Vokale [u], [i] und [a] zu bilden.

Ihre Arbeit wurde sehr kritisch unter die Lupe genommen, zumal der Sprachfähigkeit in akademischen Kreisen traditionell große Bedeutung zugeschrieben wurde. So glaubten beispielsweise die Anatomen des 19. Jahrhunderts, daß die Fähigkeit zu sprechen auf bestimmten Muskeln der Zunge beruhe, die an zwei kleinen knöchernen Tuberkeln oder Vorsprüngen auf der Innenseite des Unterkiefers ansetzen. Als man sich zum ersten Mal die Frage stellte, ob der Neandertaler hatte sprechen können, fand man heraus, daß diese Vorsprünge beim Unterkieferknochen von La Naulette ungenügend entwickelt waren, und die Antwort hatte gelautet: »Der Kiefer von La Naulette sagt: ›Nein!‹«[9]

Marcellin Boule hatte eine ähnliche, wenn auch weniger elegant formulierte These über den Schädel von La Chapelle-aux-Saints aufgestellt. Er vertrat die (falsche) Ansicht, daß der Schädel auf eine ungenügende Entwicklung jener Hirnregion schließen lasse, die als Brocasches Sprachzentrum bezeichnet wird. Wie schon erwähnt, war die Funktion dieser Region im 19. Jahrhundert von dem französischen Anatomen Paul Broca entdeckt worden, als er bei einem stummen, aber ansonsten normalen Menschen eine Autopsie vorgenommen hatte. Er hatte eine Läsion (einen Schaden) im Brocaschen Sprachzentrum gefunden und daraus geschlossen, daß diese Hirnregion bei der Koordination der Muskeltätigkeit, die Voraussetzung für das motorische Sprachvermögen ist, eine entscheidende Rolle spielt. Nach neuesten Forschungsergebnissen scheint diese Interpretation allerdings zu kurz zu greifen. Untersuchungen, die mit dem Verfahren der Positronenemissionstomographie (abgekürzt PET)[10] an menschlichen Versuchspersonen vorgenommen wurden, zeigen, daß das Brocasche Sprachzentrum nicht nur beim Sprechen eine Rolle spielt, sondern beispielsweise auch dann, wenn man mit den Händen gestikuliert oder auch nur *daran denkt* zu gestikulieren. Auch Affen und Menschenaffen besitzen ein Brocasches Sprachzentrum, allerdings deutlich weniger entwickelt als beim modernen Menschen. Die Annahme, daß diese Region beim Neandertaler ebenfalls nur schwach entwickelt gewesen sei, zog den Schluß nach sich, daß er nur eine geringe oder gar keine Sprachfähigkeit besessen hatte. Liebermann und Crelin folgten also einem alten ausgetretenen Pfad, als sie versuchten, den Neandertalern Worte in den Mund zu legen.

Die Kritik an ihrer Arbeit folgte rasch. Anatomen warfen ihnen vor, daß sie sich auf die Boulesche Rekonstruktion gestützt hatten, bei der die Schädelbasis abnormal flach war. Wie fehlerhaft Boules Modell tatsächlich war, kam erst 1983 ans Licht, als sich der Schädel von La Chapelle-aux-Saints in den Händen einer Studentin in seine Bestandteile auflöste, weil der Leim nicht mehr hielt, mit dem sie Boule zusammengefügt hatte. Jean-Louis Heim, ein am Musée de l'Homme beschäftigter Paläanthropologe, nutzte die Gelegenheit, den alten Leim vollständig zu entfernen und die Fragmente neu zusammenzusetzen. Das Ergebnis war ein Schädel, der deutlich weniger flach gebaut war und menschlicher wirkte.

Zudem wiesen die Kritiker Crelin einen schweren Fehler in der Positionierung des Kehlkopfs nach. In der Tat ist diese Aufgabe besonders heikel, weil auch bei modernen und sprachfähigen Menschen die verschiedenen Muskeln an relativ unterschiedlichen

Punkten des Schädels ansetzen können. Doch das größte Problem, das die Rekonstruktion von Liebermann und Crelin aufwarf, war die Lage des Zungenbeins, eines kleinen Knochens, der oberhalb des Kehlkopfs liegt und an dem die Zungenmuskeln ansetzen. Hätten die beiden recht mit ihrer Rekonstruktion, so wären die Neandertaler nicht nur außerstande gewesen zu sprechen, sie hätten auch nicht schlucken oder den Mund aufmachen können. Einige Spaßvögel meinten, dieser Umstand hätte nicht nur die Sprachlosigkeit der Neandertaler belegt, sondern auch ihr Aussterben erklärt.

Die Arbeit von Crelin und Liebermann wurde zwar mit Spott bedacht, warf aber auch wichtige Fragen auf: Wieviel Sprache ist notwendig, damit »Sprache« entsteht? Und: Verwenden alle sprachfähigen Menschen die gleiche Bandbreite von Lauten? Die zweite Frage kann eindeutig negativ beantwortet werden, denn viele Sprachen verfügen über Laute, die in anderen nicht vorkommen. Obendrein wissen wir nicht, wie die entscheidende neurologische Komponente der Sprachfähigkeit – die hochkomplizierten Datenverarbeitungszentren im Gehirn, die für die Feinabstimmung der Muskeln verantwortlich sind – beim Neandertaler beschaffen war, und wir haben gegenwärtig auch keine Möglichkeit, dies herauszufinden. *Wenn* ein Neandertaler hätte lernen können, eine Verdi-Oper zu singen, dann hätte er mit seiner großen Nase, den geräumigen Nebenhöhlen und dem großen Mund über Resonanzräume verfügt, um die ihn die besten Opernsänger unserer Zeit beneiden würden.

Wie Brose und Wolpoff ging es auch Liebermann und Crelin bei ihrer Untersuchung hauptsächlich um die potentiellen Fähigkeiten der Neandertaler. Diese Fähigkeiten sind jedoch im nachhinein schwer zu bestimmen, und noch schwerer läßt sich sagen, was die Neandertaler tatsächlich gewohnheitsmäßig taten. Rückblickend war dieser Versuch, die Sprachfähigkeit der Neandertaler zu analysieren, zwar gewagt, aber durchaus angebracht. Er war einer von mehreren Versuchen, die anatomischen Unterschiede zwischen Mensch und Neandertaler zu dokumentieren und sie evolutionstheoretisch oder verhaltenswissenschaftlich zu erklären.

Aller berechtigten Kritik zum Trotz hatten Crelin und Liebermann, Brose und Wolpoff – und vor ihnen Brace – ihre Fachkollegen daran erinnert, daß es im Zusammenhang mit dem Neandertaler noch viele faszinierende Probleme zu lösen gab. Anfang der siebziger Jahre drängten zahlreiche junge Anthropologen aus der Ausbildung in die Forschung. Sie brannten darauf, sich diesen Problemen stellen zu dürfen, nicht zuletzt auch deshalb, weil sie von den erregten und haßerfüllten Debatten, die damals über die ersten Hominiden in Afrika geführt wurden, abgestoßen waren. Die Fossilien dieser Hominiden und die Fragen, die sich um sie rankten, waren die Domäne einer älteren Generation von Wissenschaftlern, die über großzügige Geldmittel verfügten und eifersüchtig über ihr Revier wachten.

Was die Neandertaler anging, so waren jetzt vier Fragen aktuell, die dringend einer Lösung bedurften: Wie konnte man die Unterschiede in Größe und Form messen und vergleichen? Welche Funktionen hatten die Anatomie der Neandertaler geprägt (oder weniger akademisch ausgedrückt: was *taten* die Neandertaler)? Waren die Neandertaler unsere Vorfahren, oder stellten sie eine evolutionsgeschichtliche Sackgasse dar? Und: Wer produzierte die Werkzeuge des Mittel- und Jungpaläolithikums? Die Erforschung dieser Fragen sollte in den siebziger und achtziger Jahren eine Blüte erleben.

Eine dieser Untersuchungen war bereits 1970 abgeschlossen worden und lag in Form einer Doktorarbeit vor. Ihr Verfasser war Jonathan Musgrave von der Universität Cambridge, ein etwas exzentrischer junger Engländer mit einer Leidenschaft für farbenprächtige Westen und rote Socken, der sich durch die Übersetzung von Beatrix Potters *The Tale of Mrs. Tiggy-winkle* ins Lateinische verdient gemacht hatte.

Musgrave hatte bei John Napier studiert, einem Anatomen am Royal Free Hospital in London, der sich mit der Analyse einiger der frühesten menschlichen Handknochen beschäftigte. Auf seine Anregung hin nahm Musgrave eine vergleichende Untersuchung über die Handknochen der Neandertaler und der frühen anatomisch modernen Menschen vor. Durch detaillierte Messungen und statistische Analysen gelang es ihm zu zeigen, daß die Neandertaler keine kurzen Daumen hatten – wie Boule behauptet hatte – und daß die Geschicklichkeit ihrer Hände keinen besonderen Beschränkungen unterworfen war. Allerdings stellte er fest, daß die Hände einige anatomische Besonderheiten aufwiesen und extrem muskulös gewesen sein mußten.

Zunächst stieß Musgraves Arbeit kaum auf Interesse, selbst als er 1971 einen zweiten Artikel zu dem Thema veröffentlichte. Die Anthropologen waren noch immer damit beschäftigt, über die Arbeiten von Brose, Wolpoff, Liebermann und Crelin zu diskutieren, und fanden deshalb keine Zeit für Musgraves Untersuchung, obwohl sie genau das lieferte, was Brose und Wolpoff gefordert hatten. Weitere Arbeiten im Stil Musgraves sollten folgen.

Parallel zu Musgrave leistete auch Jean-Louis Heim einen wichtigen Beitrag zur Klärung der Anatomie des Neandertalers. Er veröffentlichte 1972 die erste wissenschaftliche Beschreibung der Skelette der erwachsenen Neandertaler von La Ferassie, die dreiundsechzig Jahre zuvor entdeckt worden waren. Die Arbeit war wissenschaftlich unangreifbar, brachte jedoch keine überraschenden Ergebnisse. In den folgenden zehn Jahren arbeitete Heim mit den weiteren Überresten von La Ferassie. Damit fügte er auch diese Skelette dem Schatz der analysierten Funde hinzu, die über Form und Größe der anatomischen Merkmale der Neandertaler Auskunft geben konnten – ein weiteres Indiz dafür, daß die Zunft den von Boule gesetzten Standard inzwischen weit übertroffen hatte.

Neben Heim trug in den siebziger Jahren der junge Gelehrte Bernard Vandermeersch dazu bei, Ordnung in den Fossilbestand von Neandertalern und frühen anatomisch modernen Menschen zu bringen. Vandermeersch war Ende der dreißiger Jahre in einem Dorf an der belgisch-französischen Grenze geboren worden.[11] Er erinnert sich, wie er als Kind mit offenem Mund die Bomber der Alliierten beobachtete, die über das Dorf hinweg nach Deutschland flogen. Als sein Interesse für Kriegsgerät nachließ, wandte er sich der Vorgeschichte zu und studierte in Paris paläolithische Archäologie und Paläanthropologie. Er wurde ein Schüler von Jean Piveteau, dem führenden Paläontologen in Paris, und beteiligte sich in den Semesterferien an Ausgrabungen paläolithischer Fundorte in Frankreich. In beiden Fächern erbrachte er gute Leistungen. Seine *Thèse du Troisième Cycle* (etwa einer deutschen Magisterarbeit vergleichbar) war ein umfangreicher Bericht über

64. *Europäische Paläanthropologen, die wichtige Beiträge zu einem neuen Bild des Neandertalers geleistet haben. Von links nach rechts: Anne-Marie Tillier, Bernard Vandermeersch und Jean-Jacques Hublin. Tillier und Vandermeersch haben die Ursprünge des modernen Menschen im Nahen Osten erforscht; Hublin beschäftigte sich mit dem Ursprung der europäischen Neandertaler und der Entwicklung ihrer nordafrikanischen Verwandten.*

die Datierung der mittelpaläolithischen Fundorte in Südwestfrankreich.

Die Arbeit erregte die Aufmerksamkeit Jean Perrots, der mit Denise de Sonneville-Bordes eine Typologie der Steinwerkzeuge des Jungpaläolithikums entwickelt hatte. Perrot hatte in der Folgezeit Ausgrabungen in Israel durchgeführt. Er nutzte seine exzellenten Verbindungen und besorgte Vandermeersch beim israelischen Denkmalschutzamt die Erlaubnis, die Höhle auf dem Jebel Qafzeh bei Nazareth wieder auszugraben, die irrtümlicherweise für ein Munitionslager gehalten und gesprengt worden war. Vandermeersch reiste 1964 kurz nach Israel und ließ sich die Genehmigung gerade noch rechtzeitig bestätigen; der junge und später berühmt gewordene amerikanische Archäologe Lewis Binford wollte ebenfalls in Qafzeh graben.

Auch Binford wußte, daß die Qafzeh-Höhle höchstwahrscheinlich wertvolles Material barg. In den dreißiger Jahren hatte René

Neuville dort gegraben; er hatte sich hauptsächlich auf das Innere der Höhle konzentriert und Fragmente von sieben Skeletten gefunden, von denen fünf aus mittelpaläolithischen Schichten stammten. Sie befanden sich bereits am Pariser Institut de Paléontologie Humaine in der Obhut von Henri Vallois. Nur wenige Wissenschaftler hatten sie bisher sehen oder untersuchen können. F. Clark Howell hatte sie in seinem Werk berücksichtigt und Ähnlichkeiten zwischen dem besterhaltenen Schädel von Qafzeh und denen von Skhul festgestellt.

Vandermeerschs Erfolg übertraf alle Erwartungen. Zwischen 1965 und 1980 fand er in Qafzeh acht weitere, teilweise erhaltene Skelette von Kindern und Erwachsenen sowie Skelettfragmente von etwa vierundzwanzig Individuen – eine eindrucksvolle Ausbeute, zu der sogar eine Doppelbestattung gehörte: eine junge erwachsene Frau und ein Kind mit den Bezeichnungen Qafzeh 9 und Qafzeh 10.

Vandermeersch bekommt heute noch eine Gänsehaut, wenn er daran denkt, was bei der Bergung dieses Fundes alles hätte passieren können. Die beiden Skelette und ein Block der sie umgebenden Sedimente wurden vorsichtig in Gips verpackt, eine normale, aber nicht unkomplizierte Prozedur. Dann wurde das gesamte Paket von einem Hubschrauber der israelischen Luftwaffe abtransportiert, den übrigens Moshe Dayan organisiert hatte, der sich schon lange für prähistorische Archäologie interessierte. Der Rotor des Hubschraubers wirbelte beim Start so viel Staub auf, daß die Sicht gleich Null war, und Vandermeersch fürchtete bereits das Schlimmste für die Besatzung und seine kostbaren Fossilien. Daß die Katastrophe ausblieb, war wohl einzig der fliegerischen Kunst des Piloten zu verdanken, der einzuschätzen wußte, wie weit seine Rotorblätter von den Kalkfelsen entfernt waren.

Nach der Bergung dieses Schatzes konzentrierte sich Vandermeersch verständlicherweise ganz auf die menschlichen Fossilien und überließ die im engeren Sinne archäologischen Funde seinem israelischen Kollegen Ofer Bar-Yosef. Im Jahr 1977 vollendete er seine Doktorarbeit, in der er alle damals bekannten Skelette aus Qafzeh beschrieb und miteinander verglich.

Damit zog er den Schlußstrich unter eine lange Reihe von Spekulationen und Vermutungen, denn er konnte *überzeugend* nachweisen, daß die Fossilien von Skhul und Qafzeh nicht von Neandertalern stammten. Die neandertalerartigen Fossilien, die man an anderen israelischen Fundorten wie in Tabun, in der Amud-Höhle am See Genezareth und in der Kebara-Höhle entdeckt hatte, unterschieden sich deutlich von denen in Skhul und Qafzeh. Letztere waren anatomisch modern, und Vandermeersch griff F. Clark Howells Begriff »Proto-Cromagnon« wieder auf und brachte damit zum Ausdruck, daß es sich um Vorfahren des europäischen Cromagnon-Menschen handelte.

Brose, Wolpoff und andere hatten die Funde von Skhul und Qafzeh also zu Unrecht als Neandertaler bezeichnet. Und nun konnte auch als nachgewiesen gelten, daß sowohl die Neandertaler als auch die anatomisch modernen Menschen mittelpaläolithische Werkzeuge hergestellt und sie in denselben Gebieten des Nahen Ostens hinterlassen hatten. Leider fand sich kein Hinweis auf die Existenz zweier unterschiedlicher Kulturtraditionen, was viele europäische Theorien in Frage stellte, wonach bestimmte Werkzeuge bestimmten Herstellern zuzuordnen waren. Die Geschichte der Neandertaler und der modernen Menschen des Nahen Ostens wurde täglich komplizierter und rätselhafter.

Während Vandermeersch in Qafzeh weitere Fossilien freilegte, nahm Musgrave den Doktoranden Christopher Stringer unter seine Fittiche, der noch eine wichtige Rolle bei der Erforschung der Neandertaler spielen sollte. Stringer stammte aus einer Londoner Arbeiterfamilie und wuchs zeitweise bei Pflegeeltern auf.[12] Anders als den meisten erfolgreichen Akademikern Großbritanniens wurde ihm der Start ins Berufsleben nicht durch einen vornehmen Akzent, geschliffene Manieren und eine Ausbildung an einer renommierten Schule erleichtert. Dafür brachte er Intelligenz mit, die Fähigkeit zu selbständigem Denken, ein scharfes Urteilsvermögen und den Willen, hart zu arbeiten.

Stringer hatte sich seit dem zehnten Lebensjahr für die Evolution des Menschen begeistert und zum Entsetzen seiner Eltern stundenlang Schädel gezeichnet oder die Ausstellungsstücke im Natural History Museum bestaunt. Ein Lehrer, der geologische Kenntnisse besaß, bestärkte ihn zwar in seinem Interesse, aber niemand wies ihn darauf hin, daß auch die Anthropologie zum Broterwerb taugt, und so bereitete er sich brav auf ein Medizin-

65. *Christopher Stringer vom Natural History Museum in London ist einer der wichtigsten Vertreter der These, daß die Neandertaler von den modernen Menschen vollständig abgelöst wurden.*

studium vor. Als er im letzten Moment doch entdeckte, daß auch das Studienfach Anthropologie angeboten wurde, schrieb er sich sofort am Londoner University College ein, wo er den bekannten Archäologen und physischen Anthropologen Don Brothwell und den Anatomen Michael Day kennenlernte, die dort beide als Gastprofessoren lasen.

Als graduierter Student nahm Stringer eine Teilzeitstelle am British Museum (Abteilung Naturgeschichte) an, während Day und Brothwell sich um ein Stipendium für seine Doktorarbeit bemühten. Die Lage schien hoffnungslos. Stringer wollte bereits aufgeben und die Lehrerlaufbahn einschlagen, als das Wunder geschah: Musgrave fragte telefonisch bei Brothwell an, ob er nicht einen vielversprechenden Studenten wüßte, der für ein Stipendium in Bristol in Frage käme, das er zu vergeben habe. Musgrave war der ideale Doktorvater für einen Studenten wie Stringer, der sich den Neandertalern widmen und mit multivariater Statistik arbeiten wollte.

Stringer war damals schon entschlossen, das Neandertaler-Problem mit neuen Methoden und neuem Elan anzugehen, eine Haltung, die zum Markenzeichen seiner Karriere werden sollte. Der gutgewachsene, blonde, vollbärtige Mann, dessen harter Akzent seine bescheidene Herkunft verrät, ist das genaue Gegenteil des lässig-eleganten Engländers mit Oxford-Akzent, der es für

»schlechten Stil« hält, sich als harten Arbeiter zu präsentieren. Für Stringer hingegen ist es vor allem schlechter Stil, schlampig zu arbeiten oder sich aus Faulheit und Engstirnigkeit der Wahrheit zu verschließen. Schon deshalb war es ihm damals unmöglich, die vorhandenen Erkenntnisse über die Neandertaler ungeprüft zu akzeptieren.

»Ich fand, daß sie ungerecht behandelt wurden«, sagte er über die Neandertaler. Vielleicht erinnerte ihn die Beiläufigkeit, mit der diese Spezies allein aufgrund ihres Aussehens abqualifiziert wurde, an den Hochmut der britischen Oberschicht, mit dem er selbst Bekanntschaft gemacht hatte. Wie auch immer, jedenfalls gehörte Springer einer der ersten Generationen britischer Arbeiterkinder an, die in gehobene akademische Positionen aufstiegen, die einst nur für Zöglinge privater Eliteschulen reserviert gewesen waren.

Stringer schloß nicht von vornherein aus, daß die Neandertaler zur menschlichen Ahnenreihe gehörten, er wollte es aber auch nicht um jeden Preis *beweisen*. Er selbst ist der Ansicht, daß er ohne vorgefaßte Meinung an seine Untersuchung heranging. Er fuhr in seinem rostigen alten Auto quer durch Europa, besuchte ein Museum nach dem anderen, nahm alle Schädel in Augenschein, fotografierte und vermaß. Bis 1974 hatte er seine Untersuchung über die Schädelform der Neandertaler beendet und ein neues quantitatives Verfahren entwickelt, mit dem man die Ähnlichkeiten und Unterschiede zwischen Neandertalern und frühen anatomisch modernen Menschen auswerten konnte.

Aus seiner Sicht war die Lösung des Problems eindeutig: Der Neandertaler unterschied sich viel zu stark vom modernen Menschen, als daß er dessen Vorfahr hätte sein können. Mit der Zeit wurde Stringer einer der eloquentesten und hartnäckigsten Verfechter des Verdrängungsmodells.

Es war schon immer der Schwachpunkt dieser Hypothese gewesen, daß es keine Hinweise auf eine frühe Population moderner Menschen gab, die nach Europa eingewandert sein könnte und die Neandertaler hätte ablösen können. Und ohne eine solche Population stand das ganze Konzept auf tönernen Füßen.

Eines der nächsten Projekte Stringers sollte jedoch einen wichtigen Hinweis in dieser Richtung bringen. Stringer erhielt den Auftrag, zusammen mit Day zwei neue Schädel aus Äthiopien zu untersuchen: Omo 1 und Omo 2. Die beiden Fossilien sind insofern rätselhaft, als sie eine unterschiedliche Morphologie haben. Omo 2 weist eine Mischung aus archaischen und modernen Merkmalen auf, dagegen ist Omo 1 anatomisch modern, wenn auch robust.

Omo 1 wurde *in situ* im Gestein gefunden. Er ist mit Sicherheit mindestens vierzigtausend und vielleicht bis zu einhundertdreißigtausend Jahre alt und wird mit Steinwerkzeugen in Verbindung gebracht, die der Mittleren Steinzeit entstammen, dem afrikanischen Äquivalent für das Moustérien. Dies scheint darauf hinzudeuten, daß Omo 1 von einem extrem frühen modernen Menschen stammt, einem der ersten, die in Afrika lebten. Für diese These spricht, daß Stringer an dem Schädel afrikanische Merkmale zu erkennen glaubte. Das Untersuchungsergebnis stellte das, was Coon aus seinen Daten geschlossen hatte, völlig auf den Kopf. Die Afrikaner waren die ersten vernunftbegabten Menschen gewesen, und nicht die letzten. »In jedem von uns steckt ein Afrikaner«, sagt Stringer entschieden.

Leider ist die Geschichte von Omo 2 weniger gesichert. Der Schädel wurde an der Erdoberfläche gefunden, aus dem Gestein herausgewittert, aber alle Anzeichen deuten darauf hin, daß er derselben stratigraphischen Schicht entstammt wie Omo 1. Wenn beide Schädel wenigstens annähernd aus der gleichen Zeit stammen, lassen sich zwei Hypothesen formulieren: Entweder gab es in Äthiopien zwei sehr unterschiedliche Populationen, von denen die eine archaisch war und die andere modern, oder es gab nur eine einzige Population, die sich durch eine ungewöhnliche Variabilität in der Schädelform auszeichnete. Stringer und Day bevorzugten die erste Hypothese und vermuteten, daß Omo 2 älter war und von einem Vorfahren von Omo 1 stammte.

Fast zur gleichen Zeit versuchten die beiden Amerikaner Fred Smith und Erik Trinkaus, einer der beiden Autoren dieses Buches, zur Lösung des Neandertaler-Problems beizutragen.

Die beiden waren, obwohl sie inzwischen Freunde und Kollegen sind, ein sehr gegensätzliches Paar. Smith war ein untersetzter, dunkelhaariger junger Anthropologe aus den Bergen von Tennessee, Trinkaus ein großer, schlanker, blonder junger Mann aus Connecticut. Smith verbrachte die Jugend in seiner Heimatstadt Lenoir City und interessierte sich hauptsächlich für »Basketball, Baseball und seine Band«.[13] Trinkaus wuchs als Sohn eines Professors in der weltoffenen Atmosphäre von Connecticut auf und lebte vorübergehend sogar in Paris, als sein Vater dort ein Forschungsjahr verbrachte. Smith war erst das zweite Kind aus seiner Familie, das ein College besuchte, während seinem Kollegen Trinkaus die akademische Laufbahn sozusagen in die Wiege gelegt war. Smith spricht mit dem schleppenden, singenden Tonfall seiner Heimat und hat ein ansteckendes Lächeln. Trinkaus ist Brillenträger, redet schnell, stottert manchmal ein wenig und hat eine Schwäche für Wortspiele.

Der 1948 geborene Smith entdeckte sein Interesse an der Anthropologie, als er auf der Highschool die Zeitschrift *National Geographic* las. Er war fasziniert von den aufregenden Entdeckungen, welche die Familie Leakey in Afrika gemacht hatte, wäre aber nie auf die Idee gekommen, daß ein »Bergbursche« wie er seinen Lebensunterhalt als Anthropologe verdienen könnte. Er finanzierte sein Studium an der University of Tennessee mit einem Stipendium des Ausbildungskorps für Reserveoffiziere der Army und wollte wie Stringer zunächst Mediziner werden, bis er entdeckte, daß auch die Anthropologie Berufschancen bot.

Eines Tages lud sein Anthropologie-Professor ihn und einige andere Studenten ein, an Ausgrabungen im damaligen Jugoslawien teilzunehmen. Dies war ein Wendepunkt in seinem Leben. Das Land gefiel ihm, und als er erfuhr, daß im Museum von Zagreb Neandertaler ausgestellt waren, machte er dorthin einen Abstecher. Er erinnert sich, daß er allein von der Fülle des Materials überwältigt war. »Sie hatten ganze *Kisten* voller Schläfenbeine« sagt er bewundernd – gemeint ist der Teil des Schädels, in dem die Gehörknöchelchen sitzen. »Es war einfach unglaublich.«

Nach seiner Rückkehr in die USA suchte er – noch ganz unter dem Eindruck seiner Reise – in der Bibliothek nach Literatur über den Fundort Krapina. Er fand nicht einen englischsprachigen Artikel, der dem Material gerecht geworden wäre. Also beschloß er, nach Jugoslawien zurückzukehren und die Fossilien selbst zu untersuchen. Aus purem Zufall hatte er bereits begonnen, Deutsch zu lernen – Zufall deshalb, weil ein anderer Sprachkurs in seinem Stundenplan keinen Platz mehr gefunden hatte. Und zufällig war

Deutsch die Sprache, die er für seine künftige Arbeit in Jugoslawien brauchen konnte (neben dem Kroatischen, das er später lernte).

Doch zunächst mußte Smith seinen Abschluß an der University of Tennessee machen. Nachdem ihm dies gelungen war und er sich bei der Army hatte zurückstellen lassen, schrieb er sich an der Case Western Reserve University ein. An der neuen Universität lernte er Wolpoff kennen, der damals gerade zusammen mit Brose an der erwähnten, folgenreichen Arbeit schrieb. Nur wenige junge Professoren haben das Glück, einem solchen Studenten zu begegnen, der ein klares Ziel vor Augen hat und zudem über großes Wissen verfügt. Umgekehrt wurde Smith durch Wolpoffs Energie und seine analytische Sicht der menschlichen Evolution beflügelt und inspiriert. Wolpoff bestärkte ihn in dem Entschluß, sich mit dem mitteleuropäischen Fossilbestand zu befassen, den die englischsprachige Wissenschaft bis dahin vernachlässigt hatte.

Bereits am Ende seines ersten Jahres an der Case Western Reserve erhielt Smith ein Stipendium der Wenner-Gren-Foundation für eine Reise nach Zagreb. Das war eine seltene Auszeichnung für einen gerade erst graduierten Studenten.

Smith schrieb sofort an den Direktor des Zagreber Museums und bat um die Erlaubnis zu kommen. Das Datum der Abreise rückte immer näher, aber die Antwort ließ auf sich warten. Wolpoff hatte den Verdacht, daß antiamerikanische Ressentiments der Jugoslawen der Grund für die Komplikationen sein könnten, war aber gleichzeitig davon überzeugt, daß niemand Smiths Charme würde widerstehen können. Deshalb empfahl er ihm, unbesorgt loszureisen.[14] Ein guter Rat, denn ein paar Tage nach Smiths Abreise traf der lang erwartete Brief ein – mit negativem Bescheid.

Smith tauchte derweil ahnungslos und voller Vorfreude, sich endlich seinen Jugendtraum erfüllen zu können, im Museum auf. Freudestrahlend stellte er sich der Dame an der Rezeption vor, »die mich«, wie er sich erinnert, »anstarrte, als sei ich der Leibhaftige persönlich«. Nur leicht beunruhigt, verlangte er nach Direktor Ivan Crnolatac. Von diesem erfuhr er, was Wolpoff bereits wußte. Der große kroatische Paläontologe Dragutin Gorjanovic habe bereits alle notwendigen Untersuchungen durchgeführt, und die Fossilien seien eine nationale Kostbarkeit. Ob Smith den Ablehnungsbescheid nicht erhalten habe?

Smiths Lächeln machte einem entsetzten Ausdruck Platz; nein, er habe den Brief nicht erhalten. Die Enttäuschung stand ihm im Gesicht geschrieben. Er hatte hart gearbeitet und eine weite Reise auf sich genommen, nur um das wundervolle Material, das Gorjanovic ausgegraben hatte, selbst untersuchen zu können. Wie sollte er nun seinen Geldgebern gegenübertreten, die diese nutzlose Reise finanzierten? »Ich hatte das Gefühl, daß meine Karriere bereits völlig zerstört war, bevor sie richtig begonnen hatte. Und ich richtete mich schon darauf ein, im Lebensmittelladen meiner Eltern zu arbeiten.«

Trotz der harschen Worte hatte der Direktor ein weiches Herz und bot Smith einen Kompromiß an: Falls Smith am nächsten Tag wiederkommen wolle, werde er ihm vielleicht ein paar Knochen zeigen und dann werde man weitersehen. Glücklicherweise hatte Smith eine gute Ausbildung genossen und konnte die Knochen intelligent kommentieren, also legte ihm Crnolatac weitere Knochen vor. Smith war bestrebt, den Direktor nicht zu verärgern, und hielt sich peinlich genau an dessen Anweisungen.

Nach zwei Wochen wurde ihm freier Zugang zu den Fossilien gewährt. Wie von Wolpoff vorausgesehen, waren die Angestellten des Museums Smiths Charme erlegen und behandelten ihn, als ob er zur Familie gehöre. Am Tag nach diesem Erfolg fotografierte Smith einige Fundstücke. Da löste sich das Blitzlichtgerät von seiner Kamera und fiel auf die Knochen. Einer von ihnen zerbrach. Smith war entsetzt. Er rechnete mit dem sofortigen Hinauswurf. Aber nichts dergleichen geschah:

»Machen Sie sich nichts draus«, sagte der Direktor und drückte ihm eine Tube Leim in die Hand. »Wir erzählen niemandem, was passiert ist.«

Trotz allen Entgegenkommens war Smith immer noch gewissen Beschränkungen unterworfen. Gorjanovics Büro und Labor wurden wie Heiligtümer gehütet. Er durfte immer nur mit einer einzigen Kiste der Fossilien arbeiten, und bisweilen verstand er nicht, welche Logik dem jeweiligen Inhalt zugrundelag. Auch war es ihm nicht erlaubt, alle Knochen, die zu einem bestimmten Körperteil gehörten, auf dem Tisch auszulegen. Deswegen hatte er keine Möglichkeit, Fragmente zusammenzufügen wie andere Wissenschaftler, die später mit mehreren Kisten gleichzeitig arbeiten durften.

Nach zwei ausgedehnten Besuchen in Zagreb vollendete Smith 1976 seine Doktorarbeit, die später als Monographie von der Tennessee University veröffentlicht wurde. Sie war die erste moderne Untersuchung, die sich mit einer Auswahl von Neandertalern beschäftigte, die man fast als eine Population bezeichnen konnte – als eine Population, die in Westeuropa und Amerika obendrein relativ unbekannt war.

Für diejenigen, die des Kroatischen nicht mächtig sind, faßte Smith zusammen, was Gorjanovic über die Fauna, das geologische Alter und die Steinwerkzeuge von Krapina veröffentlicht hatte. Es gelang ihm, die Ausgrabungs- und Dokumentationsmethoden Gorjanovics zu verdeutlichen, über die bis zu diesem Zeitpunkt Verwirrung geherrscht hatte. Außerdem gab er eine detaillierte anatomische Beschreibung der Neandertaler von Krapina, die er durch Fotografien, Zeichnungen, Meßergebnisse und vergleichende Untersuchungen vervollständigt hatte. Die Fossilien wurden im wahrsten Sinne des Wortes von Kopf bis Fuß analysiert. Smith schätzte, daß man in Krapina die Überreste von zwölf bis achtundzwanzig Neandertalern gefunden hatte und daß die Fossilien aus einem Zeitraum stammten, der etwa fünfzigtausend Jahre umfaßt hatte. Diese Zahlen wirkten ernüchternd, weil sie zeigten, was man unter einer »Population« von Neandertalern zu verstehen hatte: weniger als ein Individuum auf tausend Jahre. Eher widerstrebend untersuchte Smith auch das finstere Kapitel des Kannibalismus und fand tatsächlich Hinweise auf kannibalische Praktiken.

Das wichtigste Ziel seiner Arbeit sah Smith darin, das Problem der Verwandtschaft zwischen dem Neandertaler und dem modernen Menschen zu klären. Er benutzte Vallois' berühmten Aufsatz als Rahmen, stellte die vorhandenen Hypothesen sorgfältig dar und unterzog sie einer Neubewertung.

Über die Präsapiens-Theorie fällte er ein eindeutiges Urteil:

Die Krapina-Funde enthalten absolut keinen Hinweis darauf, daß eine hominide Form, die fortschrittlicher war als die Neandertaler, gleichzeitig mit den Neandertalern an der Fundstätte oder in ihrer Umgebung gelebt hätte ... Die Funde von Krapina reichen nicht aus, um zu beweisen, daß der Präsapiens damals nicht existierte, aber sie haben auch keine Daten erbracht, die eine solche Hypothese stützen würden.[15]

Die Präneandertaler-Theorie schnitt ähnlich schlecht ab. Die Fossilien von Krapina deckten sowohl die hypothetische Ära der Präneandertaler als auch die der Neandertaler ab, aber morphologisch gesehen stammten sie ausnahmslos von Neandertalern. Es gab keinerlei Anzeichen dafür, daß im Sinne der Präneandertaler-Theorie die älteren Fossilien anatomisch moderner oder dem modernen Menschen enger verwandt gewesen wären. Smith sprach sich aus diesem Grund indirekt für die Neandertaler- oder unilineare Hypothese aus, eine Position, die er seither beibehielt. Er schrieb:

Die Daten von Krapina sind kein endgültiger Beweis für eine *in situ* Evolution der europäischen Neandertaler zu frühmodernen Menschen, denn in Krapina ist keine vollständige Sequenz hominider Überreste vorhanden, die den fraglichen Zeitraum abdecken würde ... Die Tatsache, daß die größte Stichprobe europäischer Neandertaler [in Krapina], die sich verglichen mit allen anderen Sequenzen von Neandertaler-Skeletten wahrscheinlich über den längsten Zeitraum erstreckt, kein Anzeichen für die Anwesenheit weiter entwickelter Hominiden aufweist, spricht jedoch zumindest indirekt für das unilineare Modell ... Es ist deshalb wahrscheinlich, daß die Neandertaler Europas direkte Vorfahren der modernen Populationen dieses Gebiets waren.[16]

Smiths Untersuchung war nach jener von Stringer die zweite neuere Doktorarbeit über die Neandertaler, und beide waren zu völlig entgegengesetzten Ergebnissen gekommen. Stringer vertrat energisch die Ansicht, daß die Neandertaler durch die modernen Menschen abgelöst worden waren, Smith war ähnlich fest vom Gegenteil überzeugt. Für ihn bestand ein kontinuierlicher Übergang zwischen den Neandertalern und den modernen Menschen. Beide Wissenschaftler stützten sich auf Messungen, beide verfügten über ähnliche Stichproben. Sie hatten zum Teil sogar dieselben Fossilien untersucht und vermessen, und trotzdem waren sie verwirrenderweise zu entgegengesetzten Ergebnissen gelangt.

In dem Maße, wie sich die Meinungen in dieser Frage polarisierten, kristallisierte sich langsam eine faszinierende Tatsache heraus: Jene Wissenschaftler, die zuerst oder in erster Linie mit Fossilien westeuropäischer Neandertaler gearbeitet hatten, votierten für die Hypothese von der disruptiven Evolution, während die anderen, deren Ideen bei der Arbeit mit mitteleuropäischen Fossilien Gestalt angenommen hatten, für die Kontinuitätstheorie plädierten.

Bei dem Material aus Frankreich und Italien war die Diskrepanz zwischen den Fossilien der Neandertaler und denen der nachfolgenden modernen Menschen so groß und die Ablösung hatte so schnell stattgefunden, daß alles für einen echten evolutionsgeschichtlichen Bruch sprach. Die Neandertaler waren demnach eine Art oder Unterart der Gattung Mensch, aber der *Homo sapiens sapiens* war definitiv eine andere. Die Fossilien aus dem damaligen Jugoslawien und der damaligen Tschechoslowakei schienen jedoch eine andere Geschichte zu erzählen. Hier waren die Fossilien der Neandertaler in Größe und Form variabler, und es gab einen allmählichen Übergang zum modernen Menschen. Erst Anfang der achtziger Jahre setzte sich allgemein die Ansicht durch, daß bereits das Beweismaterial aus den beiden geographischen Regionen unterschiedlich war, und nicht nur die Art, wie es interpretiert wurde.

Während Stringer und Smith das phylogenetische Problem (die Stammesentwicklung) der Nachkommenschaft der Neandertaler lösen wollten, gab Trinkaus seinen Studien eine völlig andere Richtung. Er interessierte sich mehr für die Biologie der Neandertaler. Seine Aufmerksamkeit galt weniger der Frage, wen die Neandertaler hervorgebracht hatten und wen nicht, als vielmehr den Lebensbedingungen des Neandertalers. Allerdings war ihm klar, daß auch dieser Ansatz eventuell eine Antwort auf die Frage bringen würde, ob die Neandertaler sich zu modernen Menschen entwickelt hatten oder von ihnen abgelöst worden waren.

Trinkaus wurde 1948 geboren – nur ein paar Monate nach Fred Smith. Es ist erstaunlich, daß ausgerechnet er einen biologischen

Ansatz entwickelte, hatte er doch gerade die Biologie, das Fach seines Vaters, jahrelang systematisch gemieden. Statt dessen machte er an der University of Wisconsin einen Abschluß in Physik und Kunstgeschichte. Danach schrieb er sich an der University of Pennsylvania ein, um zu untersuchen, welche Rückschlüsse sich aus der Kunst des alten Peru auf dessen gesellschaftliche Organisation ziehen ließen. Bedauerlicherweise kam er aber mit dem Professor, bei dem er studieren wollte, überhaupt nicht zurecht. Er mußte sich neu orientieren und belegte ein Seminar in physischer Anthropologie bei Alan Mann, das den Neandertaler und den *Homo erectus* zum Thema hatte. So war er schließlich doch noch bei der Biologie gelandet.

Gegenüber seinen Kommilitonen hatte Trinkaus einen entscheidenden Vorteil: Da er ein Jahr lang in Paris zur Schule gegangen war und fließend Französisch sprach, konnte er die vielen französischen Publikationen über die Neandertaler, die die meisten Amerikaner indirekt rezipieren mußten, im Original lesen. Für Manns Seminar studierte er Vallois' Monographie über die Fossilien von Fontéchevade. Bald wurde ihm klar, daß sich Vallois' Schlüsse nicht logisch aus dem Beweismaterial ergaben. Er verfaßte für das Seminar eine Kritik der Monographie, die später als seine erste wissenschaftliche Arbeit veröffentlicht wurde. Sie war der Auftakt zu einer langen Reihe von Publikationen, die Vallois' leidenschaftliche, aber schwache Argumentation für die Präsapiens-Theorie widerlegten.

Das Seminar war primär phylogenetisch orientiert, also dem Neandertaler-Problem gewidmet. Gleichwohl war Mann ein begeisterter Anhänger der Idee, den Fossilbestand im Hinblick auf die Wechselwirkung zwischen Biologie und Verhalten zu untersuchen. Bereits in seiner Dissertation über die Australopithecinen hatte er diese Fragestellung behandelt. Trinkaus hingegen sah in der Paläanthropologie eine Möglichkeit, seine Interessen für Kultur und Physik erfolgreich zu kombinieren.

Es blieb die Frage, über welche Gruppe unter den Vorläufern des modernen Menschen er seine Doktorarbeit schreiben sollte. Wie viele seiner Kommilitonen hatte auch er wenig Lust, sich wie Mann und die Wissenschaftler der älteren Generation an den endlosen Auseinandersetzungen zu beteiligen, die damals über die

Australopithecinen und den *Homo habilis* geführt wurden. Der *Homo habilis* ist eine frühe Spezies, die damals gerade erst entdeckt worden war, und deren Anatomie und Datierung bis heute höchst umstritten sind. Warum also sollte er sich nicht auf die Neandertaler spezialisieren, ein Thema, bei dem ihm auch seine Sprachkenntnisse zugute kommen würden? Der Gedanke gefiel ihm, und er vermutete, daß die relativ zahlreichen Skelette der Neandertaler auf sorgfältig formulierte verhaltenswissenschaftliche Fragen Antworten liefern würden. Da Trinkaus kein konfliktfreudiger Mensch ist, suchte er sich bewußt oder unbewußt eine noch unbesetzte Nische im Wissenschaftsbetrieb und machte sie zu seiner Domäne.

In den Jahren 1973 und 1974 bekam Trinkaus ein Stipendium für seine erste große Tour durch Europa. Er wollte Coons Hypothese überprüfen, nach der die Neandertaler, wie die an die Kälte angepaßten Lappen und Eskimos, kurze Extremitäten gehabt hatten.

Als er die Fossilien, besonders die von La Chapelle-aux-Saints und La Ferassie, im Musée de l'Homme in Paris erstmals persönlich untersuchte, war er verblüfft, wie massiv die Beine und Füße der Neandertaler gewesen waren. Nach allem, was er gelesen hatte, war er darauf nicht vorbereitet. Zugleich wurde ihm jedoch bewußt, daß er das Thema seiner Dissertation enger fassen mußte, wenn er sie abschließen wollte, bevor sein Haar ergraute. Da es viele Fußknochen gab und man einige fast vollständige Fußskelette gefunden hatte, beschloß er, herauszufinden, inwieweit die Füße der Neandertaler denen der modernen Menschen glichen, um daraus weitere Schlüsse ableiten zu können.

Trinkaus wußte, daß er mit seiner Fußstudie im wahrsten Sinne des Wortes wissenschaftliches Neuland betrat, denn abgesehen von Musgraves Untersuchung über die Hand der Neandertaler hatten sich fast alle älteren anatomischen Untersuchungen primär mit dem Schädel befaßt. Seiner Arbeit lag die Überzeugung zugrunde, daß wichtige morphologische Unterschiede Rückschlüsse auf Unterschiede im Verhalten und in der Anpassungsleistung zuließen. Wenn die Neandertaler anders gebaut gewesen waren als wir, dann mußten sie sich auch anders verhalten haben.

In seiner 1975 abgeschlossenen Doktorarbeit konnte Trinkaus

nachweisen, daß die menschenaffenartig abstehende große Zehe, die Boule dem Neandertaler in seiner Rekonstruktion zugedacht hatte, ein reines Phantasieprodukt war. Die große Zehe in diese menschenaffenartige Stellung zu bringen war nur möglich, wenn man die Gelenkoberflächen der Knochen in den großen Zehen physisch veränderte. In Wahrheit standen die großen Zehen der Neandertaler parallel zu allen anderen, wie beim modernen Menschen auch. Bei einigen Exemplaren war die große Zehe sogar stark zu den anderen Zehen hin gebogen, eine Fehlbildung, die von Medizinern beim modernen Menschen häufig behandelt wird. Sie wird als *Hallux valgus* bezeichnet und geht meist mit einer durch die eng aneinandergepreßten Zehen verursachten Fußballenentzündung einher.

Trinkaus fand außerdem heraus, daß die Neandertaler ein vollentwickeltes Fußgewölbe und kurze Zehen hatten, ganz wie moderne Menschen und nicht wie Menschenaffen. Er bestätigte also bis ins Detail, was bereits Patte, Straus und Cave festgestellt hatten: Es gibt nicht den geringsten Anhaltspunkt für einen abweichenden Gang des Neandertalers, aber zahllose Gründe, die für das Gegenteil sprechen. Das Gespenst des mit gebeugten Knien daherschlurfenden Neandertalers hatte sich dank Trinkaus' emotionsloser Untersuchung in nichts aufgelöst.

Allerdings hatten die Neandertaler außergewöhnlich breite und massive Zehenknochen mit starken Muskelansätzen, sogenannte »dicke Zehen«. Möglicherweise waren sie das Ergebnis eines Anpassungsprozesses, ausgelöst durch ständiges Laufen durch zerklüftetes Gelände, bei dem die Zehen der nackten Füße Halt suchen mußten. Hatten sich die Neandertaler die meiste Zeit rennend und kletternd durch die Landschaft bewegt, anstatt gemächlich zu wandern oder allenfalls zügig von Ort zu Ort zu ziehen? Wenn ja, dann hatten sie sich bei der Nahrungssuche wahrscheinlich gänzlich anders verhalten als Jäger und Sammler in unserer Zeit.

Dank seiner speziellen Fragestellung bekam Trinkaus eine einzigartige Chance – einer der Fälle, in denen das Glück dem Tüchtigen hold ist. Im Verlauf seiner Fußuntersuchungen hatte er mit T. Dale Stewart Kontakt aufgenommen, jenem physischen Anthropologen von der Smithsonian Institution, der für die Analyse aller Shanidar-Funde mit Ausnahme des 1953 ausgegrabenen Kinderskeletts verantwortlich war. Nun zahlte sich aus, daß sich Trinkaus bewußt auf ein Thema konzentriert hatte, das bisher ignoriert worden war. Da auch Stewart den Fußknochen bisher wenig Aufmerksamkeit geschenkt hatte, war er gerne bereit, Trinkaus seine Abgüsse und Originale der Fußknochen von Shanidar für eine Untersuchung zur Verfügung zu stellen. Stewart gehörte nicht zu denen, die eifersüchtig über ihre Schätze wachten, sondern erwies sich dem jüngeren Kollegen gegenüber als ausgesprochen kooperativ.

Als Trinkaus das Material mit Stewart diskutierte, erkannte er schnell, daß eine vollständige Analyse der Shanidar-Funde das Verständnis der Neandertaler wesentlich verbessern würde. Dies war eine anspruchsvolle Aufgabe. Kein Wunder also, daß selbst fünfzehn Jahre, nachdem der letzte Knochen ausgegraben worden war, noch immer keine abschließende Untersuchung vorlag. Man hatte neun teilweise erhaltene Skelette gefunden, von denen manche aus bis zu hundert Knochen bestanden.

Stewart war 1901 geboren, und wie er selbst eingestand, machte ihm sein Alter allmählich zu schaffen. Er war schon fast sechzig gewesen, als er zum ersten Mal nach Shanidar gereist war und die immense Aufgabe in Angriff genommen hatte, die zahlreichen Knochen zu säubern, zu restaurieren und zu analysieren. Nun, Mitte der siebziger Jahre, trat selbst er etwas kürzer.

Gleichwohl hoffte Trinkaus, Stewart für eine Zusammenarbeit gewinnen zu können, und schrieb im Sommer 1975 einen sorgfältig formulierten Brief, in dem er dem älteren Wissenschaftler vorsichtig seine Hilfe anbot und den Vorschlag unterbreitete, seinen jugendlichen Elan mit Stewarts großer Erfahrung zu kombinieren. Die Antwort ließ lange auf sich warten. Trinkaus fürchtete schon, er habe den angesehenen Gelehrten beleidigt und sich seinen Ruf ruiniert. Im September schließlich traf die Antwort ein.

Stewart entschuldigte die Verzögerung mit einem Auslandsaufenthalt, lehnte eine Zusammenarbeit aber ab. Ihm schwebte etwas anderes vor. »Zu meiner Überraschung schlug er vor«, erinnert sich Trinkaus, »daß ich die volle Verantwortung für die restliche Rekonstruktion und Untersuchung der Neandertaler-Funde von Shanidar sowie für die Publikationen darüber übernehmen sollte.

Er stand damals kurz davor, eine zusammenfassende Darstellung seiner Arbeit mit den irakischen Fossilien zu veröffentlichen, und wollte nur noch die Beschreibung der Fragmente von Shanidar 3 vollenden, die sich damals in Washington befanden.«[17]

Noch im selben Jahr begann Trinkaus auf Anregung von Solecki und Stewart mit der Rekonstruktion und Untersuchung des Skeletts Shanidar 5. Das Material war bereits 1960 gefunden worden, aber man hatte es, weil der sensationelle Fund von Shanidar 4 (dem Skelett aus dem »Blumengrab«) alle Aufmerksamkeit auf sich gezogen hatte, in Gips und Jute gepackt und im Irakischen Museum von Bagdad verstauben lassen.

Die Rekonstruktion war keine leichte Aufgabe, zumal die finanziellen Mittel begrenzt waren. Den Sommer 1976 verbrachte Trinkaus in einem schlecht beleuchteten Raum, wo er sich Tag für Tag bei Temperaturen von über vierzig Grad mit einem unhandlichen Bündel aus Gips und Erde abmühte. Auch plagte ihn die Sehnsucht nach der fernen Heimat und seiner Freundin, mit der er sich erst kürzlich verlobt hatte. Am Ende seines ersten Aufenthalts in Bagdad hatte er den größten Teil der Gesichtspartie und die vordere Hirnschale des größten bekannten Neandertaler-Schädels freigelegt. Die irakischen Behörden waren beeindruckt und gewährten ihm von nun an freien Zugang zu allen Funden aus Shanidar, die er zu sehen wünschte.

Im folgenden Herbst gab Stewart auch die Überreste von Shanidar 3 in Trinkaus' Obhut, »aufgrund der guten persönlichen Beziehung, die wir entwickelt hatten, und der guten Forschungsberichte, die er anfertigte«.[18] Trinkaus war damit in der beneidenswerten Lage, einen noch wenig bekannten Fund alleine erforschen zu dürfen – eine Gelegenheit, für die er gerne einige unbequeme Sommer in Bagdad in Kauf nahm. Die Stadt atmete längst nicht mehr die romantische Atmosphäre der Gärten aus Tausendundeinernacht – auch bevor die Bombennächte der Operation Desert Storm im zweiten Golfkrieg 1991 ihren Tribut forderten.

Die Skelette waren ebenso vollständig wie die westeuropäischen – schließlich stammten viele aus Gräbern –, und sie waren fast ebenso zahlreich wie die in Krapina, aber weniger fragmentarisch. Trinkaus hatte eine hervorragende Ausgangsbasis für seine noch junge Karriere gefunden.

Der Frage, ob die Neandertaler zu unseren direkten Vorfahren gehörten, hatte er bislang kaum Aufmerksamkeit geschenkt. Trotzdem war es ihm wie Stringer sehr wichtig, die Morphologie des Neandertalers mit der des frühesten anatomisch modernen Menschen zu vergleichen. Auch nach dessen Erscheinen hatte es offensichtlich noch viele bedeutende Veränderungen gegeben – ein Phänomen, auf das im 19. Jahrhundert die Untersuchung vieler Fossilien hingedeutet hatte, das jedoch später in Vergessenheit geraten war.

Wolpoff kam auf einem anderen Weg zu einem ähnlichen Ergebnis. Er untersuchte 281 einzelne Zähne aus Krapina. Manche waren zerbrochen und nicht mehr vollständig erhalten, problematischer aber war, daß sie nicht mehr in den Kieferknochen steckten. Wolpoff brachte Monate damit zu, das Alter eines jeden Neandertalers zu schätzen, von dem ein Zahn vorhanden war, und er versuchte mit einem gewissen Erfolg herauszufinden, welche Zähne zusammengehört hatten. Da Wolpoff in den Jahren zuvor bereits eine umfangreiche Datensammlung über die Maße fossiler menschlicher Zähne angelegt hatte, konnte er die Daten aus Krapina jetzt problemlos einordnen.

Seine Untersuchung ergab, daß die Backenzähne im Lauf der Evolution immer kleiner und die Schneidezähne während der Evolution der Neandertaler größer und während der Evolution des anatomisch modernen Menschen (wieder) kleiner wurden. Er stellte die Hypothese auf, daß diese Entwicklung durch eine verbesserte Nahrungszubereitung bedingt war: Die Nahrung war mit speziellen Werkzeugen weiterverarbeitet oder gekocht worden. Damit baute er auf Gedanken von Brace und auf die grundlegende Arbeit von Brose und Wolpoff auf.

Wolpoff vertrat jetzt noch leidenschaftlicher als Smith die These, daß die Neandertaler die direkten Vorfahren des heutigen Menschen seien, was insofern nicht überrascht, als er seine zentralen Erkenntnisse über die Neandertaler an den Fossilien von Krapina gewonnen hatte. Wolpoff gab der These jedoch einen neuen Anstrich. Der australische Anthropologe Alan Thorne spornte ihn an und arbeitete nun sogar mit ihm zusammen. Die beiden griffen einige Ideen Weidenreichs wieder auf, aktualisierten sie im Sinne der Synthetischen Theorie und wurden zu Verfechtern des Modells der multiregionalen Evolution. Wie Weidenreich und später Coon sahen auch Wolpoff und Thorne deutliche Anzeichen für eine Kontinuität der Evolution innerhalb großer geographischer Gebiete. So glichen die mitteleuropäischen Neandertaler den modernen Mitteleuropäern, die asiatischen Vertreter des *Homo erectus* den späten archaischen Menschen Asiens, die wiederum den modernen Asiaten und so fort. Unter diesem Blickwinkel ließ sich die Entwicklung der typischen anatomischen Merkmale aller Rassen bis in die Zeit des *Homo erectus* zurückverfolgen.

Seit damals war es laut Wolpoff zur Einwanderung menschlicher Populationen in neue Gebiete wie auch zu einem begrenzten genetischen Austausch zwischen verschiedenen Populationen gekommen. Benachbarte Gruppen blieben im Prinzip seßhaft, während einige Individuen ihre Population wechselten, wenn sie in eine andere Gruppe einheirateten. Die regionalen Gruppen waren also genügend stark voneinander isoliert, daß sich allmählich lokale körperliche Merkmale entwickeln konnten, zum Teil als Reaktion auf klimatische Faktoren und zum Teil durch eine zufällige Akkumulation von Merkmalen, die für die Anpassung an die Umwelt kaum von Bedeutung waren. Diesem Szenario folgend mußten unterschiedliche anatomische Muster über lange Zeiträume stabil geblieben sein, obwohl es direkte genetische Kontakte zwischen den Populationen verschiedener Regionen gegeben hatte. Gleichzeitig verbreiteten sich Merkmale, die einem besseren oder effektiveren kulturellen Verhalten dienten, ungehindert von Gruppe zu Gruppe.

Dies war eine Aktualisierung des Modells von Weidenreich unter Einbeziehung der Synthetischen Theorie. Bildlich gesprochen stellte Wolpoff die horizontalen und diagonalen Verbindungslinien wieder her, die in Weidenreichs Modell noch die einzelnen Abstammungslinien verbunden hatten und die Howells und Coon weggelassen hatten, als sie Weidenreichs Diagramm von einer gitterartigen Struktur in einen Kandelaber verwandelten. Europa war bei Wolpoff nicht mehr *das* Zentrum, in dem sich die Neandertaler zu modernen Menschen entwickelt hatten, sondern (zusammen mit Australien) eines der beiden Randgebiete der Gesamtregion menschlicher Evolution – eine abrupte Abwendung von dem Eurozentrismus, der die Anthropologie über Generationen beherrscht hatte.

Indem Wolpoff den Ursprung der modernen Menschen mit diesem globalen, unilinearen Modell erklärte, stellte er sich in diametralen Gegensatz zu Stringer. Folgerichtig entspann sich zwischen den beiden Wissenschaftlern eine leidenschaftliche Diskussion. Jeder war von den eigenen neuen Erkenntnissen begeistert und gleichzeitig bekümmert, weil er den anderen nicht überzeugen konnte.

Für den Vergleich zwischen den Neandertalern und der Gruppe, die man inzwischen als frühe anatomisch moderne Menschen bezeichnete, interessierte sich auch die junge Französin Anne-Marie Tillier.[19] Sie gehörte zur gleichen Generation wie Stringer, Smith und Trinkaus, hatte bei Vandermeersch in Paris studiert und sich mit ihm zusammen bei den Ausgrabungen von Qafzeh die ersten paläontologischen Lorbeeren erworben.

Eine der Besonderheiten der Funde von Qafzeh bestand darin, daß man eine große Zahl nicht erwachsener Individuen gefunden hatte, deren Altersspektrum vom Säugling bis zum Jugendlichen reichte. Obwohl man seit der Entdeckung des Kindes von Engis im Jahr 1829 Fossilien nicht erwachsener Neandertaler und moderner Menschen kannte, hatte man diese jugendlichen Exemplare bisher vernachlässigt, weil sie als schwer analysierbar galten. Anne-Marie Tillier ließ sich davon nicht abschrecken und erweiterte ihre Fragestellung sogar dahingehend, daß sie den Wachstumsprozeß des Neandertalers mit dem des modernen Menschen verglich. Sie arbeitete nicht nur deshalb mit nicht erwachsenen Exemplaren, um den Vorrang bestimmter Merkmale festzustellen, wie es Charles Fraipont getan hatte, als er von den tierhaften Merkmalen des zwei- oder dreijährigen Kindes von Engis sprach. Tillier hoffte herausfinden zu können, welche Merkmale als erste während der ontogenetischen Entwicklung auftauchten. Diese für die Anatomie des Neandertalers (oder des modernen Menschen) grundlegenden Merkmale sind nach Tillier für eine Überprüfung evolutionsgeschichtlicher Theorien am besten geeignet.

Die Wissenschaftlerin konzentrierte sich zunächst auf die Kinder von Qafzeh, dehnte ihre Forschungen jedoch schon bald auf die nicht erwachsenen Fossilien des gesamten Mittelpaläolithikums aus, und zwar sowohl auf die Neandertaler als auch auf die anatomisch modernen Menschen.

Einige Jahre nach Anne-Marie Tillier studierte der in Algerien geborene Franzose Jean-Jacques Hublin bei Vandermeersch.[20] Schon in jungen Jahren hatte er seinen Vater verloren. Seine Mutter war daraufhin in die Gegend von Paris gezogen. In der Schule leitete er den Geologie-Club und nahm an paläontologischen Exkursionen teil. An der Pariser Universität studierte er zunächst Geologie. Seine Magisterarbeit aber wollte er bei Vandermeersch über die Evolution des Menschen schreiben, auch wenn seine Kommilitonen vom Fach Geologie über dieses »unwissenschaftliche« Thema die Nase rümpften. Im Jahr 1978 war seine Arbeit über die Anatomie von Hinterhaupt und Basis von Schädeln aus dem Pleistozän abgeschlossen.

Zu Beginn des Jahrhunderts hatte unter anderem der Deutsche Hermann Klaatsch gemeinsame Merkmale an dieser Schädelregion bei Neandertalern aus unterschiedlichen Teilen Europas, etwa aus Spy in Belgien oder Krapina in Kroatien, festgestellt. Vielleicht würden sich diese Merkmale bei der Klärung der Verwandtschaftsverhältnisse zwischen verschiedenen prähistorischen Gruppen als nützlich erweisen? Hublin bestätigte das in seiner Arbeit, auch wenn er sonst eher vorsichtig urteilte.

Er stellte fest, daß die Präneandertaler in Europa (außer den ältesten Exemplaren) in der fraglichen Schädelregion ausnahmslos Ansätze neandertalider Merkmale zeigten. Dies bedeutete, daß auch so rätselhafte Exemplare wie der Mensch von Swanscombe auf der Entwicklungslinie zum Neandertaler lagen und somit kein europäisches Fossil mehr als Beweis für die Präsapiens-Theorie herangezogen werden konnte. Hublin drückte diese Erkenntnis Jahre später auf einer Konferenz so aus: »Die Präsapiens-Theorie ist tot, und damit basta.« Die typischen Merkmale der alten Neandertaler-Linie in Europa verschwanden im wesentlichen mit dem Auftauchen des frühen anatomisch modernen Menschen in der Region.

In jüngerer Zeit hat sich Hublin auf menschliche Fossilien von der iberischen Halbinsel und aus Nordafrika spezialisiert – nach eigener Aussage eine Entscheidung, die von dem Bedürfnis beeinflußt wurde, nach den eigenen Wurzeln zu suchen. Er versucht auch, neue Exemplare in die biogeographischen Gruppen einzuordnen, die in den fünfziger Jahren von F. Clark Howell postuliert wurden.

Hublins Forschungsergebnisse schienen Stringers Ansichten zu bestätigen, denn er fand zahlreiche Beweise dafür, daß zwischen den Neandertalern und den frühen anatomisch modernen Menschen, die ihnen in Europa unmittelbar gefolgt waren, große morphologische Unterschiede bestanden. Was die Zeit vor den Neandertalern anging, so hatte man ein relativ klares Bild von der Entwicklung in Europa. In der Morphologie der Fossilien ließ sich eine kontinuierliche Entwicklung von den *erectus*-artigen über die archaischen Formen wie den Menschen von Swanscombe bis zu den klassischen Neandertalern nachweisen, dann aber trat eine plötzliche Veränderung der Morphologie ein. Wenn die modernen Menschen sich nicht aus den Neandertalern entwickelt hatten, dann mußten sie außerhalb Europas entstanden sein. Und nicht nur Stringer hatte das Gefühl, daß die Antwort in Afrika zu finden war.

Da meldete sich der frischgebackene Doktor der Paläanthropologie Günter Bräuer zu Wort.[21] Der junge Deutsche trug mit seiner Arbeit wesentlich dazu bei, die Lücken in der Erforschung der afrikanischen Fossilien zu schließen. Von einigen wenigen international anerkannten Wissenschaftlern abgesehen, hatte sich die deutsche Paläanthropologie nach dem Zweiten Weltkrieg in einer tiefen Krise befunden. Bräuer gehört bereits einer neuen Generation an.

Bräuer hatte die alten Verbindungen zwischen Deutschland und der Republik Tansania (dem früheren Deutsch-Ostafrika) genutzt und für seine Doktorarbeit damit begonnen, menschliche Fossilien aus der Mumba-Höhle in Nord-Tansania zu untersuchen. Von dort aus besuchte er zeitweise die Oldoway-Schlucht, in der die Leakeys ihre berühmten Entdeckungen gemacht hatten, und den Eyasi-See, wo das Fossil eines archaischen Menschen gefunden worden war. Sein neues Ziel war, das verwirrende Beweismaterial über die Entwicklung des *Homo sapiens* in Afrika zu entschlüsseln. Er wollte mit den späten Skeletten aus dem afrikanischen Late Stone Age beginnen und sich immer weiter in die Vergangenheit zurückarbeiten, um festzustellen, ob es eine kontinuierliche Entwicklung der anatomischen Merkmale gegeben hatte.

Auch Bräuer hatte sich für sein Forschungsprojekt eine kaum erschlossene Nische gewählt. Nur wenige Wissenschaftler hatten

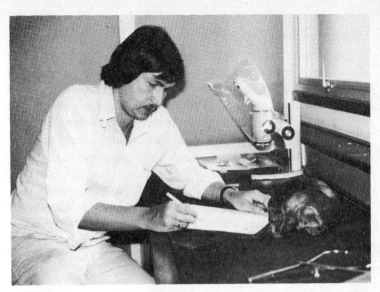

66. *Günter Bräuer bei der Arbeit an dem fossilen Schädel eines ostafrikanischen Verwandten der Neandertaler. Bräuer ist dafür bekannt, daß er Afrika für die Heimat des modernen Menschen hält.*

sich wirklich alle afrikanischen Fossilien angesehen, die auf mehrere Museen verteilt waren, und noch keiner hatte bisher eine strenge Analyse des Gesamtbestands vorgenommen. Wollte man verstehen, wo die modernen Afrikaner oder Europäer hergekommen waren, durfte man, so Bräuers Überlegung, das afrikanische Material nicht länger ignorieren, ebenso wenig wie das mitteleuropäische Material, das erst Smith umfassend untersucht hatte.

Bräuer stellte fest, daß es eine Gruppe von Fossilien gab, die älter waren als die Neandertaler und anscheinend eine biologische Gruppe bildeten. Es handelte sich um die späten archaischen Menschen aus Afrika – die frühesten Mitglieder unserer Spezies auf diesem Kontinent, etwa die Fossilien von Broken Hill in Nordrhodesien (dem heutigen Sambia) oder verschiedene Fossilien aus Südafrika, Tansania und Äthiopien. Bräuer kam zugute, daß er von einer modernen afrikanischen – nicht einer eurozentrischen – Perspektive aus dachte. Der nächste logische Schritt bestand darin, die europäischen Fossilien aus einem eher tropischen Blickwinkel zu untersuchen.

Hatte man den afrikanischen Fossilien auch wenig Aufmerksamkeit geschenkt, so war doch ihr Alter neu geschätzt worden, und dies hatte wichtige Resultate erbracht. Bis in die frühen siebziger Jahre hinein hatte man allgemein angenommen, daß die Werkzeuge, die zusammen mit den Fossilien gefunden worden waren (und die zur Kultur des Middle Stone Age gehören), nicht so alt waren die aus dem Moustérien, die man mit den Neandertalern in Verbindung brachte. Das Alter der afrikanischen Werkzeuge wurde auf lediglich zwanzig- bis dreißigtausend Jahre geschätzt. Middle Stone Age und europäisches Jungpaläolithikum sind zeitgleich verlaufen. Neue Radiokarbon-Analysen[22], die unter anderem in Südafrika durchgeführt und 1972 veröffentlicht worden waren, ergaben jedoch, daß das Middle Stone Age Afrikas weiter zurücklag. Von einer zeitlichen Überschneidung mit dem europäischen Moustérien konnte deshalb nicht die Rede sein. Im Lauf der siebziger Jahre wurden immer mehr Daten gewonnen, die vermuten ließen, daß die Fossilien der späten archaischen Menschen aus Afrika ein phänomenales Alter hatten – einige wurden auf mindestens zweihunderttausend Jahre datiert.

Diese Annahme verlieh Bräuers Fragestellung und Meßergebnissen zusätzliches Gewicht. Als er 1976 seine Doktorarbeit abschloß, hatte er bereits seine sogenannte »out of Africa«-Hypothese formuliert. Er vertrat die Ansicht, daß sich der moderne *Homo sapiens* ursprünglich in Afrika entwickelt und von dort aus den Rest der Welt bevölkert hatte. Zunächst war er in nördlicher Richtung nach Europa vorgedrungen und hatte sich dann nach Westen ausgebreitet, bis er auf die Neandertaler stieß und sich mit ihnen vermischte.

Aus diesem Grund glaubte Bräuer, daß die Neandertaler durch die modernen Menschen nicht *vollständig* abgelöst worden waren, sondern etwas von ihrem Erbgut an spätere Generationen weitergegeben hatten. Er betonte zwar, daß es zwischen den modernen Menschen, die aus Afrika gekommen waren, und den Neandertalern, auf die sie stießen, eine gewisse Vermischung gegeben hatte, aber im Grunde vertrat er ein modifiziertes Verdrängungsmodell. In Stringer fand er einen Verbündeten für seine Überzeugung, daß sich die Merkmale des modernen Menschen in Afrika entwickelt hatten.

Für seine Sachkenntnis und die Tatsache, daß er die Wichtigkeit des afrikanischen Fossilbestands erkannt hatte, wurde Bräuer nationale und internationale Anerkennung zuteil. 1975 erhielt er einen Ruf an die Universität Hamburg, und die Gesellschaft für Anthropologie und Humangenetik verlieh ihm für seine »out of Africa«-Hypothese den Rudolf-Martin-Preis, die einzige Auszeichnung dieser Art für Leistungen im Fach Anthropologie.

Die jungen Wissenschaftler aus England, Frankreich, Deutschland und den USA, die die Neandertaler-Forschung in den siebziger Jahren prägten, hatten einiges gemeinsam. Ungefähr im gleichen Zeitraum geboren, waren sie alle durch Brace, Brose und Wolpoff beeinflußt und hielten die Frage, ob die Neandertaler die Vorfahren der modernen Menschen waren, für die wichtigste.

Die meisten widmeten sich denn auch intensiv diesem vernachlässigten Problem. Evolutionstheoretisch gesprochen, waren sie auf der Suche nach einer ökologischen Nische. Die Aufmerksamkeit von Experten und Laien war damals stark auf Afrika konzentriert, wo man die ältesten hominiden Fossilien gefunden hatte und noch immer neue, immer ältere Australopithecinen entdeckte. Auf diesem Gebiet waren die Reviere abgesteckt, und nur besonders hartnäckige und konfliktfreudige Wissenschaftler der neuen Generation versuchten hier Fuß zu fassen. Nach zehnjähriger Forschungsarbeit und zahlreichen Publikationen hatte allerdings die Frage nach dem Ursprung der modernen Menschen und dem Schicksal der Neandertaler dem Problem der Australopithecinen den Rang abgelaufen. Und auch in der neuen Generation, die persönlich motivierte Kontroversen und Eifersüchteleien, wie sie für die Geschichte der Paläanthropologie so typisch sind, eigentlich vermeiden wollte, fanden nun ähnlich hitzige Debatten statt.

Diese Wissenschaftler nahmen das Problem aus einem neuen Blickwinkel in Angriff. Geprägt durch die Synthetische Theorie der Nachkriegszeit und durch ein populationsorientiertes Denken, das mit einer großen Wertschätzung der Aussagekraft statistischer Untersuchungen einherging, strebten sie an, soweit möglich, biologisch repräsentative Stichproben zu untersuchen, zumindest Gruppen von Individuen, die aus einem begrenzten geographischen Gebiet und einem begrenzten Zeitraum stammten. Sie wollten die Fossilien mit neuen, verbesserten Meßverfahren und analytischen Methoden beschreiben, um ein genaues Bild von der anatomischen Variabilität innerhalb der untersuchten Gruppe zu gewinnen. Eine einfach nur beschreibende Anatomie reichte für diesen Zweck nicht mehr aus.

Die Debatte über das Neandertaler-Problem geriet schnell in eine Sackgasse. Wolpoff vertrat das eine Extrem, Stringer das andere, während die übrigen Wissenschaftler irgendwo dazwischen Position bezogen. Der radikale Unterschied zwischen den beiden Polen wurde 1980 deutlich, als eine scheinbar unwichtige Meldung im *Bulletin de la Société Préhistorique Française* erschien. Gezeichnet war sie von François Lévêque, dem Konservator der archäologischen Ausgrabungen der Region Poitou-Charentes, und von Bernard Vandermeersch, der inzwischen Direktor des regionalen naturhistorischen Museums und *maître d'assistant* (Honorarprofessor) an der Pariser Universität geworden war.

In dieser Meldung wurde eine Information wiederholt, die bereits am 7. Februar 1980 auf der Konferenz der Société Préhistorique Française bekanntgegeben worden war. Es ging um die menschlichen Überreste, die man in der Nähe des Dorfes Saint-Césaire gefunden hatte.

Auf der Grundlage einer ersten vorläufigen Untersuchung der Stratigraphie des Fundorts und des kulturellen Materials, das wir in den einzelnen Schichten gefunden haben, können wir die Überreste eines menschlichen Skeletts eindeutig dem Chatelperronien zuordnen [der in dieser Region frühesten Kulturperiode des Jungpaläolithikums]. Die ersten Ergebnisse der paläontologischen Analyse des Skeletts, die durch dessen fragmentarischen Zustand erschwert wurde, lassen den eindeutigen Schluß zu, daß es sich bei dem Individuum um einen klassischen Neandertaler handelt.[23]

Es war ein besonders glücklicher Fund. An einem langgestreckten Kalksteinfelsen namens La Roche à Pierrot unweit von Saint-Césaire lagen mehrere alte Steinbrüche, in denen Champignons gezüchtet wurden. 1979 wollte der Betreiber der Pilzzucht die Wendefläche für Lastwagen vergrößern. Er bestellte Frontlader, um

486

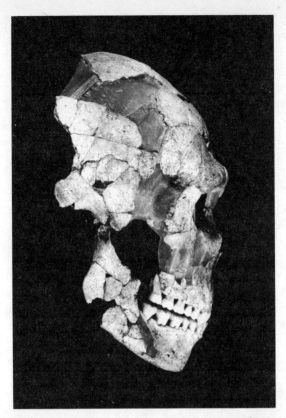

67. *Dieser Schädel des Neandertalers von Saint-Césaire wurde 1979 in West-*
frankreich geborgen. Die meisten Neandertaler werden zusammen mit Werk-
zeugen aus dem Moustérien gefunden. Daß dieses Skelett zusammen mit Werk-
zeugen aus dem Chatelperronien entdeckt wurde – einer Werkzeugkultur aus
dem frühen Jungpaläolithikum, die man bisher für die Hinterlassenschaft ana-
tomisch moderner Menschen gehalten hatte –, trug viel zur Polarisierung der
Debatte über den Platz des Neandertalers im menschlichen Stammbaum bei.

etwas Erde abzutragen, und legte, ohne es zu merken, eine archäologische Fundstätte frei. Ein Hobby-Archäologe vom Ort entdeckte die herumliegenden Steinwerkzeuge und benachrichtigte Lévêque. Der Eigner des Steinbruchs war wenig erfreut, als Lévêque
und Vandermeersch ihn zur Einstellung der Arbeiten bewegen
wollten. Als sie ihm jedoch die mögliche Bedeutung des Fundorts
erklärten und mehrere Bücher über die Evolution des Menschen
überreichten, wandelte sich sein Unmut in Kooperationsbereit-

schaft. Am Ende finanzierte er sogar den Bau eines Ausstellungsgebäudes in der Nähe des Fundorts.

Lévêque leitete eine große Rettungsoperation ein und barg das archäologische Material rasch, aber mit der notwendigen Vorsicht und nicht ohne die Funde wissenschaftlich einwandfrei zu dokumentieren. Am 27. Juli 1979 wurde in einer Schicht mit Werkzeugen aus dem Chatelperronien das stark zersplitterte Skelett eines erwachsenen Neandertalers entdeckt. Es war so eng zusammengekrümmt, daß es ein Oval von nur einem Meter Durchmesser einnahm.

Wäre das Skelett in einer Schicht des Moustérien gefunden worden, hätte der Fund nur mäßiges Interesse hervorgerufen. Aber bisher hatte man allgemein angenommen, daß die Werkzeugkultur des Chatelperronien von frühen anatomisch modernen Menschen stammte, nicht von Neandertalern. Dabei konnte man sich lediglich auf ein einziges menschliches Skelett stützen, das Otto Hauser zusammen mit Werkzeugen aus dem Chatelperronien bei Combe Capelle gefunden hatte und das offensichtlich modern war. Wahrscheinlich war dieses Skelett jedoch intrusiv und stammte aus einer höher gelegenen, jüngeren Schicht, die zum Aurignacien gehörte.

Die Annahme, man habe das Skelett eines Neandertalers in einer Schicht aus dem Chatelperronien gefunden, wurde von kaum einem Paläontologen ernsthaft bestritten. Tatsächlich wurde das Skelett von Saint-Césaire allgemein als der »letzte Neandertaler Frankreichs« gefeiert.[24] Allerdings hatte keiner von denen, die an der folgenden Debatte beteiligt waren, das Fossil oder den Fundort mit eigenen Augen gesehen.

Erstaunlich war die Reaktion der Kollegen, denn beide Lager – die Vertreter des Verdrängungsmodells und die einer *in situ*-Evolution – nahmen den Fund ohne Zögern für ihre Theorien in Anspruch. Für Stringer, Vandermeersch, Tillier und Hublin war das Skelett von Saint-Césaire ein später Überlebender der Neandertaler und nachweislich ein Zeitgenosse der frühen anatomisch modernen Menschen gewesen, die man an anderen Orten gefunden hatte. Stringer hatte schon seit Jahren die Ansicht vertreten, daß es wahrscheinlich irreführend sei, bestimmte Menschentypen bestimmten Werkzeugtypen zuzuordnen. Wenn Neandertaler und anatomisch moderne Menschen dasselbe Gebiet bewohnt hatten, war es gut möglich, daß die Neandertaler von den modernen Menschen neue Techniken der Steinbearbeitung gelernt hatten.

Für Wolpoff dagegen gehörte der Neandertaler von Saint-Césaire ganz einfach zu einer Population, die im Begriff stand, sich zu modernen Menschen zu entwickeln; die Werkzeuge hatten sich schneller »entwickelt« als das Skelett, das man gefunden hatte. Kaum ein Fund hätte die Voraussage besser erfüllen können, die Brose und er fast ein Jahrzehnt zuvor gemacht hatten. Seiner Ansicht nach konnte es keinen besseren Beweis für die Kontinuität zwischen den Neandertalern und ihren Nachfolgern geben. Für Bräuer wiederum entstammte der Neandertaler von Saint-Césaire »einer Population der Vermischungs- und Ablösungsperiode«.[25]

Nur der Archäologe François Bordes war über den Fund von Saint-Césaire nicht glücklich. Er bezweifelte, daß das Skelett aus dem Chatelperronien stammte. Bordes hatte schon lange die Ansicht vertreten, daß eine Art Präsapiens für die Werkzeugkultur verantwortlich war, die er als Moustérien mit Acheul-Tradition bezeichnete. Das Fossil von Saint-Césaire stellte für ihn ein Problem dar, weil er glaubte, daß sich das Chatelperronien aus der Acheul-Tradition des Moustérien entwickelt hatte, wodurch es *per definitionem* eine Werkzeugkultur des modernen Menschen gewesen wäre. Der Neandertaler, der bei Saint-Césaire mit Werkzeugen aus dem Chatelperronien gefunden worden war, paßte nicht in diesen Rahmen, und Bordes fand sich bis zu seinem Tod nicht mit seiner Zuordnung zum Chatelperronien ab. Er starb ein Jahr später an einem Herzinfarkt, und mit ihm starb der letzte ernstzunehmende Vertreter der Präsapiens-Theorie.

Der Fund von Saint-Césaire schien, wie erwähnt, den Beweis für die unterschiedlichsten Theorien zu liefern. Selbst ohne das Original oder wenigstens ein Foto von ihm gesehen zu haben, fand jeder seine Überzeugung bestätigt. Ironischerweise leistete der Fund, gerade weil er so verschieden interpretiert werden konnte und die Debatte noch mehr polarisierte, einen wichtigen Beitrag zur Neandertaler-Forschung, machte er doch den Teilnehmern der Debatte deutlich, wie flexibel sie ihre Hypothesen konstruiert hatten – so flexibel, daß sie durch keinen Beweis widerlegt werden konnten. Stringer griff das Problem auf und forderte neue Forschungsansätze und eine rationalere Diskussion.

Zu Beginn der achtziger Jahre begannen die Wissenschaftler denn auch tatsächlich auf zwei neue Trends in der Forschung zu reagieren.

Zum einen setzte sich in der Frage der phylogenetischen Position des Neandertalers zunehmend eine globale Perspektive durch. Es war nicht mehr möglich, etwa nur die europäischen Funde zu diskutieren und die asiatischen Fossilien außer acht zu lassen oder nur das asiatische oder nahöstliche Material zu beachten, ohne gleichzeitig die afrikanischen Daten zu berücksichtigen. Wolpoff und Thorne fanden ihre Kontinuitätstheorie vollauf bestätigt, als sie den Fossilienbestand Ostasiens und die auf den Inseln von Südost-Asien bis Australien gefundenen Fossilien untersuchten. Ihre Position wurde später von Wu Xinzhi aus der Volksrepublik China geteilt. Smith dokumentierte die morphologische Kontinuität in der Entwicklung vom frühen zum späten Neandertaler, indem er die Funde von Krapina mit den Fossilien von Vindija, einer kroatischen Fundstätte, verglich, die er, Wolpoff und andere schon früher untersucht hatten. Jean-Jacques Hublin sah Kontinuität bei den Fossilien Westafrikas, während Bräuer und Stringer das Gebiet südlich der Sahara als die Urheimat des modernen Menschen betrachteten. Die Neandertaler aus Europa und Westasien, die einst im Mittelpunkt der Aufmerksamkeit gestanden hatten, waren nach wie vor wichtig, spielten aber keine führende Rolle mehr.

Der andere Trend spiegelte sich in Trinkaus' Arbeit wider. Im Gegensatz zu anderen hatte Trinkaus, wie erwähnt, wenig Interesse am evolutionsgeschichtlichen Schicksal der Neandertaler. Er wollte die Neandertaler als solche verstehen. Erstmals wurden sie als eine eigene Art oder Unterart betrachtet, die durch ein bestimmtes Verhalten und eine bestimmte Lebensweise, durch ein spezifisches ökologisches Umfeld und durch eine spezifische Anatomie gekennzeichnet war. Dabei spielte es keine Rolle, ob sie ein vergängliches Übergangsstadium in der Entwicklung zum modernen Menschen oder eine ausgestorbene Seitenlinie gewesen waren – eine subtile, aber wichtige Verschiebung des Forschungsschwerpunkts. Die Unterschiede zwischen der Anatomie des Neandertalers und der des modernen Menschen brauchten nicht mehr als wichtig (oder unwichtig) wegdiskutiert zu werden. Trinkaus war der Wegbereiter für eine neue Fragestellung und ihre Beantwortung. Er untersuchte, welche Unterschiede in der *Funktion* sich aus anatomischen Besonderheiten der Neandertaler ableiten ließen und wie diese sich auf das alltägliche Verhalten ausgewirkt hatten. Mit diesem Ansatz konnte die Beziehung zwischen den Neandertalern und den ersten modernen Menschen unter dem neuen Gesichtspunkt betrachtet werden, wie sich ein Neandertaler hätte verändern müssen, um ein anatomisch moderner Mensch zu werden. Gleichgültig, ob nun eine Ablösung oder eine *in situ* Evolution stattgefunden hatte, die modernen Menschen waren auf sehr reale Weise erfolgreicher gewesen als die Neandertaler, denn schließlich hatten sie überlebt, während die Neandertaler ausgestorben waren. Die Forschung konnte sich jetzt auf Kultur, Biologie und ökologische Anpassung der Neandertaler und der modernen Menschen konzentrieren, um herauszufinden, ob sich der evolutionsgeschichtliche Vorteil des modernen Menschen auf diese Weise erklären ließ.

Der neue Forschungsansatz ist noch längst nicht ausgeschöpft, obwohl eine neue Schar von Neandertaler-Experten bereits viele lobenswerte Versuche in dieser Richtung unternommen hat. Interessanterweise waren es wieder die Fossilien von Shanidar, die einem neuen Verständnis den Weg bahnten. Unmittelbar nach ihrer Entdeckung hatten sie das Bild des Neandertalers rehumanisiert. Jetzt, da ihre Analyse Fortschritte machte, trugen sie dazu bei, daß ein verblüffendes Bild vom Leben der Neandertaler und von ihrer Anpassung an die Umwelt entstand.

Die Fossilien aus der Shanidar-Höhle befanden sich jetzt alle in Trinkaus' Obhut. Er veröffentlichte zahlreiche Aufsätze über ihre Anatomie, die primär beschreibenden Charakter hatten. Vorsichtig, wie er ist, setzte er seine Forschungen bis 1983 fort, ehe er eine Monographie mit dem Titel *The Shanidar Neandertals* publizierte. Erst jetzt stellte er eine Fülle wirklich neuer und provokativer Hypothesen auf und untermauerte sie mit einer wahren Flut empirischer Daten.

In mancher Hinsicht gleicht seine Monographie derjenigen, die Boule über den Neandertaler von La Chapelle-aux-Saints geschrieben hatte. Boule hatte seine Monographie zwischen 1911 und 1913 in Fortsetzungen veröffentlicht und darin das Paradigma aufgestellt, nach dem die Neandertaler in den folgenden vierzig Jahren interpretiert worden waren. Laut Boule waren sie tierhaft und »äffisch« sowie anatomisch (und moralisch) primitiv gewesen. Trinkaus vertrat natürlich eine völlig andere Ansicht, aber auch seine Monographie hatte großen Einfluß auf zahlreiche folgende Veröffentlichungen.

Trinkaus hatte besonderes Glück mit der Qualität der Shanidar-Funde: Wie Smith hatte er die seltene Gelegenheit, die annähernd repräsentative Stichprobe einer Population untersuchen zu können; wie Boule konnte er die Proportionen und Beziehungen analysieren, die innerhalb eines einzelnen Skeletts bestanden; und wie Bernard Vandermeersch und Anne-Marie Tillier bei ihrer Untersuchung der Fossilien von Qafzeh verfügte auch er über Exemplare beiderlei Geschlechts und vieler Altersstufen.

In seiner Monographie gab Trinkaus Stewarts Bericht über die schrecklichen Verletzungen des Neandertalers von Shanidar wieder, ergänzte ihn und diskutierte die möglichen Ursachen. Das Leben in Shanidar war weder gefahrlos noch einfach gewesen. Es hatte den Individuen täglich mehr Körperkraft, Zähigkeit und Tapferkeit abverlangt als irgendeine Lebensweise des modernen Menschen.

Trinkaus legte seine Ansichten über die funktionelle Bedeutung der Anatomie der Neandertaler dar. So griff er beispielsweise den Gedanken von Brace wieder auf, daß die Neandertaler ihre Vorderzähne als »dritte Hand« oder Schraubstock benutzt hatten, um Gegenstände, die sie bearbeiteten, festzuklemmen oder festzuhalten. Trinkaus zeigte, daß die Vorderzähne der Neandertaler extrem abgerundet und abgekaut waren, was darauf hindeutete, daß sie Felle, Fasern oder ähnliches Material durch die Zähne gezogen hatten, um sie abzuschaben oder zu schälen. Er fand auch verschiedene Exemplare, darunter eines aus Shanidar, deren Schneidezähne auf der Vorderseite horizontale Furchen aufwiesen, die wahrscheinlich dadurch entstanden waren, daß die Neandertaler Fleisch oder anderes Material mit den Zähnen festhielten, um es schneiden zu können.

Trinkaus konnte nachweisen, daß verschiedene für die Neandertaler typische Merkmale des Oberarmknochens dazu dienten, die Kraftübertragung der Muskulatur auf die Knochen, das heißt die Hebelwirkung, zu verbessern. Nicht nur, daß die Knochen der Neandertaler von Shanidar ausgesprochen stark und robust waren, zudem waren die Muskeln etwas anders positioniert. So konnte etwa der Bizeps der Neandertaler den Ellbogen mit größerer Kraft beugen, und seine Unterarmmuskeln konnten die Hand mit größerer Kraft drehen – eine Eigenschaft, die sich beispielsweise beim Werfen eines Speers auszahlte.

Eine interessante und vieldiskutierte Hypothese von Trinkaus bezieht sich auf das Becken des Neandertalers. Man hatte zwar zu jenem Zeitpunkt kein vollständiges Becken gefunden, aber bei drei Fossilien aus Shanidar waren größere Teile erhalten, und auch in La Ferassie, Krapina und Tabun hatte man Beckenfragmente geborgen. Die Funde waren seit langem bekannt, aber kaum erforscht worden. Sie ließen den Schluß zu, daß die sogenannten Schambeinäste, Teilabschnitte des Beckens, die vorn durch die Schamfuge miteinander verbunden sind, beim Neandertaler ungewöhnlich lang waren. Da der Hauptunterschied zwischen dem weiten weiblichen und dem engen männlichen Becken beim modernen Menschen in der Länge der Schambeinäste liegt, ließ sich aus den Fragmenten logisch schließen, daß bei den Neandertalern beide Geschlechter ein weiteres Becken hatten als der moderne Mensch. Weibliche Neandertaler hatten deshalb einen ausgesprochen weiten Geburtskanal. Trinkaus stellte die Hypothese auf, daß dieses anatomische Phänomen auf einen wichtigen Unterschied bei der Fortpflanzung von Neandertalern und modernen Menschen hindeutete.

Wie aber sah dieser Unterschied aus? Trinkaus' Überlegungen basierten auf der bekannten Tatsache, daß menschliche Babys mit einem relativ unreifen Gehirn auf die Welt kommen. Wenn man die Regeln, die für alle Säugetiere gelten, auf die Frau anwendet, müßte sie zwölf Monate schwanger sein, damit das Gehirn des Fötus voll ausreifen kann. Das ist eine Frage der »Ökonomie«. Das Wachstum des Gehirns belastet den Stoffwechsel stark, wohingegen es mit dem geringsten Aufwand stattfindet, solange sich das Kind noch im Bauch der Mutter befindet, also direkt mit ihrem Stoffwechsel verbunden ist. Ist das Baby erst einmal geboren, muß die Mutter die aufgenommene Nahrung in ihrem eigenen Stoffwechsel aufbereiten (wobei sie den größten Teil der aufgenommenen Energie verbraucht), und sie muß Milch produzieren, um das Kind stillen zu können. Aus diesem Grund verlangsamt sich das Wachstum des Gehirns anders als beim Menschen bei den Säugetieren nach der Geburt rasch.

Der moderne Mensch hat irgendwann in seiner Geschichte einen einmaligen »Kunstgriff« entwickelt: Die Schwangerschaft dauert zwar nur neun statt zwölf Monate, aber danach wird das Baby durch die stillende Mutter so gut versorgt und ernährt, daß das Gehirn des Babys ein volles Jahr nach der Geburt mit der schnellen Wachstumsrate des Fötus weiterwächst. Dies ermöglicht es der Mutter, ein Kind mit einem großen Gehirn zu haben und gleichzeitig ein so enges Becken zu behalten, daß die Fortbewegung auf zwei Beinen angemessen effektiv ist – ein ziemlich prekärer Kompromiß, der sich für unsere Spezies jedoch bislang bewährt hat.

Trinkaus nahm an, daß die Neandertaler diese evolutionsgeschichtliche Lösung für das Problem des großen Gehirns noch nicht entwickelt hatten. Er glaubte, daß die weiblichen Neandertaler problemlos Kinder gebären konnten, deren Kopf fünfzehn bis fünfundzwanzig Prozent größer war als der moderner Babys. Dies bedeutet, daß die Schwangerschaft bei den Neandertalern, geht man von der Gehirngröße aus, volle elf bis zwölf Monate dauerte.

Dieser Gedanke mag das seltsame Bild einer Neandertaler-Frau hervorrufen, die sich mit monströsem Bauch dahinschleppt, als habe sie einen Bison verschluckt. In den letzten Schwangerschaftsmonaten wäre sie auf die Hilfe von Freunden und Verwandten angewiesen gewesen, unfähig, selbst Nahrung zu sammeln oder lange Wanderungen durchzustehen. Der Vorteil hätte in einem reiferen, überlebensfähigeren Baby gelegen – ein entscheidender Vorteil, zieht man das außerordentlich harte und gefährliche Leben der Neandertaler in Betracht.

Dagegen hatten die modernen Menschen, falls sie wirklich als erste Spezies den Kunstgriff der »Frühgeburt« entwickelten, extreme Schwierigkeiten zu bewältigen. Wenn die unreifen Kinder überleben sollten, mußten sie und ihre stillenden Mütter besonders gut versorgt werden. Obwohl die Schwangerschaft kürzer war, war der Nahrungsbedarf der Mutter insgesamt erhöht, da sich die Stillzeit und die Zeitspanne für das rasche Wachstum des Gehirns des Babys verlängerten.

Welche sozialen oder wirtschaftlichen Veränderungen sind denkbar, die ein solch aufwendiges neues Fortpflanzungsverhalten ermöglicht haben, und wie ließen sie sich durch Fossilien und archäologische Funde belegen? War der moderne Mensch deshalb evolutionsgeschichtlich erfolgreicher gewesen als der Neandertaler, weil seine Frau dank der verkürzten Schwangerschaftsperiode in kürzeren Zeitabständen Kinder zur Welt bringen konnte? Haben die modernen Menschen die Neandertaler deshalb »abgelöst«, weil sie sich schneller vermehrten? Diese Fragen waren eine Herausforderung für die Paläanthropologen und zwangen sie, die Fossilgeschichte wieder biologisch zu interpretieren. Natürlich meldeten sich auch Kritiker zu Wort, die Trinkaus' These von der einjährigen Schwangerschaft zwar für interessant hielten, aber als falsch ablehnten.

Trotz solcher Anfechtung zeigte die Arbeit von Trinkaus, was ein moderner Ansatz auf dem alten Gebiet der funktionalen Anatomie leisten konnte. Er machte seinen Kollegen bewußt, daß nicht nur die Frage »Wer ist mit wem verwandt?« wichtig ist. Und er nahm der erbitterten phylogenetischen Debatte einiges von ihrer Schärfe, indem er faszinierende Hypothesen darüber aufstellte, wie die Neandertaler gelebt hatten. In der Folge verlagerte sich das Interesse der Forschung allmählich auf den Ursprung des modernen Menschen in einem weiteren biologischen und verhaltenswissenschaftlichen Sinn und konzentrierte sich nicht mehr ausschließlich auf das Schicksal der Neandertaler.

Auch diesmal waren es nicht die Entdeckungen selbst, die zu einem Paradigmenwechsel geführt hatten, sondern deren Interpretation. Wieder hatte eine neue Ära in der Neandertaler-Forschung begonnen.

10
Als unser Abbild geschaffen
1984–1991

Trinkaus hatte mit seiner Diskussion über die Dauer der Schwangerschaft der Neandertaler-Forschung nicht nur eine neue Richtung gegeben, sondern auch einen neuen Schwerpunkt gesetzt: Die *Biologie* sollte künftig die Debatte bestimmen. Selbst streng phylogenetische Untersuchungen über den Platz des Neandertalers im Stammbaum des Menschen wurden nun für die neuen Fragen nach seinem Verhalten und seiner Anpassung offener.

Andererseits blieben Trinkaus' Thesen keineswegs unwidersprochen. Mit seiner 1983 erschienenen Monographie über Shanidar und einem 1984 in der Fachzeitschrift *Current Anthropology* veröffentlichten Artikel zog er die Kritik der Kollegen auf sich. Die Diskussion entspann sich an der Frage, welche Bedeutung dem Becken des Neandertalers zugemessen werden sollte. Einhellig akzeptiert wurde dagegen die Grundannahme von Trinkaus, daß die ungewöhnliche Länge des Schambeins – des vorderen Teils des Beckens – auf einen weiteren Geburtskanal als bei der modernen Frau hindeutete. Am heftigsten kritisiert wurde seine These von der einjährigen Schwangerschaft. An der Dauer von neun Monaten schien man nicht rütteln zu wollen.

Zwei weitere Theorien wurden vorgebracht, welche beträchtliche Aufmerksamkeit erregten. Die erste entwickelte ein Team von Wissenschaftlern, dem auch Christopher Stringer angehörte. Danach verliefen Wachstum und Entwicklung beim Neandertaler rascher als beim modernen Menschen. Neandertaler wuchsen und reiften vor wie auch nach der Geburt schneller, weshalb ihre Köpfe (und Gehirne) bei der Geburt größer sein konnten, ohne daß die Schwangerschaft deshalb länger gedauert haben mußte.

Einen anderen Weg wies Karen Rosenberg, eine Studentin Milford Wolpoffs. Sie bestätigte die Größe des Beckens, sprach ihm aber weitere Besonderheiten ab. Eine kräftige Mutter wird ein kräftiges Baby zur Welt bringen, und große Babys besitzen große Köpfe. Der Beckenausgang oder Geburtskanal dieser Mütter muß deshalb größer sein, damit die Babys ihn passieren können. Daraus folgerte Rosenberg, daß die relativ kleinwüchsigen und kräftig gebauten Neandertaler sowohl großköpfige Babys als auch verhältnismäßig große Becken hatten. Das hieß für sie aber nicht, daß die Anatomie der Neandertaler eine andere Biologie oder Anpassung als die der modernen Menschen widerspiegelte; der große Beckenausgang entsprach dem eines außergewöhnlich kleinen und kräftigen Menschen.

Rosenberg und Trinkaus vertraten verschiedene Positionen, weil sie die Morphologie der Neandertaler gegensätzlich interpretierten. Trinkaus war überzeugt, daß sich die äußerlichen Unterschiede zwischen Neandertaler und modernem Menschen mit den Unterschieden in Biologie und Verhalten erklären ließen. Sein Ziel war es, die Anatomie der Neandertaler verstehen zu lernen. Rosenberg dagegen betrachtete die Neandertaler als merkwürdig aussehende Menschen, als Extremfall, der die Regel veranschaulicht. Sie waren kräftig gebaut und ungewöhnlich robust, waren aber dennoch völlig menschlich. Ein Kompromiß zwischen beiden Ansichten war undenkbar. Dennoch wurde die Debatte auf Konferenzen und in der Fachpresse engagiert fortgeführt, bis die Entdeckung neuer aufschlußreicher Fossilien der Auseinandersetzung ein jähes Ende bereitete.

In der Kebara-Höhle in Israel hatte ein israelisch-französisches Team über mehrere Jahre Ausgrabungen durchgeführt. Schließlich entdeckte es 1983, dem Erscheinungsjahr von Trinkaus' Monographie, einen ausgewachsenen männlichen Neandertaler, der bestattet worden war. Bis zur Veröffentlichung der vollständigen Analyse des Materials vergingen mehrere Jahre. Der Schädel und die meisten Bein- und Fußknochen fehlten zwar, doch dafür besaß das Skelett den Körperteil, der über die Fortpflanzung am besten Aufschluß geben konnte: das erste Becken, das so vollständig erhalten war, daß es kaum mehr einer Rekonstruktion bedurfte.

Zur allgemeinen Überraschung war der Beckenausgang nicht größer als beim modernen Menschen, ein stichhaltiger Beweis dafür, daß der Geburtskanal weiblicher Neandertaler genauso weit war wie der moderner Frauen. Yoel Rak und Baruch Arensburg von der Universität Tel Aviv veröffentlichten eine Beschreibung des Fundes. »Am überraschendsten war«, erklärten sie trocken, »daß die längeren Schambeine (die man schon vor langer Zeit bei Neandertalern bemerkt hatte) keinen Einfluß auf die Größe des Beckenausgangs bei Neandertalern hatten, wie früher spekuliert worden war.«[1] Damit war die Grundannahme, auf der alle Theorien aufgebaut hatten, widerlegt. Trinkaus zog kurz darauf seine Hypothese über die Schwangerschaftsdauer zurück, und auch die anderen Wissenschaftler verstummten bald. Eine theoretische Diskussion war durch die Fakten selbst beendet worden. Niemand war damit ganz zufrieden.

Eine neue Kontroverse zeichnete sich bereits ab, die dem Studium der menschlichen Evolution wieder eine ungewöhnliche Richtung geben sollte. Ausgelöst wurde sie durch Molekularbiologen. Als fachfremde Wissenschaftler wußten sie nur wenig über fossile Menschen. Doch das, was sie entdeckt zu haben glaubten, sollte die Anthropologie stärker denn je in unterschiedliche Lager aufspalten. Erste Andeutungen wurden bereits in den frühen achtziger Jahren auf Konferenzen und in Vorveröffentlichungen gemacht. Rückblickend haben sie der Forschung einen neuen Weg gewiesen, damals freilich erkannten nur wenige ihre Bedeutung.

Dann, im Jahr 1987, formulierten die Molekularbiologen ihre Theorie so unmißverständlich, daß sie nicht länger ignoriert werden konnte. In einem Schlüsselartikel verkündeten die beiden jungen Biochemiker Rebecca Cann und Mark Stoneking zusammen mit ihrem Mentor Allan Wilson, sie hätten den Nachweis für einen späten Ursprung aller modernen Menschen gefunden.[2] Ihre Daten leiteten sie aus Studien über ein kleines Segment der Desoxyribonukleinsäure (DNS) ab, das nicht im Zellkern, sondern in den Mitochondrien beheimatet ist, den Organellen, die die Kraftwerke der Zelle darstellen.

Dabei profitierten Cann, Stoneking und Wilson von einer noch jungen Entdeckung. Seit 1964 war bekannt, daß die DNS, das Molekül, in dem die gesamte Erbinformation des Körpers gespeichert ist, sowohl im Zellkern vorhanden ist als auch in den Mitochondrien, die sich im Zytoplasma der Zelle befinden. Die

Kern-DNS verdichtet sich zu Chromosomen, die bei jedem Heranreifen eines Eies oder einer Samenzelle wieder neu angeordnet werden. Auf diese Weise erhält die Frucht bei der Verschmelzung von Ei- und Samenzelle Kern-DNS von jedem Elternteil. Nach heutigem Wissen wird über die Kern-DNS die Vererbung gesteuert. Interessanterweise besitzen auch die Mitochondrien eine DNS. Das Spermium ist nur wenig mehr als ein Zellkern mit Schwanz, der seinen Kerninhalt an die neue Frucht weitergibt, während das Ei eine vollständige Zelle ist. Das heißt, daß die mitochondriale DNS (mtDNS) im Zytoplasma nur von der Mutter an die befruchtete Eizelle weitergegeben werden kann. In der mtDNS findet keine Rekombination und Neuanordnung statt, so daß alle Mutationen, die in der mtDNS auftreten, von Generation zu Generation weitergegeben werden. Die mtDNS gibt also auf wundersame Weise Aufschluß über die Evolution der mütterlichen Linie.

Im Jahr 1974 hatte der junge Wissenschaftler Wesley Brown Methoden entwickelt, mit denen sich die mtDNS verschiedener Individuen vergleichen und deren Gemeinsamkeiten herausfinden ließen. Er verwendete mtDNS aus der Plazenta, einem weiblichen Gewebe, das in großer Menge ohne invasive Maßnahmen gewonnen werden kann. Brown veröffentlichte 1979 eine Studie, der einundzwanzig Plazenten von Müttern unterschiedlicher Rassen zugrundelagen. Trotz der wenig repräsentativen Zahl machten seine Ergebnisse einen vielversprechenden Eindruck.

Browns Ansatz ging auf den inzwischen verstorbenen Allan Wilson und dessen Mitarbeiter Vincent Sarich in Berkeley zurück. In ihren früheren Studien über die Geschwindigkeit der molekularen Evolution hatten sie argumentiert, daß die Anzahl der Mutationen, durch die sich zwei Arten voneinander unterschieden, sich proportional zur Zeitdauer verhielt, die seit ihrer Abtrennung vergangen war. Dies setzt voraus, daß Mutationen, ähnlich dem Zerfall radioaktiver Elemente, Zufallsereignisse sind. Es wurde vorgeschlagen, daß die Anhäufung der Mutationen dem Ticken einer »molekularen Uhr« gleichkomme. Dies vorausgesetzt, konnte anhand der Anzahl der Mutationen der Zeitpunkt der entwicklungsgeschichtlichen Abtrennungen geschätzt werden.

Brown fand heraus, daß die Anzahl der Mutationen, durch die sich die mtDNS der verschiedenen Rassengruppen in seiner Untersuchung unterschieden, sehr klein war, was darauf schließen ließ, daß sich die verschiedenen Menschenrassen erst vor kurzem abgetrennt hatten. Diese Daten wären, wenn sie durch weitere Arbeiten bestätigt würden, ein stichhaltiger Beweis gegen das Modell der multiregionalen Evolution. Brown ging noch weiter. Die verblüffende Homogenität der mtDNS in seiner Untersuchung könnte bedeuten, daß alle Individuen von einer einzigen Population abstammten, die nicht nur vor sehr kurzer Zeit lebte, sondern auch sehr klein gewesen war. Er stellte deshalb die Hypothese auf, daß alle modernen Menschen von einer ancestralen Population abstammten, deren Größe erheblich reduziert worden war, vergleichbar etwa einem eng zusammenlaufenden Flaschenhals.

Während Brown diese Veröffentlichung vorbereitete, begann er, in Wilsons Laboratorium in Berkeley zu arbeiten. Dort erlernte die Studentin Rebecca Cann seine Techniken. Für ihre Doktorarbeit wollte sie die Bedeutung der mtDNS für den Ursprung der Rassen noch genauer untersuchen als Brown. Sie sammelte sehr viel umfangreichere und bessere Stichproben und versuchte, den Zeitpunkt des evolutiven »Flaschenhalses« zu ermitteln.

Die Ergebnisse wurden 1987 von Cann als Erstautorin in *Nature* veröffentlicht. Ihrer Untersuchung lagen Proben von 147 Individuen zugrunde, darunter Asiaten, Ureinwohner Australiens und Neuguineas, »Europide« und »Afrikaner«. Später sollte die Forschergruppe dafür kritisiert werden, daß – bis auf zwei – alle »Afrikaner« in Wahrheit schwarze Amerikaner waren und deshalb die Wahrscheinlichkeit einer »europiden« und vielleicht auch indianischen mtDNS-Beimischung bestand.

Cann und ihre Kollegen bekräftigten mit ihren Ergebnissen die Richtigkeit von Browns Arbeit und gingen sogar noch einige Schritte weiter. In ihrer Auswahl von 147 Individuen kamen 133 verschiedene mtDNS-Typen vor. Diese unterteilten sie mit Hilfe eines mathematischen Verfahrens in Gruppen, wobei jedem mtDNS-Typ die ihm ähnlichsten zugeordnet wurden, bis eine Phylogenese oder ein Stammbaum abgeleitet werden konnte.

Sie stellten afrikanische mtDNS-Typen an den Anfang des einfachsten Stammbaums, der die wenigsten Mutationen zum Erreichen der modernen Situation benötigte. Daneben gab es andere Stammbäume, die beinahe ebenso einfach strukturiert waren. Die mtDNS-Daten schienen in diesem Punkt klar und eindeutig zu sein: anatomisch moderne Menschen entstanden in Afrika, wanderten dann offenbar ab und bevölkerten die übrige Welt. Die hypothetische Urmutter wurde »Eva« genannt, ein Name, der sofort die Aufmerksamkeit von Medien und Öffentlichkeit auf sich zog. Cann ist nach wie vor darum bemüht, der irrigen Vorstellung entgegenzuwirken, daß Eva eine einzelne Frau war. Wir müssen sie uns wohl eher als Vertreterin einer Population vorstellen mit zahlreichen Frauen des gleichen mtDNS-Typs.

Stringer war erfreut über diese unerwartete Bestätigung seiner Ideen mittels einer Technik, die sich gar nicht deutlicher von der seinen hätte unterscheiden können. Moderne »Weiße« mochten eine hellere Hautfarbe entwickelt haben, Asiaten eine Hautfalte am Augenlid (Epikanthus), die ihnen Schlitzaugen verlieh, und so weiter – aber der erste Mensch war eine Frau, die in Afrika gelebt hatte. Wenn der Garten Eden – Evas Heimat – gefunden werden konnte, so lag er auf dem afrikanischen Kontinent. Die Verschmelzung von Wissenschaft und Mythologie klang hinreichend vertraut.

Der problematischste Punkt betraf den Versuch von Cann und ihren Kollegen, die molekulare Uhr zu »eichen«. Sie stützten sich auf den durch archäologische und fossile Funde gut belegten Zeitpunkt der ersten Migrationen des *Homo sapiens* nach Australien und Neuguinea. Indem sie die Anzahl der Mutationen in jenen Stammeslinien durch die geschätzte Zahl der Jahre seit der Migration dividierten, konnten sie eine Mutationsrate pro Jahr bestimmen. Diese Berechnung lieferte Werte, die mit ähnlichen Berechnungen für andere Arten übereinstimmten: In der mtDNS veränderten sich zwei bis vier Prozent der Gene in jeweils einer Million Jahren. Unter Verwendung dieser Kalibrierungsmethode deuteten die mtDNS-Daten darauf hin, daß moderne Menschen erstmals vor 142 500 bis 285 000 Jahren in Afrika aufgetreten waren. Die Gruppe einigte sich daraufhin auf eine runde Zahl: 200 000 Jahre.

Aber, so protestierten viele Paläanthropologen, *wenn der moderne Mensch vor 200 000 Jahren in Afrika entstanden ist, so würde das bedeuten, daß er weder vom Homo erectus* (der sich vor 700 000 Jahren ausgebreitet hatte) *noch vom Neandertaler*

501

(der in ganz Europa und Westasien vor etwa 100 000 bis 35 000 Jahren verbreitet war) *abstammt*. Die Neandertaler und alle anderen eurasischen archaischen Menschen wären demnach vollständig und unwiderruflich von der Entwicklungslinie des modernen Menschen ausgeschlossen. Der hypothetische Flaschenhals wäre somit die Migration selbst gewesen, bei der nur eine kleine Gruppe Afrika verließ (oder eine größere Gruppe oder sogar mehrere Gruppen, wobei nur die Nachkommen einer kleinen Gruppe langfristig überlebt hätten).

Ja, genau so war es, riefen die Biochemiker selbstzufrieden. *Das kann nicht sein*, entgegneten die meisten Paläanthropologen. *Was ist aus jenen fossilen Menschen geworden, die wie »gute« menschliche Vorfahren aussahen, wenn sie sich nicht zum modernen Menschen weiterentwickelt haben?* Das ist eine berechtigte und zugleich beunruhigende Frage, die zu vielen Diskussionen Anlaß gegeben hat.

Einer der hartnäckigsten Gegner dieser Theorie ist Milford Wolpoff, dessen Multiregionale Evolutionstheorie ernstlich in Frage gestellt werden müßte, sofern an den biochemischen Daten und ihrer Interpretation durch Cann, Stoneking und Wilson festgehalten werden sollte. Seine Beobachtungen an Fossilien haben ihn davon überzeugt, daß tatsächlich deutliche Anzeichen regionaler Kontinuität und Evolution vorliegen und daß moderne Rassenmerkmale bis zur Zeit des *Homo erectus* zurückgehen. Wenn sich diese Belege nicht mit den mtDNS-Daten vereinbaren ließen, mußte die Analyse der mtDNS methodische Mängel aufweisen.

Wolpoff bezog in dieser Debatte eine extreme Position, aber viele Kollegen leisteten ihm Schützenhilfe gegen die Vertreter des anderen Extrems, die Biochemiker, die eine Vermischung kategorisch ausschlossen. Während etwa Bräuer, Hublin, Tillier, Vandermeersch und Trinkaus bereit waren zu akzeptieren, daß die Neandertaler Europas und des Nahen Ostens möglicherweise keine Vorfahren des Menschen gewesen waren, ließ sich die Gruppe um Wolpoff nicht davon überzeugen, daß keine der späten archaischen Menschen Nordafrikas, Ostasiens oder Indonesiens mit modernen menschlichen Populationen verwandt sein sollten. Doch genauso hatten die Biochemiker ihre Daten interpretiert: Der moderne Mensch stammte von einer kleinen Gründerpopulation aus dem Afrika südlich der Sahara ab; alle anderen späten archaischen Menschen waren keine direkten Vorfahren des modernen Menschen.

Wolpoff arbeitete unermüdlich daran, die Annahmen und die Methoden der mtDNS-Analyse zu überprüfen, um Fehler aufzudecken. Sein Gegenspieler Stringer hingegen erkannte die mtDNS-Daten uneingeschränkt an und arbeitete daran, sie in seine Hypothese zu integrieren. Erschreckend ist die Art und Weise, in der jede Seite den Fossilbestand in scheinbar überzeugende und doch so gegensätzliche Modelle des Verlaufs der menschlichen Evolution einbauen konnte. Legt man ihre Kommentare nebeneinander und liest sie Stück für Stück, bekommt man das Gefühl, in einem Roman von Kafka aufgewacht zu sein. Stringer und Wolpoff kommen zu unterschiedlichen Ergebnissen, weil jeder das unberücksichtigt läßt, was der andere anerkennt.

Trotz der harten Kritik blieben Cann und die anderen Biochemiker in den folgenden Jahren unbeirrt, verfeinerten ihre Methoden und erweiterten den Umfang ihrer Untersuchung. Diese Zielstrebigkeit und nicht zuletzt auch die Untersuchung durch Stringer bewirkten, daß viele Paläanthropologen allmählich anerkannten, daß Afrika eine wichtige Rolle in der Entwicklung des modernen Menschen gespielt hat. Wenige schlossen sich dem extremen Verdrängungsmodell an, wonach eine einzige Gründerpopulation aus dem Afrika südlich der Sahara und deren Nachkommen alle anderen Gruppen vollständig ersetzt hat, ohne sich mit ihnen zu vermischen.

Der globalere Ansatz zur Untersuchung der Stellung der Neandertaler in der Phylogenese des Menschen war zwar aufschlußreich, vermochte aber die Debatte nicht zu beenden. Die Sichtweise hatte sich zugunsten des evolutionären Aspekts verschoben. Die meisten Gelehrten nahmen weit weniger polarisierte Positionen ein als in der früheren Debatte, in der Hrdličkas »Neandertaler-Phase« gegen den »alten sapiens« von Boule, Keith und anderen antrat. In der Boulevardpresse wurden die ohnehin schon extremen Positionen noch zugespitzt, um den Lesern spannende Artikel bieten zu können. Dies trug zur Konfrontation zwischen Wolpoff und Stringer bei, obwohl beide nach dem Fund von Saint-Césaire flexiblere Positionen bezogen hatten. Die meisten Paläanthropologen urteilten mittlerweile gemäßigter und akzeptierten die Gültigkeit der genetischen Daten. Der genetischen Interpretation dagegen standen sie ebenso skeptisch gegenüber wie der paläanthropologischen.

Wilson hielt an seinen ursprünglichen Ansichten fest und fügte den schillernden Interpretationen über die Neandertaler noch eine weitere hinzu. Von Natur aus erfinderisch, wißbegierig und originell, trat er bis zu seinem Tod 1991 mit einer Vielzahl von Ideen an die Öffentlichkeit – guten, schlechten und mittelmäßigen. Daß einige dieser Ideen nicht in seine Disziplin fielen, erwies sich zugleich als Segen und als Fluch. Er ging an alles mit der Frage »was wäre wenn« heran, unbehindert von vorherrschenden Meinungen oder Detailwissen. Anthropologen forderten ihn auf, den überwältigenden Erfolg zu erklären, den Eva und ihre Nachkommen gehabt haben mußten, als sie aus Afrika abwanderten und in genetischer Hinsicht die ganze Welt eroberten. Wilson stellte daraufhin eine Hypothese auf, die sich an das Bild vom sprachlosen Neandertaler anlehnte, das der Anatom Crelin und der Sprachspezialist Liebermann entworfen hatten; nur Eva und ihre Nachkommen hatten über Sprache verfügt. Die dafür verantwortliche Mutation mußte in der mtDNS liegen.

Liebermann hatte argumentiert, daß »für das Aussterben der Neandertaler-Hominiden die Konkurrenz mit dem modernen Menschen verantwortlich war, der über bessere Sprachvoraussetzungen verfügt hatte«.[3] Doch nicht einmal er war soweit gegangen zu behaupten, daß der Neandertaler überhaupt keine Sprache besessen habe oder daß der Spracherwerb das Ergebnis einer einzigen Mutation sei. Liebermann vertrat die Ansicht, daß Sprache etwas Komplexes sei und ihre Evolution nur langsam erfolgt sein könne. Nicht das Vorhandensein oder Fehlen von Sprache, sondern der Grad sprachlicher Komplexität sei für die Überlegenheit des modernen Menschen über den Neandertaler verantwortlich.

Wilson stand mit seiner Hypothese allein da. Die Anthropologen, selbst jene, die dazu tendierten, die mtDNS-Daten anzuerkennen, führten übereinstimmend einen, wie sie meinten, stichhaltigen Gegenbeweis an.

Das Kebara-Skelett mit dem ersten vollständigen Becken eines Neandertalers lieferte auch ein Zungenbein (Hyoid), in dem die

Zungenmuskeln verankert sind und das eine Verbindung zwischen den Unterkiefer- und Halsmuskeln bildet – sie alle sind für das artikulierte Sprechen mitverantwortlich.

Dieses Zungenbein und Wilsons provokative Äußerungen warfen erneut die Frage nach der Sprachfähigkeit der Neandertaler auf. Nur wenige waren überrascht, daß das Zungenbein kaum größer war als das des modernen Menschen und so gar nicht dem eines Menschenaffen glich. Liebermann und seine Kollegen waren über diese Neuigkeiten nicht erfreut. Aufgrund der Maße, die auch mit denen des Zungenbeins vom Schwein übereinstimmten, spöttelten sie, daß der Neandertaler statt gesprochen vielleicht gegrunzt habe.

Zahlreiche Anthropologen kamen zu der Überzeugung, daß der Neandertaler fähig gewesen wäre, jede moderne Sprache, wenn auch mit Akzent, zu sprechen. Allerdings begründeten sie dies nicht mit der Anatomie des Zungenbeins, sondern mit Argumenten, die bereits ein Jahrzehnt zuvor gegen Liebermann und Crelin vorgebracht worden waren und nun wieder aufgegriffen wurden.

Wilson nahm diese neue Erklärung lächelnd zur Kenntnis und gab zu bedenken, daß es zwischen den Hominiden, die über Sprache verfügten, möglicherweise große Unterschiede gegeben habe. Vielleicht hätten die Neandertaler eine primitive, rudimentäre Sprache gesprochen, während die Sprache der anatomisch modernen Menschen bereits ausgereifter und effizienter gewesen sei. Da Wilson mittlerweile leider verstorben ist, werden wir nie erfahren, welche Folgen dieser große Unterschied seiner Meinung nach hatte und welche Rolle die mtDNS dabei spielte.

Unterschiedlich interpretierbare Daten gab es nicht nur auf der molekularen Ebene. Auch bei der Altersbestimmung der Fundstätten kam man zu neuen Ergebnissen, was die Diskussion der späten achtziger Jahre erneut auf die Neandertaler und frühen modernen Menschen im Nahen Osten lenkte. Nachdem Vandermeersch, Tillier und Trinkaus die Fundstätten Qafzeh und Shanidar analysiert hatten, erkannten die Anthropologen allgemein an, daß im Mittelpaläolithikum zwei Gruppen von Menschen den Nahen Osten bewohnt hatten. Die eine bestand aus Neandertalern oder den Neandertalern ähnlichen Menschen, also späten archaischen Menschen; ihre Überreste waren in Fundstätten wie Amud, Tabun, Shanidar und Kebara gefunden worden. Die andere Gruppe bildeten frühe moderne Menschen; sie waren bei Qafzeh und Skhul entdeckt worden. McCown und Keith hatten die Fossilien von Skhul und Tabun zusammen in einen Topf geworfen. Gelehrte aus verschiedenen Ländern zeigten später, wie unterschiedlich diese beiden Menschengruppen waren. Probleme bereitete die Bestimmung ihres chronologischen Verhältnisses zueinander. Nicht von ungefähr sollte es wiederholt revidiert werden.

Ursprünglich hatten eher dürftige Korrelationen der Stratigraphie, der Steinwerkzeuge und der Fauna darauf hingedeutet, daß Skhul und Qafzeh, die Fundstätten moderner Menschen, jünger waren als die anderen Fundorte. Im Jahr 1981 verglich Eitan Tchernov, ein israelischer Paläontologe, der mit Vandermeersch und Bar-Yosef zusammenarbeitete, die Nagetiere und anderen Kleinsäugetiere der Fundorte sorgfältig miteinander. Ausgehend von Tschernovs Arbeit und einigen vorläufigen radiometrischen Daten vermuteten Vandermeersch und Bar-Yosef nun, daß Qafzeh älter sei als die Neandertaler-Fundstätten im Nahen Osten. Wenn sich diese Annahme bewahrheitete, dann war der Nahe Osten das einzige Gebiet, in dem die Fossilien moderner Menschen älter waren als die der Neandertaler.

Das Forscherteam war sich der Wichtigkeit dieses Punktes bewußt, als es mit zwei erst kurz zuvor verbesserten Datierungsmethoden an die Arbeit ging: der Thermolumineszenz-Technik (TL) und der Elektronenspinresonanz-Technik (ESR).[4] Mit beiden Methoden läßt sich auf unterschiedliche Art und Weise die Energiemenge der Hintergrund-Strahlung in den Sedimenten messen, die von kristallinen Stoffen absorbiert worden ist. In diesem Fall waren die »kristallinen Stoffe« Steinwerkzeuge und Zahnschmelz aus Kebara, Skhul und Qafzeh. Die ersten TL-Daten, die 1987 veröffentlicht wurden, waren nicht überraschend. Aus ihnen ging hervor, daß die Schichten bei Kebara, in denen man Neandertaler gefunden hatte, etwa sechzigtausend Jahre alt waren, also aus der Mitte der letzten Eiszeit stammten, in der der Neandertaler gelebt hat. Aber die im folgenden Jahr veröffentlichten TL-Daten für die modernen Menschen von Qafzeh ergaben ein Alter von neunzigtausend Jahren, was die Behauptung Tchernovs, Vandermeerschs und Bar-Yosefs stützte, daß im Nahen Osten frühe moderne Menschen vor den Neandertalern gelebt hatten. Die ESR-Daten des Qafzeh-Materials bestätigten die TL-Daten. Anschließend wurden die Fossilien der modernen Menschen von Skhul mit Hilfe der ESR auf etwa achtzigtausend Jahre datiert. Somit standen sie in engem Zusammenhang mit den modernen Menschen von Qafzeh.

Diese Ergebnisse deuteten darauf hin, daß die ursprünglichen Bewohner des Nahen Ostens im Oberpleistozän frühe moderne Menschen gewesen waren. Die Neandertaler wären demnach erst später hinzugekommen, als sie auf der Flucht vor dem sich verschlechternden Klima zu Beginn der letzten Eiszeit von Europa aus südwärts gewandert waren. Trinkaus hielt dem entgegen, daß man bei den Neandertalern im Nahen Osten die gleichen evolutiven Veränderungen beobachten könne wie bei den zwischen hunderttausend und vierzigtausend Jahre alten Neandertalern Europas. Deshalb, so seine Behauptung, hätten die Neandertaler aus dem Nahen Osten lange Zeit in dieser Region gelebt.

Eine Reihe neuer ESR-Daten für Tabun, die 1991 veröffentlicht wurden, führten zu weiteren Komplikationen. Sie belegten, daß die Neandertaler von Tabun etwa zur gleichen Zeit gelebt hatten wie die modernen Menschen von Skhul und Qafzeh. Hier zeigte sich ein grundsätzliches Problem, das chronologische und phylogenetische Fragestellungen bisher in den Hintergrund gedrängt hatten. Wie sollte man erklären, daß zwei Menschengruppen über einen Zeitraum von fünfzigtausend Jahren in derselben Region gelebt – entweder abwechselnd oder gleichzeitig –, die gleichen Steinwerkzeuge verwendet und die gleichen Pflanzen und Tiere genutzt hatten, und dennoch anatomisch und genetisch verschieden blieben?

Trinkaus und seine Schüler nähern sich dem Problem vom Standpunkt der menschlichen Biologie und versuchen mit Hilfe von funktionalen Analysen der Fossilien zu bestimmen, wie die beiden Gruppen lebten und woran sie angepaßt waren. Die Gruppe um Bar-Yosef geht das gleiche Problem aus archäologischer Sicht an und untersucht Werkzeuge und Techniken, um kulturelle Anpassung und Lebensweise verstehen zu lernen. In den neunziger Jahren hat sich der Forschungsschwerpunkt von dem Problem der reinen Phylogenese oder reinen Morphologie auf die Frage nach den Unterschieden und Gemeinsamkeiten zwischen Neandertalern und modernen Menschen verlagert.

Wolpoff, kein Wissenschaftler, der ein Thema schnell wieder fallenläßt, wählte einen dritten Weg. Er griff McCowns und Keiths alte Theorie auf, nach der in Skhul und Tabun lediglich eine einzige, sehr variable Population gelebt habe, und ließ dies auch für die Fundorte Amud, Kebara, Qafzeh und Shanidar gelten. Sein Ansatz war der einzige, der eine unmittelbare Lösung lieferte. Dadurch, daß er die vormals verschiedenen Gruppen nun als eine einzige definierte, beseitigte er kurzum das Problem. Früher wie auch heute scheint der Nahe Osten dazu bestimmt, ein Scheideweg zwischen den Kontinenten zu sein und immer wieder Konfrontationen und Verwirrungen hervorzurufen.

Während die Diskussion über die Neandertaler aus dem Nahen Osten und ihre Verwandten von Qafzeh und Skhul noch im Gange war, rückte die mtDNS-Forschung wieder in den Mittelpunkt. Stoneking und Linda Vigilant, ebenfalls eine Schülerin Wilsons, untersuchten die mtDNS einer noch größeren Zahl von Individuen als Cann einige Jahre zuvor. Ihr Ziel war es, verläßlichere Informationen über die Verästelungen und Verwandtschaftsbeziehungen im Stammbaum moderner Menschengruppen zu erhalten.[5] Im September 1991 veröffentlichten Stoneking und Vigilant zusammen mit ihren Mitarbeitern ihre Ergebnisse in der Fachzeitschrift *Science*. Ihre breitangelegte Analyse der mtDNS heute lebender Menschen bestätigte frühere Schlußfolgerungen: Ihr Stammbaum zeigte, daß alle modernen Menschen von einer afrikanischen ancestralen Population abstammen, was bereits Stringer und Bräuer aus dem Fossilbestand geschlossen hatten. Sie schätzten, daß diese Gruppe vor 166000 bis 249000 Jahren entstanden war – beunruhigend spät. Da die Autoren von der Verläßlichkeit ihrer Daten überzeugt waren, forderten sie die Paläontologen nachdrücklich dazu auf, eine statistische Analyse der Fossilien durchzuführen, die ebenso zuverlässig sei wie ihre molekulare Analyse. Nicht einmal sechs Monate später sollte der Stolz, mit dem Vigilant und Stoneking auf ihre statistische Arbeit blickten, anmaßend wirken.

Doch die Antwort kam nicht von paläontologischer Seite, sondern aus einer ganz anderen Richtung. Im Februar 1992 erschienen zwei Artikel zu dem Thema in *Science* sowie ein weiterer in einer spezielleren Fachzeitschrift.[6] Autor des ersten Artikels war Alan Templeton, ein Genetiker von der Washington University in

Saint Louis; der zweite Artikel wurde von einem Team aus Harvard verfaßt; und der dritte stammte von drei Biologen der Pennsylvania State University und Stoneking selbst, der an derselben Universität arbeitet. Alle drei Artikel legten übereinstimmend dar, daß die Verfahren zur Erstellung genetischer Stammbäume aus mtDNS-Daten grundlegende Fehler enthielten.

Es ist schwierig, anhand der genetischen Information, wie sie aus der menschlichen mtDNS abgeleitet wird, nicht nur irgendeinen, sondern den wahrscheinlichsten Stammbaum zu erstellen. Mit Hilfe ausgefeilter Computerprogramme und komplexer Berechnungen werden Stammbäume, das bedeutet phylogenetische Aufspaltungen, mit nur einer einzigen Wurzel ermittelt, indem die genetischen Übereinstimmungen und Unterschiede zwischen Individuen zusammengefaßt und verglichen werden. Jeder Datensatz kann eine große Zahl möglicher Stammbäume liefern – je größer der Datensatz, desto mehr Möglichkeiten. Man schätzt, daß der mtDNS-Satz von 189 Individuen mehr als 10^{250} unterschiedliche Stammbäume liefern kann.[7]

Den besten oder wahrscheinlichsten Stammbaum unter einer solch großen Zahl an Möglichkeiten zu erkennen, bereitet Probleme, die durch Rückmutation und parallele Evolution noch erschwert werden. Von Rückmutation spricht man, wenn eine bereits erfolgte Mutation, das heißt Änderung der genetischen Information, wieder aufgehoben wird. Da sich in der Summe nichts ändert, wird dieser Teil des evolutionären Verlaufs im molekularen Befund nicht sichtbar. Unter paralleler Evolution wird die unabhängige Evolution gleicher genetischer Änderungen bei zwei verschiedenen Linien verstanden; die Linien weisen nicht deshalb die gleichen Mutationen auf, weil sie zum Zeitpunkt der Mutationen noch zusammengehörten, sondern weil sie sich unabhängig in die gleiche Richtung entwickelt haben. Aufgrund von Rückmutation und paralleler Evolution wird der Zeitpunkt der Abtrennung zu spät angesetzt, weil nicht alle evolutiven Veränderungen feststellbar sind. Man nimmt an, daß sowohl Rückmutation als auch parallele Evolution nur selten vorkommen, so daß der wahrscheinlichste oder »einfachste« Stammbaum nur eine äußerst geringe Anzahl solcher Ereignisse aufweist, was mit Hilfe von weiteren Computerberechnungen bestimmt wird.

Die Autoren der drei Artikel zeigten, daß bei der Analyse der mtDNS-Daten versäumt wurde, genügend Stammbäume aus der Vielzahl der Möglichkeiten zu untersuchen. Es lagen zahlreiche äußerst »einfache« Modelle vor – einige mit afrikanischen, einige mit eurasischen Wurzeln und einige mit Wurzeln in mehreren Regionen der Alten Welt (was auf eine gleichzeitige Evolution des modernen Menschen in verschiedenen Regionen hindeuten würde). Diese Erkenntnis widerspricht nicht der Hypothese, daß der Mensch in Afrika entstanden ist. Aber die mtDNS-Daten beweisen sie auch nicht, wie man ursprünglich geglaubt hatte. Solche Daten lassen sich nicht so analysieren, daß sie Beweise für ein bestimmtes Entstehungsgebiet liefern. Die Schwierigkeit, den geographischen Ursprung des modernen Menschen anhand einer statistischen Analyse von mtDNS-Daten zu bestimmen, war gründlich unterschätzt worden.

Templeton stellte auch die Kalibrierung der molekularen Uhr, die von den mtDNS-Forschern verwendet worden war, in Frage.[8] Anstatt zu versuchen, einen bestimmten *Zeitpunkt* festzulegen, an dem sich die mtDNS aller modernen Menschengruppen entwicklungsgeschichtlich abtrennte, schätzte Templeton die *Zeitspanne*, wobei er mehrere Unsicherheitsfaktoren berücksichtigte. Er zeigte, daß die Abtrennung der mtDNS nicht innerhalb des recht begrenzten Zeitraums vor 166 000 bis 249 000 Jahren erfolgte, wie man zuvor geschätzt hatte, sondern innerhalb eines weit größeren Zeitraums: vor 191 000 bis 772 000 Jahren. Dieser Zeitraum umfaßt die Periode, in der sich der *Homo erectus* von Afrika aus über Eurasien ausbreitete. Die Abtrennung der mtDNS konnte also schon lange vor dem Erscheinen moderner Menschen eingetreten sein.

Templetons Arbeit warf die wichtige Frage auf, ob mtDNS-Daten überhaupt etwas über den Ursprung der modernen Menschen aussagen konnten. Einige Anthropologen, die diese lästigen Daten ohnehin gerne zu den Akten legen wollten, beantworteten die Frage mit einem klaren »Nein«. Stoneking und Vigilant dagegen ließen sich durch die Mehrdeutigkeit ihrer Ergebnisse nicht beeindrucken. Und auch Stoneking, der sich der Mängel des Verfahrens durchaus bewußt war, machte keinen Rückzieher. Ende Februar 1992 verteidigten sie auf einer gemeinsamen Veranstaltung der

Royal Society und der CIBA Foundation in London den afrikanischen Ursprung des mtDNS-Stammbaums und beriefen sich dabei unter anderem auf Erkenntnisse, die aus der Untersuchung von Fossilien gewonnen worden waren. Wie viele Anthropologen vor ihnen hielten auch sie an ihrer Überzeugung fest, selbst als sich herausstellte, daß ihre Grundannahmen fehlerhaft waren.

Stringer dagegen – der neben der »out of Africa«-Hypothese auch das Verdrängungsmodell vertrat – reagierte bei dieser Tagung vollkommen unerwartet. Er nahm von seiner früheren extremen Position Abstand und räumte ein, daß sich afrikanische und nicht-afrikanische Gruppen später archaischer Menschen möglicherweise genetisch vermischt hatten. Auf derselben Veranstaltung präsentierten Smith und Trinkaus eine neue Untersuchung über die afrikanischen Fossilien, die am häufigsten als die frühesten Belege für anatomisch moderne Menschen herangezogen wurden. Sie meldeten Zweifel an, ob diese Funde tatsächlich so modern waren, wie bisher angenommen, und stellten die »out of Africa«-Hypothese in Frage.

Am Ende der Tagung hielten nur noch wenige Wissenschaftler Afrika für die einzige Region, in der der moderne Mensch entstanden sein konnte. Die Hypothese, der zufolge eine vollkommene Ablösung der archaischen Menschen in Europa und Ostasien stattgefunden hatte, wich einer gemäßigteren Sichtweise der Vergangenheit. Man nahm an, daß in einigen Regionen Populationen abgelöst worden waren und in anderen eine genetische Vermischung mit angrenzenden Populationen stattgefunden hatte. Die extremen Positionen der späten achtziger Jahre wichen einer reiferen Beurteilung der Komplexität, die in der Rekonstruktion von Stammbäumen anhand von Schädeluntersuchungen oder mtDNS-Daten lag. Der entwicklungsgeschichtliche Verlauf erschien nun nicht mehr klar und einfach. Ernüchtert wandten sich die Wissenschaftler einer realistischeren Betrachtung des komplexen evolutionären und geographischen Ursprungs des modernen Menschen zu. Dies eröffnete die Möglichkeit zu ergründen, was tatsächlich mit den Neandertalern und anderen Vorfahren des Menschen geschah. Vorbei ist die Zeit, in der ihr Schicksal nur als Beweis für die Richtigkeit starrer Modelle herhalten mußte.

Im letzten Jahrzehnt hat sich die Aufmerksamkeit immer wieder einer Vielzahl von Fragen der Phylogenese, des Verhaltens, der Anatomie und der Molekularbiologie zugewandt. Dabei haben wir die Neandertaler und ihre Verwandten besser kennengelernt. Bezeichnenderweise wollen die Wissenschaftler nicht mehr nur herausfinden, was genau mit ihnen geschah, sondern auch wie und warum sie verschwanden und moderne Menschen ihren Platz einnahmen. Neandertaler sind auf diese Art und Weise zu einem wichtigen Aspekt in der umfassenderen und allgemeineren Fragestellung geworden, die sich mit dem »Selbstverständnis« des Menschen und seinen Ursprüngen befaßt.

Die Optimisten unter den Anthropologen glauben, bereits ein gutes Stück vorangekommen zu sein, da wir inzwischen wissen, was die wirklich relevanten Fragen sind. Die Pessimisten unter ihnen verweisen auf die sich – unter immer neuen Vorzeichen – wiederholenden Auseinandersetzungen über die Identität und die Nachkommen der Neandertaler. Die Herausforderung besteht darin, die Belege zu integrieren, die molekularen, archäologischen und fossilen Befunde zu einem sinnvollen Ganzen zusammenzufügen. Alle bisherigen Erkenntnisse geben uns eine Reihe von Hinweisen über unsere Vergangenheit. Nun benötigt man eine Art »Stein von Rosette«, der dazu befähigt, die verschiedenen »Sprachen« dieser Belege so zu übersetzen, daß sie verständlich werden.

Einen Rückblick auf die Entdeckungsgeschichte der Neandertaler zu geben ist eine gleichermaßen erfreuliche wie erschreckende Aufgabe. Seit 1856 hat man umfangreiche Untersuchungen angestellt, viele Fossilien gefunden, neue Analysemethoden angewandt, und viele Wissenschaftler haben ihr Lebenswerk der Erforschung des Neandertalers gewidmet. Und was ist dabei gelernt worden?

Für Thomas Henry Huxley war die Frage aller Fragen die Stellung des Menschen in der Natur und sein Verhältnis zu den Menschenaffen und anderen Primaten. Diese Frage ist inzwischen beantwortet. Es bestehen kaum noch Zweifel darüber, daß Mensch und Menschenaffe einen gemeinsamen Vorfahren besitzen und daß die Menschenaffen unsere Vettern und nicht unsere Vorfahren sind. Das soll nun aber nicht heißen, daß niemand diese unzweifelhaften Tatsachen zu bestreiten versucht. Diejenigen, die weiterhin die Evolution in Frage stellen, rücken Moral und Ethik in den

Vordergrund, was es ihnen unmöglich macht, den Affen in uns zu akzeptieren. Sie glauben, daß Evolution und Religion unvereinbar miteinander sind, und verschanzen sich, da sie diese Dichotomie nicht auflösen können, hinter Dogmatik. Andere sind aufgrund ihrer Bildung nicht in der Lage, die Beweise für die Evolution zu verstehen. Halb verstandene Prinzipien oder Halbwahrheiten verwirren sie, und deshalb lehnen sie alles ab, was für sie keinen rechten Sinn ergibt. Dennoch gilt es als gesichert, daß die Menschen, wie alle Organismen, eine Evolution durchlaufen haben und daß die Neandertaler einen Teilabschnitt dieser Evolution belegen.

An welcher Stelle die Neandertaler in unserem Stammbaum anzusiedeln sind, wird weiterhin kontrovers diskutiert. In den vergangenen knapp einhundertvierzig Jahren hat man die Neandertaler in nahezu jedes mögliche Verwandtschaftsverhältnis zum modernen Menschen gestellt. Einige Wissenschaftler ordneten sie der Spezies Mensch zu, andere verbannten sie auf den entferntesten Nebenzweig des menschlichen Stammbaums.

Die vielleicht suggestivste Darstellung – ebenso wirkungsvoll wie doppeldeutig – war in der ersten Folge einer kurzen und mißlungenen Fernsehserie über die Evolution des Menschen zu sehen, die in den siebziger Jahren in den USA ausgestrahlt wurde. Begonnen wurde mit einer häuslichen Szene aus dem Leben der Neandertaler: Eine Großfamilie sitzt in einer Höhle irgendwo in Europa um eine Feuerstelle. Die ein wenig häßlichen, haarigen und muskulösen Wesen unterhalten sich in einer unverständlichen Sprache. Dann schwillt die Musik an, Fußtritte sind zu hören: Im Höhleneingang erscheint ein großer schlanker Cromagnon-Mensch, blond und blauäugig, einen Speer in der Hand. Die Gruppe am Feuer blickt überrascht auf. Dann wechselt die Perspektive: Die Kamera fängt vom Höhlenvorplatz aus die Silhouette des Cromagnon-Menschen vor dem Schein des Feuers ein. Die Musik wird noch lauter, die Kamera fährt näher heran. Der Mensch tritt in die Höhle, seine Silhoutte verdeckt zunächst das Feuer und dann die aufgeregt stammelnden Gestalten im Innern. Am Ende ist nur noch er zu sehen.

Die unterschiedlichen Vorstellungen über die Phylogenese von Neandertalern hängen von zwei Faktoren ab: der Interpretation ihrer Anatomie und ihres Verhaltens. Über die Anatomie besitzen Wissenschaftler mittlerweile ein umfangreiches Wissen, auch wenn es noch viel zu entdecken gibt. Sie wissen heute, daß sich beinahe jeder Körperteil des Neandertalers deutlich von dem des modernen Menschen unterscheidet, und doch weist der Neandertaler keine große Ähnlichkeit zum Schimpansen auf. Noch ist nicht geklärt, was diese Unterschiede genau bedeuten und was sie über die Anpassung des Neandertalers aussagen.

In den Interpretationen der Wissenschaftler waren die Neandertaler mal tierische, finster blickende Unholde, mal sanfte, fürsorgliche Wesen mit Familiensinn und religiösen Gefühlen. Und was waren sie wirklich?

Leider sprechen die Fossilien nicht für sich selbst. Es sind die Wissenschaftler, die ihnen Leben »einhauchen« und sie häufig mit den besten oder schlechtesten Eigenschaften des Menschen ausstatten. Jede Generation projiziert ihre eigenen Ängste, ihre Kultur und zuweilen sogar ihre persönliche Geschichte in die Neandertaler. In ihnen spiegelt sich unsere Natur, auch wenn wir meinen, die ihre zu enthüllen.

Dies macht ein besonders interessanter Aspekt der wechselhaften Geschichte ihrer Interpretation deutlich: die Schaffung lebensnaher Rekonstruktionen in Form von Zeichnungen, Gemälden oder auch Statuen aus Stein, Gips oder Metall. Es ist heute allgemein üblich, fossile Menschen aus Gründen der Veranschaulichung und zu Vorführzwecken nachzubilden. Erstmals wurde diese Praxis beim Neandertaler angewandt.

Doch wie entlarvend können Rekonstruktionen sein! Die früheste uns bekannte Nachbildung ist eine 1873 in *Harper's Weekly* erschienene Zeichnung. Sie zeigt ein Paar in seiner bescheidenen Höhle zusammen mit Haushunden, die der eher bedrohlichen Atmosphäre der Szene eine heimelige Note verleihen. (Da Hunde erst vor etwa zehntausend Jahren domestiziert wurden, haben sie nichts in der Höhle von Neandertalern zu suchen und sollen wohl zahme Wölfe darstellen.)

Die Höhle selbst ist mit Knochen wilder Tiere übersät. In ihrem schattigen Innern, auf einem Bärenfell, liegt eine langhaarige Neandertaler-Frau, nackt bis zur Hüfte, das Gesicht weggedreht und in den Armen vergraben. Diese Körperhaltung läßt eher auf Trä-

68. *Die anonyme Rekonstruktion einer Szene aus dem Leben der Neandertaler, erschienen 1873 in* Harper's Weekly.

nen nach einem Streit als auf Schlaf schließen. Von ihr abgewandt steht der Mann mit primitiven Gesichtszügen. In der linken Hand hält er einen Faustkeil, der auf einem Stiel steckt, in der rechten etwas Undefinierbares. Er steht in der Nähe des Höhleneingangs, durch den Licht einfällt. Seine Augen verleihen der Zeichnung Ausdruck. Er blickt überrascht – oder hoffnungsvoll? – aus dem Höhleneingang. Einer der Hunde blickt aufmerksam in dieselbe Richtung. Was wohl kommen mag?

Man ist versucht, diese Zeichnung als Metapher für die Geschlechterrolle im viktorianischen Zeitalter zu sehen, zumal sie in einer populären Zeitschrift und nicht in einer Fachzeitschrift erschien. Die Zeichnung entstand zu einer Zeit, als Frauen passiv, unschuldig und häuslich zu sein hatten. Deshalb wurden sie in der Kunst häufig schlafend, ohnmächtig oder kränklich dargestellt. Starke, im Leben stehende, aktive Frauen wurden nicht bewundert. Diesem Bild entspricht die Zeichnung: Beschützt durch den umsichtigen Mann, der für die Welt da draußen zuständig ist und

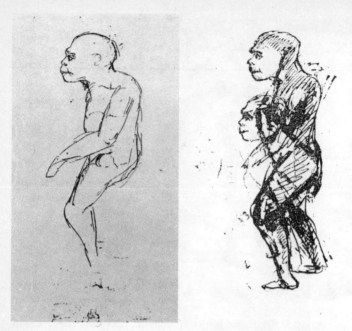

69. *Studien des Neandertalers von Spy von Maximin Lohest aus dem Jahr 1886, in dem die Neandertaler erstmals als nicht-moderne menschliche Vorfahren anerkannt wurden.*

sich um die Zukunft sorgt, ruht die Frau im Dunkel des Höhleninneren.

Einige Zeichnungen von Lohest, die sich bei seinen Notizen über die Fossilien von Spy befanden, sind ein ernsthafter Versuch, die Belege zu deuten. Lohest und Fraipont, in deren Händen die Verantwortung für die Analyse eines nahezu vollständigen Skelettes lag, widmeten sich als erste der schwierigen Aufgabe, die Bedeutung der Retroversion des Tibiakopfes für die Körperhaltung des Neandertalers zu klären. Auf den Zeichnungen ist ein männlicher Neandertaler mit freundlichem Gesichtsausdruck zu sehen. Er ist stämmig gebaut, klein, mit großen Überaugenwülsten und deutlich gebeugten Knien. Dies ist eine der frühesten Darstellungen des schlurfenden affenartigen Gangs, den Boule später propagierte, obwohl die Tibia-Retroversion auch bei modernen Menschen belegt ist. Die Zeichnung ist weniger ausgeschmückt als

70. *František Kupkas Rekonstruktion zeigt den Neandertaler von La Chapelle-aux-Saints als finster blickende Bestie. Sie erschien 1909 in* L'Illustration.

andere, und dennoch soll das Aussehen des Neandertalers die
unmoralischen, tierischen Gewohnheiten widerspiegeln, deretwe-
gen man ihn leichtfertig des Kannibalismus bezichtigte.

Bedrohlich wirken besonders die populären Rekonstruktionen,
die kurze Zeit später entstanden. Zur gleichen Zeit, als die Entdeckung von La Chapelle-aux-Saints bekannt wurde, erschien in
der Boulevardpresse die Illustration eines Neandertalers. Sie zeigt
ein behaartes männliches Wesen von kräftiger Statur in angriffs-
bereiter Haltung. Schrecklicher noch als das Individuum selbst
wirkt sein Schatten, der sich dunkel auf dem Felsen hinter ihm
abzeichnet. Mit gefletschten Zähnen und funkelnden Augen unter
den mächtigen Überaugenwülsten signalisiert der Neandertaler
die Bereitschaft zu zerstören und zu töten – und verkörpert damit

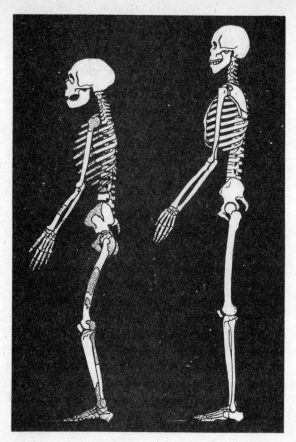

71. *Marcellin Boules Rekonstruktion des La Chapelle-aux-Saints-Skelettes (links) im Vergleich mit dem Skelett eines modernen Australiers. Diese Nachbildung von 1913 betonte die Primitivität des Neandertalers. Viele der Folgerungen Boules beruhten auf einem falschen Verständnis der funktionalen Anatomie des Menschen.*

die unmoralische Vergangenheit und verwerflichsten Neigungen des Menschen schlechthin. Welch ein unwillkommener Verwandter der Neandertaler doch gewesen sein muß!

Boules Rekonstruktion eines Skeletts aus dem Jahr 1913 markiert die Rückkehr zu einer wissenschaftlicheren Betrachtungsweise. Das erklärte Ziel Boules war es, die Paläanthropologie zu einer ebenso achtbaren Wissenschaft zu machen wie die Paläontologie

72. *Statue eines Neandertalers vor dem Musée National de Préhistoire im französischen Les Eyzies-de-Tayac, geschaffen 1931 von Paul Darde. Betont wird die ungeheure Kraft und Ausdauer, die dem Neandertaler ein Leben im eiszeitlichen Europa ermöglichte.*

der Wirbeltiere. Emotional und moralisch befrachtete Zeichnungen lehnte er ab. Seine Nachbildung, die er als wissenschaftlich fundierte Studie den tierischen Darstellungen der Neandertaler gegenüberstellte, zeigte das Skelett eines Neandertalers in Seitenansicht neben dem eines modernen Menschen. Im direkten Vergleich führte Boule die in seinen Augen spezifischen Merkmale des Neandertalers vor: große Überaugenwülste und ein massiges Gesicht; einen nach vorn geneigten Kopf und eine steife Wirbelsäule;

73. *Carleton Coons Zeichnung eines Neandertalers aus dem Jahr 1939. Sie veranschaulicht, welche Auswirkungen Kleidung und Gepflegtheit auf das Aussehen des Neandertalers haben und wie sich sein Bild kurz vor dem Zweiten Weltkrieg verändert hat.*

gebeugte Knie, die auf die Unfähigkeit, richtig zu gehen, hindeuten. Was die Seitenansicht nicht zeigen kann, ist der abgespreizte, affenartige große Zeh, von dessen Existenz Boule überzeugt war. Unberücksichtigt ließ er eine Reihe anatomischer Beweise, sofern sie seinen Ansichten widersprachen.

Aus der Zeit zwischen den beiden Weltkriegen stammt die Statue, die nach wie vor im Nationalmuseum für Vorgeschichte in Les Eyzies-de-Tayac in Frankreich zu sehen ist. Monolithisch und klotzig betont sie die Körperkraft und die massige Gestalt des Neandertalers. Die Schultern sind wuchtig, die Arme lang und muskulös wie die eines Gewichthebers. Verschwunden sind die gebeugten Knie und die gebückte Haltung, aber der abgespreizte Zeh ist noch deutlich zu erkennen. Die Gesichtszüge lassen auf Gleichmut und Standhaftigkeit, aber auch auf geringe Intelligenz schließen. Dargestellt ist ein Neandertaler, der stoisch der eiszeitlichen Kälte trotzte, sich in der Natur trotz primitiver Werkzeuge und mangelnden Wissens durchsetzte und dank seiner tierischen Kraft und Ausdauer überlebte. Sein Blick ist in die Ferne gerichtet, sein Ausdruck jedoch wenig hoffnungsvoll. Die Statue ist das Sinnbild einer Zeit, in der die Menschen gerade einen langen, schrecklichen Krieg überlebt hatten.

Deutlich anders fiel dagegen die Darstellung Coons aus dem Jahr 1939 aus. Der Neandertaler als moderner Mensch war ein

Motiv, das Straus und Cave später in ihrem Bild vom Neandertaler in der New Yorker Untergrundbahn wieder aufgriffen. Coons
Neandertaler hat einen kräftigen Kiefer und primitive Gesichtszüge, aber er wirkt keinesfalls weniger menschlich als der moderne

74. *Plakat für den Horrorfilm* The Neanderthal Man *aus dem Jahr 1953.
Furchteinflößende sexuelle Zügellosigkeit wird mit physischer Primitivität
gleichgesetzt.*

75. *Gemälde einer Neandertaler-Familie des tschechischen Künstlers Zdeuck Burian, entstanden im Jahr 1950. Physische Primitivität wird dem warmen, menschlichen Verhalten der Neandertaler gegenübergestellt.*

zivilisierte Mensch. Mit Hut, Mantel und Krawatte gleicht er vielmehr einem Geschäftsmann auf dem Weg zur Arbeit. Mehr als alle früheren Rekonstruktionen brachte uns Coons Zeichnung den Neandertaler näher. Sie entstand zu der Zeit, als der Fund vom Monte Circeo bekannt wurde und dem Neandertaler ähnliche Verhaltensmuster zugesprochen wurden wie dem modernen Menschen. Diesen Zeitgeist will die Zeichnung wiedergeben. Trotz ihres primitiven Aussehens waren die Neandertaler Menschen unseres Schlages.

Das Plakat für den Film *The Neanderthal Man* von 1953 nimmt die Nachkriegsproblematik auf. Es enthüllt die Angst vor sexueller Befreiung, die Angst der Frauen vor den an der Front verrohten Männern und vielleicht auch die Angst der Männer vor den Frauen, die, auf sich allein gestellt, ihre Zurückhaltung und Bescheidenheit verloren hatten. Dargestellt sind leicht bekleidete Frauen, die schreiend vor einem schimpansen-ähnlichen und zudringlichen Neandertaler fliehen. Nur undeutlich dargestellt, wirkt er doch weit weniger menschlich als in früheren Rekonstruktionen. Die evolutionäre Primitivität des Neandertalers wird in zügellose Sexualität umgedeutet. Eine entscheidende Rolle für die Darstellung spielte auch das allgemeine Vergnügen an Horrorfilmen, der Nervenkitzel, sich von einer Phantasie erschrecken zu lassen, dabei aber vollkommen sicher zu sein. Die Filmbranche boomte. Ihre

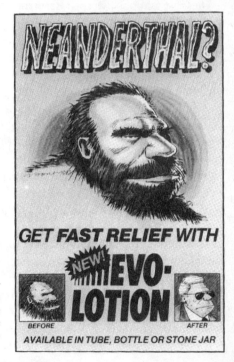

76. *Postkarte aus dem Jahr 1986, die das Dilemma des Neandertalers zeigt: Keine wie auch immer geartete Evolution vermag sein wahres Wesen zu verändern.*

523

Produkte handelten von Riesenameisen, Drachen oder der durch Einwirkung der Wissenschaftler außer Kontrolle geratenen Natur. In Dutzenden dieser Filme schlug sich das Unbehagen über wissenschaftliche Errungenschaften nieder, die das Ende des Krieges herbeigeführt hatten. Die Handlung von *The Neanderthal Man* folgte den Regeln dieses Genres: Ein Wissenschaftler experimentiert mit einem geheimnisvollen Serum, injiziert es sich und seiner Hauskatze und verwandelt sich daraufhin in einen Neandertaler, die Katze in einen Säbelzahntiger. Der Wissenschaftler, der die Grenzen verantwortungsvoller Forschung überschreitet, ist schuld an der Wiedererschaffung jener Bestien der Vergangenheit. Er legt die Gefahr offen, die im scheinbar Zahmen und Vertrauten schlummert; am Ende muß er dafür sterben. In einer Zeit, in der die Synthetische Theorie entwickelt wurde, atmet die Handlung dieses Films sowohl die überschwengliche Begeisterung über den wissenschaftlichen Fortschritt als auch dessen beunruhigende und bedrohliche Aspekte.

Dieser sensationslüsternen Betrachtungsweise der Neandertaler steht die Arbeit eines tschechischen Künstlers aus den frühen fünfziger Jahren gegenüber. Sein Gemälde erinnert an die Zeichnung von 1873. Wieder wird der Neandertaler als Familienvater in der Nähe seiner Höhle dargestellt, deren Boden mit Knochen übersät ist. Trotz der Fülle anatomischer Analysen, die inzwischen zu neuen Erkenntnissen geführt hatten, sind der abgespreizte große Zeh und die gebeugten Knie noch deutlich zu erkennen. Die Bildunterschrift könnte lauten, daß uns das Familienverhalten der Neandertaler vertraut ist – sie leben mit festen Partnern, stillen ihre Babys, spielen mit den Kindern –, auch wenn sie als behaarte, menschenaffenartige Geschöpfe daherkommen. Der Neandertaler besitzt also trotz seines tierischen Aussehens eine menschliche Psyche. Wie Coons Nachbildung und das Filmplakat vermittelt auch die Zeichnung eine ambivalente Haltung gegenüber den Neandertalern: einerseits die Bereitschaft, sie als nahe Verwandte anzuerkennen, andererseits die Furcht davor, zu eng mit einem potentiell so unmenschlichen Wesen in Zusammenhang gebracht zu werden. Wieder zeigt sich der jahrhundertealte Kampf zwischen dem Göttlichen und Tierischen im Menschen.

Dieser Kampf war auch Thema eines Cartoons aus dem Jahr

77. Die von Michael Anderson unter der Anleitung von Erik Trinkaus angefertigte Neandertaler-Statue, die für eine Ausstellung 1990 im Maxwell Museum, University of New Mexico, bestimmt war. Sie ist das Ergebnis sorgfältiger anatomischer Studien über die Neandertaler. Muskeln und Gesicht sind auf der Grundlage der Knochen nachgebildet. Ziel war es, eine Rekonstruktion zu schaffen, die auf biologischen Tatsachen und weniger auf Vorurteilen beruht.

1986, der die von Coon vorgeschlagene physische Veränderung aufs Korn nimmt, die durch »Evo-Lotion« erzielt wird. Neben dem Wortspiel liegt der Witz auch darin, daß sich zwischen dem »Vorher«- und »Nachher«-Bild das Aussehen des Mannes nur äußerlich verändert hat. Kommentiert werden damit die akademischen Debatten der frühen achtziger Jahre über das Schicksal der Neandertaler zu jener Zeit, da das äußere Erscheinungsbild in der Konsumgesellschaft des Westens immense Bedeutung erlangte.

Als letztes Beispiel soll die Statue eines Neandertalers angeführt werden, die unter der Anleitung von Erik Trinkaus 1990 für eine Ausstellung am Maxwell Museum der University of New Mexico angefertigt wurde. Wie viele Statuen, die in jüngerer Zeit für Ausstellungen geschaffen wurden, ist sie Ausdruck des gegenwärtigen Bemühens, die anatomischen Details korrekt darzustellen. Ohne emotionale Hysterie soll der Neandertaler als das gezeigt werden, was er tatsächlich war, und nicht als Projektion unserer Ängste oder schlechtesten Eigenschaften. Und doch mußte in diesem Fall die wissenschaftliche Gewißheit der Schicklichkeit weichen, denn der männliche Neandertaler besitzt keine Genitalien. Unweigerlich fließen Interpretationen und Meinungen darüber, was »wahrscheinlich« ist, beim Schaffensprozeß in Hunderte von Entscheidungen ein.

Insgesamt sind sämtliche Studien gekennzeichnet durch eine gewisse Formbarkeit – der Meinungen, der Analyse, der physischen Merkmale des Neandertalers oder seines abgeleiteten psychischen Status. Weil der Neandertaler der erste bekannte fossile Mensch ist und seine Entdeckung das mühsame Wachstum eines neuen Fachgebiets bewirkte, hatte er ein qualvolles »Leben nach der Fossilisation« geführt. Verfechter wie Gegner der Evolutionstheorie haben ihn gleichermaßen für ihre Zwecke instrumentalisiert. Entdeckt und erstmals untersucht wurde der Neandertaler zu einer Zeit, als Darwins Buch *Über die Entstehung der Arten* die Aufmerksamkeit des Faches auf sich zog. Aus dieser Rolle hat sich der Neandertaler bis zum Ende des 19. Jahrhunderts nicht befreien können. Die Anthropologie, die damals noch von Hobbyforschern und Wissenschaftlern anderer Gebiete betrieben wurde, stand vor der schwierigen Aufgabe, sich als Disziplin erst entwickeln zu müssen. Die Fossilien der Neandertaler wurden als Material zur Erprobung zahlreicher neuer Techniken und Ansätze benutzt. War dieses Maß geeignet, jener statistische Test der richtige? Probier' es am Neandertaler aus!

Neandertaler wurden studiert, um Erkenntnisse über die menschliche Natur zu gewinnen. Die Neandertaler gaben weniger über ihr eigenes Leben Auskunft als über das ihrer Erforscher: über Eitelkeiten, Vorurteile, Stolz und Konkurrenzdenken der Wissenschaftler unserer modernen Zeit. Die Geschichte der Neandertaler ist die Geschichte einer Wissenschaft, die lernt, den Menschen selbst zum Forschungsgegenstand zu machen, einen Konsens zu finden und eigene Verfahren und Techniken zu entwickeln.

Als der Mensch sich auf der Suche nach der Wahrheit über die eigene Natur der Anthropologie zuwandte, fand er stets Antworten. Doch in den meisten Fällen hat sich diese Antwort innerhalb von einem Jahrzehnt wieder geändert. Ein chinesisches Sprichwort lautet: »Wir sehen die Dinge nicht, wie sie sind; wir sehen sie, wie wir sind.«

Vielleicht war der Neandertaler kaum mehr als der unsichtbare, unergründliche, ewig provozierende Führer auf dem beschwerlichen Weg zu einem tieferen Verständnis von uns selbst. Neandertaler sind eine Sammlung stummer Fossilien, in die wir unsere eigenen Eigenschaften projizieren können und die wir »als unser Abbild schaffen«.

Doch es sind auch Fortschritte erzielt worden. Man mag mit den gleichen alten Fragen ringen, aber dieser Kampf wird mit neuen Regeln geführt, und neue und ausgefeiltere Verfahren stehen heute zur Verfügung. Wir wissen inzwischen mehr über die Komplexität dieser Fragen und über den gefährlichen Widerhall, den mögliche Antworten finden können. Überprüfbare Hypothesen sind zu wichtigen Faktoren der Studien über die Neandertaler geworden. Doch noch immer sind die Wissenschaftler fassungslos, wenn ein Fossil eine sorgfältig aufgestellte Theorie in Frage stellt oder gar widerlegt. Doch es sind auch grundsätzlich neue Fragen aufgeworfen worden, und neue Schwerpunkte lassen darauf hoffen, daß wir die Neandertaler vielleicht einmal so sehen werden, wie sie waren, nicht länger verzerrt durch die Linsen unserer Vorstellungen.

Vielleicht ist die wichtigste Erkenntnis aus dieser wechselhaften Geschichte, daß wir die Neandertaler erst verstehen können, wenn wir uns selbst verstehen. Nach wie vor mühen wir uns ernsthaft darum, die Unterschiede und Ähnlichkeiten zwischen Menschen zu erkennen und zu beurteilen. Welche Bedeutung hat es, daß eine Gruppe von Menschen dunkle, eine andere durchscheinend helle Haut besitzt? Weshalb führen Menschen Kriege und kämpfen um Territorien? Aufruhr und Ruhelosigkeit, soziale Umwälzungen und mangelnde Anpassungsfähigkeit sind Zeichen dafür, daß wir unser grundlegendes Wesen verleugnen – oder handelt es sich um das Erbe von Hunderttausenden von Jahren der Migration, der opportunistischen Anpassung an neues Land, an neue Nahrungsquellen und Klimata? Und wo bleiben Mitgefühl, Freundlichkeit und Nächstenliebe?

Sind wir nun Gott oder Tier?

Epilog
Die gegenwärtige Sicht

Trotz jahrzehntelanger Kontroversen über die Neandertaler, trotz der unwiderstehlichen Versuchung, sie mit unseren besten (oder schlechtesten) Eigenschaften zu schmücken, wissen wir inzwischen recht viel über die Neandertaler. Alle Forscher, die sich heute aktiv mit Neandertalerfossilien beschäftigen, sind sich über viele Aspekte der Biologie der Neandertaler und deren Bedeutung für die Abstammung des Menschen einig.

Sobald wir jedoch tiefer in das Wesen der Neandertaler vordringen und damit auch tiefer in unser eigenes, werden die Auseinandersetzungen natürlich fortgeführt. Wir Wissenschaftler beschäftigen uns bei unseren Untersuchungen mit immer diffizileren Details, so etwa mit der Interpretation bestimmter anatomischer Aspekte oder der Abfolge menschlicher Populationen in einer kleinen Region der Alten Welt. Es wird aber auch das Gesamtbild immer klarer.

Alle modernen Debatten haben ihren Ursprung in drei großen Fragen. Seit Marcel de Puydt, Max Lohest und Julien Fraipont mit der Entdeckung der Skelette von Spy 1886 die Existenz archaischer prä-moderner Menschen nachgewiesen haben, bestimmten sie die Erforschung prähistorischer Menschenformen wie der Neandertaler. Seit feststeht, daß die Menschen wie andere Lebewesen auch eine Evolution durchlaufen und die Neandertaler dabei eine gewisse Rolle gespielt haben, konzentrieren sich die Fragen auf ihre *Identität*, ihr *Verwandtschaftsverhältnis* und ihr *Wesen*.

Die Neandertaler zählen biologisch zu einer eigenen Menschenform, die vor etwa 100 000 bis etwa 50 000 beziehungsweise 35 000 Jahren in verschiedenen Regionen gelebt hat. (Ob man sie nun als Form unserer eigenen Spezies, des *Homo sapiens*, sieht oder als eine eigene ausgestorbene Spezies, *Homo neanderthalensis*, ist eine Frage des wissenschaftlichen Stils und ohne grundlegende Bedeutung.) Es ist bekannt, daß die Neandertaler sich über eine große Region ausgebreitet haben, den Nordwesten der Alten Welt, der sich über Europa (von der Straße von Gibraltar über den Mittelmeerraum nach Norden bis Belgien), den Nahen Osten (von der Levante bis zum Zagros-Gebirge), die Gebiete um das Schwarze und Kaspische Meer und bis nach Usbekistan im Osten erstreckt. Ihre Entwicklung aus noch archaischeren Vorfahren scheint sehr viel langsamer erfolgt zu sein als ihr Verschwinden – oder ihre Evolution zum modernen Menschen.

In anatomischer Hinsicht sind uns die Neandertaler recht ähnlich. Ihr Skelett war ebenso gebaut wie das unsere, ihr Gehirn war von vergleichbarer Größe, und sie konnten – soweit uns bekannt – jede Handlung ausführen, zu der auch ein moderner Mensch fähig ist. Carleton Coon mag in seiner berühmten Zeichnung aus dem Jahr 1939 die physische Ähnlichkeit zwischen dem Neandertaler und uns übertrieben haben, doch vermutete er ganz richtig, daß er zu denselben Verhaltensmustern wie der moderne Mensch fähig war.

Doch weder physische Ähnlichkeit noch Fähigkeit zu gewissen Verhaltensmustern sind mit Identität gleichzusetzen. Nur wenige moderne Menschen besitzen ein oder mehrere anatomische Merkmale, die charakteristisch für den Neandertaler sind. Doch kein einziger Mensch, geschweige denn eine ganze Population, verfügt über sämtliche für den Neandertaler typischen Merkmale. Tatsächlich gleichen die Neandertaler weit mehr der Spezies *Homo erectus,* die vor ihnen existiert hatte (oder den schwer zu klassifizierenden und nur unzureichend bekannten archaischen Menschen, die zeitlich zwischen dem *Homo erectus* und dem Neandertaler lagen). Diese Ähnlichkeit beruht auf einer ungewöhnlichen körperlichen Robustheit, einem besonders massigen Skelett und ausgeprägten Muskeln, die es ihnen ermöglichten, mit schierer Körperkraft Aufgaben zu bewältigen, die unsere physischen Möglichkeiten weit übersteigen. Andere Besonderheiten – die Gesichtsform, Einzelheiten des Hinterkopfes und die

Gesamtproportionen von Rumpf und Gliedmaßen – sind regionale Merkmale, wie das auch für Gesichtsform oder Körperproportionen heute lebender menschlicher Populationen gilt.

Inzwischen können wir relativ vollständige Skelette und sogar auch einzelne Knochen aufgrund ihrer Robustheit und Details des Gesichts- oder Gehirnschädels dem Neandertaler zuordnen. Wenn Funde von Neandertalern einigermaßen vollständig sind, können sie weder mit ihren Vorgängern in Europa und Westasien noch mit frühen modernen Menschen verwechselt werden. Am meisten ähneln sie noch ihren Zeitgenossen, den späten archaischen Menschen Afrikas und des Fernen Ostens, die oft grob als »afrikanische Neandertaler« oder »asiatische Neandertaler« bezeichnet worden sind. Gegenwärtig beschränkt sich der Begriff *Neandertaler* auf die Gruppen, die im Nordwesten der Alten Welt gelebt haben. Es ist beruhigend, daß wir uns endlich auf eine verbindliche Definition einigen konnten.

Sind die typischen Merkmale erst einmal beschrieben, ist es recht einfach, die Funde anhand der Knochen- und Zahnform in Gruppen zu ordnen. Neue Funde erfordern gelegentlich eine Revision. Problematische Fundstücke werden entweder beiseite gelegt, weil wichtige Teile nur unzureichend erhalten sind, oder sie werden mit einem Fragezeichen der einen oder anderen Gruppe zugeordnet. Verwandtschaft und Wesen des Neandertalers sind hingegen eine Frage der Interpretation. Und deshalb hängen die Antworten auch viel stärker von den Annahmen, vorgefaßten Meinungen und Zielen derjenigen ab, die sie beurteilen.

Wir möchten dieses Buch mit unseren persönlichen Ansichten über die Neandertaler schließen. Obwohl diese Ansichten auf einer genauen Kenntnis der Fossilien und der neuesten Befunde beruhen, zweifeln wir nicht daran, daß sie durch unsere Vorurteile und unser Vorverständnis geprägt sind. Die wichtigste Grundannahme ist, daß der Mensch eine Evolution durchlaufen hat. Dies ist durch die anatomischen Veränderungen wie auch durch die veränderten Verhaltensweisen belegt, die Zeugnis über die Anpassungsfähigkeit des menschlichen Organismus ablegen. Es gab Wissenschaftler, die der Meinung waren, unsere Vorfahren hätten kaum weniger menschlich ausgesehen als wir, andere dagegen meinten, daß sich die Neandertaler – ungeachtet ihres Aussehens –

recht menschlich verhalten hätten. Wir selbst vertreten die Auffassung, daß solche Theorien der Erforschung des menschlichen Ursprungs methodisch zuwiderlaufen; das Ergebnis kann nicht vor der Analyse vorliegen.

Wer also waren diese oftmals verleumdeten und wenig geschätzten Neandertaler? Wir glauben, daß sie sich langsam aus noch archaischeren Vorfahren des Menschen in Europa und Westasien entwickelt haben. Im Verlauf dieses Prozesses, der von vor vierhunderttausend bis einhunderttausend Jahren stattfand, traten bei den Populationen, die in diesen Regionen lebten, immer häufiger Neandertaler-Merkmale auf. Die allmähliche Neandertalisierung ist zum gegenwärtigen Zeitpunkt in Westeuropa besser dokumentiert als in anderen Regionen, aber die spärlichen Befunde aus Mittel- und Osteuropa und dem Nahen Osten deuten darauf hin, daß sich auch dort die Anatomie des Neandertalers auf ähnliche Weise langsam herausgebildet hat.

Angesichts der großen geographischen Entfernung zwischen der Atlantikküste und dem Hindukusch überrascht es nicht, daß die Neandertaler-Merkmale in den verschiedenen Regionen unterschiedlich stark ausgeprägt waren. Diese Unterschiede wurden aber durch den genetischen Kontakt zwischen diesen alten Untergruppen vermindert, da diese Menschenform in wesentlichen Zügen einen ähnlichen evolutiven Wandel aufweist. Regionale Gruppen waren einerseits isoliert genug, um lokale Eigentümlichkeiten zu entwickeln, andererseits zu wenig isoliert, als daß keine gemeinsame Weiterentwicklung erfolgt wäre.

Ungefähr im gleichen Zeitrahmen vollzog sich in Ostasien die Evolution des *Homo erectus* zu einer Form des späten archaischen Menschen, die sich von den Neandertalern hauptsächlich durch die Gesichtsform unterscheidet. Wir wissen nicht, ob irgendwelche geographischen oder biologischen Barrieren zwischen den Neandertalern aus dem Nordwesten der Alten Welt und den späten archaischen Menschen Ostasiens bestanden haben. Deshalb können wir auch nicht sagen, ob sich die beiden Gruppen untereinander vermehrten. Aus der fraglichen Zeit gibt es so gut wie keine Fossilien aus dem großen Gebiet zwischen Usbekistan und Ostchina. Die späten archaischen Menschen in Nord-, Ost- und Südafrika folgten ihrem eigenen Entwicklungsplan. Er verlief parallel, aber evolutionsgeschichtlich unabhängig von dem des Neandertalers.

Die schwierigste – und bleibende – Frage lautet deshalb: Entwickelten sich die Neandertaler aus dem Nordwesten der Alten Welt zu modernen Menschen? Nachdem die Wissenschaftler fast einhundertfünfzig Jahre über diese Frage debattiert haben, liegt nun eine Antwort vor: ein eingeschränktes »ja«. Nur einige Neandertaler zählen wirklich zu unseren Vorfahren.

Unserer Ansicht nach belegen die Fossilien, daß sich die frühesten modernen Menschen vor etwa einhunderttausend Jahren aus späten archaischen Menschen entwickelt haben. Dieser entwicklungsgeschichtliche Prozeß fand aber nicht gleichzeitig im gesamten Ausbreitungsgebiet der archaischen Menschen statt. Bisher nahm man an, daß frühe moderne Menschen in Afrika entstanden sind, aber neue Altersbestimmungen von fossilen Fundorten in der Levante zeigen, daß sie dort bereits ebenso früh aufgetreten sind wie in Afrika. Das gilt wohl auch für einige Fundstätten in Ostasien. Ohne weitere, genau datierte Fundstätten wird es allerdings unmöglich sein herauszufinden, wo (in einer einzigen Region oder in mehreren Regionen?) und wann die frühen modernen Menschen entstanden sind.

Ihr erstes Auftreten fällt zeitlich nicht mit dem Verschwinden der Neandertaler zusammen, zumindest nicht in der Levante, wo die Neandertaler weiterhin wohnhaft blieben. Diese komplexe Situation deutet darauf hin, daß sich die modernen Menschen der Levante nicht aus der lokalen Neandertaler-Population entwickelt haben. Entweder sind sie in einer anderen Region entstanden, oder sie haben sich in dieser Region zur gleichen Zeit aus den gleichen Vorformen entwickelt wie die Neandertaler. Wenn sie tatsächlich in die Levante eingewandert sind, wo kamen sie dann her? Wir wissen es noch nicht. Wir wissen aber, daß sie nach ihrem Auftreten in der Levante auch wieder abgewandert sind und sich vor etwa sechsunddreißigtausend Jahren in Mitteleuropa ausgebreitet haben und innerhalb weniger Jahrtausende bis zur europäischen Atlantikküste vorgedrungen sind.

Gleichzeitig blieben aber auch einige Neandertaler und moderne Menschen in der Levante zurück, stellten die gleichen Werkzeugformen her, jagten mit ähnlichen Methoden die gleichen Tiere und suchten die gleichen Zufluchtsorte auf. Bisher ist es uns nicht gelungen, stichhaltige Beweise dafür zu finden, daß diese Wesen unterschiedlich gelebt und die Ressourcen unterschiedlich genutzt haben. Trotzdem scheinen die Neandertaler und die modernen Menschen in dieser Region ihre physischen Unterschiede bewahrt zu haben, obwohl es wiederum Belege dafür gibt, daß sie sich an anderen Orten vermischt haben. Zur Klärung dieses Widerspruchs wurden zwei alternative Hypothesen aufgestellt. Der einen zufolge blieben die Unterschiede zwischen den beiden Menschenformen deshalb erhalten, weil nicht-physische Barrieren – beispielsweise Sprachschwierigkeiten oder unterschiedliche kulturelle Traditionen, die der archäologische Befund nicht offenlegt – die Fortpflanzung untereinander verhinderten. Diese Hypothese ist unbefriedigend, weil sie nicht durch Belege gestützt wird, was sich allerdings ändern mag. Dagegen können wir uns leichter vorstellen, daß moderne Menschen und Neandertaler ihre morphologischen Unterschiede bewahrten – und daß sie es vermieden, in direkte Nahrungskonkurrenz zu treten –, wenn die Region von beiden Gruppen abwechselnd besiedelt wurde. Schenkt man dieser Interpretation Glauben, so scheinen die zeitlichen und geographischen Überlappungen auf altbekannte Probleme zurückführbar zu sein: auf den spärlichen Fossilbestand und die Ungenauigkeit unserer Datierungsmethoden.

Ein ganz anderes Bild liefert dagegen Mitteleuropa mit seiner Fülle von Belegen dafür, daß sich die hiesigen Neandertaler und die frühen modernen Menschen, die langsam aus der Levante und eventuell auch aus anderen Regionen eingedrungen waren, kontinuierlich weiterentwickelt und genetisch vermischt haben. In Mitteleuropa weisen beide Gruppen Gemeinsamkeiten bei der Nasen- und Stirnform sowie bei bestimmten Merkmalen des Hinterhaupts und Femur auf. Diese Gemeinsamkeiten lassen auf genetische Kontinuität während des langen Zeitraums schließen, in dem sich die wichtigen anatomischen Entwicklungen vom Neandertaler zum modernen Menschen vollzogen haben.

Wenn es eine vom Neandertaler besiedelte Region gibt, die einen Hinweis darauf liefert, daß die Neandertaler von den modernen Menschen abgelöst wurden, so ist das Westeuropa – die Randregion und »Sackgasse«, die von den frühen modernen Menschen zuletzt besiedelt wurde. Dort lebten die Neandertaler bis vor etwa fünfunddreißigtausend Jahren in relativer Isolation. Der rätselhafte Saint-Césaire-Fund (das Skelett eines Neandertalers, das zusammen mit einem jungpaläolithischen Werkzeug-Satz bestattet worden war, von dem bisher angenommen wurde, daß er nur von modernen Menschen hergestellt wurde) belegt vielleicht die Existenz einer späten Population, die mit frühen modernen Menschen konkurrieren mußte. Ist dieser Fund ein Beleg dafür, daß die Neandertaler die Ressourcen wirkungsvoller zu nutzen versuchten, indem sie sich der überlegenen Technik des modernen Menschen bedienten?

Unterschiedlichste Ereignisse sind in den verschiedenen Regionen der Alten Welt belegt, und dennoch gibt es (trotz aller Mythen) keinen Hinweis auf gewalttätige Auseinandersetzungen zwischen Neandertalern und modernen Menschen. Die lokale Evolution, Migration, Vermischung, Absorption und das lokale Aussterben von Neandertalern waren ein komplizierter Prozeß, der sich über mindestens zehntausend Jahre erstreckte. Damit stand den modernen Menschen genügend Zeit zur Verfügung, sich von der Levante bis zur europäischen Atlantikküste auszubreiten – ungeachtet dessen, ob in den neuen Gebieten Neandertaler lebten. Langsam wurden die Populationen größer, absorbierten oder verdrängten die bisherigen Bewohner und paßten sich genetisch wie auch in ihrem Verhalten den neuen Gegebenheiten an. Die besten Merkmale der Neandertaler wurden dabei bewahrt und vermischten sich mit den uns ähnlicheren Merkmalen der Neuankömmlinge. Diese komplizierten Veränderungen vollzogen sich unterschiedlich schnell und in unterschiedlichem Maße in der gesamten Alten Welt. Dabei entstand die moderne Menschheit mit ihren – oft nur oberflächlichen – geographischen Merkmalen, die nun als Rassenmerkmale gelten. Nur die Bewohner des Nahen Ostens und von Teilen Europas können die Neandertaler als direkte Vorfahren für sich beanspruchen. Trotzdem leitet sich sicherlich jede moderne Menschenform von einer den Neandertalern ähnlichen, archaischen Population ab, auch wenn nicht auf jeden dieser Vorfahren die präzise und begrenzte Definition zutrifft, die normalerweise für »Neandertaler« verwendet wird.

Die Frage nach dem Wesen des Neandertalers war schon seit

Beginn dieses Jahrhunderts eng mit der Frage nach seiner Verwandtschaft zum modernen Menschen verknüpft. Keith und Boule hatten argumentiert, daß der Neandertaler zu »äffisch« gewesen sei, um unser direkter Vorfahr zu sein. Diese Gleichsetzung ist unglücklich und unnötig. Wir müssen die Neandertaler erforschen und Rückschlüsse auf ihre Verhaltensweisen ziehen, ohne daß dabei ihr Verwandtschaftsverhältnis zum Menschen eine Rolle spielt. Verhalten und Verwandtschaft stehen in keinem direkten Bezug zueinander. Da die Neandertaler aber mit einigen von uns direkt verwandt sind, so sind sie – da alle heute lebenden Menschen einer einzigen Spezies angehören – im weitesten Sinn mit uns allen verwandt. Noch wichtiger ist, daß bei ihnen eine eigenartige Vermischung archaischer und moderner Merkmale vorliegt, die den dynamischen Evolutionsprozeß widerspiegelt, von dem sie – wie auch wir – ein Teil sind.

Sowohl aus ihrer Biologie als auch aus den archäologischen Funden wissen wir, daß die Neandertaler Verhaltensweisen beibehielten, die sich bereits bei ihren Vorläufern herausgebildet hatten. Die für ihr Verhalten aufschlußreichsten Aspekte ihrer Anatomie sind ihre außerordentliche Stärke und Ausdauer. Von der Robustheit der Gliedmaßenknochen mit ihren dickwandigen Schäften und großen Gelenken bis zu den ausgeprägten Knochenleisten und den markanten Muskelansatzstellen an Hals- und Brustwirbelsäule, an den Schultern, Armen, Händen, Beinen und Füßen zeugt die Anatomie des Neandertalers von ungeheurer Kraft. Kein heutiger Athlet verfügt über eine vergleichbare Robustheit.

Obwohl die Neandertaler gewissermaßen Jäger und Sammler waren wie einige Völker heute noch, umfaßte diese Wirtschaftsform damals weit vielfältigere Möglichkeiten. Die Belege deuten darauf hin, daß die Techniken der Neandertaler weit weniger ausgefeilt und effektiv waren als die moderner Jäger und Sammler. Somit hatten die Neandertaler keine andere Wahl, als die Aufgaben des täglichen Lebens mit enormer Kraft und zäher Beharrlichkeit zu bewältigen.

Belegt wird die rauhe Lebensweise der Neandertaler durch die zahlreichen Läsionen an den Skeletten. Einige gehen auf traumatische Knochenbrüche zurück, andere auf Unterernährung oder Krankheit in wichtigen Wachstumsphasen. Neandertaler führten ein mühsames Leben, aber sie hielten durch. Viele der traumatischen Läsionen verheilten. Doch nur wenige Neandertaler wurden alt; die meisten Erwachsenen starben zwischen ihrem zwanzigsten und vierzigsten Lebensjahr.

Nicht nur die Lebensweise, auch das Habitat war rauh. Klima-Rekonstruktionen anhand verschiedenartiger Belege deuten darauf hin, daß die Neandertaler großer Kälte ausgesetzt waren. Ihre Körperproportionen lassen diesen Schluß ebenfalls zu. Der stämmige Rumpf und die relativ kurzen Gliedmaßen und Finger waren gut geeignet, die metabolische Wärme unter beinahe arktischen Bedingungen zu halten. Wieder stellen wir fest, daß eine *körperliche* und keine technische Anpassung auf einen bestimmten Lebensumstand eingetreten war; verglichen mit den späteren Menschen waren die Neandertaler nur unzureichend in der Lage, sich durch effiziente Nutzung von Feuer, Behausungen und Kleidung warm zu halten. Doch der Körper der Neandertaler wies auch andere Merkmale auf, die nicht dem Schutz vor der Kälte dienten. Die breiten, stark vorspringenden Nasen hatten vermutlich die Funktion, bei trockener Kälte Feuchtigkeit zu konservieren und die bei großen Anstrengungen erzeugte überschüssige Körperwärme abzugeben.

Die Neandertaler mögen in mancher Hinsicht unbeholfen wirken, und doch waren sie die ersten Menschen, bei denen sich eine Reihe wichtiger Verhaltensweisen herausgebildet haben. So gelang es ihnen, sich in den kalten, glazialen Klimata Eurasiens durchzusetzen – wahrlich keine schlechte Leistung. Sie verbreiteten sich über weite Teile der Alten Welt und waren dabei weit schwierigeren Bedingungen ausgesetzt als jede andere frühere Population; erst die unvorstellbar rauhen, arktischen Zonen Eurasiens konnten sie aufhalten. Ohne ihre Intelligenz wäre dieser Erfolg nicht denkbar gewesen. Die Gehirne der Neandertaler waren so groß und offensichtlich so komplex wie unsere; sie waren der Höhepunkt einer fünfhunderttausend Jahre andauernden schnellen Zunahme der relativen Gehirngröße.

Neandertaler waren auch in anderer Hinsicht bemerkenswert. Sie gehörten zu den ersten Wesen, die ihre Toten bestatteten, wenn auch in recht schlichten Gräbern. Sie fertigten – wenn auch nur selten – einfachen Körperschmuck. Diese beiden Verhaltensmuster deuten darauf hin, daß sie ein komplexes Sozialgefüge besaßen. Offensichtlich konnte die gesellschaftliche Rolle oder der Status eines Individuums durch bestimmte Veränderungen des äußeren Erscheinungsbilds modifiziert oder angezeigt werden. Schmuck diente zur Unterscheidung der Individuen, die ihren Rang innerhalb der sozialen Gruppe auch nach dem Tod beibehielten. Der Leichnam wurde häufig in einer unnatürlichen Stellung begraben, was beweist, daß er nicht einfach ohne besondere Vorbereitungen in eine Bodenvertiefung gelegt worden war. Ein toter Neandertaler war mehr als ein totes Tier oder eine leblose Masse. Er war eine bestimmte Person, um den sich andere kümmerten. Der Einzigartigkeit der Person kam damit eine Bedeutung zu, wie sie in der Evolution des Menschen zuvor nicht dagewesen war.

Ein weiterer Beweis für die starken sozialen Bindungen und das komplexe Sozialgefüge der Neandertaler ist die Tatsache, daß Individuen mit schweren Verletzungen, die manchmal zur Verkrüppelung führten, überlebt haben. Der Wert eines Individuums beruhte also nicht nur auf seiner Fähigkeit, körperliche Arbeiten effektiv auszuführen. Dies läßt wiederum den Schluß zu, daß sich bei den Neandertalern bereits eine Art Aufgabenteilung herausgebildet hatte. Jene, die keine Nahrung beschafften oder beschaffen konnten, müssen von der übrigen Gruppe unterstützt worden sein. Dafür leisteten sie einen anderen Beitrag. Worin er bestanden haben mag – in speziellen Kenntnissen oder sprachlichen Fähigkeiten, in Kunst oder Musik –, wird man nicht herausfinden können.

Der Neandertaler war demnach eine Menschenform, die im Vergleich zu ihren Vorläufern bedeutende Fortschritte gemacht hatte. Diese Fortschritte ermöglichten es ihm, in vorher unbewohnbaren Regionen zu überleben. Die neuen Verhaltensmuster umfaßten soziale und organisatorische Bereiche, vielleicht eine effektivere Weitergabe von Wissen und eine gewisse Arbeitsteilung. Die Neandertaler hatten ihr Verhalten aber noch nicht so weit angepaßt, daß sie auf ihre massigen Körper verzichten oder sich von der ungewöhnlich hohen Belastung, der sie in ihrem kurzen Leben ausgesetzt waren, befreien konnten.

Auf der einen Seite bildeten die Neandertaler den Höhepunkt von zwei Millionen Jahren Evolution seit dem Auftreten des *Homo erectus*, auf der anderen Seite waren sie die Vorboten einer neuen menschlichen Biologie – die sich in den späteren Jahrtausenden durch Fortschritte in der Technik, in der Nutzung der Ressourcen, im Sozialverhalten und in der Weitergabe von Wissen stark verbessern und erweitern sollte.

Es ist durchaus nützlich, die Neandertaler in den breiten Rahmen der Evolution der Hominiden zu stellen. Aber wir dürfen nicht vergessen, daß sie weder »neue und verbesserte« Varianten des *Homo erectus* noch primitive Prototypen des modernen *Homo sapiens* waren. Sie waren Neandertaler – eine der unverwechselbarsten, erfolgreichsten und faszinierendsten Menschenformen, die jemals unsere Familiengeschichte bereichert hat.

Nachbemerkung der Autoren

Dies ist ein Buch über die Geschichte der Wissenschaft und die Wissenschaft der Geschichte. Es ist auch ein Buch über Menschen, längst ausgestorbene Neandertaler und heute lebende Wissenschaftler, und über die Art und Weise, wie die Sicht der Vergangenheit durch die jeweiligen Zeitumstände beeinflußt wird. Wir sind beide keine Wissenschaftshistoriker, und dies ist kein wissenschaftlicher Text. Wir erzählen eine Geschichte – so präzise wie möglich, dennoch deutlich von unserem Vorverständnis geprägt. Der Text zeigt unsere Sicht des Forschungsgebiets, in dem wir uns zu Hause fühlen.

In diesem Buch zitieren wir ausführlich das geschriebene und gesprochene Wort vieler anderer Autoren. Sofern es nicht übersetzt wurde, blieb es bei der Originalschreibweise, auch wenn sie veraltet ist. An einigen wenigen Stellen haben wir der Klarheit halber das Original verändert (so etwa aus Versalien Kleinbuchstaben gemacht). Wir wollten den Stil und die Atmosphäre des Originals weitgehend unverfälscht wiedergeben. Wir selbst haben die moderne Schreibweise von Namen und Orten verwendet – etwa Neander*tal* statt Neander*thal* oder Beijing statt Peking. Wo ein Begriff jedoch Teil eines Institutionsnamens wurde, behielten wir die zum fraglichen Zeitpunkt geläufige Schreibweise bei. Um nicht pedantisch zu wirken, verzichteten wir auf die begriffliche Unterscheidung zwischen *Cranium* (die Knochen des Oberkiefers, des Gesichts und des Hirnschädels) und *Schädel* (Cranium plus Unterkiefer) und benutzten beide Begriffe synonym. Die Anmerkungen am Ende des Buches verweisen den interessierten Leser auf die verwendete Literatur. Sie bieten ferner einige Exkurse.

Viele Kollegen, Freunde oder Bekannte trugen zum Gelingen dieses Buches bei, indem sie ihr Wissen mit uns teilten, sich der Mühe unterzogen, schwer zugängliche Informationen oder Fotos zu suchen, oder uns mit Erinnerungen über weit zurückliegende Ereignisse und längst verstorbene Personen versorgten. Wir sind allen unten Genannten zu großem Dank verpflichtet. Sollten wir einzelne Personen oder Institutionen vergessen haben, sei uns dieses Versehen bitte nicht als Undankbarkeit ausgelegt. Wir sind so vielen Menschen Dank schuldig, daß es nicht leicht ist, eine vollständige Liste zu erstellen.

Unser Dank gilt Ofer Bar-Yosef, Amilcare Bietti, Lewis R. Binford, Daniel Borzeix, Mme Bouyt, C. Loring Brace IV, Günter Bräuer, Gert Brieger, Daniel Cahen, Rachel Caspari, Jean-Jacques Cleyet-Merle, Claudine Cohen, Glen Cole, Silvana Condemi, Yves Coppens, Jean-Marie Cordy, Suzanne Dallemegne, John de Vos, Giacomo Giacobini, Phillip Gingerich, Mrs Hooijer-Ruben, F. Clark Howell, William W. Howells, Jean-Jacques Hublin, Robert Kruszynski, Steven Kuhn, André Langaney, André Leguebe, D. Loubatières, Giorgio Manzi, Ernst Mayr, Rosine Orban, Jakov Radovčić, Mrs J. Seebo, B. Holly Smith, Fred H. Smith, Ralph S. Solecki, Frank Spencer, T. Dale Stewart, Mary C. Stiner, Christopher B. Stringer, Anne-Marie Tillier, François Twiesselmann, Bernard Vandermeersch, Randall White, (dem inzwischen verstorbenen) Allan Wilson und Milford Wolpoff. Besonders danken möchten wir Jonathan Segal, unserem Lektor beim Alfred A. Knopf Verlag New York für seine Fürsorge, seinen Zuspruch und seinen Enthusiasmus.

Für ihre Hilfe und Unterstützung sind wir den Mitarbeitern des Musée de l'Homme, der Bibliothèque Nationale, des Natural History Museum (London), des Rheinischen Landesmuseums, des Harvard Peabody Museum, des American Museum of Natural History, der Smithsonian Institution, der Welch Library of the Johns Hopkins University School of Medicine und der Enoch Pratt Library zu Dank verpflichtet.

Für ihren Zuspruch und ihre zuweilen unbeabsichtigte, aber sehr wichtige moralische Unterstützung danken wir Ginny Armstrong, Marla Caplan, (der verstorbenen) Galina Gorokhoff, John de Montfort, Gail und Roger Lewin, Claire Van Vliet und Delta Willis. Zu guter Letzt, um auch eine alte Tradition zu pflegen, danken wir Kim und Alan, ohne die ...

Personenverzeichnis

Wichtige Persönlichkeiten für die Entdeckung und Interpretation von Neandertalern

Albert I. von Monaco: Sproß der fürstlichen Familie, Förderer vorgeschichtlicher und paläanthropologischer Arbeiten; gründete das anthropologische Museum von Monaco und das Institut de Paléontologie Humaine in Paris.

Andrews, Roy Chapman: Leiter der Expedition in die Wüste Gobi auf der Suche nach frühmenschlichen Spuren; Verfasser der fesselnden und einflußreichen Bücher *Auf der Fährte des Urmenschen* und *Meet Your Ancestors.*

Arambourg, Camille: Moderner französischer Paläontologe, Nachfolger von Marcellin Boule am Muséum National d'Histoire Naturelle; widerlegte mit seinen Studien Boules affenähnliche Neandertaler-Rekonstruktion.

Arensburg, Baruch: Moderner israelischer Anatom, einer der Leiter der Kebara-Ausgrabungen und Mitautor der Veröffentlichung über das Neandertaler-Skelett von Kebara, das sich durch ein Zungenbein und ein nahezu vollständiges Becken auszeichnet.

Bar-Yosef, Ofer: Moderner israelischer Archäologe, einer der Leiter der Kebara-Ausgrabungen; unterstützte die These, daß in der Levante anatomisch moderne Menschen vor den Neandertalern gelebt haben.

Black, Davidson: Kanadischer Arzt, der später bei Grafton Elliot Smith studierte; gilt als Entdecker des von ihm benannten *Sinanthropus pekinensis* von Zhoukoudian (heute *Homo erectus* genannt).

Blanc, Alberto Carlo: Italienischer Paläanthropologe, der das Neandertaler-Cranium aus der Grotta Guattari beim Monte Circeo beschrieb und die Theorie vertrat, daß die Neandertaler religiöse Anschauungen besessen haben.

Bordes, François: Französischer Geologe und Archäologe, der das maßgebliche typologische System zur Bestimmung und Klassifizierung von alt- und mittelpaläolithischen Werkzeugen und Gerätschaften entwickelte, das auf der Schichtenfolge in Europa beruhte.

Boucher de Crèvecoeur de Perthes, Jacques: Ehemaliger Dramatiker und Günstling Kaiser Napoleons; beschrieb frühe Steinwerkzeuge aus dem französischen Abbeville; erlag einer Täuschung: Überreste moderner Menschen waren in Moulin Quignon neben echten Steinwerkzeugen plaziert worden.

Boule, Marcellin: Bedeutender französischer Anthropologe des frühen 20. Jahrhunderts, Direktor des Institut de Paléontologie Humaine, Professor am Muséum National d'Histoire Naturelle und Autor der klassischen Monographie über den »Alten von La Chapelle-aux-Saints«, in der der Neandertaler als affenartiges, primitives Wesen mit schleppendem Gang beschrieben wird.

Bouyssonie, Amédée und Jean (Abbés): Französisches Brüderpaar und Priester, die das Neandertaler-Skelett von La Chapelle-aux-Saints ausgruben und es Marcellin Boule zur Analyse übergaben.

Brace, C. Loring IV: Physischer Anthropologe, dessen aufrührerische Kritik bewirkte, daß in den frühen sechziger Jahren das Schicksal der Neandertaler wieder zu einer wichtigen Frage in der Anthropologie wurde.

Bräuer, Günter: Moderner deutscher physischer Anthropologe, der die »out of Africa«-Hypothese aufstellte, der zufolge sich die frühesten modernen Menschen aus archaischen Menschen in Afrika entwickelt haben, von wo aus sie sich ausbreiteten.

Broca, Paul: Französischer Chirurg im 19. Jahrhundert. Gründer der Ecole d'Anthropologie; Experte für das genaue Vermessen von menschlichenKnochen.

Brose, David: Amerikanischer Archäologe, der 1971 zusammen mit Milford Wolpoff in einem folgenreichen Aufsatz darlegte, daß unterschiedliche Werkzeugtypen nicht unbedingt von verschiedenen Hominiden-Gruppen stammen.

Buckland, William (Reverend): Professor für Geologie in Oxford; verbreitete die Theorie, daß die Sintflut die letzte einer Serie von Weltkatastrophen gewesen sei; untersuchte einige der ersten menschlichen Fossilien in England und war Lehrer von Charles Lyell und Roderick Murchison.

Busk, George: Englischer Zoologe, der sich mit den Überresten von Moulin Quignon und dem Neandertaler-Schädel von Gibraltar befaßte und zusammen mit Hugh Falconer den Namen *Homo calpicus* einführte.

Cann, Rebecca: Amerikanische Biochemikerin, die sich in ihrer Doktorarbeit mit der Evolution in der mitochondrialen DNS und ihren Implikationen für die Entstehung der modernen Rassen befaßte; zusammen mit ihren Kollegen Mark Stoneking und dem inzwischen verstorbenen Allan Wilson Hauptverfechterin der Eva-Hypothese.

Cave, A. J. E.: Englischer Anatom am St. Bartholomew's Hospital Medical College in London, der zusammen mit William Straus Jr. zeigte, daß die Neandertaler in anatomischer Hinsicht moderner waren, als Boule in seinem Werk dargelegt hatte.

Chipper: Gans, war häufig in Piltdown zu finden.

Collignon, René: Elsässer Anatom, der die Theorie vertrat, die tibiale Gelenkfläche müsse für den aufrechten Gang rechtwinklig zur langen Achse der Tibia stehen, was fälschlich zu der Annahme führte, daß sich die Neandertaler mit gebeugten Knien und schleppendem Gang fortbewegt hätten.

Coon, Carleton: Amerikanischer physischer Anthropologe, Spezialist auf dem Gebiet der Rassenforschung; vertrat die Theorie, daß sich die Menschenrassen seit dem *Homo erectus* weitgehend unabhängig voneinander parallel zum *Homo sapiens* entwickelt hätten. Coon wurde in den frühen sechziger Jahren wegen seiner modifizierten Version der Theorie Franz Weidenreichs als Rassist beschimpft.

Crelin, Edmund: Moderner Anatom an der Yale Medical School und Spezialist auf dem Gebiet der Neugeborenen-Anatomie; rekonstruierte zusammen mit Phillip Liebermann den Stimmtrakt der Neandertaler anhand des La Chapelle-aux-Saints-Schädels und kam zu dem Ergebnis, daß die Neandertaler über keine echte Sprache verfügt hatten.

Cuvier, Georges: Begabter vergleichender Anatom, im späten 18. und frühen 19. Jahrhundert. Erster Säugetier-Paläontologe am Muséum National d'Histoire Naturelle in Paris; Hauptverfechter der Katastrophentheorie.

Dart, Raymond A.: In Südafrika tätiger australischer Anatom, der den *Australopithecus africanus* (das umstrittene Kind von Taung) entdeckte, den frühesten damals bekannten Hominiden.

Darwin, Charles Robert: Autor des Werks *Über die Entstehung der Arten durch natürliche Zuchtwahl,* gilt allgemein als Vater der modernen Evolutionstheorie.

Dawson, Charles: Englischer Rechtsanwalt und begeisterter Hobby-Prähistoriker, der 1911 die gefälschten Piltdown-Fossilien fand.

Dobzhansky, Theodosius: Genetiker, der über Fruchtfliegen forschte, Begründer der Synthetischen Evolutionstheorie und scharfer Kritiker von Carleton Coons Werk *Origin of Races.*

Dubois, Marie Eugène François Thomas (»Eugène«): Holländischer Anatom und Mediziner, der den *Pithecanthropus erectus* (heute *Homo erectus* genannt) in Java entdeckte; vertrat trotz heftiger Kritik die Theorie, daß der *Pithecanthropus* ein Vorfahre des Menschen war; erforschte als erster das Verhältnis von Hirngröße zu Körpergewicht.

Dupont, Edouard: Belgischer Geologe, der 1865 im Trou de la Naulette den fossilen Kiefer eines Neandertalers fand.

Elliot Smith, Grafton: Australischer Anatom und Hirnexperte an der University of Manchester, Lehrer von Davidson Black und Raymond Dart und wichtige Persönlichkeit in der Debatte über die gefälschten Piltdown-Fossilien.

Evans, John: Londoner Anatom, der nachwies, daß der Kiefer von Moulin Quignon modern ist.

Falconer, Hugh: Britischer Paläontologe, der an der Aufdeckung des Moulin Quignon-Schwindels und an den Ausgrabungen von Gibraltar beteiligt war. Zusammen mit George Busk gab er diesem Neandertaler den Namen *Homo calpicus.*

Fraipont, Charles: Sohn von Julien Fraipont und Autor der 1936 erschienenen Monographie über den Schädel des Neandertalerkindes von Engis.

Fraipont, Julien: Anatom an der Universität Lüttich, der das Neandertaler-Skelett von Spy beschrieb und die Theorie vertrat, die Neandertaler seien schleppend und mit gebeugten Knien gegangen.

Frere, John: Veröffentlichte 1797 die ersten Studien über bearbeitete Steinwerkzeuge aus England.

Fuhlrott, Johann Carl: Lehrer aus Elberfeld, der erkannte, daß die Fossilien aus dem Neandertal, die man ihm übergeben hatte, von Urmenschen stammten.

Garrod, Dorothy: Archäologin, Dozentin am Newnham College und später die erste Professorin in Cambridge. Leiterin der Ausgrabungen, die von der British School of Archeology im Mount-Karmel durchgeführt wurden und menschliche Fossilien ans Licht brachten.

Gaudry, Albert: Professor für Paläontologie am Muséum National d'Histoire Naturelle, Mentor von Marcellin Boule.

Geoffroy Saint-Hilaire, Etienne: Professor für Wirbeltier-Zoologie am Muséum National d'Histoire Naturelle; trat für Jean-Baptiste Lamarcks Evolutionstheorie ein.

Gorjanovic-Kramberger, Dragutin (Karl): Kroatischer Paläontologe, der zur Jahrhundertwende die Neandertaler-Fossilien von Krapina entdeckte und beschrieb.

Haeckel, Ernst: Deutscher Anatom und Naturphilosoph; Verteidiger Darwins in Deutschland und erbitterter Gegner seines Lehrers Rudolf Virchow; prägte den Namen *Pithecanthropus alalus* für das vermutete *missing link* zwischen Menschenaffen und Menschen.

Hauser, Otto: Schweizer Händler von Altertümern, von den Franzosen nach seiner Entdeckung eines bestatteten vollständigen Neandertaler-Skelettes bei Le Moustier geschmäht; entdeckte das anatomisch moderne Cromagnon-Skelett bei Combe Capelle.

Heim, Jean-Louis: Physischer Anthropologe am Musée de l'Homme, der vor kurzem das Cranium von La Chapelle-aux-Saints neu zusammensetzte; beschrieb die Neandertaler-Skelette von La Ferrassie.

Henslow, John Stevens: Professor für Botanik in Cambridge, Freund von Charles Darwin.

Heys, Matthew H.: Englischer Lehrer, der an Ort und Stelle war, als das Galley Hill-Skelett freigelegt wurde, und die Entdeckung später beschrieb.

Hinton, Martin Alistair Campbell: Ehrenamtlicher Mitarbeiter am British Museum (Abteilung Naturgeschichte) im frühen 20. Jahrhundert; wiederholt verdächtigt, am Piltdown-Schwindel beteiligt gewesen zu sein.

Hooton, Earnest Albert: Führender amerikanischer Professor für physische Anthropologie (in Harvard), Lehrer vieler physischer Anthropologen der nachfolgenden Generation, bekannt für seine witzigen und zugleich scharfen Kommentare zur Evolution des Menschen.

Howell, F. Clark: Einflußreicher amerikanischer Anthropologe, der von 1951 an das neue Verständnis der Evolutionsprozesse dazu benutzte, die Morphologie von Neandertalern unter dem Aspekt von genetischer Isolation und der Anpassung an eiszeitliche Bedingungen zu erklären.

Howells, William W.: Schüler von E. A. Hooton, leistete im 20. Jahrhundert Pionierarbeit für die anthropometrische und statistische Analyse von Schädeln; Autor des einflußreichen Werks *Mankind in the Making*.

Hrdlička, Aleš: Arzt und physischer Anthropologe böhmischer Abstammung; führte eine Vielzahl von anthropometrischen Studien durch und stellte die Belege für frühe fossile Menschen in Amerika in Frage; übte Kritik an den gefälschten Piltdown-Fossilien und unterstützte die Theorie, daß Neandertaler die Vorfahren moderner Menschen waren.

Hublin, Jean-Jacques: Französischer Anthropologe, der vor kurzem an den Fossilien der europäischen Präneandertaler Neandertalerähnliche Merkmale nachgewiesen hat, womit er die Kontinuitätstheorie stützt und die Präsapiens-Theorie widerlegt.

Huxley, Julian: Enkel von Thomas Henry Huxley, zu Kriegszeiten einer der bekanntesten Biologen in Großbritannien, erster Generaldirektor der UNESCO und Autor des vielgelesenen Werks *Evolution: The Modern Synthesis* über die Synthetische Evolutionstheorie.

Huxley, Thomas Henry: Brillanter vergleichender Anatom und Paläontologe, als Darwins »Bulldogge« bekannt für seine leidenschaftliche Verteidigung der Evolutionstheorie.

Keith, Arthur: Schottischer Anatom, im frühen 20. Jahrhundert einer der führenden Experten auf dem Gebiet der menschlichen Fossilienforschung in Großbritannien; leidenschaftlicher Befürworter der Prä-Sapiens-Theorie, der zufolge der Neandertaler und der *Homo erectus* keine direkten Vorfahren des Menschen waren; war in den Debatten über den *Eoanthropus dawsoni,* das Piltdown-Fossil, von großer Bedeutung.

King, William: Professor für Anatomie am Queen's College in Irland; prägte 1864 die wissenschaftliche Bezeichnung *Homo neanderthalensis.*

Klaatsch, Hermann: Deutscher Anthropologe, der ursprünglich den Darwinismus und die Theorie von der Evolution des Menschen abgelehnt hatte, später aber zusammen mit Otto Hauser das Combe Capelle-Skelett mit dem Namen *Homo aurignacensis* belegte und es ausschließlich als Vorfahre der Europiden deutete.

Koenigswald, G. H. R. von: Deutsch-holländischer Paläontologe, der zusammen mit W. F. F. Oppenoorth auf Java arbeitete und die *Homo erectus*-Fossilien bei Sangiran entdeckte.

Lamarck, Jean-Baptiste: Botaniker und im späten 18. Jahrhundert Professor für

Zoologie der wirbellosen Tiere am Muséum National d'Histoire Naturelle, der noch vor Darwin eine Evolutionstheorie (Transformismus) entwickelte.

Lartet, Edouard: Französischer Anwalt und bedeutender Prähistoriker, der zusammen mit Henry Christy zahlreiche wichtige jungpaläolithische Fundstätten entdeckte und anhand der Begleitfauna die Abfolge der Zeitalter festlegte, in denen Menschen gelebt hatten.

Lartet, Louis: Geologe und Sohn von Edouard Lartet; entdeckte die Cromagnon-Fundstätte, die archäologische Überreste und mindestens fünf bestattete menschliche Skelette freigab.

Leakey, Louis: Sohn von englischen Missionaren in Ostafrika, studierte Anthropologie in Cambridge; glaubte wie Arthur Keith fest an die Präsapiens-Theorie und fand zusammen mit seiner Frau Mary in der Oldoway-Schlucht (Tansania) wichtige hominide Fossilien, die sehr viel älter als die Neandertaler sind.

Le Gros Clark, Wilfrid E.: Prominenter britischer Anatom Mitte des 20. Jahrhunderts und Professor in Oxford, der entscheidend dazu beitrug, daß Raymond Darts Interpretation des Kindes von Taung als Hominide anerkannt wurde; entlarvte zusammen mit Joseph Weiner und Kenneth Oakley die Piltdown-Fälschung.

Leroi-Gourhan, Arlette: Moderne französische Palynologin, die mit ihrer Pollen-Studie nachwies, daß einer der Neandertaler von Shanidar mit Wildblumen bestattet worden war.

Lévêque, François: Moderner Konservator der archäologischen Ausgrabungen in der Region Poitou-Charente; veröffentlichte zusammen mit Bernard Vandermeersch die ersten Berichte über den Neandertaler von Saint-Césaire, bei dem jungpaläolithische Werkzeuge gefunden worden waren.

Liebermann, Phillip: Sprachanalytiker an der Brown University, der kürzlich zusammen mit Edmund Crelin die Theorie aufstellte, daß die Neandertaler noch nicht über Sprache im eigentlichen Sinne verfügt hätten. Dieser Theorie lag allerdings eine fehlerhafte Rekonstruktion des Stimmtrakts der Neandertaler zugrunde.

Linné, Carl von: Schwedischer Wissenschaftler aus dem 17. Jahrhundert, der die systematische Klassifizierung von Organismen anhand ihrer Ähnlichkeiten einführte.

Lohest, Marie Joseph Maximin (»Max«): Belgischer Geologe, der 1886 zusammen mit Marcel de Puydt die Neandertaler-Skelette bei Spy d'Orneau fand und sie gemeinsam mit Julien Fraipont beschrieb.

Lubbock, John: Nachbar von Charles und Emma Darwin, einflußreicher Bankier, bedeutendster britischer Archäologe seiner Zeit und Autor des 1865 erschienenen Werks Pre-Historic Times, in dem er die Abfolge der archäologischen Zeitalter in Europa aufstellte.

Lyell, Charles: Prominenter englischer Geologe und guter Freund von Charles Darwin; Befürworter des Aktualismus, dem zufolge die augenblicklich zu beobachtenden geologischen Prozesse, die über einen langen Zeitraum wirksam waren (und nicht Katastrophen), zu den modernen geologischen Merkmalen geführt haben.

MacCurdy, George Grant: Amerikanischer Archäologe, Direktor der American School for Prehistoric Research in Palästina, der an der Entdeckung und Ausgrabung der menschlichen Fossilien im Mount-Karmel mitwirkte.

MacEnery, John (Vater): Irischer Geistlicher, der 1825 in der Kent's Cavern (England) menschliche Fossilien zusammen mit Abschlagwerkzeugen und Fossilien ausgestorbener Tierarten fand.

Manouvrier, Léonce-Pierre: Um die Jahrhundertwende Professor für physische

Anthropologie an der Ecole d'Anthropologie; Direktor des Laboratoriums für Anthropologie an der Ecole des Hautes Etudes und stellvertretender Direktor der physiologischen Forschungsstation am Collège de France; wichtiger Anthropometriker.

Marston, Alvan: Englischer Zahnarzt, der 1935 den Swanscombe-Schädel in Kent fand; zweifelte an der Zusammengehörigkeit der verschiedenen Piltdown-Fossilien.

Maška, Karel: Lehrer, später Prähistoriker; entdeckte den Neandertaler-Unterkiefer bei Šipka; gilt als einer der Gründer der paläolithischen Archäologie Mitteleuropas.

Mayr, Ernst: Vogel-Taxonom und einflußreicher Evolutionstheoretiker; trug in der Mitte des 20. Jahrhunderts dazu bei, Naturgeschichte und Vererbungslehre in der Synthetischen Evolutionsheorie zu verbinden.

McCown, Theodore D.: Amerikanischer Anthropologe, der als junger Mann die Ausgrabungen bei Skhul leitete und zusammen mit Arthur Keith einen Bericht über die Skelette vom Mount-Karmel verfaßte, in dem sie die Vermischung von modernen und Neandertaler-Merkmalen hervorhoben.

Mendel, Gregor: Österreichischer Mönch, Entdecker der Vererbungsgesetze, die er aus seinen Kreuzungsversuchen an Erbsen ableitete.

Miller, Gerrit, Jr.: Paläontologe am American Museum of Natural History, der den Piltdown-Schädel, der sich aus einem Menschenaffenkiefer und einem menschlichen Cranium zusammensetzte, als Fälschung entlarvte.

Montagu, M. F. Ashley: Anthropologe, der in den sechziger Jahren Carleton Coons Buch *The Origin of Races* vernichtend kritisierte.

Mortillet, Gabriel de: Revolutionärer Anthropologe im 19. Jahrhundert, der sich Brocas Ecole d'Anthropologie anschloß und für umfangreiche Sozialreformen eintrat; verbesserte durch Miteinbeziehung von archäologischem Material das Klassifizierungs-Schema von Edouard Lartet.

Murchison, Roderick Impey: Wichtiger Geologe im 19. Jahrhundert, Vorsitzender vieler wissenschaftlicher Gesellschaften in England und Gegner des Aktualismus. Sein Werk führte zur systematischen Gliederung der Erdgeschichte in eine feste Abfolge von Epochen und Zeitaltern mit immer komplexeren Organismen.

Musgrave, Jonathan: Moderner englischer Anatom, der mit Hilfe der multivariaten Statistik die Anatomie der Neandertaler-Hand mit der Hand moderner Menschen verglich.

Neander, Joachim: Künstlername, unter dem der Vikar und Komponist Joachim Neumann im 17. Jahrhundert seine Musikstücke veröffentlichte; nach ihm wurde das Neandertal benannt.

Neumann, Joachim: Siehe Neander.

Neuville, René: Französischer Archäologe und in den dreißiger Jahren Konsul in Jerusalem; führte als erster Ausgrabungen bei Jebel Qafzeh durch und fand dabei sehr alte, aber anatomisch moderne menschliche Fossilien.

Oakley, Kenneth: Chemiker und Paläontologe am British Museum (Abteilung Naturgeschichte), der mit Hilfe der relativen Datierung durch den Fluor-Test bewies, daß die Piltdown-Überreste gefälscht waren.

Osborn, Henry Fairfield: Paläontologe am American Museum of Natural History, der den Ursprung des Menschen in Asien vermutete; finanzierte die Expedition in die Wüste Gobi in der Hoffnung, dort Fossilien von Frühmenschen zu finden.

Osterman, Stjepan: Student an der Universität in Zagreb, Assistent von Karl (Dragutin) Gorjanovic-Kramberger und zeitweilig Leiter der Ausgrabungen von Krapina.

Owen, Richard: Prominenter Biologe aus dem 19. Jahrhundert und Erzfeind von Thomas Henry Huxley.

Patte, Etienne: Paläontologe an der Universität von Poitiers; stellte im Jahr 1955 bei einer genauen Prüfung der Belege fest, daß Marcellin Boules Rekonstruktion des Neandertalers als affenartiges und primitives Wesen falsch war.

Pei, Wenzhong: Bekannter chinesischer Paläanthropologe und Direktor des Cenozoic Research Laboratory; fand als Leiter der Ausgrabungsarbeiten bei Zhoukoudian 1929 den ersten Schädel des *Sinanthropus pekinensis* (heute *Homo erectus* genannt).

Pengelly, William: Führte John MacEnerys Sammlung von Fossilien und Steinwerkzeugen aus der Kent's Cavern in England fort.

Peyrony, Denis: Prähistoriker, der die bestatteten Neandertaler von La Ferrassie ausgrub.

Piveteau, Jean: Moderner französischer Paläontologe an der Sorbonne und Schüler von Marcellin Boule.

Prestwich, Joseph: Englischer Geologe im 19. Jahrhundert, der mitentscheiden sollte, ob die Moulin Quignon-Funde echt waren.

Putnam, Carleton: Autor von *Race and Reason: A Yankee View*, gilt allgemein als Rassist; aufgrund dieses Werkes wurde Carleton Coon der Zusammenarbeit mit ihm – und gleichfalls des Rassismus – beschuldigt.

Puydt, Marcel de: Belgischer Jurist und Hobby-Archäologe, der 1886 zusammen mit Max Lohest die Neandertaler-Skelette von Spy d'Orneau entdeckte.

Pycraft, William Plane: Assistent von Arthur Smith Woodward am British Museum (Abteilung Naturgeschichte) zur Zeit der Piltdown-Funde; Vogelexperte und Autor der 1928 erschienenen Monographie über die Broken Hill-Fossilien, die er *Cyphanthropus rhodesiensis* nannte.

Rak, Yoel: Moderner israelischer physischer Anthropologe und Mitautor der Beschreibung des Kebara-Neandertalers, der ein Zungenbein und ein beinahe vollständiges Becken hat.

Rosenberg, Karen: Moderne amerikanische Paläanthropologin, die Erik Trinkaus' Hypothese über die verlängerte Schwangerschaftsdauer bei Neandertalern widersprach und dagegenhielt, daß der weite Geburtskanal lediglich den robusten Körperbau und großen Kopf der Mutter widerspiegelt.

Schaaffhausen, Hermann: Professor für Anatomie an der Universität Bonn, der zusammen mit Johann Carl Fuhlrott den klassischen Neandertaler aus der Feldhofer Grotte beschrieb.

Schmerling, Phillipe-Charles: Belgischer Arzt und Anatom, der in den dreißiger Jahren des 19. Jahrhunderts aus den belgischen Höhlen von Engis und Engihoul menschliche Fossilien (darunter auch von Neandertalern) ausgrub und sie beschrieb.

Schwalbe, Gustav: Deutscher Anatom, leidenschaftlicher Befürworter des Darwinismus und Gründer der *Zeitschrift für Morphologie und Anthropologie;* bekannt für seine Hypothese, daß sich Eugène Dubois' *Pithecanthropus* und der Neandertaler (*Homo primigenius*) direkt zu modernen Menschen weiterentwickelt haben.

Sergi, Sergio: Vater der modernen menschlichen Paläontologie in Italien; untersuchte die Neandertaler-Fossilien von Saccopastore und stellte eine Präneandertaler-Theorie der menschlichen Evolution auf; arbeitete mit Alberto Blanc zusammen und verglich die Verletzungen am Cranium des Neandertalers vom Monte Circeo mit denen von Opfern melanesischer Kopfjäger.

Simpson, George Gaylord: Renommierter amerikanischer Paläontologe und einer der wichtigsten Begründer der Synthetischen Evolutionstheorie; zeigte auf, wie der fossile Befund anhand von natürlicher Auslese und evolutiven Trends interpretiert werden konnte.

Smith, Fred: Moderner amerikanischer physischer Anthropologe, Schüler von Milford Wolpoff; analysierte die Neandertaler-Fossilien von Vindija und Krapina und unterstützte die Hypothese, daß sich die Neandertaler zu modernen Menschen weiterentwickelt haben.

Smith Woodward, Arthur: Direktor der Geologie am British Museum (Abteilung Naturgeschichte) und Fischexperte, der mit Charles Dawson die gefälschten Piltdown-Fossilien beschrieb.

Solecki, Ralph: Amerikanischer Archäologe, der einige intakte sowie unvollständige Skelette in Shanidar (Irak) ausgrub; vertrat in den siebziger Jahren die Theorie, daß Neandertaler religiöse Anschauungen besessen hatten.

Sollas, William: Prominenter englischer Geologe in Oxford im frühen 20. Jahrhundert, der sich intensiv an den Diskussionen über den Piltdown-Fund beteiligte.

Spencer, Frank: Moderner physischer Anthropologe und Wissenschaftshistoriker, Autor einer umfassenden Bewertung von Aleš Hrdličkas Werk und einer überzeugenden Darstellung der Piltdown-Affäre.

Stewart, T. Dale: Moderner physischer Anthropologe an der Smithsonian Institution, der einen Großteil der Fossilien der Shanidar-Neandertaler untersuchte und sie anschließend zur weiteren Begutachtung an Erik Trinkaus übergab.

Straus, William Jr.: Anthropologe und Anatom an der Johns Hopkins University, der zusammen mit A. J. E. Cave zahlreiche Ungenauigkeiten an Boules Rekonstruktion des Neandertalers von La Chapelle-aux-Saints aufzeigte; auf diese Weise trug er dazu bei, den Neandertaler »menschlicher« zu machen.

Stringer, Christopher: Englischer physischer Anthropologe; einer der hartnäckigsten Verfechter der Theorie, daß anatomisch moderne Menschen in Afrika entstanden, von dort abwanderten und die Neandertaler ablösten.

Teilhard de Chardin, Pierre (Père): Französischer Jesuitenpater und Paläontologe, der den Eckzahn des Piltdown-Schädels fand; er wurde später ein Berater des Geological Survey von China und befaßte sich mit den Homo erectus-Fossilien (ursprünglich Sinanthropus pekinensis genannt) von Zhoukoudian.

Thorne, Alan: Moderner australischer Paläanthropologe, der zusammen mit Milford Wolpoff das Modell der multiregionalen Evolution entwickelte und verteidigte.

Tillier, Anne-Marie: Moderne französische Paläanthropologin, Schülerin von Bernard Vandermeersch, die die kindlichen Knochen von Neandertalern und frühen modernen Menschen miteinander verglich, um herauszufinden, wie sich biologische Merkmale im Wachstumsprozeß entwickelten.

Topinard, Paul: Schüler von Paul Broca, dessen Nachfolger an der Ecole d'Anthropologie und Neandertaler-Forscher.

Trinkaus, Erik: Amerikanischer Autor einer Monographie über die Shanidar-Reste und Mitautor dieses Buches; weist auf die Bedeutung des Fossilbestandes für Rückschlüsse auf das Verhalten der Neandertaler hin.

Twiesselmann, François: Belgischer Mediziner und gegenwärtig physischer Anthropologe am Institut royal des Sciences naturelles de Belgique; einer der ersten, die statistische Analysen für das Studium menschlicher Fossilien einsetzten.

Vallois, Henri: Professor am Institut de Paléontologie Humaine, Direktor des Musée de l'Homme und Schüler von Marcellin Boule; verteidigte nach Boules Tod die Präsapiens-Theorie.

Vandermeersch, Bernard: Moderner französischer Paläanthropologe, der Jebel

Qafzeh erneut ausgrub und die anatomisch modernen Skelette beschrieb, die dort gefunden wurden; verfaßte zusammen mit François Lévêque einen Artikel über den »letzten« Neandertaler, den man bei Saint-Césaire zusammen mit Chatelperronien-Werkzeugen gefunden hat.

Virchow, Rudolf: Deutscher Arzt und Lehrer; Vater der modernen Pathologie und einflußreichster deutscher physischer Anthropologe in der zweiten Hälfte des 19. Jahrhunderts; vehementer Gegner der Vorstellung von der menschlichen Evolution; dafür verantwortlich, daß die Fossilien der Neandertaler als pathologisch abgelehnt wurden.

Wallace, Alfred Russel: Naturforscher (Autodidakt), der eigenständig die Theorien vom Überleben des Stärkeren und von der natürlichen Selektion entwickelte, die gewöhnlich mit Darwin in Verbindung gebracht werden.

Washburn, Sherwood L.: Prominenter amerikanischer physischer Anthropologe, Schüler von E. A. Hooton und in den fünfziger Jahren Begründer der »Neuen Physischen Anthropologie«, die auf einer detaillierten Behandlung der funktionalen anatomischen Einheiten beruhte; bezeichnete Carleton Coon Anfang der sechziger Jahre als Rassist.

Weidenreich, Franz: Deutsch-jüdischer Anatom, Nachfolger von Davidson Black in Beijing, Verfasser der Monographie über die Überreste des *Homo erectus* von Zhoukoudian (damals noch *Sinanthropus pekinensis* genannt) und Begründer der Hypothese von der regionalen Kontinuität.

Weiner, Joseph: Südafrikanischer Anthropologe, Schüler von Raymond Dart; zeigte zusammen mit Kenneth Oakley und Wilfrid E. Le Gros Clark, daß der Piltdown-Fund gefälscht war.

Wilberforce, Samuel (Erzbischof): Huxleys Gegenspieler und erfolgloser Wortführer des Angriffs auf den Darwinismus bei der Sitzung der British Association 1860 in Oxford.

Wilson, Allan: Amerikanischer Biochemiker, der mit Vincent Sarich Pionierarbeit bei der Verwendung biochemischer Methoden für das Messen von entwicklungsgeschichtlichen Abständen und Evolutionsraten leistete; ein Hauptverfechter der Eva-Hypothese und Anhänger der Theorie, daß der entwicklungsgeschichtliche Unterschied zwischen Neandertalern und modernen Menschen die artikulierte Sprache sei.

Wolpoff, Milford: Moderner amerikanischer physischer Anthropologe, der mit Alfred Thorne das Modell der multiregionalen Evolution modernisierte, der zufolge sich die verschiedenen Menschenrassen aus den regionalen Gruppen des *Homo erectus* entwickelt haben.

Anmerkungen

Prolog

1 Alexander Pope, *Versuch vom Menschen. Der andere Brief. Von der Natur und dem Zustande des Menschen in Ansehung auf sich und als ein einzeln Wesen betrachtet.* Aus dem Englischen übersetzt von B. H. Brockes (Hamburg, 1740), S. 33.

1 Gott oder Tier?

1 Gavin de Beer (Hg.), *Charles Darwin and T. H. Huxley: Autobiographies* (Oxford University Press, London, 1974), S. xv.
2 Loren Eiseley, *Darwin's Century* (Anchor Books, Garden City, 1961), S. 19.
3 D. H. Stoever, *The Life of Sir Charles Linnaeus,* übers. von Joseph Trapp (London, 1794). Zitiert in Lynn Barber, *The Heyday of Natural History: 1820-1870* (Doubleday, Garden City, 1980), S. 48.
4 James Edward Smith, *A Selection of the Correspondence of Linnaeus and Other Naturalists from the Original Manuscripts,* Bd. 2, (London, 1821), S. 460. Zitiert in Eiseley, *Darwin's Century,* S. 15.
5 A.-L. Millin, 1792. Quellenangabe unvollständig. Zitiert in Martin J. S. Rudwick, *The Meaning of Fossils: Episodes in the History of Palaeontology* (Neale Watson Academic Publications, New York, 1972), S. 103.
6 J. B. Lamarck, *Système des animaux sans vertèbres* (Paris, 1801), S. 403-411. Zitiert in Rudwick, *Meaning of Fossils,* S. 119.
7 Etienne Geoffroy Saint-Hilaire, *Philosophie anatomique,* 2 Bde (Paris, 1818–1822). Zitiert in Eiseley, *Darwin's Century,* S. 118.
8 Georges Cuvier, *Eloge de M. de Lamarck.* Quellenangabe unvollständig. Zitiert in Barber, *Heyday,* S. 213.
9 William Smith, *The Stratigraphical System of Organized Fossils* (London, 1817), S. vi. Zitiert in Eiseley, *Darwin's Century,* S. 79.
10 F. J. North, »Deductions from Established Facts in Geology, by William Smith: Notes on a Recently Discovered Broadsheet«, *Geological Magazine,* 64 (1927), S. 534. Zitiert in Eiseley, *Darwin's Century,* S. 79.
11 Unvollständige Quellenangabe. Zitiert in Eiseley, *Darwin's Century,* S. 177.
12 Archibald Geikie, *Life of Sir Roderick Impey Murchison,* Bd. I, (London, 1875), S. 129. Zitiert in Barber, *Heyday,* S. 189.
13 K. Lyell, *Life and Letters of Sir Charles Lyell,* Bd. I (London, 1881), S. 253. Zitiert in Barber, *Heyday,* S. 221.
14 Geikie, *Murchison,* S. 316. Zitiert in Barber, *Heyday,* S. 191.

15 Darwin, Francis (Hg.), *Leben und Briefe von Charles Darwin mit einem seine Autobiographie enthaltenden Capitel*, Bd. 1. Aus dem Englischen übersetzt von J. Victor Carus, (E. Schweizerbart'sche Verlagshandlung, Stuttgart, 1887), S. 64f.

16 John W. Judd, *The Coming of Evolution* (Cambridge University Press, Cambridge, 1911), S. 72.

17 Darwin, *Leben und Briefe*, S. 56.

18 ibd., S. 39.

19 Leslie Stephen, »Appreciation«, in Brander Matthews (Hg.), *Autobiography and Essays by Thomas Henry Huxley* (Gregg Publishing Company, New York, 1919), S. 266.

20 Henrietta Litchfield (Hg.), *Emma Darwin, Wife of Charles Darwin: A Century of Family Letters*, Bd. 2 (John Murray & Sons, London, 1915), S. 15.

21 Judd, *Coming of Evolution*, S. 125.

22 John Frere, »An account of flint weapons discovered at Hoxne in Suffolk«, *Archaeologia* 13 (1800), S. 204f.

23 William Buckland, *Reliquiae Diluvianae; or, Observations on the organic remains contained in caves, fissures and diluvial gravel, and on other geological phenomena, attesting to the action of an Universal Deluge* (London, 1823), S. 82.

24 ibd., S. 83.

25 ibd., S. 90.

26 ibd., S. 87.

27 Zitiert in John Powe, *Kents Cavern* (Privatdruck, Torquay, England, o. J.), S. 4.

28 Robert Godwin-Austen, *Transactions of the Geological Society*, 2. Reihe, 4 (1840), S. 433. Zitiert in John Lubbock, *Pre-historic Times, as Illustrated by Ancient Remains and the Manners and Customs of Modern Savages*, 2. Aufl. (New York, 1872), S. 316.

29 Lubbock, *Pre-historic Times*, S. 316.

30 Charles Lyell, *The Geological Evidences of the Antiquity of Man with Remarks on Theories of the Origin of Species by Variation* (London, 1863), S. 59-74. Nachdruck in Theodore D. McCown und Kenneth A. R. Kennedy (Hg.), *Climbing Man's Family Tree* (Prentice-Hall, Englewood Cliffs, N.J., 1972), S. 113.

31 ibd., S. 113.

32 C. Cohen und J.-J. Hublin, *Boucher de Perthes: Les Origines romantiques de la préhistoire* (Editions Belin, Paris, 1989), S. 72.

33 Anonymus, *Anthropological Review* 2 (1864), S. 222.

34 Lubbock, *Pre-historic Times*, S. 343.

35 Anonymus, »Minutes of Meeting of the Gibraltar Scientific Society, 3 March, 1848«, (1848). Zitiert in John Reader, *Missing Links* (Little Brown, Boston, 1981), S. 30.

2 Mein Vorfahr ist das nicht

1 T. H. Huxley, »A lecture on January 9, 1870«, *Pall Mall Gazette* (10. Januar 1870). Nachdruck in T. H. Huxley, *Man's Place in Nature and Other Anthropological Essays* (D. Appleton, New York, 1900), S. 280f.

2 Hermann Schaaffhausen, »Zur Kenntnis der ältesten Rassenschädel«, *Archiv für Anatomie, Physiologie und Wissenschaftliche Medicin in Verbindung mit mehreren Gelehrten* (1858), S. 453.

3 ibd., S. 454.
4 ibd., S. 454.
5 ibd., S. 458f.
6 ibd., S. 457.
7 Informationen über Virchow aus Erwin H. Ackerknecht, *Rudolf Virchow, Doctor, Statesman, Anthropologist* (University of Wisconsin Press, Madison, 1953).
8 Marie Rabl (Hg.), *Rudolf Virchow: Briefe an seine Eltern 1839 bis 1864* (Engelmann, Leipzig, 1906), S. 16.
9 Ernst Haeckel, *The Story of the Development of a Youth; Letters to his Parents 1852-56*, übersetzt von G. Barry Gifford (Harper & Brothers, New York, 1923), S. 184.
10 Ackerknecht, *Virchow*, S. 23.
11 A. F. Mayer, »Ueber die fossilen Ueberreste eines menschlichen Schädels und Skeletes in einer Felsenhöhle des Düssel- oder Neander-Thales«, *Archiv für Anatomie, Physiologie und Wissenschaftliche Medicin* (1864), S. 14.
12 ibd., S. 5.
13 T. H. Huxley, »Further Remarks upon the Human Remains from the Neanderthal«, *Natural History Review* I (1864), S. 436.
14 Schaaffhausen, »Zur Kenntnis der ältesten Rassenschädel«, S. 463.
15 Ackerknecht, *Virchow*, S. 15.
16 Rabl, *Virchow*, S. 182f.
17 Charles Darwin, *Über die Entstehung der Arten durch natürliche Zuchtwahl oder die Erhaltung der begünstigten Rassen im Kampfe ums Dasein* (Schweizerbart'sche Verlagshandlung, Stuttgart, 1920).
   In späteren Ausgaben machte Darwin seinen einzigen Hinweis auf die Evolution des Menschen noch deutlicher, indem er schrieb: » *Viel* Licht wird fallen ...«
18 Informationen über Wallace aus Arnold Brackman, *A Delicate Arrangement: The Strange Case of Charles Darwin and Alfred Russel Wallace* (Times Books, New York, 1980).
19 Brackman, *Delicate Arrangement*, S. 145.
20 Charles Darwin, *Die Abstammung des Menschen* (Kröner Verlag, Stuttgart, 1966), S. 273.
21 Alfred Russel Wallace, *Über das Gesetz, das das Entstehen neuer Arten reguliert hat*. In Gerhard Heberer, *Dokumente zur Begründung der Abstammungslehre vor 100 Jahren* (Gustav Fischer, Stuttgart, 1959), S. 51.
22 Brackman, *Delicate Arrangement*, S. 32.
23 Alfred Russel Wallace, *Über das Gesetz*, S. 45.
24 Brackman, *Delicate Arrangement*, S. 30.
25 Informationen über Darwin aus: Barber, *Heyday*; John Bowlby, *Charles Darwin: A New Life* (Norton, New York, 1990); de Beer, *Darwin;* William Irvine, *Apes, Angels and Victorians* (McGraw-Hill, London, 1955).
26 Francis Darwin (Hg.), *Leben und Briefe von Charles Darwin mit einem seine Autobiographie enthaltenden Capitel*, Bd. 1 (Schweizerbart'sche Verlagshandlung, Stuttgart, 1887), S. 31.
27 ibd., S. 33.
28 ibd., S. 44.
29 ibd., S. 53f.
30 de Beer, *Darwin*, S. 72.
31 Darwin, *Leben und Briefe*, Bd. 2, S. 65f.
32 ibd., S. 66f.
33 Brackman, *Delicate Arrangement*, S. 49.

34 ibd., S. 50.
35 Francis Darwin (Hg.), *Leben und Briefe,* Bd. 2, S. 112.
36 ibd., S. 115.
37 aus Brackman, *Delicate Arrangement* und aus C. D. Darlington, *Darwin's Place in History* (Blackwell, Oxford, 1959).
38 Leonard Huxley (Hg.), *The Life and Letters of Sir Joseph Dalton Hooker* (John Murray, London, 1918). Zitiert in Brackman, *Delicate Arrangement,* S. 1.
39 Darwin, *Leben und Briefe,* Bd. 2, S. 170.
40 Informationen über Huxley aus: C. Bibby, *T. H. Huxley, Scientist, Humanist and Educator* (Watts, London, 1959); C. Bibby, *Scientist Extraordinary: The Life and Scientific Work of Thomas Henry Huxley, 1825-95* (Pergamon Press, New York, 1972); Ronald W. Clark, *The Huxleys* (McGraw-Hill, Toronto, 1968); William Irvine, *Apes*
41 de Beer, *Darwin,* S. ix.
42 ibd., S. 101f.
43 Clark, *The Huxleys,* S. 36.
44 Henry Fairfield Osborn, *Impressions of Great Naturalists* (Charles Scribner's Sons, New York, 1924), S. 80.
45 Darwin, *Leben und Briefe,* Bd. 2, S. 123f.
46 ibd., S. 140.
47 ibd., S. 226.
48 ibd., S. 290f.
49 ibd., S. 312-315.
50 ibd., S. 313.
51 ibd., S. 314.
52 ibd., S. 191f, 198f.
53 Ronald Millar, *The Piltdown Men* (Granada, St. Albans, England, 1974), S. 32.
54 George Busk, »With Remarks, and original Figures, taken from a Cast of the Neanderthal Cranium«, *Natural History Review* I, 2 (April 1861), S. 155-175, 172.
55 ibd., S. 173.
56 C. Carter Blake, »On the Occurrence of Human Remains Contemporaneous with those of Extinct Animals«, *Geologist* (Sept. 1861), S. 365. Zitiert in C. Carter Blake, »On the alleged peculiar characters and assumed antiquity of the Human Cranium from the Neanderthal«, *Journal of the Anthropological Society* 2 (1864), S. 139-157, cxli.
57 C. Carter Blake, »On the cranium of the most ancient races of man«, *Geologist* (Juni 1862), S. 206. Zitiert in Blake, »On the alleged«, S. clii-cxliii.
58 Anonymus, *Medical Times and Gazette* (28. Juni 1862). Zitiert in Blake, »On the alleged«, S. cxliv.
59 Paul Broca, »Response to paper by Pruner-Bey«, (1864). Zitiert in Blake, »On the alleged«, S. cliii.
60 Robert A. Fletcher, »Paul Broca and the French School of Anthropology«, *The Saturday Lectures* (Anthropological and Biological Societies of Washington, Judd and Detweiller, Washington D. C., 1882), S. 113-142, 118.
61 Fletcher, »Paul Broca«, S. 116.
62 Informationen über Broca aus: Fletcher, »Paul Broca« und Michael Hammond, »Anthropology as a weapon of social combat in late-nineteenth-century France«, *Journal of the History of the Behavioral Sciences* 16 (1980), S. 118–132.

63 T. H. Huxley, *Zeugnisse für die Stellung des Menschen in der Natur* (Gustav Fischer Verlag, Stuttgart, 1963), S. 143f.

64 ibd., S. 179f.

65 ibd., S. 180f.

66 William King, »The Reputed Fossil Man of the Neanderthal«, *Quarterly Journal of Science* I (1864), S. 96.

67 ibd., S. 96.

68 Hugh Falconer, *Paleontological Memoirs and Notes,* Bd. 2 (London, 1868), S. 561.

69 Grace Ann Prestwich (Hg.), *Life and Letters of Sir Joseph Prestwich* (London, 1899), S. 119.

3 Die Affäre Moulin Quignon

1 ibd., S. 143f.

2 Cohen und Hublin, *Boucher de Perthes,* S. 140.

3 Prestwich, *Life and Letters,* S. 180.

4 E. Lartet, »On the Ancient Migrations of Mammals of the Present Period« (»Sur les migrations anciennes des Mammifères de l'époque actuelle«) (Paris, 1858). Zitiert in Marcellin Boule, *Fossile Menschen. Grundlinien menschlicher Stammesgeschichte* (Verlag für Kunst und Wissenschaft, Baden-Baden, 1954), S. 13.

5 Prestwich, *Life and Letters,* S. 179.

6 ibd., S. 185f.

7 Lubbock, *Pre-historic Times,* S. vi.

8 ibd., S. 8.

9 ibd., S. 424-428.

10 Gabriel de Mortillet, *Politique et Socialisme à la portée de tous* (Paris, 1849), S. 49f. Zitiert in Michael Hammond, »Anthropology as a weapon of social combat in late-nineteenth-century France«, *Journal of the History of the Behavioral Sciences* 16 (1980), S. 119.

11 Paul Broca, »Discours de M. Broca sur l'ensemble de la question«, *Congrès International d'Anthropologie et d'Archéologie Préhistorique* (Paris, 1868), S. 396.

12 Paul Broca, »Discussion sur la machoire humaine de la Naulette (Belgique)«, *Bulletin de la Société d'Anthropologie de Paris,* 2. Reihe, 1 (1866), S. 595.

13 Paul Broca, »Sur le Transformisme; Remarques Générales«, *Bulletin de la Société d'Anthropologie de Paris,* 2. Reihe, 5 (1870), S. 169f.

14 William Arens, *The Man-Eating Myth* (Oxford University Press, Oxford, 1979).

15 Darwin, *Die Abstammung des Menschen,* S. 45.

16 C. Carter Blake, »On a human jaw from the cave of La Naulette near Dinant, Belgium«, *Anthropological Review* (Juli und Oktober 1867), S. 302f.

17 Anonymus, »The Neanderthal Man«, *Harper's Weekly,* 18, Nr. 864 (1873), S. 618.

18 Einleitung zu Haeckel, *Story of the Development,* S. xi-xii.

19 ibd., S. 167f.

20 ibd., S. 145.

21 ibd., S. 243ff.

22 ibd., S. 243ff.

23 Darwin, *Life and Letters,* S. 68f.

24 ibd., S. 68f.

25 Daniel Gasman, *The Scientific Origins of National Socialism* (MacDonald & Co., London, 1971). Haeckels zentrale Bedeutung für das nationalsozialistische Gedankengut wird in diesem Werk durchdacht und gut dokumentiert dargestellt.

26 Informationen darüber aus Hammond, »Anthropology« und Fletcher, »Paul Broca«.

27 Fletcher, »Paul Broca«, S. 132.

28 Rudolf Virchow, »Der Kiefer aus der Schipka-Höhle und der Kiefer von La Naulette«, *Zeitschrift für Ethnologie* 14 (1882), S. 277-295.

29 Paul Topinard, »Les caractères simiens de la Machoire de la Naulette«, *Revue d'Anthropologie*, 2. Reihe, 9 (1886), S. 431.

4 Dem Licht entgegen

1 Marcel de Puydt und Maximin Lohest, »L'homme contemporain du Mammouth à Spy (Namur)«, *Annales de la Féderation Archéologique et Historique de Belgique* 2 (1887), S. 207-240.

2 Julien Fraipont und Max Lohest, »La Race humaine de Néanderthal ou de Cannstadt en Belgique – Recherches ethnographiques sur des ossements humains découverts dans les dépôts quaternaires d'une grotte à Spy et détermination de leur âge géologique«, *Archives de Biologie* 7 (1887), S. 587-757. Zitiert in Frank Spencer, »The Neandertals and Their Evolutionary Significance: A Brief Historical Survey«, in: F. H. Smith und F. Spencer (Hg.), *The Origin of Modern Humans: a World Survey of the Fossil Evidence* (Alan R. Liss, New York, 1984), S. 13.

3 ibd., S. 13.

4 Julien Fraipont und Max Lohest, »La Race humaine de Néanderthal ou de Cannstadt en Belgique – Recherches ethnographiques sur des ossements humains découverts dans les dépôts quaternaires d'une grotte à Spy et détermination de leur âge géologique«, *Archives de Biologie* 7 (1887), S. 587-757. Zitiert in Julien Fraipont, »Le tibia dans la race de Néanderthal; Etude comparative de l'incurvation de la tête du tibia, dans ses rapports avec la station verticale chez l'homme et les anthropoides«, *Revue d'Anthropologie*, 3. Reihe, 3, Nr. 2 (1888), S. 145.

5 O. C. Marsh, »On the *Pithecanthropus erectus* from the Tertiary of Java«, *American Journal of Science* 1 (1896), S. 476.

6 Informationen über Dubois aus Bert Theunissen, *Eugène Dubois and the Ape-Man from Java* (Kluwer Academic Publishers, Dordrecht, 1989).

7 Eugène Dubois, »Over de wenschelijkheid van een onderzoek naar de diluviale fauna van Ned. Indië, in het bijzonder van Sumatra«, *Natuurkundig tijdschrift voor Nederlandisch-Indië* 48 (1889), S. 165. Zitiert in Theunissen, *Eugène Dubois*, S. 39.

8 Eugène Dubois, »Uit een schrijven van den heer Dubois te Pajacombo naar aanleiding van den aan dien heer toegezonden schedel, door den heer can Rietschoten in zijn marmergroeven in het Kedirische opgegraven«, *Natuurkundig tijdschrift voor Nederlandisch-Indië* 49 (1890), S. 209f. Zitiert in Theunissen, *Eugène Dubois*, S. 42.

9 Eugène Dubois, »Paleontologische onderzoekingen op Java«, *Verslag van het Mijnwezen. Extra bijvoegsel der Javasche courant*, 3. Vierteljahresbericht, 10 (1892), S. 12f. Zitiert in Theunissen, *Eugène Dubois*, S. 58.

10 Eugène Dubois, »*Pithecanthropus erectus, eine menschenähnliche Ueber-gangsform aus Java*«, (Batavia, 1894). Zitiert in Henry Fairfield Osborn, *Men of the Old Stone Age* (Charles Scribner's Sons, New York, 1914), S. 74f.

11 J. A. C. A. Timmerman, »Belangrijke palaeontologische vondsten« (1893), S. 312. Zitiert in Theunissen, *Eugène Dubois*, S. 80.

12 Rudolf Martin, »Kritische Bedenken gegen den Pithecanthropus erectus Du-bois«, *Globus* 67 (1895), S. 217. Zitiert in Theunissen, *Eugène Dubois*, S. 87.

13 Informationen über Manouvrier aus R. Anthony, G. Papillaut, M. Weisger-ber, E. Gley, L. Lacroq, Dr. Dumont, A. Hrdlička, J. W. Fewkes und W. Hough, »Discours prononcés aux obsèques de M. L. Manouvrier, le 20 janvier 1927«, *Bulletin et Mémoires de la Société d'Anthropologie de Paris*, 7. Reihe, 8 (1927), S. 2-13; René Verneau, »Nécrologie – Léonce-Pierre Manouvrier«, *L'Anthropologie* 37 (1927), S. 220ff; sowie Frank Spencer, *Aleš Hrdlička, M.D., 1869-1943: A Chronicle of the Life and Work of an Ameri-can Physical Anthropologist* (University Microfilms, Ann Arbor, Mich., 1979).

14 Léonce Manouvrier, »*Discussion du* ›Pithecanthropus erectus‹ *comme précur-seur présumé de l'homme*«, *Bulletin de la Société d'Anthropologie de Paris*, 4. Reihe, 6 (1895), S. 14.

15 Wilhelm Krause, »Besprechung von Dubois' Pithecanthropus erectus, eine menschenähnliche Uebergangsform aus Java«, *Zeitschrift für Ethnologie* 27 (1895), S. 80. Zitiert in Theunissen, *Eugène Dubois*, S. 82.

16 Auf die Rezeption von Dubois' Monographie wird ausführlich eingegangen in Theunissen, *Eugène Dubois*, S. 79-117.

17 Informationen über Keith aus Arthur Keith, *An Autobiography* (Watts, Lon-don, 1950).

18 Arthur Keith, »Pithecanthropus erectus – a brief review of human fossil re-mains«, *Science Progress* 3 (1895), S. 368-389.

19 William Turner, »On M. Dubois' description of remains recently found in Java, named by him *Pithecanthropus erectus*. With remarks on so-called tran-sitional forms between apes and man«, *Journal of Anatomy and Physiology* 29 (1895), S. 425; 428-489.

20 O. C. Marsh, »On the *Pithecanthropus erectus,* from the Tertiary of Java«, *American Journal of Science* 1 (1896), S. 475f.

21 ibd., S. 475f.

22 Rudolf Virchow, »Kommentar zu Dubois' ›Pithecanthropus erectus betrachtet als eine wirkliche Uebergangsform und als Stammform des Menschen‹«, *Zeit-schrift für Ethnologie* 27 (1895), S. 744. Zitiert in Theunissen, *Eugène Du-bois*, S. 102.

23 Das genaue Verhältnis und die Schätzungen, die Dubois verwendete, änderten sich mit der Zeit ein wenig; dieses Beispiel dient nur der Illustration und ist nicht genau. Für Einzelheiten siehe Theunissen, *Eugène Dubois*, S. 132f.

24 Gustav Schwalbe, »Ziele und Wege einer vergleichenden physischen Anthro-pologie«, *Zeitschrift für Morphologie und Anthropologie* 1 (1899), S. 3. Zi-tiert in Fred Smith, »Gustav Schwalbe: Neandertal Morphology and Systema-tics 1899-1916«, *Physical Anthropology News* 6, Nr. 1 (1987), S. 2.

25 Gustav Schwalbe, *Studien zur Vorgeschichte des Menschen* (E. Schweizerbart-sche Verlagshandlung, Stuttgart, 1906), S. 14. Zitiert in Smith, »Schwalbe«, S. 3.

5 Das Studium der Menschheit

1 Informationen über Gorjanovic-Kramberger aus Jakov Radovčić, *Dragutin Gorjanovic-Kramberger i krapinski pračovjek: počeci suvremene paleoanthropologije (Dragutin Gorjanovic-Kramberger and Krapina Early Man; The Foundations of Modern Paleoanthropology*, übers. von Ellen Elias-Bursać (Hrvatski Prirodoslovni Muzej, Zagreb, 1988).

2 ibd., S. 61f.

3 ibd., S. 64.

4 ibd., S. 21.

5 D. Gorjanovic-Kramberger, »Paleolitički ostaci čovjeka i njegovih suvremenika iz diluvija u Krapini«, *Ljetopis Jugoslavenske akademije znanosti i umjetnosti* 14 (1899), S. 90-98. Zitiert in Radovčić, *Gorjanovic*, S. 30f.

6 ibd., S. 30f.

7 Spencer, *Aleš Hrdlička*, S. 422.

8 Keith, *An Autobiography*, S. 339.

9 Radovčić, *Gorjanovic*, S. 85.

10 ibd., S. 90.

11 ibd., S. 90.

12 Karl Gorjanovic-Kramberger, *Pračovjek iz Krapine* (Hrvatsko prirodoslovno društvo [preštampano iz Prirode], Zagreb, 1918). Zitiert in Radovčić, *Gorjanovic*, S. 121ff.

13 George Grant MacCurdy, ohne Titel, *Smithsonian Report* (1900). Zitiert in Paul Carus, *The Rise of Man; A Sketch of the Origin of the Human Race* (Open Court, Chicago, 1900), S. 100.

14 Boule, *Fossile Menschen*, S. 179.

15 Maurice Barres, *L'Echo de Paris* (Paris, 1915). Zitiert in M. Boule, »M. Hauser et les Eyzies«, *L'Anthropologie* 26 (1915), S. 178f.

16 Wendt, *Ich suchte Adam*, S. 344.

17 Otto Hauser, »Découverte d'un Squelette du Type du Néandertal sous l'Abri Inférieur de Moustier«, *L'Homme Préhistorique* 7, Nr. 1 (1909), S. 5ff.

18 Wendt, *Ich suchte Adam*, S. 350.

19 Marcellin Boule, »La guerre et M. Hauser«, *L'Anthropologie* 26 (1915), S. 171.

20 Wendt, *Ich suchte Adam*, S. 351.

21 Boule, *Fossile Menschen*, S. 180.

22 Ibd., S. 234.

23 Michael Hammond, »The Expulsion of the Neanderthals from Human Ancestry; Marcellin Boule and the Social Context of Scientific Research«, *Social Studies in Science* 12 (1982), S. 1-36. Die Deutung von Boules Haltung zum Neandertaler von La Chapelle-aux-Saints ist größtenteils Hammonds aufschlußreichem Artikel entnommen.

24 Marcellin Boule, »Résponse pour le Jubilee de M. Marcellin Boule«, *L'Anthropologie* 47 (1937), S. 611. Zitiert in Hammond, »Expulsion«, S. 10.

25 Marcellin Boule, »The Anthropological Work of Prince Albert I of Monaco and the Recent Progress of Human Paleontology in France«, *Smithsonian Report for 1923* (1925), S. 502.

26 Bruno Albarello, »L'Affaire de l'Homme de la Chapelle-aux-Saints, 1905–1908« (Editions »Les Monédières«, Treignac, 1987), S. 40.

27 Mme. Bouyt (Enkelin von M. Bonneval), in einer persönlichen Mitteilung an E. T., 1990.

28 A. Bouyssonie, J. Bouyssonie und L. Bardon, »Découverte d'un squelette hu-

main mousterian à la bouffia de la Chapelle-aux-Saints (Corrèze)«, *L'Anthropologie* 19 (1908), S. 516. Zitiert in Marcellin Boule, »L'Homme Fossile de la Chapelle-aux-Saints«, *Annales de Paléontologie* 6 (1911), S. 1-64; 7 (1912), S. 65-208; 8, S. 209-279; 12-14, Hervorhebungen im Original.

29 Interpretation entnommen aus: Michael Hammond, »Expulsion«.

30 Boule, »L'Homme Fossile«, S. 270.

31 Boules Interpretation wird besprochen in Erik Trinkaus, »Pathology and Posture of the La Chapelle-aux-Saints Neandertal«, *American Journal of Physical Anthropology* 67 (1985), S. 19-41.

32 Marcellin Boule, »Mortillet (G. de), Evolution quaternaire de la Pierre«, *L'Anthropologie* 8 (1897), S. 344; sowie »Gabriel et Adrien de Mortillet, ›Le Préhistorique‹«, ibd., 12 (1901), S. 428. Zitiert in Hammond, »Expulsion«, S. 20.

33 Boule, »Anthropological Work«, S. 504.

34 Im Jahr 1911 stellte Keith ein geradliniges Schema vor, dem zufolge die Neandertaler direkte Vorfahren des modernen Menschen waren. Siehe Arthur Keith, *Ancient Types of Man*, (Harper, New York, 1911). In der 2. Auflage des Buches (erschienen 1912) schloß er sie als Vorfahren des modernen Menschen aus, während er vermeintlich alte Fossilien (wie etwa den Moulin Quignon-Kiefer), die tatsächlich von modernen Menschen stammten, in den Vordergrund rückte. Siehe dazu auch: Arthur Keith, »The relationship of Neanderthal man and Pithecanthropus to modern man«, *Nature* 89, (1912), S. 155f.

35 Keith, »The relationship«, S. 155.

36 Arthur Keith, *The Antiquity of Man* (J. B. Lippincott, Philadelphia, 1928), S. 252f.

37 ibd., S. 255f.

38 ibd., S. 255f.

39 Keith, *Ancient Types*, S. 143.

40 Die gründlichste und neueste Darstellung der Piltdown-Affäre bietet Frank Spencer, *Piltdown: A Scientific Forgery* (Oxford University Press, New York, 1990) sowie Frank Spencer (Hg.), *The Piltdown Papers* (Oxford University Press, New York, 1990). Weitere Darstellungen in S. J. Gould, »The Piltdown conspiracy«, *Natural History* 89 (1980), S. 8-28; L. B. Halstead, »New light on the Piltdown hoax?«, *Nature* 276 (1978), S. 11ff; Millar, *Piltdown Men;* Joseph Weiner, *The Piltdown Forgery* (Oxford University Press, London, 1955).

41 Millar, *Piltdown Men*, S. 116.

42 ibd., S. 119.

43 Anonymus, »The Earliest Man?« [Manchester] *Guardian,* 21. Nov. 1912. Zitiert in Spencer, *Piltdown: A Scientific Forgery*, S. 47f.

44 Keith, *An Autobiography*, S. 324.

45 Vergleiche Aleš Hrdlička, »The Piltdown Jaw«, *American Journal of Physical Anthropology* 5 (1922), S. 337-347; sowie Aleš Hrdlička, »The Skeletal Remains of Early Man«, *Smithsonian Miscellaneous Collections,* Bd. 83 (Smithsonian, Washington, D.C., 1930).

46 Boule, *Fossile Menschen,* S. 157.

47 William Sollas, *Ancient Hunters and their Modern Representatives* (Macmillan, New York, 1915), S. 54f.

48 Michael Hammond, »A Framework for Plausibility for an Anthropological Forgery«, *Anthropology* 3 (1979), S. 55.

49 Arthur Keith, »Additional note to Preface of First Edition«, in: Arthur Keith, *The Antiquity of Man* (J. B. Lippincott, Philadelphia, 1928), S. xxiii.

6 Ein Okapi der Menschheit

1 F. Ameghino, »Les formations sédimentaires du crétace supérieur et du tertière de Patagonie«, *Annales del Museo Nacional de Buenos Aires* 15 (1906). Zitiert in Spencer, *Aleš Hrdlička,* S. 331.

2 Aleš Hrdlička in Zusammenarbeit mit W. H. Holmes, Bailey Willis, F. E. Wright und C. N. Fenner, »Early Man in South America«, *Bulletin of the Bureau of American Ethnology, Smithsonian Institution* 102 (1912). Zitiert in Spencer, *Aleš Hrdlička* S. 344.

3 Aleš Hrdlička, »Skeletal Remains Suggesting or Attributed to Early Man in North America«, *Bulletin of the Bureau of American Ethnology, Smithsonian Institution* 33 (1907). Zitiert in Spencer, *Aleš Hrdlička,* S. 312f.

4 Earnest A. Hooton, *Apes, Men and Morons* (G. Putnam's Sons, New York, 1937), S. 101f.

5 Die Informationen über Hrdlička stammen aus Spencers *Aleš Hrdlička.*

6 ibd., S. 49.

7 M. F. A. Montagu, »Aleš Hrdlička, 1869-1943«, *American Anthropologist* 46 (1944). Zitiert in Spencer, *Aleš Hrdlička,* S. 90.

8 ibd., S. 420.

9 ibd., S. 475.

10 ibd., S. 775.

11 Roy Chapman Andrews erzählt in seinem Buch *Auf der Fährte des Urmenschen* (Leipzig, 1927) sehr spannend die Geschichte dieser Expedition nach Zentralasien.

12 Keith, *Antiquity of Man,* S. 383.

13 ibd., S. 416f.

14 ibd., S. 417.

15 Grafton Elliot Smith, »The Rhodesian Skull«, *British Medical Journal,* 4. Februar 1922. Zitiert in Spencer, *Aleš Hrdlička,* S. 563.

16 Die Informationen über Dart stammen aus R. A. Dart *Adventures with the Missing Link* (Philadelphia, 1959) und Frances Wheelhouse *Raymond Arthur Dart: A Pictorial Profile* (Sydney, 1983).

17 Dart, *Adventures,* S. 26ff.

18 Keith, *An Autobiography,* S. 480.

19 ibd., S. 318.

20 Dart, *Adventures,* S. 5.

21 R. A. Dart, »The Taung Skull«, *Nature* 116 (1925), S. 462.

22 Dart, *Adventures,* S. 35.

23 ibd., S. 39.

24 Wheelhouse, *Dart,* S. 49.

25 Dart, *Adventures,* S. 35.

26 L. H. Wells, »Johannesburg: The Robert Broom Memorial Lecture«, *South African Journal of Science* (September 1967), S. 365.

27 Keith, *Antiquity of Man,* S. 199.

28 Grafton Elliot Smith, »Neanderthal Man as a Distinct Species«, *Nature* 121 (1928). Zitiert in Spencer, *Aleš Hrdlička,* S. 589.

29 Vergleiche hierzu Anthony et al. »Discours«, S. 2-13. Im Gegensatz dazu Verneau, »Nécrologie«, S. 220ff.

30 B. Bohlin. Gespräch mit John Reader, 1978. Zitiert in Reader, *Missing Links,* S. 108.

31 Der Bericht über die Ausgrabung und die Entdeckung stammt weitgehend aus

Jia Lanpo und Huang Weiwen, *The Story of Peking Man* (Foreign Languages Press, Beijing und Oxford University Press, Oxford, 1990).

32 ibd., S. 65.

33 Spencer, *Aleš Hrdlička*, S. 596f.

34 Dart, *Adventures*, S. 59.

35 Arthur Keith, *New Discoveries Relating to the Antiquity of Man* (Williams & Norgate, London, 1931), S. 254f.

36 ibd., S. 292f.

37 Eugène Dubois, »The shape and size of the Brain in Sinanthropus and in Pithecanthropus«, *Proceedings of the Section of Sciences of the Koninklijke Akademies van Wetenschappen* 36 (1933), S. 422.

38 Eugène Dubois, »Early Man in Java and *Pithecanthropus erectus*«, in: G. G. MacCurdy (Hg.), *Early Man; as Depicted by Leading Authorities at the International Symposium, the Academy of Natural Sciences, Philadelphia, March 1937.* (J. B. Lippincott, Philadelphia, 1937), S. 317.

39 Arthur Keith, »The Creeds of Two Anthropologists«, *Rationalist Annual* (London, 1942). Zitiert in Reader, *Missing Links,* S. 54.

40 Vergleiche Reader, *Missing Links;* Jia und Huang, *Story of Peking Man;* und Harry Shapiro, *Das Geheimnis des Pekingmenschen* (Frankfurt a.M., 1976).

41 Dorothy Garrod, »Near East as a Gateway of Prehistoric Migration«, in: MacCurdy, *Early Man,* S. 33.

42 Theodore D. McCown, »Fossil Men of the Mugharet es-Sukhul, near Ashlit, Palestine, Season of 1932«, *Bulletin of the American School for Prehistoric Research* 9 (1933), S. 15.

43 Theodore D. McCown, »The Oldest Complete Skeletons of Man«, *Bulletin of the American School for Prehistoric Research* 10 (1934), S. 14f.

44 Arthur Keith, »Note by Sir Arthur Keith«, in: McCown, »The Oldest«, S. 18f.

7 Globales Denken für globale Zeiten

1 Mary Stiner, »The Faunal Remains from Grotta Guattari: A Taphonomic Perspective«, *Current Anthropology* 32, Nr. 2 (1991), S. 106.

2 F. M. Bergounioux, »Spiritualité de l'Homme de Néandertal«, in: G. H. R. von Koenigswald (Hg.), *Hundert Jahre Neanderthal* (Kemink en Zoon, Utrecht, 1958), S. 151.

3 A. Blanc, »The Fossil Man of Circeo's Mountain«, *Natural History* 45 (1940), S. 283.

4 Informationen über Julian Huxley stammen größtenteils aus Clark, *The Huxleys.*

5 ibd. S. 196f.

6 Die Diskussion ist weitgehend nachzulesen in Ernst Mayr, »Prologue: Some thoughts on the history of the evolutionary synthesis«, in: Ernst Mayr und William B. Provine (Hg.), *The Evolutionary Synthesis: Perspectives on the Unification of Biology* (Harvard University Press, Cambridge, Mass., 1980); ebenfalls in Ernst Mayr, *Die Entwicklung der biologischen Gedankenwelt* (Springer Verlag, Berlin, 1984), S. 545ff.

7 Mayr, »Prologue«, S. 40.

8 Welche Rolle Simpson bei der Entwicklung der Synthetischen Theorie spielte, ist nachzulesen in S. J. Gould, »G. G. Simpson, Paleontology, and the Modern Synthesis«, in: Mayr und Provine, *Evolutionary Synthesis,* S. 153-172.

9 G. G. Simpson, *Zeitmaße und Ablaufformen der Evolution* (Musterschmidt, Göttingen, 1951), S.9f.
10 Mayr, »Prologue«, S.42f.
11 Joseph Birdsell, »Some Reflections on Fifty Years in Biological Anthropology«, *Annual Review of Anthropology* 16 (1987), S.4.
12 Ernst Mayr im Gespräch mit E. T. (1991).
13 F. C. Howell, »European and Northwest African Middle Pleistocene Hominids«, *Current Anthropology* 1, Nr. 3 (1960), S.195-224.
14 W. W. Howells, *Die Ahnen der Menschheit* (Stuttgart, Wien, 1963), S.372f.
15 C. Loring Brace in einem Interview mit P. S. vom 21. Januar 1991.
16 Franz Weidenreich, »Facts and Speculations concerning the Origin of *Homo sapiens*«, *American Anthropologist* 49, Nr. 2 (1947), S.189, Hervorhebungen von Weidenreich.
17 G. G. Simpson, »The Principles of Classification and the Classification of Mammals«, *Bulletin of the American Museum of Natural History* 45 (Museum of Natural History, New York, 1945). Zitiert in Weidenreich, »Facts and Speculations«, S.189.
18 ibd., S.192.
19 Carleton S. Coon, *The Origin of Races* (Alfred A. Knopf, New York, 1962), S.viii.
20 Franz Weidenreich, »Interpretations of the Fossil Material«, in W. W. Howells (Hg.), *Ideas on Human Evolution: Selected Essays, 1949-1961* (Atheneum, New York, 1967), S.466f.
21 Ernst Mayr in einem Interview mit E. T., 1990.
22 W. W. Howells, »Preface«, in: Howells, *Ideas on Human Evolution*, S.x.
23 Earnest A. Hooton, *Apes, Men, and Morons*, S.VII.
24 ibd., S.106ff.
25 ibd., S.106ff.
26 Earnest A. Hooton, »An Untamed Anthropologist among the Wilder Whites«, *Harvard Alumni Bulletin*, 41, 2. Oktober 1930. Zitiert in: Carleton S. Coon, *Adventures and Discoveries: The Autobiography of Carleton S. Coon* (Prentice-Hall, Englewood Cliffs, N. J., 1981), S.84f. Informationen über Coon sind größtenteils dieser Quelle entnommen oder basieren auf persönlichen Erinnerungen der Autoren.
27 C. Loring Brace in einem Interview mit P. S. vom 21. Januar 1991.
28 Coon, *Adventures*, S.vii.
29 Howells, *Die Ahnen der Menschheit*, S.347.
30 Lita Osmundsen in einem Interview mit P. S. vom 24. März 1992.
31 Informationen und Zitate stammen aus einem Interview F. C. Howells mit P. S. aus dem Jahr 1991.
32 F. Clark Howell, »Pleistocene Glacial Ecology and the Evolution of ›Classic Neandertal‹ Man«, *Southwestern Journal of Anthropology* 8 (1952), S.377f.
33 F. Clark Howell, »The Evolutionary Significance of Variations and Varieties of ›Neanderthal‹ Man«, *Quarterly Review of Biology* 32 (1957), S.333.
34 Howell, »Pleistocene Glacial Ecology«, S.401.
35 F. Clark Howell, »Upper Pleistocene Men of Southwest Asian Mousterian«, in: von Koenigswald, *Hundert Jahre Neanderthal*, S.191.
36 Howell, »Pleistocene Glacial Ecology«, S.404.
37 Spencer, *Piltdown Papers*, S.176f.
38 S. L. Washburn in einem Interview mit Roger Lewin 1984. Zitiert in Roger Lewin, *Bones of Contention* (Simon & Schuster, New York, 1987), S.75.
39 Arthur Keith, »Australopithecinae or Dartians«, *Nature* 159 (1947), S.377.

40 Informationen stammen weitgehend aus Weiner, *Piltdown Forgery*.
41 J. S. Weiner, K. P. Oakley, and W. E. Le Gros Clark, »The solution to the Piltdown problem«, *Bulletin of the British Museum of Natural History (Geology)* 2 (1952), S. 145.
42 Wilfried E. Le Gros Clark, *Chant of Pleasant Exploration* (E & S Livingston, Edinburgh, 1968), S. 225f.
43 Spencer, *Piltdown: A Scientific Forgery*, S. 165.

8 Rasse und Unvernunft

1 Yves Coppens, »Camille Arambourg et Louis Leakey ou un demi-siècle de paléontologie africaine«, *Bulletin de la Société Préhistorique Française* 76 (1979), Etudes et Travaux Nr. 10-12, S. 293.
2 William L. Straus, Jr., und A. J. E. Cave, »Pathology and Posture of Neanderthal Man«, *Quarterly Review of Biology* 32, Nr. 4 (1957), S. 350ff.
3 Boule, *Fossile Menschen*, S. 232-237.
4 Boule, »L'Homme Fossile«, S. 227.
5 Straus und Cave, »Pathology«, S. 358f.
6 ibd., S. 359.
7 Henri Vallois, *La Grotte de Fontéchevade*, Zweiter Teil: *Anthropologie*, Kapitel 8. Nachgedruckt in Howells, *Ideas on Human Evolution*, S. 477.
8 ibd., S. 480ff.
9 ibd., S. 486f.
10 Henri Vallois, »The Fontéchevade Fossil Men«, *American Journal of Physical Anthropology* 3 (1949), S. 357. Hervorhebungen von Vallois.
11 Henri Vallois, »Les nouveaux Pithecanthropes et le problème de l'origine de l'homme«, *La Nature* 3123 (1946), S. 367-370. Zitiert in Weidenreich, »Interpretations«, S. 471.
12 Henri Vallois, *La Grotte de Fontéchevade*, zitiert in Howells, *Ideas*, S. 488.
13 ibd., S. 495.
14 F. Twiesselmann in einem Interview mit E. T. aus dem Jahr 1990.
15 Howells, *Die Ahnen der Menschheit*, S. 236.
16 Coon, *Origin of Races*, S. viii-ix.
17 ibd., S. 657.
18 ibd., S. 3f.
19 ibd., S. 660-663.
20 ibd., S. 38.
21 ibd., S. 532ff.
22 Der folgende Bericht stützt sich im wesentlichen auf Coon, *Adventures*. Verschiedene Punkte wurden im Gespräch von noch lebenden Anthropologen bestätigt.
23 ibd., 334f.
24 Lita Osmundsen in einem Interview mit P. S. vom 24. März 1992.
25 S. L. Washburn, »The Study of Race«, *American Anthropologist* 65 (1963), S. 521.
26 ibd., S. 522.
27 ibd., S. 525f.
28 Zitiert in Coon, *Adventures*, S. 355.
29 Informationen und Zitate von C. Loring Brace stammen aus einem Interview mit P. S. vom 21. Januar 1991.
30 Coon, *Adventures*, S. 204.

31 C. Loring Brace, »Refocusing on the Neanderthal Problem«, *American Anthropologist* 64 (1962), S. 729.
32 ibd., S. 731.
33 ibd., S. 736f.
34 C. Loring Brace, »Reply«, *Current Anthropology* 5, Nr. 1 (1964), S. 32.
35 C. Loring Brace, »The Fate of the ›Classic‹ Neanderthals: A Consideration of Hominid Catastrophism«, *Current Anthropology* 5, Nr. 1, (1964), S. 3.
36 ibd., S. 5f.
37 ibd., S. 11.
38 ibd., S. 15.
39 ibd., S. 17.
40 ibd., S. 17. Brace zitiert Aleš Hrdlička, *The Skeletal Remains of Early Man,* Smithsonian Miscellaneous Collections, der gesamte Bd. 83, (Smithsonian Institution, Washington D. C., 1930), S. 328. Hervorhebungen von Hrdlička.
41 Brace, »The Fate«, S. 18. Hervorhebungen von Brace.
42 ibd., S. 19.
43 W. W. Howells, »Comment on ›The Fate of the Neanderthals‹«, *Current Anthropology* 5, Nr. 1 (1964), S. 26.
44 J. E. Weckler, »Comment on ›The Fate of the Neanderthals‹«, *Current Anthropology* 5, Nr. 1 (1964), S. 31.
45 Andor Thoma, »Comment on ›The Fate of the Neanderthals‹«, *Current Anthropology* 5, Nr. 1 (1964), S. 30.
46 Santiago Genovès, »Comment on ›The Fate of the Neanderthals‹«, *Current Anthropology* 5, Nr. 1 (1964), S. 22.
47 François Bordes, »Comment on ›The Fate of the Neanderthals‹«, *Current Anthropology* 7, Nr. 2 (1966), S. 205.
48 Henri Vallois, »Comment on ›The Fate of the Neanderthals‹«, *Current Anthropology* 7, Nr. 2 (1966), S. 206.
49 C. Loring Brace, »Reply«, *Current Anthropology* 5, Nr. 1 (1964), S. 32.
50 C. Loring Brace in einem Interview mit P. S. aus dem Jahr 1991.
51 C. Loring Brace in einem Interview mit P. S. vom 21. Januar 1991.
52 Die Informationen über Ralph Solecki stammen aus einem Interview mit P. S. aus dem Jahr 1990. Berichte über die Entdeckungen und die Arbeit in Shanidar finden sich in: Ralph Solecki, »Notes on a Brief Archaeological Reconnaissance of Cave Sites in the Rowanduz District of Iraq«, *Sumer* 8 (1952), S. 37-48; Ralph Solecki, »A Palaeolithic Site in the Zagros Mountains of Northern Iraq. Report on a Sounding at Shanidar Cave«, *Sumer* 8 (1952), S. 127-192; 9 (1953), S. 60-93; Ralph Solecki, »The Shanidar Cave Sounding. 1953 Season, with Notes concerning the Discovery of the First Palaeolithic Skeleton in Iraq«, *Sumer* 9 (1953), S. 229-232.
53 Ralph Solecki, »Shanidar IV, a Neanderthal Flower Burial in Northern Iraq«, *Science* 190 (1975), S. 880.
54 Die detaillierte Beschreibung der Verletzungen des Neandertalers stützt sich auf Erik Trinkaus, *The Shanidar Neandertals* (Academic Press, New York, 1983).

9 Harte Zeiten

1 Die Informationen über und Zitate von Milford Wolpoff stammen aus einem Interview mit P. S. vom 21. Januar 1991.
2 David S. Brose und Milford H. Wolpoff, »Early Upper Paleolithic Man and

Late Middle Paleolithic Tools«, *American Anthropologist* 73, Nr. 5 (1971), S. 1156.

3 ibd., S. 1156.
4 ibd., S. 1158.
5 ibd., S. 1158.
6 ibd., S. 1166.
7 ibd., S. 1167.
8 W. W. Howells, »Neanderthals: Names, Hypothesis, and Scientific Method«, *American Anthropologist* 76, Nr. 1 (1974), S. 34.
9 Bernard Vandermeersch erzählte die Anekdote E. T. bei einem Interview im Jahr 1991. Vandermeersch glaubt, die Bemerkung sei im 19. Jahrhundert in der Diskussion auf einer wissenschaftlichen Konferenz gefallen.
10 Bei einer PET werden radioaktive Kontrastmittel in den Blutkreislauf des Patienten eingebracht. Diese Kontrastmittel sammeln sich in Regionen des Gehirns, die besonders aktiv sind, und markieren sie auf einem Schirm, auf dem die verschiedenen Kontrastmittelkonzentrationen in unterschiedlichen Farben erscheinen. Das Projekt ist beschrieben in S. E. Peterson et al., *Nature* 331, S. 585-589.
11 Die Informationen über Vandermeersch stammen aus Interviews mit E. T. vom August 1990 und vom Mai 1991.
12 Die Informationen über und Zitate von Christopher Stringer stammen aus einem Interview mit E. T. vom 22. September 1990.
13 Die Informationen über und Zitate von F. H. Smith stammen aus einem Interview mit P. S. vom 28. März 1991.
14 M. H. Wolpoff im Interview mit P. S. am 21. Januar 1991.
15 Fred H. Smith, »The Neandertal Remains from Krapina: A Descriptive and Comparative Study.« Report of Investigations Number 15 (University of Tennessee, Knoxville, 1976), S. 329.
16 ibd., S. 329f.
17 Trinkaus, *Shanidar Neandertals,* S. xix-xx.
18 T. Dale Stewart, »The Neanderthal Skeletal Remains from Shanidar Cave, Iraq: A Summary of Findings to Date«, *Proceedings of the American Philosophical Society* 121, Nr. 2 (1977), S. 122.
19 Die Informationen über Anne-Marie Tillier stammen aus einem Interview mit E. T. aus dem Jahr 1990.
20 Die Informationen über Jean-Jacques Hublin stammen aus einem Interview mit E. T. aus dem Jahr 1990.
21 Die Informationen über Günter Bräuer stammen aus einem Schriftwechsel mit E. T. aus dem Jahr 1991.
22 Die Radiokarbondatierung ist eine Methode, bei der der Zerfall des radioaktiven Kohlenstoff-Isotops C^{14} als eine Art Uhr verwendet wird. Auf diese Weise kann der Zeitraum bestimmt werden, der seit der Lebzeit des Objekts vergangen ist, das den Radiokohlenstoff enthält. Mittels dieser Datierungsmethode läßt sich das absolute – und nicht einfach das relative – Alter eines bestimmten Knochens, einer Muschel oder einer Pflanze bestimmen. Das Verfahren wurde kurz nach dem Zweiten Weltkrieg von Willard F. Libby entwickelt. Inzwischen ist das Verfahren verbessert worden und erlaubt genauere Messungen, was auch die Datierung relativ kleiner oder älterer Proben ermöglicht.
23 François Lévêque und Bernard Vandermeersch, »Les découvertes de restes humaines dans un horizon Châtelperronien de Saint-Césaire (Charente Maritime)«, *Bulletin de la Societé Préhistorique Française* 77, Nr. 2 (1980), S. 35.

24 A. M. ApSimon, »The Last Neanderthal in France?«, *Nature* 287 (1980), S. 271.

25 Günter Bräuer, »A Comment on the Controversy ›Allez Neanderthal‹ between E. A. Wolpoff & A. ApSimon and C. B. Stringer, R. G. Kuszynski & R. M. Jacobi in *Nature* 289 (1981), *Journal of Human Evolution* 11 (1982), S. 439.

10 Als unser Abbild geschaffen

1 Yoel Rak und Baruch Arensburg, »Kebara 2 Neanderthal Pelvis: First Look at a Complete Inlet«, *American Journal of Physical Anthropology* 73 (1987), S. 227.

2 Die folgende Darstellung ist größtenteils entnommen aus R. L. Cann, W. M. Brown und A. C. Wilson, »Evolution of Human Mitochondrial DNA: A Preliminary Report«, in B. Bonne-Tamir, T. Cohen und R. M. Goodman (Hg.), *Human Genetics, Part A: The Unfolding Genome* (Alan R. Liss, New York, 1982), S. 157-165; R. L. Cann, M. Stoneking und A. C. Wilson, »Mitochondrial DNA and Human Evolution«, *Nature* 325 (1987), S. 31-36; sowie Michael Brown, *The Search for Eve* (Harper & Row, New York, 1990).

3 Phillip Liebermann, *The Biology and Evolution of Language* (Harvard University Press, Cambridge, Mass., 1984), S. 329.

4 Informationen entnommen aus H. Valladas et al., »Thermoluminescence dates for the Neanderthal burial site at Kebara in Israel«, *Nature* 330 (1987) S. 159f; H. Valladas et al., »Thermoluminescence dating of Mousterian ›Proto-Cro-Magnon‹ remains from Israel and the origin of modern man«, *Nature* 331 (1988), S. 614ff; H. P. Schwarcz et al., »ESR dates for the hominid burial site of Qafzeh in Israel«, *Journal of Human Evolution* 17 (1988), S. 733-737; C. B. Stringer et al., »ESR dates for the hominid burial site of Es Skhul in Israel«, *Nature* 338 (1989), S. 756ff; sowie R. Grün & C. B. Stringer, »ESR dating of teeth from Garrod's Tabun cave collection«, *Journal of Human Evolution* 20 (1991), S. 231-248.

5 Informationen darüber in L. Vigilant et al., »African populations and the evolution of human mitochondrial DNA«, *Science* 253 (1991), S. 1503-1507.

6 Die folgende Darstellung stammt aus A. R. Templeton, »Human origins and analysis of mitochondrial DNA sequences«, *Science* 252 (1992), S. 737; D. R. Maddison, M. Ruvolo und D. L. Swofford, *Systematic Biology* 41 (1992), S. 111-124; sowie S. B. Hedges et al., »Human origins and analysis of mitochondrial DNA sequences«, *Science* 252 (1992), S. 737ff.

7 Der Einfachheit halber benutzen wir eine wissenschaftliche Notation, um diese extrem große Zahl auszudrücken. In der allgemein üblichen Notation würde 10^{250} als 10 mit 250 Nullen geschrieben werden.

8 A. R. Templeton, »The ›Eve‹ Hypothesis: A Genetic Critique and Reanalysis«, *American Anthropologist* (im Druck).

Text- und Bildnachweis

Gedankt sei den in folgenden genannten Personen und Institutionen für die freundliche Reproduktionsgenehmigung:

American Anthropological Association: Auszug aus »Early Upper Paleolithic Man and Late Middle Paleolithic Tools« von David S. Brose und Milford H. Wolpoff. *American Anthropologist 73*, 5. Oktober 1971. Nachdruck mit Genehmigung der American Anthropological Association. • *American Anthropological Association und C. Loring Brace:* Auszug aus »Refocusing on the Neanderthal Program« von C. Loring Brace. *American Anthropologist 64*, 4. August 1962. Nachdruck mit Genehmigung der American Anthropological Association und C. Loring Brace. • *American Anthropological Association und S. L. Washburn:* Auszug aus »The Study of Race« von S. L. Washburn. *American Anthropologist 65*, Teil 1, 3. Juni 1963. Nachdruck mit Genehmigung der American Anthropological Association und S. L. Washburn. • *Nachlaß von Carleton S. Coon:* Auszüge aus *The Origin of Races* von Carleton S. Coon (New York, Alfred A. Knopf, Inc., 1962), Copyright erneuert 1990. Nachdruck mit Genehmigung von Charles A. Coon und Carleton Coon, Jr. • *HarperCollins Publishers Inc.:* Auszüge aus *The Story of the Development of a Youth: Letters to His Parents* von Ernst Haeckel, übersetzt von G. Barry Gifford. Copyright zur Übersetzung 1923 für G. Barry Gifford. Auszüge aus *The Antiquity of Man*, Bd. II, von Arthur Keith (1928). Nachdruck genehmigt. • *Harvard University Press:* Auszüge aus *Ideas on Human Evolution: Selected Essays, 1949-1961*, herausgegeben von William Howells, Cambridge, Mass., Harvard University Press. Copyright © 1962 durch den Präsidenten und den Lehrkörper des Harvard College. Nachdruck mit Genehmigung der Verleger. • *Journal of Anthropological Research und F. Clark Howell:* Auszüge aus »Pleistocene Glacial Ecology ...« von F. Clark Howell. *Southwestern Journal of Anthropology*, 1952. Nachdruck genehmigt. • *Macmillan Magazines Limited:* Auszug aus »Neanderthal Man as a Distinct Species« von Grafton Elliot Smith. *Nature*, Bd. 121, S. 141. Copyright 1928 von Macmillan Magazines Limited. Nachdruck genehmigt. • *Oxford University Press:* Auszüge aus Charles Darwin und T. H. Huxley: *Autobiographies*, herausgegeben von Gavin de Beer (Oxford University Press, Oxford, 1974). Nachdruck genehmigt. • *The Putnam Publishing Group:* Auszüge aus *Apes, Men and Morons* von E. A. Hooton (G. P. Putnam & Sons, New York, 1937). Nachdruck genehmigt. • *Jakov Radovci, Kroatisches Museum für Naturgeschichte:* Jakov Radovci besorgte die englische Übersetzung von Auszügen aus *Prehistoric Man from Krapina* von Gorjanovic-Kramberger. Nachdruck mit Genehmigung von Jakov Radovci. • *The University of Chicago Press:* Auszüge aus »The Fate of the Classic Neanderthals« von C. Loring Brace (*Current Anthropology 5* (I), S. 3-43, 1964); Auszüge aus »Pathology and Posture of Neanderthal

Man« von William L. Straus und A. J. E. Cave (*Quarterly Review of Biology* 32 (4), S. 348-363, 1957). Nachdruck genehmigt.

1. Rheinisches Landesmuseum • 2. Musée de l'Homme • 3. Musée de l'Homme • 4. H. Woodward, *The History of the Geological Society of London* (London, Geological Society, 1907), 86. • 5. W. Buckland, *Reliquiae Diluvianae* (London, 1823), 274, Tafel 21. • 6. Jean-Marie Cordy • 7. Bibliothèque Nationale de Paris • 8. The Natural History Museum (London) • 9. Musée de l'Homme • 10. Rheinisches Landesmuseum • 11. Musée de l'Homme • 12. The Natural History Museum (London) • 13. The Natural History Museum (London) • 14. The Natural History Museum (London) • 15. Musée de l'Homme • 16. P. Broca, *Deuxième Congrès International d'Anthropologie et d'Archéologie Préhistorique* (1868), S. 395, Abbildung 84. • 17. Bibliothèque Nationale de Paris • 18. E. Dupont, *Bulletins de l'Académie royale de Belgique,* Reihe 2, 22 (1866), S. 54, Tafel I. • 19. P. Broca, *Deuxième Congrès International d'Anthropologie et d'Archéologie Préhistorique* (1868), S. 399, Abbildung 86. • 20. W. Bolsche, *Haeckel: His Life and Work* (London, Unwin, 1906), Abbildung gegenüber S. 244. • 21. R. Virchow, *Zeitschrift für Ethnologie* 14 (1882), S. 279 • 22. Musée de l'Homme • 23. Institut royal des Sciences naturelles de Belgique • 24. Familie Lohest • 25. J. Fraipont, *Revue d'Anthropologie,* Reihe 3, 3 (1888), S. 152. • 26. A. Hooijer-Ruben • 27. Société d'Anthropologie de Paris • 28. *Zeitschrift für Morphologie und Anthropologie* 16 (1914), Titelbild. • 29. Hrvatski Priodoslovni Muzej • 30. H. F. Osborn, *Men of the Old Stone Age* (New York, Charles Scribner's Sons, 1915), S. 181, Abbildung 90. • 31. Hrvatski Priodoslovni Muzej • 32. J. M. Mormone und B. Henriette, *La Vallée de Cro-Magnon au Début du Siècle* (Toulouse, Ed. Loubatières, 1987), S. 55. • 33. J. M. Mormone und B. Henriette, *La Vallée de Cro-Magnon au Début du Siècle* (Toulouse, Ed. Loubatières, 1987), S. 55. • 34. Musée de l'Homme • 35. Daniel Borzeix • 36. Musée de l'Homme • 37. M. Boule, *Annales de Paléontologie* 7 (1912), S. 93. • 38. A. Keith, *An Autobiography* (London, Watts, 1950), S. 312. • 39. The Natural History Museum (London) • 40. C. Dawson und A. S. Woodward, *Quarterly Journal of the Geological Society of London* 69 (1913), S. 141, Abbildung 9. • 41. Smithsonian Institution Foto Nr. MNH 31, S. 513 • 42. Natural History Museum (London) • 43. *Nature* 115 (1925), S. 469, Copyright © 1925 Macmillan Magazines Ltd. • 44. *The Illustrated London News* • 45. American Museum of Natural History Negativ Nr. 318924 • 46. Harvard University • 47. The Natural History Museum (London) • 48. Wenner-Gren Foundation for Anthropological Research, Inc. • 49. Museo Nazionale Preistorico ed Etnographico »L. Pigorini« • 50. Istituto Italiano di Paleontologia Umana • 51. Nachdruck mit Genehmigung der American Anthropological Association aus *American Anthropologist* 49, S. 2, April-Juni 1947, nicht für den weiteren Nachdruck freigegeben. • 52. David Noble • 53. Peabody Museum of Archaeology and Ethnology, Harvard University • 54. F. Clark Howell • 55. University of Chicago Press • 56. Musée de l'Homme • 57. Musée de l'Homme; *American Journal of Physical Anthropology* / H. V. Vallois, Copyright © 1949 Wiley-Liss, einer Tochter von John Wiley and Sons, Inc. • 58. *Mankind in the Making* 2. Ausgabe, von W. W. Howells, © W. W. Howells. Mit Genehmigung von Doubleday, einer Tochtergesellschaft von Bantam Doubleday Dell Publishing Group, Inc. • 59. Museum of Anthropology, University of Michigan • 60. Ralph S. Solecki • 61. Ralph S. Solecki • 62. Ralph S. Solecki • 63. Fred H. Smith • 64. Erik Trinkaus • 65. Paul Richens / The Natural History Museum (London) • 66. Günter Bräuer • 67. Bernard Vandermeersch • 68. Anonym. *Harper's Weekly* 17 (1873), S. 617. • 69. André Leguebe • 70. Rheinisches Landesmuseum • 71.

M. Boule, *Annales de Paléontologie* 8 (1913), S. 24, Abbildung 99. • 72. Erik Trinkaus / Musée National de Préhistoire • 73. Carleton S. Coon, *The Races of Europe,* S. 24 (New York, Macmillan Co., 1939), Copyright erneuert 1967. Mit Genehmigung der Nachlaßverwalter Carleton S. Coons. • 74. United Artists • 75. Zdeuck Burian • 76. Mooney's Modules • 77. Erik Trinkaus / Michael Anderson / Maxwell Museum of Anthropology

Register

575